湖北省学术著作出版专项资金资助项目
中国地质调查局"河南省地质遗迹调查与区划及示范研究"项目
中国重要地质遗迹系列丛书
《地质遗迹调查规范》(DZ/T 0303—2017)行业标准注释解读物

河南省重要地质遗迹

HENAN SHENG ZHONGYAO DIZHI YIJI

方建华　张古彬　毛晓长　编著

内容提要

本书是中国地质调查局"全国重要地质遗迹调查"项目——"河南省地质遗迹调查与区划及示范研究"项目成果的总结。全书分重要地质遗迹和地质遗迹调查方法两部分,第一篇对河南省重要的地层剖面、岩石剖面、构造剖面、重要化石产地、重要岩矿石产地、岩土体地貌、构造地貌、水体地貌、地质灾害等类型地质遗迹进行了全面和系统的研究,阐明了全省各类地质遗迹的类型及分布、地质遗迹特征,对各类地质遗迹做出了评价,进行了地质遗迹区划,提出了河南省地质遗迹保护规划建议。第二篇提出了地质遗迹调查资料收集与重要地质遗迹点筛选方法、重要地质遗迹鉴评及保护名录确定方法、地质遗迹调查对象及相应的调查研究方法,编制了河南省地质遗迹区划方法、地质遗迹保护规划方法、地质遗迹图编图方法、地质遗迹定量评价方法、地质遗迹数据库建库方法等一整套地质遗迹调查方法,为全国地质遗迹调查提供了借鉴,为自然资源部地质行业标准《地质遗迹调查规范》(DZ/T 0303—2017)编制提供了理论依据和实践经验。

本书资料翔实,内容丰富,是目前全面系统反映河南省地质遗迹调查研究最新进展、成果及调查方法的专著,是一本对《地质遗迹调查规范》(DZ/T 0303—2017)详细解读的论著,具有重要的专业参考和利用价值,可供从事地质遗迹调查评价、管理和保护利用,地质公园建设和管理,地质旅游的工作人员和科研人员及相关院校师生参阅。

图书在版编目(CIP)数据

河南省重要地质遗迹/方建华,张古彬,毛晓长编著.—武汉:中国地质大学出版社,2019.10
(中国重要地质遗迹系列丛书)
ISBN 978-7-5625-4617-7

Ⅰ.①河…
Ⅱ.①方…②张…③毛…
Ⅲ.①区域地质-研究-河南
Ⅳ.①P562.61

中国版本图书馆 CIP 数据核字(2019)第 175360 号

河南省重要地质遗迹		方建华　张古彬　毛晓长　编著
责任编辑:李国昌　谢媛华	选题策划:唐然坤　毕克成　张旭	责任校对:周旭
出版发行:中国地质大学出版社(武汉市洪山区鲁磨路388号)		邮编:430074
电　　话:(027)67883511	传　　真:(027)67883580	E-mail:cbb@cug.edu.cn
经　　销:全国新华书店		http://cugp.cug.edu.cn
开本:880毫米×1 230毫米　1/16		字数:653千字　印张:20.5　插页:1
版次:2019年10月第1版		印次:2019年10月第1次印刷
印刷:武汉中远印务有限公司		印数:1—1 000册
ISBN 978-7-5625-4617-7		定价:168.00元

如有印装质量问题请与印刷厂联系调换

前 言

地质遗迹调查是随着社会经济发展，地质勘查行业所面临的新的工作领域。传统的地质调查简单地说是调查地质现象，而地质遗迹调查则是调查已研究过的地质现象、具有观赏价值的地貌景观和具科普教育意义的地质遗迹景观。因此，地质遗迹调查方法与区域地质调查方法和水工环地质调查方法不同，具有相应的内容、思路、技术方法和要求。

河南省地处中原，为华北陆块与华南陆块的交接地带，地质遗迹类型多样，资源丰富，地质调查及地质矿产勘查工作有百年的历史，地质研究程度较高，近年来地质遗迹保护和地质公园创建工作也取得了令人赞叹的成就。中国地质调查局为了开展全国地质遗迹调查工作，选择河南、四川两省作为省级地质遗迹调查方法研究先行示范省。为此，中国地质调查局自2009—2011年下达任务，河南省地质调查院承担了"河南省地质遗迹调查与区划及示范研究"项目。从项目总体设计、年度工作方案到项目成果报告，均被中国地质调查局组织的专家评审为优秀。本书第一作者曾于2010年11月及2012年7月两次作为中国地质调查局、中国地质环境监测院举办的"全国地质遗迹调查技术要求"培训班主讲教师，培训参加省级地质遗迹调查的专业技术人员，介绍河南省地质遗迹调查方法和经验。《河南省重要地质遗迹》一书即是"河南省地质遗迹调查与区划及示范研究"项目的研究成果。该书全面系统地叙述了河南省地质遗迹调查成果；阐明了全省各类地质遗迹的类型、分布及特征，对各类地质遗迹做出了评价，进行了地质遗迹区划，提出了河南省地质遗迹保护规划建议；总结了地质遗迹调查方法，提出了地质遗迹调查资料收集及重要地质遗迹点筛选方法、重要地质遗迹鉴评及保护名录确定方法、地质遗迹调查对象及相应的调查研究方法，编制了河南省地质遗迹区划方法，地质遗迹保护段（点）、地质公园保护规划方法，地质遗迹分布图及保护规划建议图编图方法，地质遗迹定量评价方法，地质遗迹数据库建库方法等一套完整的地质遗迹调查方法，为全国各省开展地质遗迹调查提供了借鉴，为自然资源部《地质遗迹调查规范》（DZ/T 0303—2017）地质矿产行业标准编制提供了理论依据和实践经验。

本项目研究工作自始至终得到了时任河南省地质调查院张良、朱广彬院长，刘成社、王现国、刘新号、张贤良副院长，燕长海、赵建敏、李中明总工及其他院领导的支持、关心、指导和帮助；得到王世炎、马瑞申、阎震鹏副总工，姚瑞增、杜凤军、曾宪友、彭翼、张燕平、张彦启、崔来运、仝长水、朱学立等教授级高工的具体指导和帮助；卢社香教授指导并参与地质遗迹空间数据库的建库工作；地质遗迹鉴评咨询工作得到河南省国土资源厅张兴辽总工，王志光、席运宏、张克伟、卢欣祥、王志宏、劳子强、王德有、关保德、宋峰、裴放、符光宏等教授级高工的指导和帮助；中国地质环境监测院董颖教授级高工、曹晓娟高工，中国科学院广州地球化学研究所赵太平研究员，在项目工作中给予了大力支持和帮助。

自然资源部地质环境司、中国地质调查局、中国地质环境监测院以及河南省国土资源厅地质环境处的关凤峻、陈小宁、陈安泽、侯金武、翟刚毅、田廷山、李继江、袁小虹、于庆文、张智勇、陈克强、王保良、肖庆辉、庄育勋、邱心飞、谢章中、褚洪斌、范晓、饶维智、梁世云、李明、冯进城、李召明等众多领导和专家，对本项目的工作给予了许多支持和帮助，在此表示诚挚的感谢。

谨向所有为本书出版做出贡献和提供帮助的专家学者表示衷心的感谢！限于编著者专业知识水平，书中难免有疏漏和错误，敬请批评指正。

编著者

2018 年 5 月

目 录

第一篇 重要地质遗迹

第一章 概述 ………………………………………………………………………………………………(3)
第一节 基本概念 ……………………………………………………………………………………(4)
第二节 河南省地质遗迹调查主要成果 ……………………………………………………………(5)

第二章 自然地理及地质背景 ……………………………………………………………………………(9)
第一节 自然地理概况 ………………………………………………………………………………(10)
第二节 地层 …………………………………………………………………………………………(12)
第三节 岩浆岩 ………………………………………………………………………………………(14)
第四节 地质构造 ……………………………………………………………………………………(16)

第三章 地质遗迹类型及分布 ……………………………………………………………………………(17)
第一节 河南省地质遗迹类型 ………………………………………………………………………(18)
第二节 河南省地质遗迹分布规律 …………………………………………………………………(19)
第三节 河南省地质遗迹形成及演化历史 …………………………………………………………(24)

第四章 地质遗迹特征 ……………………………………………………………………………………(27)
第一节 地层剖面类地质遗迹 ………………………………………………………………………(28)
第二节 岩石剖面类地质遗迹 ………………………………………………………………………(69)
第三节 构造剖面类地质遗迹 ………………………………………………………………………(81)
第四节 重要化石产地类地质遗迹 …………………………………………………………………(100)
第五节 重要岩矿石产地类地质遗迹 ………………………………………………………………(112)
第六节 岩土体地貌类地质遗迹 ……………………………………………………………………(125)
第七节 构造地貌类地质遗迹 ………………………………………………………………………(148)
第八节 水体地貌类地质遗迹 ………………………………………………………………………(153)
第九节 地质灾害类地质遗迹 ………………………………………………………………………(166)

第五章 地质遗迹评价 ……………………………………………………………………………………(171)
第一节 地质遗迹评价原则与评价内容 ……………………………………………………………(172)

第二节 地质遗迹评价标准 …………………………………………………………… (172)
第三节 地质遗迹评价方法 …………………………………………………………… (174)

第六章 地质遗迹区划 …………………………………………………………………… (177)
第一节 地质遗迹区划指导思想与原则 ………………………………………………… (178)
第二节 河南省地质遗迹区划 …………………………………………………………… (178)

第七章 地质遗迹保护规划建议 ………………………………………………………… (181)
第一节 地质遗迹保护规划编制指导思想 ……………………………………………… (182)
第二节 地质遗迹保护规划编制 ………………………………………………………… (182)

第二篇 地质遗迹调查方法

第八章 地质遗迹调查方法论述 ………………………………………………………… (193)
第一节 地质遗迹调查方法概述 ………………………………………………………… (194)
第二节 国内外地质遗迹调查研究现状 ………………………………………………… (196)
第三节 现有地质遗迹调查方法评述 …………………………………………………… (197)

第九章 地质遗迹调查工作方法 ………………………………………………………… (199)
第一节 资料收集与重要地质遗迹点筛选方法 ………………………………………… (200)
第二节 重要地质遗迹鉴评方法 ………………………………………………………… (204)
第三节 重要地质遗迹保护名录确定方法 ……………………………………………… (207)
第四节 地质遗迹调查对象 ……………………………………………………………… (208)
第五节 地质遗迹登记表填写方法 ……………………………………………………… (208)
第六节 地质遗迹野外调查方法 ………………………………………………………… (211)
第七节 各类地质遗迹调查方法 ………………………………………………………… (212)
第八节 地质遗迹对比研究方法 ………………………………………………………… (265)

第十章 地质遗迹调查成果编制方法 …………………………………………………… (269)
第一节 河南省地质遗迹区划方法 ……………………………………………………… (270)
第二节 河南省地质遗迹保护规划方法 ………………………………………………… (276)
第三节 河南省地质遗迹图编图方法 …………………………………………………… (278)
第四节 河南省地质遗迹定量评价方法 ………………………………………………… (279)
第五节 河南省地质遗迹数据库建库方法 ……………………………………………… (284)

结束语 ………………………………………………………………………………………… (294)

主要参考文献 ………………………………………………………………………………… (298)

附件 河南省重要地质遗迹保护名录（建议稿） ………………………………………… (302)

第一篇

重要地质遗迹

ZHONGYAO DIZHI YIJI

第一章 概述
GAISHU

第一节 基本概念

一、地质遗迹

地质遗迹（Geological heritage）是指在地球演化的漫长地质历史时期中，由于内外动力地质作用而形成、发展并保存下来的稀有、珍贵且不可再生的地质自然遗产。

地质遗迹包括对追溯地质历史具有重大科学研究价值的典型层型剖面（含副层型剖面）、生物化石组合带地层剖面、岩性岩相建造剖面及典型地质构造剖面和构造形迹；对地质演化和生物进化具有重要科学文化价值的古人类与古脊椎动物、无脊椎动物、微体古生物、古植物等化石与产地以及重要古生物活动遗迹；具有重大科学研究和观赏价值的岩溶、丹霞、黄土、雅丹、花岗岩奇峰、石英砂岩峰林、火山、冰川、陨石、鸣沙、海岸等奇特地质景观；具有特殊学科研究和观赏价值的岩石、矿物、宝玉石及其他典型产地；具有独特医疗、保健作用或科学研究价值的温泉、矿泉、矿泥、地下水活动痕迹，以及有特殊地质意义的瀑布、湖泊、奇泉；具有科学研究意义的典型地震、地裂、塌陷、沉降、崩塌、滑坡、泥石流等地质灾害遗迹。

重要地质遗迹是指地质遗迹调查过程中发现的各种类型的典型地质遗迹，是经过组织专家鉴评过的世界级、国家级、省级地质遗迹。

二、地质遗迹调查

本书地质遗迹调查是指省级地质遗迹调查，采用资料收集与分析、地质遗迹点筛选、重要地质遗迹鉴评、遥感解译、野外调查等方法和手段，查明省域内地质遗迹类型、分布、规模、形态、数量、物质组成、成因、演化、组合关系、保存现状和保护利用条件等，评价其科学价值、观赏价值，提出保护和利用的规划建议，编制重要地质遗迹分布图、规划图和区划图，提出地质遗迹保护建议名录，建立地质遗迹数据库，为省级地质遗迹保护管理与利用提供基础资料和科学依据而开展的地质遗迹调查工作。

省级地质遗迹调查既不同于区域地质调查，也不同于水工环地质调查，因为省级地质遗迹调查项目工作涉及地层、构造、古生物化石、岩石、矿物、矿产、地貌、水文地质、旅游、地质灾害等诸多专业领域，工作内容宽泛、复杂。地质调查是调查地质现象，地质遗迹调查是调查研究过的地质现象、具有观赏价值的地貌景观、具有科普教育意义的地质景观。因此，地质遗迹调查方法与区域地质调查方法和水工环地质调查方法不同，具有相应的内容、思路和要求。根据"河南省地质遗迹调查与区划及示范研究"项目实施的工作经验，将河南省地质遗迹调查方法归纳为：资料收集与重要地质遗迹点的筛选方法、重要地质遗迹鉴评方法、重要地质遗迹保护名录确定方法、地质遗迹调查方法、地质遗迹区划方法、地质遗迹保护规划方法、地质遗迹图编图方法、地质遗迹定量评价方法、地质遗迹信息管理数据库及地质遗迹空间数据库建库方法。其中，资料收集与重要地质遗迹点的筛选方法、重要地质遗迹鉴评方法、重要地质遗迹保护名录确定方法、地质遗迹调查方法为地质遗迹调查工作方法，地质遗迹区划方法、地质遗迹保护规划方法、地质遗迹图编图方法、地质遗迹定量评价方法、地质遗迹信息管理数据库及地质遗迹空间数据库建库方法为地质遗迹调查成果编制方法。

三、地质遗迹调查目标任务

省级地质遗迹调查工作的目的是查明省(自治区、直辖市)范围内重要地质遗迹分布规律,编制地质遗迹保护规划,为合理保护与开发利用地质遗迹资源提供基础资料和科学依据。主要任务:查明省(自治区、直辖市)范围内地质遗迹分布,摸清地质遗迹资源家底;在查清地质遗迹分类的基础上,进行地质遗迹评价,开展省级地质遗迹编图和保护区规划;提出地质遗迹保护措施和建议,为各级政府地质遗迹保护管理与利用决策提供基础资料和科学依据。

四、地质遗迹调查工作流程

地质遗迹调查工作流程:项目任务书下达后,前期资料收集→设计编写评审→设计书批准后地质遗迹相关资料收集→分类筛选重要地质遗迹点→筛选后地质遗迹点按照地质遗迹对应准则和相对重要性原则的分类鉴评标准组织专家鉴评→鉴评后确定重要地质遗迹保护名录→根据重要地质遗迹保护名录填写地质遗迹登记表→进行地质遗迹野外补充调查→编绘地质遗迹分布图、地质遗迹区划图、地质遗迹保护规划建议图、地质遗迹定量评价、地质遗迹区划、地质遗迹保护规划,建立地质遗迹数据库(信息管理数据库、空间数据库)→提交项目成果报告。

第二节 河南省地质遗迹调查主要成果

一、调查河南省重要地质遗迹335处

调查河南省重要地质遗迹335处,其中地层剖面类156处,岩石剖面类26处,构造剖面类24处,重要化石产地类24处,重要岩矿石产地类30处,岩土体地貌类37处,构造地貌类6处,水体地貌类27处,地质灾害类5处。其中,世界级地质遗迹22处,国家级地质遗迹138处(详见附件1:河南省重要地质遗迹分布图),省级地质遗迹175处。这些重要地质遗迹在世界地质公园内69处,在国家地质公园内24处,在省级地质公园内25处,不在地质公园内217处,详见表1-1。

表1-1 河南省重要地质遗迹统计表　　　　　　　　单位:处

地质遗迹类型		地质遗迹评价级别				地质公园				
大类	类	世界级	国家级	省级	小计	世界级	国家级	省级	不在地质公园内	小计
基础地质	地层剖面	1	67	88	156	17	2	0	137	156
	岩石剖面	3	8	15	26	8	3	3	12	26
	构造剖面	8	12	4	24	13	3	2	6	24
	重要化石产地	5	9	10	24	5	1	4	14	24
	重要岩矿石产地	3	14	13	30	1	1	0	28	30

续表 1-1

地质遗迹类型		地质遗迹评价级别				地质公园				
大类	类	世界级	国家级	省级	小计	世界级	国家级	省级	不在地质公园内	小计
地貌景观	岩土体地貌	1	17	19	37	15	7	10	5	37
	构造地貌	0	5	1	6	3	2	1	0	6
	水体地貌	1	5	21	27	7	3	5	12	27
地质灾害	地质灾害	0	1	4	5	0	2	0	3	5
合计		22	138	175	335	69	24	25	217	335

二、确定河南省重要地质遗迹保护名录

河南省重要地质遗迹保护名录,按照国土资源部地质行业标准《地质遗迹调查规范》(DZ/T 0303—2017)制定的地质遗迹分类,组织河南省在地质行业相关专业领域有一定造诣的知名专家进行了地质遗迹鉴评咨询,在专家鉴评咨询的基础上,确定出河南省重要地质遗迹(表1-1)。这些河南省重要地质遗迹保护名录为初次确定,还有待今后工作的不断补充和完善。

三、重要地质遗迹鉴评方法研究

根据《地质遗迹保护管理规定》划分的地质遗迹分级标准,按照地质遗迹鉴评的对应准则和相对重要性原则,编制地质遗迹鉴评等级标准,筛选出了地层剖面类、岩石剖面类、构造剖面类、重要化石产地类、重要岩矿石产地类、岩土体地貌类、构造地貌类、水体地貌类、地质灾害类(崩塌、滑坡、泥石流、地面塌陷)等河南省具有的重要地质遗迹类型,于2010年4月—2011年7月分地层剖面类、重要化石产地类、构造剖面类、岩石剖面类、重要岩矿石产地类等4次以座谈会议的形式及多次书面单独咨询形式,组织河南省在地质行业相关专业领域有一定造诣的知名专家进行了地质遗迹专家咨询鉴评,总结了地质遗迹的鉴评方法(详见第九章第二节重要地质遗迹鉴评方法)。

四、地质遗迹调查方法研究

根据《地质遗迹调查规范》(DZ/T 0303—2017)的地质遗迹类型划分方案,河南省重要地质遗迹分为基础地质大类地质遗迹(地层剖面类、岩石剖面类、构造剖面类、重要化石产地类、重要岩矿石产地类)、地貌景观大类地质遗迹(岩土体地貌类、构造地貌类、水体地貌类)、地质灾害大类地质遗迹(地质灾害类)3大类9类33亚类,总计335处,完成地质遗迹登记表334份,完成地质遗迹调查表88份。其中,基础地质大类地层剖面类地质遗迹调查表3份,岩石剖面类地质遗迹调查表5份,构造剖面类地质遗迹调查表24份,重要化石产地类地质遗迹调查表13份,重要岩矿石产地类地质遗迹调查表4份;地貌景观大类岩土体地貌类地质遗迹调查表28份,构造地貌类地质遗迹调查表2份,水体地貌类地质遗迹调查表7份;地质灾害大类地质灾害类地质遗迹调查表3份。总结了地质遗迹调查方法,详见第九章第七节各类地质遗迹调查方法。

五、查明河南省地质遗迹分布状况和规律

根据河南省重要地质遗迹的分布规律,将河南省划分为南太行山地质遗迹大区(Ⅰ)、崤山-嵩箕山地质遗迹大区(Ⅱ)、小秦岭-伏牛山地质遗迹大区(Ⅲ)、桐柏山-大别山地质遗迹大区(Ⅳ)、黄淮海平原地质遗迹大区(Ⅴ),总计重要地质遗迹335处。

1. 太行山地质遗迹大区(Ⅰ)

太行山地区的地质遗迹主要为地层剖面类20处,岩石剖面类7处,构造剖面类7处,重要化石产地类4处,重要岩矿石产地类3处,岩土体地貌类3处,构造地貌类5处,水体地貌景观类8处,地质灾害类2处,总计重要地质遗迹59处。

2. 崤山-嵩箕山地质遗迹大区(Ⅱ)

崤山—嵩箕山地区的地质遗迹主要为地层剖面类29处,岩石剖面类3处,构造剖面类5处,重要化石产地类2处,重要岩矿石产地类4处,岩土体地貌类7处,构造地貌类1处,水体地貌类4处,总计重要地质遗迹55处。

3. 小秦岭-伏牛山地质遗迹大区(Ⅲ)

小秦岭—伏牛山地区的地质遗迹主要为地层剖面类86处,岩石剖面类11处,构造剖面类9处,重要化石产地类14处,重要岩矿石产地类17处,岩土体地貌类21处,水体地貌类12处,地质灾害类3处,总计重要地质遗迹173处。

4. 桐柏山-大别山地质遗迹大区(Ⅳ)

桐柏山-大别山地区的地质遗迹主要为地层剖面类21处,岩石剖面类5处,构造剖面类3处,重要化石产地类2处,重要岩矿石产地类6处,岩土体地貌类5处,水体地貌类2处,总计重要地质遗迹44处。

5. 黄淮海平原地质遗迹大区(Ⅴ)

黄淮海平原地区地质遗迹缺乏,只有零星分布,主要为重要化石产地类1处,重要岩矿石产地类1处,岩土体地貌类1处,水体地貌类1处,总计重要地质遗迹4处。

六、编绘河南省重要地质遗迹分布图及保护规划建议图

1. 河南省重要地质遗迹分布

将河南省具有科学价值、观赏价值、典型、稀有,经过组织专家鉴评过的,确定为世界级、国家级、省级地质遗迹,按照地质遗迹类型划分为基础地质大类(地层剖面类、岩石剖面类、构造剖面类、重要化石产地类、重要岩矿石产地类)、地貌景观大类(岩土体地貌类、构造地貌类、水体地貌类)、地质灾害大类(地质灾害类)三大类地质遗迹标示在图面上。同时,把河南省已建立的世界级、国家级、省级地质公园的分布位置、范围、面积标示在图面上,可清晰地反映河南省重要地质遗迹及地质公园分布情况。

2. 河南省地质遗迹保护规划建议

在绘制河南省重要地质遗迹分布图的基础上,根据地质遗迹的分布,按照省、地市、县(区)行政区划范围,在未建立及不适宜建立地质公园的地带,规划建立地质遗迹保护段、地质遗迹保护点,将划分的地质遗迹保护段、地质遗迹保护点、已建立地质公园3种地质遗迹保护类型标示在图面上,反映河南省、地市、县(区)各级自然资源部门应当负责保护和管理的地质遗迹,编绘河南省地质遗迹保护规划建议图。

七、河南省地质遗迹数据库建库方法研究

根据中国地质调查局的要求,河南省地质遗迹数据库(地质遗迹信息管理数据库及空间数据库)建设,为"全国重要地质遗迹调查"计划项目提供地质遗迹数据库建设的先行示范方法研究。项目研究提出了建立地质遗迹信息管理数据库建库结构思路和数据采集内容格式,计划项目实施单位为中国地质环境监测院。根据河南省地质调查院提供的地质遗迹信息管理数据库建库结构思路和数据采集内容格式,开发研制了"地质遗迹数据采集系统软件"。以"地质遗迹数据采集系统软件"为平台,把地质遗迹点作为基本建库单元,在野外地质遗迹调查和资料综合整理研究的基础上,以填制的地质遗迹调查表、地质遗迹登记表为数据采集源,制订合理的建库流程,建立了"河南省地质遗迹信息管理数据库和空间数据库"。建库目的就是要为国家、省、地市、县(区)各级自然资源部门履行保护和管理地质遗迹的职能工作服务,为科研单位、社会公众及其他有关单位提供方便快捷的重要地质遗迹查询、更改、补充、完善等信息化服务。

八、河南省地质遗迹区划方法研究

河南省地质遗迹区划方法研究(详见第十章第一节河南省地质遗迹区划方法)是为"全国重要地质遗迹调查"计划项目提供省级重要地质遗迹调查区划方法的先行示范,也是为编写《地质遗迹调查规范》(DZ/T 0303—2017)提供实践经验和技术依据。区划方法研究主要根据调查掌握的河南省地质遗迹分布状况和规律进行,地质遗迹的分布受地貌类型和区域地质背景的影响,在不同的地貌类型和地质背景条件下形成不同的地质遗迹,并且地质遗迹的空间分布也是不均衡的。因此,地质遗迹区划方法是在全面开展地质遗迹调查的基础上,按照地质遗迹的自然属性和特征进行分区。根据地质遗迹分布和类型、地貌单元及构造单元区划分界线进行地质遗迹区划,将河南省地质遗迹区划分为3个层次,即划分为南太行山地质遗迹大区(Ⅰ),崤山-嵩箕山地质遗迹大区(Ⅱ),小秦岭-伏牛山地质遗迹大区(Ⅲ),桐柏山-大别山地质遗迹大区(Ⅳ),黄淮海平原地质遗迹大区(Ⅴ)5个地质遗迹大区。每个地质遗迹大区又划分为不同的地质遗迹分区,总计划分18个地质遗迹分区,有些地质遗迹分区再进一步划分为地质遗迹小区,总计划分为24个地质遗迹小区。

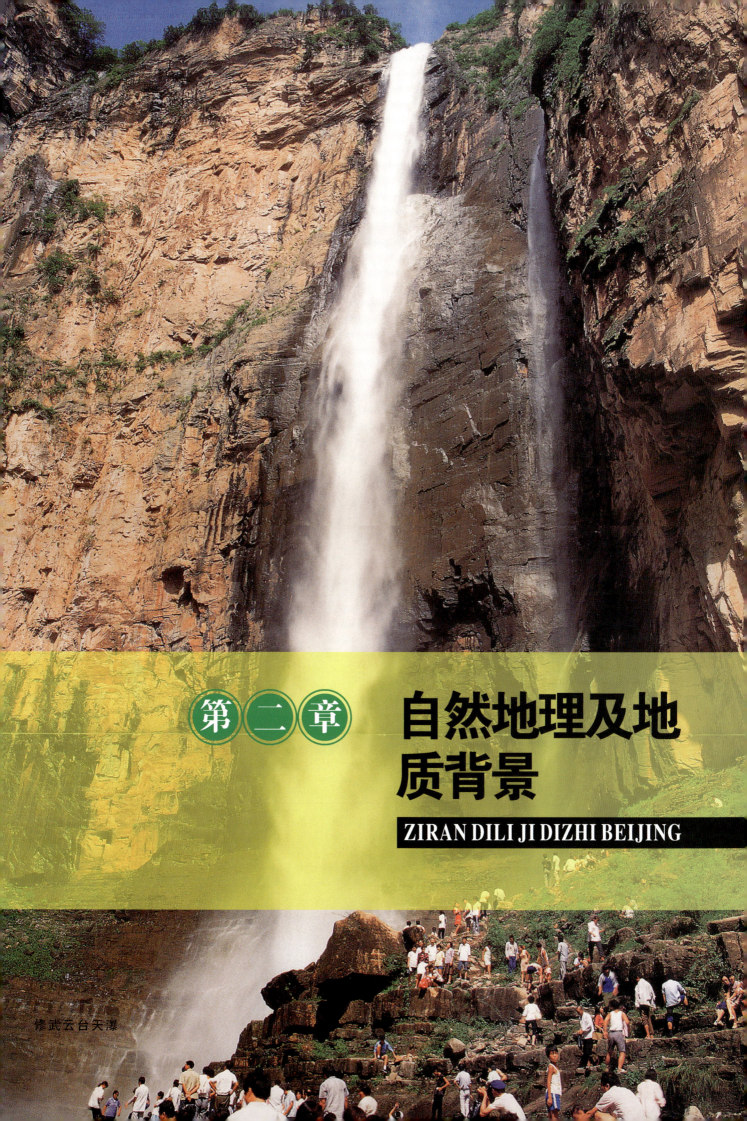

第二章 自然地理及地质背景

ZIRAN DILI JI DIZHI BEIJING

修武云台天瀑

第一节 自然地理概况

一、工作区位置范围

河南省位于中国的中部，地处黄河中下游，古称豫州，简称豫，素有"中州""中原"之称，省会郑州市坐落在黄河南岸邙山脚下。河南省地质遗迹调查工作范围是整个河南省行政管辖区域范围，省域面积约167 000km²，地理坐标为：东经110°21′—116°39′，北纬31°23′—36°22′（图2-1）。

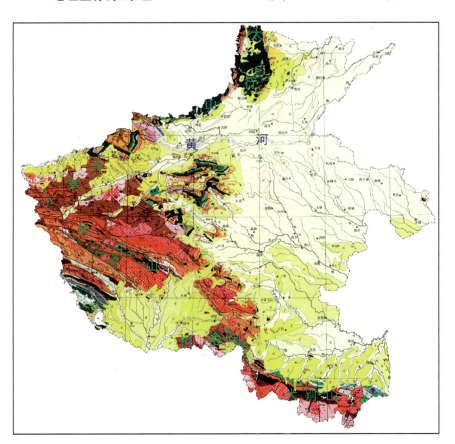

图2-1 工作区范围示意图

二、自然地理概况

河南省地势西高东低，北、西、南三面环山，东部为平原。地貌主要由山地、丘陵和平原三部分组成。其中，山地、丘陵面积占总面积的44.3%，平原面积占总面积的55.7%。豫北山地为太行山南段东麓，山体由南北转向西南，呈弧形分布，主体属断块山地，呈陡峻的单面山形态，海拔约1 500m。豫西山地为秦岭东延余脉，由崤山、熊耳山、外方山、伏牛山等几条山脉构成，山势西高东低，呈扇形向东展开,海拔500～2 000m,最高峰2 413.8m,在山地前缘边坡的丘陵地带,挺立着雄伟、峻拔的中岳嵩山,海拔1 440m。豫南山地由桐柏山、大别山构成,绵延于豫、鄂、皖三省之间,一般海拔800m左右,为长江、淮河流域的分水岭。平原海拔多在200m以下,略向东南倾斜。南阳盆地位于豫西山地和豫南山地之间,呈向南开口的扇形,是汉水支流唐河、白河、湍河的侵蚀冲积平原,盆地中部海拔80～140m,南与湖北襄樊盆地相连,是华北平原与江汉平原的通道。另外,在洛河、伊河下游还有一些小型的山间盆地。

河南省河流众多,分属黄河、淮河、海河、长江四大水系。黄河由陕西老潼关入省,横贯省内北部,折向东北流入山东境内,省内河段长达720km,流域面积约38 100km^2,孟津以西河窄流急,以东河宽流缓。淮河源出于桐柏山西段,横贯河南省东南部,省内河段长达340km,支流甚多,流域面积88 300km^2。唐河、白河、丹江都是汉水支流,在河南省内流域面积约27 200km^2。卫河源出于太行山南段,是海河最长的支流,在河南省内流域面积约13 400km^2。上述河流流量较大,水利资源丰富。

河南省气候大致以伏牛山脉及淮河为界,以南属亚热带湿润气候,景色略似江南;以北属暖温带半湿润气候,春季多风干旱,夏季炎热多雨,秋季晴和日照足,冬季寒冷少雪。全省年平均气温12～15℃,无霜期大致为190～220d,年降水量在600～1 200mm之间。

因气候条件优越、土地肥沃,河南省农业发达,为两年三熟制或一年两熟制。粮食作物有小麦、玉米、水稻、高粱等,经济作物主要有棉花、烟叶、芝麻、油菜、花生等,是全国重要的粮食与经济作物产区之一。全省森林覆盖面积占12.3%,林区盛产柞蚕、茶叶、药材、核桃、板栗、大枣、木耳等,信阳毛尖茶、豫北四大怀药、淮阳黄花菜、灵宝苹果、新郑大枣等特产驰名全国。

河南省已基本建立了一个包括矿产开采、煤炭、石油、电力、轻纺、烟草、医药、机械、电子、冶金、建材、化工、汽车制造、信息通信工程和国防等门类比较齐全的工业体系,是国内主要的煤炭、机械制造和纺织工业基地之一。拖拉机、轴承、卷烟、煤炭、石油与天然气、电解铝、棉纱等产量均居全国重要地位。乡镇企业蓬勃兴起,手工业品、传统技艺如禹县钧瓷、开封汴绣、南阳玉雕、洛阳唐三彩等誉满古今,驰名中外。

三、交通位置

河南省地处中原,铁路、公路纵横交错,交通位置十分优越。纵贯我国南北的京广铁路和横贯我国东西的陇海铁路交会于省会郑州,已经建成及正在建设的"米"字形高速铁路也交会于省会郑州,焦枝铁路(焦作—枝城)在西部交陇海铁路于洛阳,与新荷铁路(新乡—菏泽)、太焦铁路(太原—焦作)、侯月铁路(侯马—月山)交会,原京九铁路(北京—九江)在东部交陇海铁路于商丘,交新荷铁路于濮阳,形成了省内铁路网,并与周围邻省均有铁路相通。全省公路四通八达,省际、省内相继建设了连霍高速公路(连云港—霍城)、京珠高速公路(北京—珠海)、郑焦晋高速公路(郑州—焦作—晋城)、郑许南高速公路(郑州—许昌—南阳)、大广高速公路(大庆—广州)、二广高速公路(二连浩特—广州)等,基本形成了省内高速公路网。目前全省共有郑州新郑国际机场、洛阳机场和南阳机场3个民用机场。国家民航总局已经把郑州新郑国际机场确定为国家八大枢纽机场之一,其机场旅客吞吐量增长率在全国25个重要机场中位居第五。有郑州飞抵北京、上海、武汉、广州、西安、兰州、成都、昆明、香港,以及泰国、欧洲国家等多条国内外航空线,郑州至南阳间有省内班机往返。河南省铁路、公路、航空等交通极为方便。

第二节　地层

河南省地层发育齐全，从太古宇到新生界均有出露。以栾川-确山-固始韧性剪切带为界分为华北和秦岭两个地层区，秦岭地层区又以西官庄-镇平-龟山韧性剪切带为界分为北秦岭和南秦岭两个分区。

1. 太古宇(Ar)

华北地层区发育有登封(岩)群和太华(岩)群，主要分布在登封、汝州、太行山、小秦岭、熊耳山、鲁山地区。登封(岩)群($ArDn$)由花岗-绿岩带组成，花岗质岩系属TTG岩系，绿岩带下部为超铁镁火山岩，上部为沉积岩系。太华(岩)群($ArTh$)下部为英云闪长岩-奥长花岗岩带，上部为绿岩带，属科马提岩及沉积岩系。南秦岭地层分区发育有大别山群($ArDb$)，主要分布在桐柏山、大别山地区。由花岗质岩系及表壳岩系组成，前者为TTG岩系，后者为沉积岩系，发育高压—超高压变质带。

太古宇主要有登封(岩)群石牌河(岩)组、郭家窑(岩)组、常窑(岩)组、石梯沟(岩)组，太华(岩)群耐庄(岩)组、荡泽河(岩)组、铁山岭(岩)组、水底沟(岩)组、雪花沟(岩)组地层剖面类地质遗迹。

2. 古元古界(Pt_1)

华北地层区发育有嵩山群(Pt_1Sn)，不整合于登封(岩)群之上，为滨海-浅海相沉积，由石英岩、云母片岩、千枚岩夹白云岩组成，厚1 170~3 228m。北秦岭地层分区发育有陆缘沉积秦岭(岩)群(Pt_1Qn)，为角闪质和云母质片麻岩，南秦岭地层分区发育有活动陆缘沉积陡岭群(Pt_1Dl)，主要为混合岩、斜长角闪片麻岩及大理岩。

古元古界主要有银鱼沟群幸福园组、赤山沟组、北崖山组，嵩山群罗汉洞组、五指岭组、庙坡山组花峪组，秦岭(岩)群郭庄(岩)组、雁岭沟(岩)组、石槽沟(岩)组，陡岭杂岩地层剖面类地质遗迹。

3. 中元古界(Pt_2)

华北地层区下部为熊耳群，上部分别为汝阳群、官道口群。熊耳群(Pt_2Xn)不整合于登封(岩)群、太华(岩)群、嵩山群之上，底部为碎屑岩，主体为陆内裂谷生成的玄武岩、粗面岩、安山岩、流纹岩，厚4 154~8 548m。汝阳群(Pt_2Ry)不整合于熊耳群之上，为海滩-潮坪相沉积，主要为石英砂岩夹页岩，上部为砾屑白云岩，厚939~2 346m。官道口群(Pt_2Gh)不整合于熊耳群之上，下部为海滩相石英砂岩，上部为局限台地相含叠层石大理岩，厚1 793~3 076m。北秦岭地层分区发育有宽坪群(Pt_2Kn)，为陆缘裂谷生成的拉斑玄武岩、复理石砂岩、云母大理岩。

中元古界主要有熊耳群大古石组、许山组、鸡湾(岩)组、定远(岩)组，官道口群龙家园组、巡检司组、杜关组、冯家湾组，汝阳群云梦山组、白草坪组、北大尖组、崔庄组、三教堂组、洛峪口组、姚营寨组地层剖面类地质遗迹。

4. 新元古界(Pt_3)

华北地层区发育有洛峪群和震旦系、栾川群。洛峪群(Pt_3Ly)为滨海-浅海相沉积的页岩、石英砂岩、白云岩，厚212~611m。震旦系(Z)平行不整合于洛峪群之上，下部为海滩-局限台地相砾岩、白云岩、海绿石砂岩，厚280～700m；上部为山岳冰川沉积的冰碛砾岩及页岩，厚38～298m。栾川群(Pt_3Ln)平行不整合于官道口群之上，为浅海陆棚-局限台地相沉积的石英岩、云母石英片岩、大理岩，夹碳质页岩，顶部有变粗面岩，厚2 495～3 126m。北秦岭地层分区发育有峡河群(Pt_3Xh)，为大陆边缘生成的云母石英片岩、斜长角闪片岩夹条带状大理石，在卢氏官坡发育高压变质带。在南秦岭地层分区，毛堂群(Pt_3Mt)下部为石英角斑岩及火山碎屑岩，上部为细碧岩夹绢云片岩，厚2 473～4 416m。龟山组(Pt_3g)为浊流沉积，主要为石英岩夹角闪片岩、大理岩。震旦系(Z)为浅海相沉积，下部为砂岩，上部为白云岩，厚249～2 838m。

新元古界主要有五佛山群马鞍山组、葡萄峪组、骆驼畔组、何家寨组、栾川群白术沟组、三川组、南泥湖组、煤窑沟组、大红口组、鱼库组、黄连垛组、董家组、罗圈组、东坡组、三岔口组、陶湾组、龟山(岩)组、耀岭河组、陡山沱组、灯影组、界牌(岩)组、歪庙组地层剖面类地质遗迹。

5. 下古生界(Pz_1)

华北地层区发育有寒武系和奥陶系局限、开阔台地相沉积。寒武系($\in$)平行不整合于中—新元古界之上，下寒武统为含磷砂岩、含膏白云岩、云斑灰岩、泥质白云岩，厚37～483m；中寒武统为含云母页岩、海绿石砂岩夹灰岩、鲕状灰岩，厚306～634m；上寒武统为泥质白云岩、白云岩，厚76～293m。下奥陶统(O_1)为燧石团块白云岩、细晶白云岩，厚60m；中奥陶统分布在三门峡—禹州以北，平行不整合于下奥陶统或上寒武统之上，主要为白云岩、灰岩，厚84～672m。北秦岭地层分区发育有二郎坪群、雁岭沟组，二郎坪群(Pz_1Er)为蛇绿岩套，由细碧岩、石英角斑岩夹碳质云母片岩及大理岩组成，厚1 402～5 310m。雁岭沟组(Pz_1y)为大理岩、石墨大理岩，厚557m。南秦岭地层分区发育有寒武系—志留系，主要为云母片麻岩夹角闪石片麻岩、大理岩。淅川一带寒武系—志留系为浅海陆棚-台地相沉积，下寒武统为硅质岩、页岩、薄层灰岩，厚58.9～116.6m；中寒武统为白云质灰岩、泥质灰岩、紫灰色粉砂岩，厚54～278m；上寒武统为白云岩、含燧石团块白云岩，厚551.7～1 563m。下奥陶统为白云岩、白云质灰岩，厚583m；中奥陶统下部为玄武玢岩，上部为粉砂岩、泥质灰岩，厚96～416m；上奥陶统为灰岩夹泥岩，厚300m。志留系(S)仅有下统，为页岩、泥灰岩、泥岩，厚43～74m。

下古生界主要有二郎坪群大庙组、小寨组，辛集组、朱砂洞组、水沟口组、岳家坪组、石瓮子组、杨家堡组、岩屋沟组、冯家凹组、习家店组、秀子沟组、火神庙组、抱树坪组、石门冲(岩)组、周进沟(岩)组、白龙庙组、峡蛐组、蛮子营组、张湾组地层剖面类地质遗迹。

6. 上古生界(Pz_2)

华北地层区发育有海陆交互相的石炭系—二叠系(C—P)。上石炭统为铁铝质岩系、灰岩夹砂岩、泥岩及煤层，厚149m。下二叠统为砂岩、页岩夹煤层，厚366m；上二叠统为砂岩、泥岩夹煤层、海绵岩、厚层长石石英砂岩、粉砂岩，厚1 100m。北秦岭地层分区发育有小寨组、柿树园组及石炭系。其中，小寨组(Pz_2x)为浊流沉积的黑云石英片岩、石榴云母石英片岩，顶部夹基性火山岩，厚3 000～5 200m；柿树园组(Pz_2s)为复理石沉积，主要为绢云石英片岩夹大理岩，厚1 167～1 591m；大别山北麓石炭系(C)为冲积扇、海滨、河湖相沉积的砂岩、页岩夹砾岩、煤层、灰岩，厚7 800m。南秦岭地层分区发育有南湾组和泥盆系—石炭系。其中，南湾组(Pz_2n)为绢云石英片岩，厚6 893m；淅川地区上泥盆统(D_3)为海滩沉积的砂岩、页岩、泥岩夹灰岩，厚914m；下石炭统为浅海陆棚相沉积的灰岩、白云岩，厚920m，中石炭统为开阔台地-滨海沼泽相沉积的灰岩、黏土岩，厚90～640m。

上古生界主要有柿树园组、南湾组、白山沟组、王冠沟组、葫芦山组、下集组、梁沟组、三关垭组、花园墙组、杨山组、道人冲组、胡油坊组、杨小庄组、双石头组，石盒子组小风口段、云盖山段、平顶山段、石千峰群孙家沟组、刘家沟组、和尚沟组地层剖面类地质遗迹。

7. 中生界(Mz)

华北地层区三叠系(T)为河流、湖泊相沉积，下三叠统为紫红色砂岩夹泥岩，厚329~849m，中三叠统为砂岩与泥岩互层，厚199~609m，上三叠统为砂岩、泥岩，夹泥灰岩、煤层、油页岩，厚2 718m；侏罗系(J)为湖泊、沼泽相砂岩、泥岩夹煤层，厚497m；白垩系(K)分布零星，宝丰大营有中基性火山岩，厚1 108m，汝阳九店有凝灰岩夹砾岩，厚1 807m，义马、三门峡、潭头盆地的白垩系主要为河流相紫红色粉砂岩。在北秦岭地层分区的卢氏五里川、南召留山盆地发育有三叠纪湖泊、沼泽相含煤沉积岩系；南召马市坪盆地发育有河流、湖泊相侏罗系—白垩系，为砂岩、泥岩。在大别山北麓侏罗系(J)为河流-冲积扇沉积，为砾岩、砂岩、黏土岩，厚1 793~3 600m，下白垩统为陆相火山岩，厚680~2 800m，上白垩统为河流相砾岩、砂岩、黏土岩，厚400~1 300m。在南秦岭地层分区西峡、淅川盆地仅发育有白垩系，为河流相紫红色砂岩、砾岩、泥岩、泥灰岩，厚2 263m。

中生界主要有延长群油房组、椿树腰组、谭庄组、太山庙组、鞍腰组、马凹组、韩庄组、义马组、南召组、朱集组、段集组、金刚台组、陈棚组、白湾组、马市坪组、九店组、大营组、高沟组、马家村组、寺沟组、东孟村组、南朝组地层剖面类地质遗迹。

8. 新生界(Kz)

古—新近系在盆地和凹陷分布，主要为河流及湖泊相砂岩、粉砂岩、泥岩、泥灰岩。在华北地层区，古近系(E)在潭头、卢氏、三门峡、洛阳、济源盆地出露，厚1 000~3 150m，新近系(N)在卢氏、汤阴、洛阳盆地及濮阳凹陷分布，厚500~800m。在北秦岭地层分区的吴城、平昌关盆地及南秦岭地层分区李官桥盆地出露有古—新近系，厚1 000~2 000m，在南阳凹陷厚达8 000m，有含油岩系。第四系广泛分布于平原、山间盆地及山前丘陵一带。下更新统(Qp^1)在豫西为河流-湖泊相沉积，厚43~71m，灵宝—郑州黄河两岸有午城黄土，厚10~40m，局部有冰碛层分布；中更新统(Qp^2)在豫西为河流-湖泊相沉积，厚10~40m，灵宝—郑州有离石黄土，厚10~80m，豫西南有冲-洪积层，南召云阳有洞穴沉积；上更新统(Qp^3)在豫西为河流相沉积，厚5~10m，灵宝—郑州有马兰黄土，厚10~40m；全新统(Qh)为河流冲积层，局部有湖泊沉积和风积层，厚3~40m。

新生界主要有古近系高峪沟组、潭头组、玉皇顶组、大仓房组、核桃园组、上寺组、李庄组、毛家坡组、李士沟组、五里墩组、张家村组、卢氏组、大峪组、陈宅沟组、蟒川组、石台街组、聂庄组、余庄组、泽峪组、南姚组，新近系彰武组、鹤壁组、潞王坟组、庞村组、洛阳组、大安组、雪家沟组、棉凹组、尹庄组、凤凰镇组，第四系三门组、赵下峪黄土剖面地层剖面类地质遗迹。

第三节 岩浆岩

河南省岩浆活动频繁，可分为8期，岩浆岩分布广泛，侵入岩出露面积11 250km²，火山岩出露面积7 284km²。岩类较全，从超基性到酸性均有分布。

1. 侵入岩

全省岩体466个，其中酸性岩类占85%，中性岩类占10%，其余为基性—超基性岩和碱性岩。

(1)嵩阳期:岩体20个,出露面积90km²,分布在华北陆块太古宙变质岩区,超基性岩为橄榄岩、辉石岩和角闪石岩。

(2)中条期:岩体6个,出露面积1 515km²,多为片麻状花岗岩,分布于华北区南部,岩体与元古宙地层多呈过渡关系。

(3)王屋山期:岩体56个,出露面积339km²,以酸性岩为主,其次为基性岩和中性岩。基性岩体多为辉长岩,中性岩分布在熊耳群中,多为石英二长岩、闪长岩,酸性岩体多分相带,登封石秤岩体内部相为中粗粒黑云母花岗岩。

(4)晋宁期:岩体32个,出露面积520km²,为俯冲期侵入岩。超基性岩分布于镇平-龟山及内乡-商城深断裂附近,有纯橄岩、橄榄岩、辉岩和角闪岩。基性岩沿栾川-明港剪切带分布,主要为辉长岩。中性岩沿上述两条深断裂分布,主要为石英闪长岩和闪长岩。酸性岩体主要为花岗岩、片麻状花岗岩。

(5)加里东期:岩体81个,出露面积1 767km²,为俯冲-碰撞期侵入岩,分布在北、南秦岭区。早期仅有中性岩,岩性为闪长岩、闪长玢岩;中期超基性岩分布在南召板山坪闪长岩体中,基性岩分布在南阳独山,中性岩主要为闪长岩、石英闪长岩;晚期超基性岩以蚀变橄榄岩为主。

(6)海西期:岩体28个,出露面积1 681km²,全为酸性岩,分布在北、南秦岭区,为碰撞期I型花岗岩。

(7)燕山期:该期岩浆活动剧烈,岩体230个,出露面积5 484km²,为后造山期侵入岩。中性岩分布在太行山东麓、豫西及大别山,主要为闪长岩和石英二长岩。太行山东麓岩体南北向分布,早期岩体分布于西带,以闪长岩为主,晚期岩体分布于东带,以闪长玢岩为主。碱性岩早期岩体分布于嵩县南部和方城北部,岩性有霓辉正长岩、正长岩;晚期岩体分布于安阳西部,以正长斑岩和霓霞正长岩为主。酸性岩体分布于华北陆块与秦岭褶皱系交接地带,早期岩体深成相主要为斑状黑云母花岗岩,晚期岩体分布最广,深成相为斑状黑云母花岗岩和中粒黑云母花岗岩。

(8)喜马拉雅期:侵入活动微弱,仅在太行山东麓深断裂有超基性岩小岩体呈北东东向带状分布,西部金伯利岩带岩性为斑状金伯利岩、角砾状金伯利岩。

总之,河南省的侵入岩有南北老、中间新的分布特征。王屋山期前的侵入岩仅分布在华北区,为前造山阶段侵入岩。晋宁期侵入岩分布在华北区及南秦岭区,说明华北板块、扬子板块碰撞造山开始,出现板块俯冲,岩浆侵入。加里东期—海西期花岗岩分布在北、南秦岭区,为俯冲-碰撞造山阶段侵入岩。燕山期花岗岩分布在华北区及南秦岭区的桐柏山—大别山一带,为后造山阶段花岗岩。

2. 火山岩

河南省岩浆喷发活动剧烈,火山岩分布广泛,王屋山期出露面积5 300km²,晋宁期1 582km²,加里东期1 580km²,燕山期330km²,喜马拉雅期74km²,嵩阳期和中条期火山岩已遭受深变质。

(1)王屋山期:熊耳群火山岩分布在华北陆块南部,可分为3个喷发旋回,具偏基性—中酸性—偏基性演化特征,主体岩性为中性熔岩,次为酸性熔岩和火山碎屑岩及少量海相沉积夹层,熔岩类以中性的安山玢岩为主,酸性的流纹岩、英安岩,偏基性的辉石安山岩次之。火山碎屑岩不发育,有集块熔岩、熔岩凝灰岩、火山角砾岩及凝灰岩,浅成相有闪长玢岩、英安斑岩。

(2)晋宁期:毛堂群为细碧-角斑岩系,是幔源型岩浆分异的产物,属造山带火山岩。栾川群的火山岩为粗面岩、碱性辉长岩,其次有火山碎屑岩和次火山岩。

(3)加里东期:二郎坪群火山岩可分为2个旋回,9个韵律,岩类齐全,熔岩以细碧岩为主,其次为角砾岩、石英角斑岩,火山碎屑岩和次火山岩都有发育。

(4)燕山期:在大别山北麓信阳—商城地区早白垩世火山岩为安山岩-英安岩-流纹岩组合,在华北陆块宝丰大营早白垩世火山岩有安山岩、流纹岩,属碱性-钙碱性系列。其岩浆以壳源为主。

(5)喜马拉雅期:新近纪华北陆块上有裂隙式喷发的基性火山岩,主要为橄榄玄武岩,厚40～118m。

第四节 地质构造

河南省在大地构造上跨华北板块和扬子板块,商南—丹凤的西官庄-镇平-松扒韧性剪切带及龟山-梅山韧性剪切带为主缝合带。华北板块由华北陆块和其南缘的北秦岭构造带组成,扬子板块由其北缘的南秦岭构造带组成。

1. 华北陆块

华北陆块南界为栾川-明港韧性剪切带,形成于中岳运动,基底为太古宙和古元古代不同变质程度的各种变质岩系;盖层包括中—新元古代浅海相碎屑岩-碳酸盐岩、寒武纪—中奥陶世广海碳酸盐岩和石炭纪—二叠纪海陆交互相含煤碎屑岩系;中—新生代陆内断陷盆地型沉积,主要为陆源碎屑岩和各种成因类型的松散堆积。发育3条大型上地壳构造带,即济源-焦作断裂带,为白垩纪形成的断面南倾的正断层;三门峡-鲁山逆冲构造带,为白垩纪形成的由南向北的;逆冲构造带;马超营-确山韧性剪切带,为多期活动构造带。陆块南部发育晋宁期俯冲型花岗岩和燕山期后造山花岗岩。

2. 北秦岭构造带

北秦岭构造带为华北板块南部主动大陆边缘,是海西-印支褶皱带。北部为中元古代陆缘裂谷相沉积的宽坪群,中部为早古生代裂谷型蛇绿岩带(二郎坪群)及晚古生代类复理石沉积柿树园组、小寨组,南部为古元古代陆缘沉积秦岭群和新元古代陆缘沉积峡河群,以及古生代雁岭沟组海相碳酸盐岩。三部分之间为两条大型构造带,即瓦穴子-毛集上地壳逆冲构造带,为晚古生代—三叠纪向南推覆带;朱阳关-大河韧性剪切带,为多期活动超地壳构造带。该构造带内发育古生代弧型花岗岩以及碰撞型花岗岩,南界西官庄-镇平-松扒韧性剪切带及龟山-梅山韧性剪切带为多期活动的超地壳构造带。

3. 南秦岭构造带

南秦岭构造带为扬子板块北缘的被动大陆边缘,为海西-印支褶皱带。该带具有扬子型基底,震旦纪—晚古生代浅海相沉积发育。区内有3条大型构造带,西峡-周党韧性剪切带为上地壳构造带,分隔龟山组和南湾组;内乡-商城韧性剪切带为超地壳构造带,分隔南湾组与苏家河群;大陡岭-浒湾构造带为上地壳断裂,分隔苏家河群与陡岭群、大别群。带内发育新元古代弧型花岗岩、碰撞型花岗岩及加里东期和海西期酸性岩类与基性超镁铁岩类。

第三章 地质遗迹类型及分布

DIZHI YIJI LEIXING JI FENBU

第一节　河南省地质遗迹类型

河南省地质遗迹类型按照《地质遗迹调查规范》(DZ/T 0303—2017)的地质遗迹类型划分方案,划分为 3 大类 9 类 33 亚类(表 3-1)。

表 3-1　地质遗迹分类表

大类	类	亚类	备注
基础地质	地层剖面	区域层型(典型)剖面	
		地质事件剖面	
	岩石剖面	侵入岩剖面	
		火山岩剖面	
		变质岩剖面	
		沉积岩相剖面	
	构造剖面	断层(裂)	
		褶皱与变形	
		不整合界面	
	重要化石产地	古植物化石产地	
		古脊椎动物化石产地	
		古无脊椎动物化石产地	
		古人类化石产地	
	重要岩矿石产地	典型矿床类露头	
		典型矿物岩石命名地	
		采矿遗址	
地貌景观	岩土体地貌	碎屑岩地貌	
		花岗岩地貌	峰林地貌、象形石地貌
		变质岩地貌	
		火山岩地貌	
		岩溶地貌	
		黄土地貌	
	构造地貌	断层构造地貌	
		岩层构造地貌	
		褶皱构造地貌	

续表 3-1

大类	类	亚类	备注
地貌景观	水体地貌	瀑布	
		河流	
		湖泊、潭	
		泉	
		沼泽-湿地	
地质灾害	地质灾害	崩塌	
		滑坡	
		泥石流	
		地面塌陷	

第二节 河南省地质遗迹分布规律

根据调查结果，河南省重要地质遗迹主要分布在南太行山地区、崤山—嵩箕山地区、小秦岭—伏牛山地区、桐柏山—大别山地区等基岩山区，黄淮海平原地区仅零星分布。

一、太行山地质遗迹分布

太行山地区的重要地质遗迹主要有地层剖面类 20 处（古元古界：银鱼沟群幸福园组、赤山沟组、北崖山组、双房组；古元古界：熊耳群大古石组、许山组；三叠系：延长群油房组、椿树腰组、谭庄组；侏罗系：鞍腰组、马凹组、韩庄组；古近系：聂庄组、余庄组、泽峪组、南姚组；新近系：彰武组、鹤壁组、潞王坟组、庞村组）；岩石剖面类 7 处（东冶闪长岩体、熊耳群火山岩、鹤壁尚峪苦橄玢岩、大乌山-化象金伯利岩体群、巨型波痕、封门口深湖浊积岩、小沟背组河流砾岩）；构造剖面类 6 处（王屋山运动、任村-西平罗大断裂、青羊口断裂带、盘古寺断裂带、封门口断层、天坛山倒转背斜）；重要化石产地类 4 处（新乡中新世三趾马动物群、济源承留中侏罗世双壳动物群、济源二叠纪硅化木化石产地、济源古近纪两栖犀化石产地）；重要岩矿石产地类 3 处（焦作煤矿产地、安林式铁矿产地、焦作大洼耐火黏土矿产地）；岩土体地貌类 3 处（修武云台山红石峡谷、林州嶂石岩地貌、修武龙凤壁岩溶地貌）；构造地貌类 5 处（沁阳神农山龙脊岭、林州太行大峡谷、博爱唐县期夷平面、辉县关山石林地貌、卫辉跑马岭构造地貌）；水体地貌景观类 8 处（修武云台天瀑、林州九连瀑、安阳珍珠泉、辉县万仙山磨剑峰瀑布、博爱鲸鱼湾风景河段、修武幽潭、辉县百泉、博爱三姑泉）；地质灾害类 2 处（辉县崩塌、焦作朱村煤矿地面塌陷）。总计重要地质遗迹 58 处。

二、崤山—嵩箕山地质遗迹分布

崤山—嵩箕山地区的重要地质遗迹主要为地层剖面类 29 处（太古宇：登封（岩）群石牌河（岩）组、郭家窑（岩）组、常窑（岩）组、石梯沟（岩）组；古元古界：嵩山群罗汉洞组、五指岭组、庙坡山组、花峪组；

中元古界：兵马沟组；新元古界：五佛山群马鞍山组、葡萄峪组、骆驼畔组、何家寨组、红岭组；二叠系：石盒子组小风口段、云盖山段、平顶山段，石千峰群孙家沟组、刘家沟组、和尚沟组；侏罗系：义马组；白垩系：南朝组、东孟村组；古近系：陈宅沟组；新近系：洛阳组、大安组、棉凹组；第四系：三门组、赵下峪黄土剖面］；岩石剖面类 3 处（石牌河闪长岩体、石秤花岗岩体、嵩山新太古代 TTG 片麻岩）；构造剖面类 5 处（嵩阳运动、中岳运动、少林运动、五佛山群重力滑动构造、平卧褶皱）；重要化石产地类 2 处（义马义马组银杏植物群、禹州华夏植物）；重要岩矿石产地类 4 处（新安黛眉寨铁矿产地、巩义小关铝土矿产地、新安张窑院铝土矿产地、新密密玉矿产地）；岩土体地貌类 7 处（登封少室山石英岩地貌、新安龙潭峡谷地貌、新安天碑石碎屑岩地貌、渑池仰韶大峡谷地貌、巩义雪花洞岩溶地貌、新密神仙洞岩溶地貌、郑州邙山塬黄土地貌）；构造地貌类 1 处［嵩山太室山（褶皱山）地貌景观］；水体地貌类 4 处（陕县温塘温泉、洛阳龙门温泉、郑州三李温泉、巩义小龙池泉）。总计重要地质遗迹 55 处。

三、小秦岭—伏牛山地质遗迹分布

小秦岭—伏牛山地区的重要地质遗迹主要为地层剖面类 86 处［太古宇：太华（岩）群耐庄（岩）组、荡泽河（岩）组、铁山岭（岩）组、水底沟（岩）组、雪花沟（岩）组；古元古界：秦岭（岩）群郭庄（岩）组、雁岭沟（岩）组、石槽沟（岩）组，陡岭杂岩；中元古界：官道口群龙家园组、巡检司组、杜关组、冯家湾组，汝阳群云梦山组、白草坪组、北大尖组、崔庄组、三教堂、洛峪口组、姚营寨组；新元古界：栾川群白术沟组、三川组、南泥湖组、煤窑沟组、大红口组、鱼库组、黄连垛组、董家组、罗圈组、东坡组、三岔口组、陶湾组、耀岭河组、陡山沱组、灯影组、界牌（岩）组；下古生界：二郎坪群大庙组、小寨组、火神庙组、抱树坪组、周进沟（岩）组；寒武系：辛集组、朱砂洞组、水沟口组、岳家坪组、石瓮子组、杨家堡组、岩屋沟组、冯家凹组、习家店组、秀子沟组；奥陶系：白龙庙组、牛尾巴山组、岞曲组、蛮子营组；志留系：张湾组；上古生界：柿树园组；泥盆系：白山沟组、王冠沟组、葫芦山组；石炭系：下集组、梁沟组、三关垭组；三叠系：太山庙组；侏罗系：南召组；白垩系：白湾组、马市坪组、九店组、大营组、高沟组、马家村组、寺沟组；古近系：高峪沟组、潭头组、玉皇顶组、大仓房组、核桃园组、上寺组、张家村组、卢氏组、大峪组、蟒川组、石台街组；新近系：雪家沟组、凤凰镇组，汝州前寒武纪罗圈组古冰川遗迹］；岩石剖面类 11 处（三坪沟石英闪长岩体、洋淇沟超基性岩体、吐雾山花岗斑岩体、龙王礃花岗岩体、德河片麻状花岗岩、嵩县万村花岗岩体、嵩坪花岗岩体、合峪花岗岩体、南泥湖花岗岩体、嵖岈山花岗岩体、李陈庄新近纪火山机构）；构造剖面类 9 处（马超营断裂带、栾川-明港断裂带、朱阳关-夏馆断裂带、西官庄-镇平断裂带、车村-鲁山断裂带、变质核杂岩伸展拆离构造）；重要化石产地类 14 处（汝阳刘店组恐龙动物群、西峡恐龙蛋及恐龙化石群、淅川奥陶纪无脊椎动物群、叶县早寒武世杨寺庄动物群、淅川早志留世笔石动物群、淅川石炭纪无脊椎动物群、南召马市坪早白垩世热河生物群、栾川秋扒晚白垩世晚期恐龙动物群、卢氏新生代脊椎动物群、鲁山辛集寒武纪三叶虫动物群、镇平赵湾水库早白垩世热河生物群、淅川始新世脊椎动物群、南召猿人遗址、唐河西大岗脊椎动物群）；重要岩矿石产地类 17 处［平顶山煤矿产地、舞钢经山寺铁矿产地、栾川钼钨矿产地、栾川赤土店铅锌矿产地、卢氏大河沟锑矿产地、灵宝小秦岭金矿产地、洛宁沙沟银铅矿产地、卢氏官坡稀有金属矿产地、淅川马头山蓝石棉矿产地（虎睛石）、南阳隐山蓝晶石矿产地、镇平杨连沟矽线石矿产地、西峡羊奶沟红柱石矿产地、南阳独山玉矿产地、汝阳梅花玉产地、泌阳水晶产地、镇平小岔沟石墨矿产地、叶县马庄盐矿矿产地］；岩土体地貌类 21 处（遂平嵖岈山花岗岩地貌、鲁山尧山花岗岩地貌、洛宁中华大石瀑花岗岩地貌、洛宁五女峰花岗岩地貌、汝阳炎黄峰花岗岩地貌、内乡宝天曼花岗岩地貌、灵宝女郎山花岗岩地貌、宜阳花果山花岗岩地貌、卢氏玉皇尖花岗岩地貌、西峡老界岭花岗岩地貌、镇平五朵山花岗岩地貌、栾川老君山花岗岩地貌、栾川龙峪湾花岗岩地貌、嵩县白云山花岗岩地貌、嵩县木札岭花岗岩地貌、嵩县天池山花岗岩地貌、栾川鸡冠洞岩溶地貌、卢氏九龙洞岩溶地貌、西峡伏牛地下河岩溶地貌、西峡荷花洞岩溶地貌、邓州杏山岩溶地貌);水体地貌类12处(南召龙潭沟瀑布、西峡龙潭沟瀑布群、西峡鹳河漂流河段、汝州温泉街温泉、栾川潭头汤池温泉、卢氏汤池温泉、鲁山上汤温泉、鲁山中汤温泉、鲁山下汤温泉、鲁山温汤温泉、嵩县汤池沟温泉、内乡大桥温泉);地质灾害类3处(卢氏县城黑马渠沟泥石流、鲁山县尧山镇泥石流、卢氏县狮子坪滑坡)。总计重要地质遗迹173处。

四、桐柏山—大别山地质遗迹分布

桐柏山—大别山地区的重要地质遗迹主要为地层剖面类21处[中元古界:浒湾(岩)组、定远(岩)组;新元古界:龟山(岩)组、歪庙组;下古生界:石门冲(岩)组;上古生界:南湾组;石炭系:花园墙组、杨山组、道人冲组、胡油坊组、杨小庄组、双石头组;侏罗系:朱集组、段集组、金刚台组;白垩系:陈棚组;古近系:李庄组、毛家坡组、李士沟组、五里墩组;新近系:尹庄组];岩石剖面类5处(柳树庄岩体、桐柏麻粒岩、老湾花岗岩体、新县花岗岩体、高压—超高压榴辉岩);构造剖面类4处[松扒-龟山断裂带(松扒)、松扒-龟山断裂带(睡仙桥)、龟山-梅山断裂带、晓天-磨子潭断裂带];重要化石产地类2处(固始杨山早石炭世植物群、固始庙冲晚石炭世化石群);重要岩矿石产地类6处[围山矿产地(桐柏破山银矿产地)、桐柏矿产地、桐柏大河铜锌矿产地、桐柏银洞坡金矿产地、信阳上天梯珍珠岩矿产地、桐柏吴城天然碱矿产地];岩土体地貌类5处(信阳鸡公山花岗岩地貌、新县金兰山花岗岩地貌、桐柏鞘褶皱洞穴-桃花洞地貌、桐柏山元古宙花岗岩地貌、商城猫耳石火山岩地貌);水体地貌类2处(桐柏水帘洞瀑布、商城汤泉池温泉)。总计重要地质遗迹45处。

五、黄淮海平原地质遗迹分布

黄淮海平原地区的重要地质遗迹缺乏,只有零星分布,主要为重要化石产地类2处(新乡中新世三趾马动物群化石产地、新蔡第四纪哺乳动物群);岩土体地貌类1处(永城剥蚀残丘地貌);水体地貌类1处(豫北黄河故道湿地)。总计重要地质遗迹4处。

六、河南省重要地质遗迹分布规律

河南省重要地质遗迹主要分布在豫北太行山,豫西崤山—嵩箕山、小秦岭—伏牛山,豫南桐柏山—大别山等基岩山区,地质遗迹分布规律如下。

(1)河南省地层剖面类地质遗迹156处。其中,区域层型(典型)剖面亚类155处,地质事件剖面亚类1处。太古宙地层剖面类9处,主要分布在登封、汝州、鲁山等地华北板块古陆核新太古代地层区域;元古宙地层剖面类51处,主要分布在济源、登封、卢氏、汝阳、栾川、汝州、内乡、西峡、淅川、新县、罗山、信阳等地华北板块前寒武纪结晶基底元古宙地层分布区域;古生代地层剖面类39处,主要分布在西峡、淅川、鲁山、平顶山、南召、固始、商城、信阳等地古生代地层分布区域;中生代地层剖面类24处,主要分布在济源、义马、渑池、淅川、南召、镇平、固始、商城等地中生代盆地地层出露分布区域;新生代地层剖面类32处,主要分布在安阳、新乡、济源、三门峡、洛阳、卢氏、栾川、汝州、淅川、桐柏、信阳等地新生代地层出露分布区。地质事件剖面亚类1处,位于汝州市。区域层型(典型)剖面亚类国家级67处,省级88处,地质事件剖面亚类世界级1处。

(2)河南省岩石剖面类地质遗迹26处。其中,侵入岩剖面亚类19处,火山岩剖面亚类3处,变质岩剖面亚类1处,沉积岩剖面亚类3处。侵入岩剖面亚类19处,主要为嵩阳期、王屋山期、晋宁期、加里东期、海西期、燕山期、喜马拉雅期等不同时期具有代表性的超基性岩、基性岩、中性岩、酸性岩体剖面,主要分布在登封、淅川、西峡、栾川、邓州、桐柏、林州、嵩县、洛宁、新县、鹤壁、汝阳等地嵩箕山、伏牛山、桐柏山区侵入岩出露分布区域；火山岩剖面亚类 3 处，主要分布在济源、鹤壁、汝阳等地王屋山熊耳群、太行山大乌山-化象金伯利岩体群、伏牛山汝阳李陈庄新近纪古火山机构等火山岩分布区域；变质岩剖面类 1 处，主要分布在新县高压—超高压榴辉岩变质岩出露区域；沉积岩剖面亚类 3 处，主要分布在修武、济源等地巨型波痕、鞍腰组深湖浊积岩、小沟背组河流砾岩沉积岩出露区域。侵入岩剖面亚类国家级 6 处，省级 13 处；火山岩剖面亚类世界级 1 处，国家级 1 处，省级 1 处；变质岩剖面亚类世界级 1 处；沉积岩剖面亚类世界级 1 处，国家级 1 处，省级 1 处。

(3) 河南省构造剖面类地质遗迹 24 处。其中，断层(裂)亚类 18 处，褶皱与变形亚类 2 处，不整合界面亚类 4 处。断层(裂)亚类 18 处，主要为秦岭-大别造山带的区域性大断裂出露点、五佛山群重力滑动构造遗迹点、变质核杂岩伸展拆离构造等，主要分布在栾川、卢氏、西峡、镇平、桐柏、信阳、商城、新县、鲁山、林州、淇县、济源、偃师、灵宝等地；褶皱与变形亚类 2 处，主要为平卧褶皱和天坛山倒转背斜，主要分布在登封、济源等地；不整合界面亚类 4 处，主要为角度不整合界面命名地，分布在登封、济源等地；断层(裂)亚类世界级 5 处，国家级 10 处，省级 3 处；褶皱与变形亚类国家级 1 处，省级 1 处；不整合界面亚类世界级 4 处。

(4) 河南省重要化石产地类地质遗迹 24 处，其中古植物化石产地亚类 4 处，古脊椎动物化石产地亚类 10 处，古无脊椎动物化石产地亚类 9 处，古人类化石产地亚类 1 处。古植物化石产地亚类 4 处，分别为义马义马组银杏植物群化石产地、禹州华夏植物群化石产地、固始杨山早石炭世植物群化石产地、济源二叠纪硅化木化石产地，主要分布在义马、禹州、固始、济源等地侏罗纪、二叠纪、石炭纪地层出露区；古脊椎动物化石产地亚类 10 处，分别为汝阳刘店组恐龙动物群、西峡恐龙蛋化石产地、栾川秋扒晚白垩世晚期恐龙动物群、卢氏新生代脊椎动物群、淅川始新世脊椎动物群、桐柏吴城始新世脊椎动物群、新乡中新世三趾马动物群、新蔡第四纪哺乳动物群、唐河西大岗脊椎动物群、济源古近纪两栖犀化石产地，主要分布在汝阳、西峡、栾川、卢氏、淅川、桐柏、新乡、新蔡、唐河、济源等地白垩纪、古近纪、新近纪、第四纪地层出露区域；古无脊椎动物化石产地亚类 9 处，分别为淅川奥陶纪无脊椎动物群、叶县早寒武世杨寺庄动物群、淅川早志留世笔石动物群、淅川石炭纪无脊椎动物群、济源承留中侏罗世双壳动物群、南召马市坪早白垩世热河生物群、鲁山辛集寒武纪三叶虫动物群、固始庙冲晚石炭世化石群、镇平赵湾水库早白垩世热河生物群，主要分布在淅川、叶县、济源、南召、鲁山、固始、镇平等地寒武纪、奥陶纪、志留纪、石炭纪、侏罗纪、白垩纪地层出露区域；古人类化石产地亚类 1 处，为南召猿人遗址，位于南召县云阳。古植物化石产地亚类世界级 2 处，国家级 1 处，省级 1 处；古脊椎动物化石产地亚类世界级 2 处，国家级 3 处，省级 5 处；古无脊椎动物化石产地亚类世界级 1 处，国家级 5 处，省级 3 处。

(5) 河南省重要岩矿石产地类地质遗迹 30 处，其中典型矿床类露头亚类 8 处，典型矿物命名地亚类 2 处，采矿遗址亚类 20 处。典型矿床类露头亚类 8 处，分别为平顶山煤矿产地、巩义小关铝土矿产地、新安张窑院铝土矿产地、信阳上天梯珍珠岩矿产地、淅川马头山蓝石棉(虎睛石)矿产地、南阳隐山蓝晶石矿产地、镇平杨连沟矽线石矿产地、新安黛眉寨铁矿产地，主要分布在平顶山、巩义、新安、信阳、淅川、南阳、镇平、新安等地；典型矿物命名地亚类 2 处，分别为围山矿产地(桐柏破山银矿产地)、桐柏矿产地，主要分布在桐柏县；采矿遗址亚类 20 处，分别为焦作煤矿产地、舞钢经山寺铁矿产地、安林式铁矿产地、栾川钼钨矿产地、桐柏大河铜锌矿产地、栾川赤土店铅锌矿产地、卢氏大河沟锑矿产地、灵宝小秦岭金矿产地、桐柏银洞坡金矿产地、洛宁沙沟银铅矿产地、卢氏官坡稀有金属矿产地、焦作大洼耐火黏土矿产地、西峡羊奶沟红柱石矿产地、桐柏吴城天然碱矿产地、南阳独山玉矿产地、新密密玉矿产地、汝阳梅花玉产地、泌阳水晶产地、镇平小岔沟石墨矿产地、叶县马庄盐矿产地，主要分布在焦作、舞钢、林州、栾川、桐柏、卢氏、灵宝、洛宁、西峡、南阳、新密、汝阳、泌阳、镇平、叶县等地。典型矿床类露头亚类国家级 7 处，省级 1 处；典型矿物命名地亚类世界级 2 处；采矿遗址亚类世界级 1 处，国家级 8 处，省级 11 处。

第三章 地质遗迹类型及分布

(6)河南省岩土体地貌类地质遗迹37处,其中碎屑岩地貌亚类5处,花岗岩地貌亚类18处,变质岩地貌亚类3处,火山岩地貌亚类1处,岩溶地貌亚类9处,黄土地貌亚类1处。碎屑岩地貌亚类5处,分别为修武云台山红石峡谷地貌、林州嶂石岩地貌、新安龙潭峡谷地貌、新安天碑石碎屑岩地貌、渑池仰韶大峡谷地貌,主要分布在修武、林州、新安、渑池等地中元古代碎屑岩出露区;花岗岩地貌亚类18处,分别为遂平嵖岈山花岗岩地貌、鲁山尧山花岗岩地貌、洛宁中华大石瀑花岗岩地貌、洛宁五女峰花岗岩地貌、信阳鸡公山花岗岩地貌、新县金兰山花岗岩地貌、汝阳炎黄峰花岗岩地貌、内乡宝天曼花岗岩地貌、灵宝女郎山花岗岩地貌、宜阳花果山花岗岩地貌、卢氏玉皇尖花岗岩地貌、西峡老界岭花岗岩地貌、镇平五朵山花岗岩地貌、栾川老君山花岗岩地貌、栾川龙峪湾花岗岩地貌、嵩县白云山花岗岩地貌、嵩县木札岭花岗岩地貌、嵩县天池山花岗岩地貌,主要分布在遂平、鲁山、洛宁、信阳、新县、汝阳、内乡、灵宝、宜阳、卢氏、西峡、镇平、栾川、嵩县等地秦岭-大别山造山带花岗岩出露区;变质岩地貌亚类3处,分别为登封少室山石英岩地貌、桐柏鞘褶皱洞穴-桃花洞、桐柏山元古宙花岗岩地貌,分布在登封、桐柏等地变质岩地层出露区;岩溶地貌亚类9处,分别为修武龙凤壁岩溶地貌、栾川鸡冠洞岩溶地貌、巩义雪花洞岩溶地貌、卢氏九龙洞岩溶地貌、新密神仙洞岩溶地貌、西峡伏牛地下河岩溶地貌、西峡荷花洞岩溶地貌、邓州杏山岩溶地貌、永城剥蚀残丘地貌,分布在修武、栾川、巩义、卢氏、新密、西峡、邓州、永城等地碳酸盐岩地层出露区;黄土地貌亚类1处,为郑州邙山塬黄土地貌,位于郑州。碎屑岩地貌亚类世界级1处,国家级2处,省级2处;花岗岩地貌亚类国家级7处,省级11处;变质岩地貌亚类国家级3处;火山岩地貌亚类国家级1处;岩溶地貌亚类国家级3处,省级6处;黄土地貌亚类国家级1处。

(7)河南省构造地貌类地质遗迹6处,其中断层构造地貌亚类3处,岩层构造地貌亚类2处,褶皱构造地貌亚类1处。断层构造地貌亚类3处,分别为沁阳神农山龙脊岭、辉县关山石林地貌、卫辉跑马岭构造地貌,分布在沁阳、辉县、卫辉等地,位于太行山构造抬升地带;岩层构造地貌亚类2处,分别为林州太行大峡谷、博爱唐县期夷平面,分布在林州、博爱等地,位于太行山构造抬升侵蚀剥蚀地段;褶皱构造地貌1处,为嵩山太室山(褶皱山)地貌景观,位于登封元古宙古构造地段。断层构造地貌亚类国家级2处,省级1处;岩层构造地貌亚类国家级2处;褶皱构造地貌国家级1处。

(8)河南省水体地貌类地质遗迹27处,其中瀑布亚类6处,河流亚类2处,湖泊-潭亚类1处,泉亚类17处(温泉13处、冷水泉4处),沼泽-湿地亚类1处。瀑布亚类6处,分别为修武云台天瀑、林州九连瀑、辉县万仙山磨剑峰瀑布、南召龙潭沟瀑布、桐柏水帘洞瀑布、西峡龙潭沟瀑布群,主要分布在修武、林州、辉县、南召、桐柏、西峡等地太行山、伏牛山、桐柏山区河流侵蚀地段;河流亚类2处,分别为博爱鲸鱼湾风景河段、西峡鹳河漂流段,分布在博爱、西峡河流侵蚀下切地带;湖泊-潭亚类1处,为修武幽潭,位于修武云台山峡谷地貌内;泉亚类17处(温泉13处、冷水泉4处),温泉分别为汝州温泉街温泉、陕县温塘温泉、栾川潭头汤池温泉、卢氏汤池温泉、鲁山上汤温泉、鲁山中汤温泉、鲁山下汤温泉、鲁山温汤温泉、洛阳龙门温泉、商城汤泉池温泉、嵩县汤池沟温泉、郑州三李温泉、内乡大桥温泉,分布在一些断裂地热异常地段,冷水泉分别为安阳珍珠泉、辉县百泉、巩义小龙池泉、博爱三姑泉等,在寒武纪—奥陶纪岩溶地下水排泄地段出露;湿地亚类1处,为豫北黄河故道湿地,分布在新乡东封丘等黄河滨河洼地地带。瀑布亚类世界级1处,省级5处;河流亚类省级2处;湖泊-潭亚类省级1处;泉亚类国家级4处,省级13处。

(9)河南省地质灾害类地质遗迹5处,其中崩塌亚类1处,滑坡亚类1处,泥石流亚类2处,地面塌陷亚类1处。崩塌亚类1处,为辉县崩塌,分布在辉县;滑坡1处,为卢氏县狮子坪滑坡,位于卢氏县南部地形切割较大的山区;泥石流亚类2处,分别为卢氏县黑马渠沟泥石流、鲁山县尧山镇泥石流,分布在卢氏、鲁山等地泥石流易发生地段;地面塌陷亚类1处,为焦作朱村煤矿地面塌陷,位于焦作市煤矿开采造成地面塌陷地段。崩塌亚类国家级1处;泥石流亚类省级2处;滑坡亚类省级1处;地面塌陷亚类省级1处。

第三节　河南省地质遗迹形成及演化历史

《地质遗迹调查规范》(DZ/T 0303—2017)地质遗迹分类划分3大类13类46亚类中,河南省具有3大类9类33亚类,众多地质遗迹的形成与河南省漫长的地质演化历史和复杂多样的构造活动、岩浆作用、古地理环境演化、古生物多样性是分不开的。现就河南省地质遗迹的形成及演化历史简述如下。

人类居住的地球已经有46亿年的历史,在这漫长的时间长河中,地球从混沌初开到地核、地幔、地壳圈层的形成,原始大陆初现。

距今46亿～25亿年的太古宙时期,地球经过早期的演化,先后出现了由花岗岩、碎屑沉积岩等硅铝物质组成的小块陆地,地质学家称之为陆核。在河南省的太行山、嵩山、箕山、小秦岭、崤山、熊耳山等地,都有该时期的岩层分布,主要形成登封(岩)群石牌河(岩)组、郭家窑(岩)组、常窑(岩)组、石梯沟(岩)组、太华(岩)群耐庄(岩)组、荡泽河(岩)组、铁山岭(岩)组、水底沟(岩)组、雪花沟(岩)组地层剖面类地质遗迹,形成嵩山新太古代TTG片麻岩岩石剖面类地质遗迹。云台山世界地质公园内获得了距今34亿年的同位素测年数据,这是目前河南省最古老的岩石。

在距今25亿年前后发生了强烈的构造运动、岩浆活动及变质作用,这就是地质学家所称的嵩阳运动,嵩阳运动之后,华北陆块基底初步形成。

经过太古宙末期的变质变形,华北地区形成了东、西两个较大的古大陆。在古大陆的边缘,出现了大面积的海洋。这是嵩山、太行山等地保留了典型的浅海相沉积岩系的原因。

藻类在这一时期已大量繁殖,这是目前河南省发现最早的生物。鲁山、舞阳一带的铁矿也在这一时期生成。

在19亿～18亿年前,东、西华北古陆块发生了强烈的拼合、焊接,岩层强烈褶皱、断裂,区域上称为中条运动,在嵩山地区称为中岳运动。

经过此次构造运动,形成了统一的古华北板块,它可能也是地球上已知最早的超级大陆——哥伦比亚超大陆的组成部分。嵩山世界地质公园和王屋山国家地质公园内新太古界登封(岩)群和古元古界银鱼沟群(嵩山群)岩层强烈的褶皱和变形,记录了早期地球的演化历史。这些看似普通的岩石,实际上却是海洋沉积、火山喷发、岩浆活动、变质作用和板块运动等地质作用的产物。这一时期形成的地质遗迹主要是银鱼沟群幸福园组、赤山沟组、北崖山组、嵩山群罗汉洞组、五指岭组、庙坡山组、花峪组,秦岭(岩)群郭庄(岩)组、雁岭沟(岩)组、石槽沟(岩)组地层剖面。

距今18亿年左右,在刚刚形成统一的华北板块古陆内部重新发生裂解,形成了三叉裂谷。裂谷内火山活动频繁,这次火山作用一直持续了数亿年时间,在河南省中部、北部遗留了大量古火山遗迹,熊耳群大古石组、许山组、浒湾(岩)组、定远(岩)组及官道口群龙家园组、巡检司组、杜关组、冯家湾组地层剖面。而在距今14.5亿年前后又发生王屋山运动,这次运动导致裂谷闭合,火山活动停止,并露出地表被风化剥蚀,随后沉积形成了小沟背组河流砾岩。古元古界嵩山群庙坡山组下部细粒石英岩中形成新密密玉矿,中元古界长城系熊耳群马家河组火山岩中形成汝阳梅花玉矿。

距今14亿～5.4亿年,华北古陆演绎了从海洋到山麓冰川的地质进程。汝阳群云梦山组、白草坪组、北大尖组、崔庄组、三教堂组、洛峪口组地层剖面类地质遗迹就是在这一段地质历史时期形成的。气候干热的海滩环境形成红色石英砂岩,在云台山红石峡谷的崖壁上,一层层红色岩石中保存有各色各样的波痕和波浪作用形成的层理等地质遗迹。主要地层剖面类地质遗迹有五佛山群马鞍山组、葡萄峪组、骆驼畔组、何家寨组地层剖面,栾川群白术沟组、三川组、南泥湖组、煤窑沟组、大红口组、鱼库组地层剖面,以及黄连垛组地层剖面、董家组地层剖面、罗圈组地层剖面、东坡组地层剖面、三岔口组地层剖面、陶湾组地层剖面、龟山(岩)组地层剖面、耀岭河组地层剖面、陡山沱组地层剖面、灯影组地层剖面、界牌（岩）组地层剖面、歪庙组地层剖面,中元古界汝阳群云梦山组沉积形成新安黛眉寨铁矿,中元古代晋宁期侵入岩形成三坪沟石英闪长岩体,中新元古代洋淇沟的古秦岭洋有限扩张小洋盆洋壳超镁铁质蛇绿岩形成洋淇沟超基性岩体。

距今7亿～6亿年是山岳型冰川覆盖的世界,角峰林立,冰瀑倒挂,留下了临汝、鲁山一带的汝州晚前寒武纪罗圈古冰川地质遗迹。此时,河南省南部的豫、鄂交界一带属于另一个古陆——扬子陆块,也处于广阔的海洋环境,它与华北古陆远隔重洋、遥相呼应。

4.5亿年前的古生代早期,华北板块内部形成了统一的陆表海。这是一种已消失了的古海洋类型。温暖的海水浅而动荡,有利于生物生长和碳酸盐岩沉积。海洋中生长了大量三叶虫、角石、海藻等生物,出现叶县早寒武世杨寺庄动物群、鲁山辛集寒武纪三叶虫动物群、淅川奥陶纪无脊椎动物群和淅川早志留世笔石动物群。

古生代加里东晚期侵入岩形成吐雾山花岗斑岩体、龙王䃎花岗岩体、德河片麻状花岗岩、柳树庄超基性岩体,柳树庄超基性岩体中形成新矿物——桐柏矿物地质遗迹,加里东期辉长岩、次闪石化辉长岩中形成独山玉矿。

距今5亿年左右,华北古陆上的海水从南向北开始逐渐退出。尔后遭受了长达1亿多年的风化剥蚀,这种风化剥蚀作用使铁、铝等物质得到了富集,形成的地层剖面类地质遗迹主要有二郎坪群大庙组、小寨组地层剖面,辛集组、朱砂洞组、水沟口组、岳家坪组、石瓮子组、杨家堡组、岩屋沟组、冯家凹组、习家店组、秀子沟组、火神庙组、抱树坪组、石门冲（岩）组、周进沟（岩）组、白龙庙组、峡蛐组、蛮子营组、张湾组、柿树园组、南湾组、白山沟组、王冠沟组、葫芦山组地层剖面。

大约从3.2亿年前的石炭纪晚期开始,海水又一次入侵华北大陆,古夷平面上的铝物质被带入海洋,形成铝含量丰富的巩义小关铝土矿、新安张窑院铝土矿。此时在河南省有两处海湾:一处在平顶山、确山一带,开口向东南;另一处在豫北焦作、鹤壁一带,开口向东北。在广阔的海岸带上分布着大片森林沼泽,它们被掩埋后经过亿万年的变化形成了现今平顶山、焦作等地煤田。形成的地层剖面类地质遗迹主要为石盒子组小风口段、云盖山段、平顶山段地层剖面,石千峰群孙家沟组、刘家沟组、和尚沟组地层剖面,并埋藏形成了济源二叠纪硅化木化石。

在另一个大陆上,扬子板块自早石炭世开始也被陆及陆表海覆盖,仅在距今4亿年左右有过海水的短暂退出,形成了下集组、梁沟组、三关垭组、花园墙组、杨山组、道人冲组、胡油坊组、杨小庄组、双石头组地层剖面类地质遗迹。出现了固始杨山早石炭世植物群、固始庙冲晚石炭世动物群、淅川石炭纪无脊椎动物群。

这一时期,华北、扬子两大板块逐渐靠拢,于距今4亿年前后发生俯冲和碰撞,引发强烈的岩浆上涌、地层褶皱、断裂活动和变质作用。岩浆侵入形成桐柏老湾花岗岩体,华北板块与扬子板块碰撞深俯冲折返造山过程形成高压—超高压榴辉岩地质遗迹。

距今2.5亿～0.65亿年的中生代时期,华北与扬子两大板块已拼贴在一起,海水完全退出,之后再也不曾光顾河南,统一的中国大陆已经形成。

但在这一阶段,两大板块仍在继续相向运动,地壳快速增厚、隆起,导致地壳深部岩石熔融,引发大规模岩浆侵入、喷发,形成东冶闪长岩体、嵩县万村花岗岩体、蒿坪花岗岩体、合峪花岗岩体、南泥湖花岗闪长斑岩体、嵝岈山花岗岩体、新县花岗岩体地质遗迹。地壳抬升及风化剥蚀铸就了现今山脉等各种地貌的雏形。

在济源、义马等地形成三叠纪—侏罗纪内陆湖盆地,沉积形成延长群油房组、椿树腰组、谭庄组以及鞍腰组、马凹组、韩庄组、义马组地层剖面类地质遗迹,埋藏了济源承留中侏罗世双壳动物群化石;而在秦岭造山带内部及其边缘侏罗纪—白垩纪断陷盆地,形成了太山庙组、南召组、朱集组、段集组、金刚台组、陈棚组、白湾组、马市坪组、九店组、大营组、高沟组、马家村组、寺沟组、东孟村组、南朝组地层剖面类地质遗迹。在小秦岭-嵩山-伏牛山间盆地内发育的三大古生物群最具代表性。即中侏罗世义马植物群的银杏果化石是目前世界上发现的最古老的银杏果化石;早白垩世南召热河动物群的昆虫和双壳类、肢尾在水中游弋,形成了南召马市坪早白垩世热河生物群、镇平赵湾水库早白垩世热河生物群化石;盛极一时的晚白垩世恐龙动物群,如汝阳黄河巨龙身高6m,长18m,真是庞然大物,栾川盗龙是已知世界上灭绝最晚的恐龙,它们时而在湖边奔驰,时而在河口徜徉,在西峡等地产下大量恐龙蛋,完整地保存在岩石之中,成为世界奇迹。

中生代强烈造山活动是中国乃至世界最重要的地质构造事件之一,也是河南省最重要的金属矿床形成时期。河南省大多数金属矿产的生成与该时期构造活动中的岩浆上侵有关。强烈的构造-岩浆活动,携带地球深部的矿物质上侵,过程中不断萃取周围的有益元素,在有利的位置淀积,形成了栾川钼钨矿、桐柏大河铜锌矿、栾川赤土店铅锌矿、卢氏大河沟锑矿、灵宝小秦岭金矿、桐柏银洞坡金矿、洛宁沙沟银铅矿、卢氏官坡稀有金属矿等大型—超大型矿床及桐柏围山城金银矿床中的新矿物地质遗迹。火山作用和变质作用还形成了信阳上天梯珍珠岩矿、西峡羊奶沟红柱石矿、南阳隐山蓝晶石矿、淅川马头山蓝石棉(虎睛石)矿、镇平杨连沟矽线石矿、镇平小岔沟石墨矿、泌阳水晶矿等特色优势非金属矿产。

距今0.65亿年至今的新生代时期,中国东部大地构造应力场发生重大变化,太平洋板块向欧亚板块之下俯冲,现今地貌逐渐形成。小秦岭-伏牛山、桐柏-大别山隆起,太行山突兀耸立,黄河贯通三门峡东流入海,南阳盆地及华北凹陷陡然下降,出现内陆湖盆,形成古近系高峪沟组、潭头组、玉皇顶组、大仓房组、核桃园组、上寺组、李庄组、毛家坡组、李士沟组、五里敦组、张家村组、卢氏组、大峪组、陈宅沟组、蟒川组、石台街组、聂庄组、余庄组、泽峪组、南姚组,新近系彰武组、鹤壁组、潞王坟组、庞村组、洛阳组、大安组、雪家沟组、棉凹组、尹庄组、凤凰镇组及第四系三门组地层剖面类地质遗迹。大量有机生物在濮阳、南阳等地生成石油,干旱炎热的气候环境、湖水的蒸发浓缩在叶县、桐柏等地形成盐和天然碱矿藏。同时,出现卢氏新生代脊椎动物群、济源古近纪两栖犀、唐河西大岗脊椎动物群、桐柏吴城始新世脊椎动物群、淅川始新世脊椎动物群、新乡中新世三趾马动物群,并且南召云阳出现了猿人,淮河平原出现第四纪哺乳动物群。

新生代喜马拉雅期,岩浆侵入形成大乌山-化象金伯利岩体群,喷出形成鹤壁尚峪苦橄玢岩、汝阳李陈庄新近纪古火山机构类地质遗迹。

千万年的内外动力地质作用形成了河南遂平嵖岈山、鲁山尧山、洛宁中华大石瀑、洛宁五女峰、信阳鸡公山、新县金兰山、汝阳炎黄峰、内乡宝天曼、灵宝女郎山、宜阳花果山、卢氏玉皇尖、西峡老界岭、镇平五朵山、栾川老君山、栾川龙峪湾、嵩县白云山、嵩县木札岭、嵩县天池山等花岗岩地貌,修武云台山红石峡谷、林州嶂石岩、新安龙潭峡谷、新安天碑石、渑池仰韶大峡谷等碎屑岩地貌,栾川鸡冠洞、巩义雪花洞、卢氏九龙洞、新密神仙洞、西峡荷花洞、西峡伏牛地下河洞穴等岩溶地貌景观,登封少室山石英岩地貌,桐柏鞘褶皱洞穴-桃花洞、桐柏山元古宙花岗岩地貌等变质岩地貌,商城猫耳石火山岩地貌,修武龙凤壁、邓州杏山岩溶地貌,永城剥蚀残丘地貌等。地壳的抬升和风化剥蚀作用形成了沁阳神农山龙脊岭、林州太行大峡谷、博爱唐县期夷平面、辉县关山石林、嵩山太室山(褶皱山)地貌景观,卫辉跑马岭等构造地貌景观。风的搬运、侵蚀、剥蚀作用,形成了赵下峪黄土剖面及黄土地貌景观。内外地质营力的风化剥蚀、侵蚀作用,形成了修武云台天瀑、林州九连瀑、辉县万仙山磨剑峰瀑布、南召龙潭沟瀑布、桐柏水帘洞瀑布、西峡龙潭沟瀑布群、博爱鲸鱼湾风景河段、西峡鹳河漂流段、修武幽潭等各种水体地貌景观。地下(热)水径流排泄作用形成汝州温泉街温泉、陕县温塘温泉、栾川潭头汤池温泉、卢氏汤池温泉、鲁山上汤温泉、鲁山中汤温泉、鲁山下汤温泉、鲁山温汤温泉、洛阳龙门温泉、商城汤泉池温泉、嵩县汤池沟温泉、郑州三李温泉、内乡大桥温泉、辉县百泉、巩义小龙池泉、博爱三姑泉等(温泉)泉地下水景观。内外地质作用及人为活动,形成了辉县崩塌、焦作朱村煤矿地面塌陷、卢氏县黑马渠沟泥石流、鲁山县尧山镇泥石流、卢氏县狮子坪滑坡等地质灾害景观。

第四章 地质遗迹特征

DIZHI YIJI TEZHENG

河南省地质遗迹主要特征：

(1)类型比较齐全，根据《地质遗迹调查规范》(DZ/T 0303—2017)的地质遗迹类型划分方案，除了火山地貌、海岸地貌、冰川地貌、地震遗迹4个类型及全球层型剖面、古生物遗迹化石产地、陨石坑和陨石体、沙漠地貌、戈壁地貌、现代冰川遗迹、海蚀地貌(侵蚀)、海积地貌(堆积)、飞来峰、构造窗等13亚类外，各类型地质遗迹齐全，划分为3大类9类33亚类地质遗迹。

(2)具有科学价值的基础地质大类地质遗迹占已查明重要地质遗迹数量的主导地位。全省重要地质遗迹335处中，基础地质大类地质遗迹260处，占78%；具观赏价值的地貌景观大类地质遗迹70处，占21%；具科普教育价值的地质灾害大类地质遗迹5处，占1%。

(3)珍贵的重要地质遗迹稀少，全省重要地质遗迹335处中世界级地质遗迹仅22处。其中，地层剖面类1处、岩石剖面类3处、构造面类8处、重要化石产地类5处、重要岩矿石产地类3处、岩土体地貌类1处、水体地貌类1处，反映了河南省位于华北板块与扬子板块碰撞的中央造山带，研究程度高的构造剖面类地质遗迹相对较多，其次为重要化石产地类地质遗迹。

第一节 地层剖面类地质遗迹

1. 登封(岩)群石牌河(岩)组地层剖面

登封(岩)群石牌河(岩)组地层剖面位于河南省登封市君召乡石牌河村。

该地层由河南省区域地质测量队(1964)创名于河南省登封县君召乡石牌河村，岩性为黑云变粒岩和黑云斜长片麻岩，局部混合岩化强烈，呈条带状、条纹状及变斑状混合岩和均质混合岩，其中也可见片麻状花岗岩侵入。本层厚855m，因受太古宙变质辉长闪长岩体吞噬，出露厚仅256m。上覆地层为郭家窑(岩)组(Ar_4g)斜长角闪岩，未见下伏地层。本(岩)组时代为新太古代。此遗迹点未遭人为破坏，基本保持原始状态，具有豫西、豫北地区新太古代地层对比、野外观察、教学实习、科学研究等科学价值，建议保护等级为国家级，建议保护出露面积4.1km²。

2. 登封(岩)群郭家窑(岩)组地层剖面

登封(岩)群郭家窑(岩)组地层剖面位于河南省登封市君召乡郭家窑村。

该地层由河南省区域地质测量队(1964)创名于河南省登封县君召乡郭家窑村，岩性为斜长角闪片岩、二云变粒岩、二云石英片岩、角闪变粒岩、黑云变粒岩夹钙质绢云绿泥片岩、薄层大理岩及黑云斜长片麻岩等。以灰绿色斜长角闪岩类为主要特征，原岩以基性火山岩为主，在变质较浅地段可见杏仁、气孔、集块及火山角砾等火山岩构造，其中夹少量酸性火山岩和正常沉积的碎屑岩、碳酸盐岩。在分布上，该(岩)组多出现在穹隆构造的外围。其中有大量中基性—酸性脉体侵入，有些地段混合岩化强烈。在汝州北黄虎堆一带变质相对较浅，火山岩构造明显。在其他地段变质相对强烈，火山岩构造不易看出。地层厚1 338m，上覆地层：常窑组(Ar_4ch)；下伏地层：石牌河组(Ar_4sh)黑云变粒岩。本(岩)组时代归新太古代。此遗迹点自然出露完整，没有遭受人为破坏，具有豫西、豫北地区新太古代地层对比、野外观察、教学实习、科学研究等科学价值，建议保护等级为国家级，建议保护出露面积2km²。

3. 登封(岩)群常窑(岩)组地层剖面

登封(岩)群常窑(岩)组地层剖面位于河南省汝州市常窑村。

该地层由河南省地质矿产勘查开发局(1989)创名于河南省汝州市常窑村,下部岩性为钠长角闪片岩、黑云变粒岩或角闪变粒岩、绢云(绿泥)变粒岩,夹钠长角闪片岩或绿泥片岩、钙质绿泥片岩及薄层大理岩,局部夹磁铁石英岩;上部岩性为钙质绿泥片岩、绢云石英片岩,夹绢云变粒岩和大理岩,局部夹赤铁石英岩等。剖面厚803m,上覆地层:石梯沟组;下伏地层:郭家窑组(Ar_4g)斜长角闪岩(变杏仁状基性火成岩)。本(岩)组时代归新太古代。此遗迹点保存完好,基本处于原始状态,具有豫西、豫北地区新太古代地层对比、野外观察、教学实习、科学研究等科学价值,建议保护等级为国家级,建议保护出露面积16.9km²。

4. 登封(岩)群石梯沟(岩)组地层剖面

登封(岩)群石梯沟(岩)组地层剖面位于河南省汝州市石梯沟。

该地层由西北大学地质系(1979)创名于河南省汝州市石梯沟。地层主要由绿泥石英片岩和绢云石英片岩组成,夹条带状含铁石英岩,以绿泥石英片岩与绢云石英片岩的互层产出为特征。该地层主要为一套浅变质的正常沉积碎屑岩,原岩为泥砂质岩,局部含砾,夹铁硅质、泥钙质岩和少量中酸性火山岩。在汝州北石梯沟一带发育最好。在登封县君召乡老羊沟一带以白云石英片岩、白云(二云)片岩及绢云绿泥石英片岩为主,其中普遍含砾以及十字石、石榴子石等矿物。本(岩)组时代归新太古代。此遗迹点保存完好,基本处于原始状态,具有豫西、豫北地区新太古代地层对比、野外观察、教学实习、科学研究等科学价值,建议保护等级为国家级,建议保护出露面积6.8km²。

5. 太华(岩)群耐庄(岩)组地层剖面

太华(岩)群耐庄(岩)组地层剖面位于河南省鲁山县耐庄。

该地层由西北大学地质系(1979)创名于河南省鲁山县耐庄。本(岩)组以强烈混合岩化的黑云斜长片麻岩和斜长角闪片麻岩为主,斜长角闪片麻岩沿走向常相变为角闪斜长片麻岩及斜长角闪岩等。局部含石榴子石,普遍强烈混合岩化,呈条带状、条痕状混合岩,厚度不稳定,原岩可能为深成岩(花岗质岩石)。上覆地层:荡泽河组(Ar_4d);下伏地层:因断层切割未见底。本(岩)组厚度大于1 793m,时代归新太古代。此遗迹点保存完好,基本处于原始状态,具有豫西地区新太古代地层对比、野外观察、科学研究等科学价值,建议保护等级为国家级,建议保护出露面积6.3km²。

6. 太华(岩)群荡泽河(岩)组地层剖面

太华(岩)群荡泽河(岩)组地层剖面位于河南省鲁山县荡泽河。

该地层由阎廉泉(1959)创名于河南省鲁山县荡泽河。本(岩)组以巨厚层斜长角闪片麻岩为主,夹少量黑云斜长片麻岩等,原岩可能为中基性岩夹酸性岩,与下伏耐庄(岩)组为过渡关系,界线不太明显,其分层依据主要以岩性组合和色调为标志。本(岩)组内有较多的变基性—超基性岩墙(体、脉)及变闪长岩-辉长岩体。在正层型上荡泽河(岩)组以矽线蓝晶石片岩出现为标志与耐庄(岩)组分界。本(岩)组厚度大于1 420m。上覆地层:铁山岭组(Ar_4t)黑云斜长条带状混合岩,下伏地层:耐庄(岩)组(Ar_4n)黑云斜长条带状混合岩。本(岩)组时代归新太古代。此遗迹点保存完好,基本处于原始状态,具有豫西地区新太古代地层对比、野外观察、科学研究等科学价值,建议保护出露面积4.1km²。

7. 太华(岩)群铁山岭(岩)组地层剖面

太华(岩)群铁山岭(岩)组地层剖面位于河南省鲁山县铁山岭。

该地层由西北大学地质系(1979)创名于河南省鲁山县铁山岭。本(岩)组岩性复杂,变化较大。在铁山岭、李家岭一带发育大理岩、石英磁铁矿及石英片岩等,形成铁矿岩系,最厚达160m,由铁山岭向西迅速变薄,被黑云斜长片麻岩及斜长角闪片岩等代替。变质达角闪岩相。原岩以中酸性火山岩为主,次为砂质黏土岩,基性火山岩,夹泥灰岩、白云质灰岩、白云岩、铁硅质岩等。本(岩)组以含铁矿层为主要特征,厚320m。上覆地层:上亚群水底沟组(Ar_4sh)石榴矽线黑云斜长片麻岩;下伏地层:荡泽河组(Ar_4d)斜长角闪条带状混合岩。本(岩)组时代归新太古代。此遗迹点保存完好,基本处于原始状态,具有豫西地区新太古代地层对比、野外观察、科学研究等科学价值,建议保护等级为国家级,建议保护出露面积1.5km²。

8. 太华(岩)群水底沟(岩)组地层剖面

太华(岩)群水底沟(岩)组地层剖面位于河南省鲁山县水底沟。

该地层由西北大学地质系(1979)创名于河南省鲁山县水底沟。本(岩)组岩性下部为石墨矽线(石榴)黑云斜长片麻岩夹斜长角闪片麻岩、石墨大理岩及方柱透辉大理岩;上部为石墨(透闪)黑云斜长片麻岩,夹石墨(透辉)大理岩、石墨钙质片岩及钙质石英岩等,为石墨矿层。本(岩)组以含石墨为主要标志,厚776m。上覆地层:雪花沟组(Ar_4x)透辉斜长角闪片麻岩;下伏地层:下亚群铁山岭组(Ar_4t)斜长角闪片麻岩。本(岩)组时代归新太古代。此遗迹点保存完好,基本处于原始状态,具有豫西地区新太古代地层对比、野外观察、科学研究等科学价值,建议保护等级为国家级,建议保护出露面积1.2km²。

9. 太华(岩)群雪花沟(岩)组地层剖面

太华(岩)群雪花沟(岩)组地层剖面位于河南省鲁山县雪花沟。

该地层由西北大学地质系(1979)创名于河南省鲁山县雪花沟。本(岩)组岩性下部为透辉斜长片麻岩、绿帘斜长角闪片麻岩及透辉变粒岩,夹蛇纹石大理岩;上部为混合质石榴黑云斜长片麻岩、黑云斜长条带状混合岩,夹斜长角闪条带状混合岩、石榴矽线片麻岩、石墨黑云斜长片麻岩及石墨大理岩等。厚度1551m。上覆地层:中元古界熊耳群斑状安山玢岩;下伏地层:水底沟组(Ar_4sh)石墨透闪黑云斜长片麻岩。本(岩)组时代归新太古代。此遗迹点保存完好,基本处于原始状态,具有豫西地区新太古代地层对比、野外观察、科学研究等科学价值,建议保护等级为国家级,建议保护出露面积2.6km²。

10. 银鱼沟群幸福园组地层剖面

银鱼沟群幸福园组正层型地层剖面位于河南省济源市王屋乡林山—银鱼沟村。

该地层由河南省区域地质测量队(1964c)创名于河南省济源市王屋乡幸福园村。本组岩性为石英岩、长石石英砂岩、变质砂岩、绢云(绿泥)片岩,底部有不稳定的变质砾岩,下部有少量白云石大理岩、大理岩透镜体和赤-镜铁矿体。下界以砾岩或石英岩为标志,与林山群不整合接触;上界以石英岩结束为标志,与赤山沟组整合接触。上覆地层:赤山沟组钠长绢云片岩;下伏地层:登封(岩)群角闪斜长片麻岩。本组剖面厚度354m,时代归古元古代。此遗迹点在王屋山世界地质公园内,保护程度较好,具有豫北、晋南地区古元古代地层对比、野外观察、科学研究等科学价值,建议保护等级为国家级,建议保护出露面积1.2km²。

11. 银鱼沟群赤山沟组地层剖面

银鱼沟群赤山沟组正层型地层剖面位于河南省济源市王屋乡赤山顶—银鱼沟村。

该地层由河南省区域地质测量队(1964c)创名于河南省济源县王屋乡赤山沟。本组岩性下部为黑云片岩、二云片岩和变质砂岩;中部为大理岩、绿泥(绢云)片岩互层;上部为绢云片岩、碳质绢云片岩,岩性变化较大。上覆地层:云梦山组砾岩;下伏地层:幸福园组石英岩,与上、下地层均为整合接触。剖面厚1 215m。本组时代归古元古代。此遗迹点在王屋山世界地质公园内，保护程度较好，具有豫北、晋南地区古元古代地层对比、野外观察、科学研究等科学价值，建议保护等级为国家级，建议保护出露面积2.6km²。

12. 银鱼沟群北崖山组地层剖面

银鱼沟群北崖山组正层型地层剖面位于河南省济源市王屋乡和平—老庄。

该地层由河南省区域地质测量队（1964）创名于河南省济源县王屋乡北崖山。本组岩性为白色石英岩、灰色变质砾岩、灰色变质长石石英砂岩、灰绿色绢云片岩，夹大理岩，含赤铁矿，下以砾岩为标志与赤山沟组整合接触。下伏地层：赤山沟组石英岩，上以石英岩或大理岩结束为标志，与双房（岩）组角闪片岩不整合接触；上覆地层：双房（岩）组斜长绿泥片岩。地层剖面厚度660.9m，时代归古元古代。此遗迹点在王屋山世界地质公园内，保护程度较好，具有豫北、晋南地区古元古代地层对比、野外观察、科学研究等科学价值，建议保护等级为国家级，建议保护出露面积1.5km²。

13. 双房（岩）组地层剖面

双房（岩）组正层型地层剖面位于河南省济源县王屋乡铁山河白龙沟—冷沟庄南。

该地层由河南省区域地质测量队（1964）创名于河南省济源县邵源乡双房村一带。本（岩）组岩性为角闪片岩、斜长角闪片岩、浅变粒岩、黑云片岩、绿泥片岩，夹少量石英岩及大理岩，具混合岩化。下以角闪片岩或绿泥片岩的大量出现为标志，与北崖山组不整合接触，下伏地层：北崖山组石英岩；上被熊耳群大古石组砾岩不整合覆盖。地层剖面厚度407m，时代归古元古代。此遗迹点在王屋山世界地质公园内，保护程度较好，具有济源地区古元古代地层对比、野外观察、科学研究等科学价值，建议保护等级为省级，建议保护出露面积1.1km²。

14. 嵩山群罗汉洞组地层剖面

嵩山群罗汉洞组正层型地层剖面位于河南省登封市罗汉洞—金沟。

该地层由北京地质学院（1964）创名于河南省登封市城北西嵩岳寺塔北罗汉洞名胜点。本组岩性为一套石英岩，下部夹数层砾岩。下界以底砾岩或石英岩为标志，与登封（岩）群不整合接触，下伏地层：登封（岩）群绢云片岩、绢云石英片岩；上覆地层：五指岭组下段石英岩夹绢云石英片岩，上界以石英岩层基本结束为标志，与五指岭组为整合过渡关系。剖面厚度749m，时代归古元古代。此遗迹点在嵩山世界地质公园内，保护良好，未遭到破坏，地层剖面研究程度较高，具有豫西地区古元古代地层对比、野外观察、教学实习、科学研究等科学价值，建议保护等级为国家级，建议保护出露面积2.5km²。

15. 嵩山群五指岭组地层剖面

嵩山群五指岭组复合层型（选层型）地层剖面位于河南省郑州市登封市中岳庙寺里沟、唐庄乡西铁匠沟、唐庄井湾岩崩村。

该地层由张伯声（1951）创名于河南省登封市、巩义市五指岭。本组主要岩性为灰色千枚岩、淡褐色水纹状千枚岩、细片状云母片岩、灰绿色绿泥片岩、黑灰色云母片岩、白色石英片岩、云母状赤铁矿片岩，片岩中夹多种石英岩，如黑白相间的带状石英岩，具有黑色交错的石英岩、褐色坚质石英岩、碧石质胶结的石英岩、富黑砂的黑色石英岩等。下以绢云石英片岩大量出现为标志，与罗汉洞组为整合过渡接触关系，下伏地层：罗汉洞组石英岩；上以绢云石英片岩结束为标志与庙坡山组石英岩整合接触，上覆地层：庙坡山组石英岩。剖面厚度747.5m，时代归古元古代。此遗迹点在嵩山世界地质公园内,保护良好,未遭到破坏,地层剖面研究程度较高,具有豫西地区古元古代地层对比、野外观察、教学实习、科学研究等科学价值,建议保护等级为国家级,建议保护出露面积 4.3km²。

16. 嵩山群庙坡山组地层剖面

嵩山群庙坡山组正层型地层剖面位于河南省登封市唐庄镇井湾村庙坡东。

该地层由河南省区域地质测量队(1977)创名于河南省登封县唐庄井湾村东侧庙坡。本组岩性下部为中—细粒石英岩,夹少量绢云石英片岩,上部为石英岩及条带状磁铁矿石英岩。上、下均以石英岩为标志,下伏地层:五指岭组灰色绢云石英片岩,与五指岭组整合接触;上覆地层:花峪组紫灰色或灰白色千枚岩,与花峪组整合接触。剖面厚度 275m,时代归古元古代。庙坡山组剖面上部存在采矿问题(图 4-1~图 4-3)。此遗迹点在嵩山世界地质公园内,保护良好,未遭到破坏,地层剖面研究程度较高,具有豫西地区古元古代地层对比、野外观察、教学实习、科学研究等科学价值,建议保护等级为国家级,建议保护出露面积 2.7km²。

图 4-1 庙坡山组剖面起点

图 4-2 庙坡山组剖面终点

第四章 地质遗迹特征

图 4-3　庙坡山组剖面上部采矿

17. 嵩山群花峪组地层剖面

嵩山群花峪组正层型地层剖面位于河南省登封市唐庄镇井湾村花峪。

该地层由北京地质学院(1973)创名于河南省登封县唐庄小花峪。本组岩性为绢云千枚岩,含磷角砾状铁质千枚岩,夹白云石大理岩及石英岩等。下伏地层:庙坡山组石英岩,其下以杂质绢云千枚岩为标志与下伏庙坡山组石英岩整合接触;上覆地层:马鞍山组砾岩、石英岩状砂岩,上以石英岩层为标志与上覆马鞍山组砾岩层不整合接触。本组以含磷矿为主要特征,上、下关系清楚,剖面厚度194m,时代归古元古代。此遗迹点在嵩山世界地质公园内,保护良好,未遭到破坏,地层剖面研究程度较高,具有豫西地区古元古代地层对比、野外观察、教学实习、科学研究等科学价值,建议保护等级为国家级,建议保护出露面积 2.1km²。

18. 秦岭(岩)群郭庄(岩)组地层剖面

秦岭(岩)群郭庄(岩)组正层型地层剖面位于河南省内乡县马山口乡郭庄南。

该地层由河南省区域地质调查队(1981a)创名于河南省内乡县马山口乡郭庄村附近。郭庄(岩)组主要岩性为混合岩化石榴黑云斜长片麻岩、斜长角闪片麻岩,夹透辉斜长角闪片麻岩及白云质大理岩。在桐柏一带尚有紫苏辉石、透辉石斜长麻粒岩。上以混合质含石榴黑云斜长片麻岩结束为标志,与雁岭沟(岩)组整合接触,上覆地层:雁岭沟(岩)组硅质条带大理岩;下伏地层:未见底。本组厚度807m,时代归古元古代。此遗迹点保存完好,基本处于原始状态,具有豫西地区古元古代地层对比、野外观察、科学研究等科学价值,建议保护等级为省级,建议保护出露面积 5.6km²。

19. 秦岭(岩)群雁岭沟(岩)组地层剖面

秦岭(岩)群雁岭沟(岩)组次层型地层剖面位于河南省内乡县余关—麦子山。

该地层由阎廉泉(1959)创名于河南省内乡县雁岭沟一带。本(岩)组岩性为厚层石墨大理岩、大理岩、含石英条带或团块及碳质大理岩,其中夹薄层石英岩、石榴黑云斜长片麻岩。上以薄层大理岩、石墨片岩结束为标志,与石槽沟(岩)组整合接触,上覆地层:石槽沟(岩)组黑云斜长片麻岩;下伏地层;下未见底。剖面厚度911.22m,时代归古元古代。此遗迹点保存完好,基本处于原始状态,具有豫西地区古元古代地层对比、野外观察、科学研究等科学价值,建议保护等级为省级,建议保护出露面积3.3km²。

20. 秦岭(岩)群石槽沟(岩)组地层剖面

秦岭(岩)群石槽沟(岩)组正层型地层剖面位于河南省西峡县石槽沟东。

该地层由河南地质矿产厅第四地质调查队(1987)创名于河南省西峡县石槽沟。本(岩)组主要岩性为含石榴矽线黑云斜长(二云)片麻岩,其中夹斜长角闪岩及大理岩。下以钙硅酸盐岩-矽线片麻岩夹大理岩出现为标志,与雁岭沟(岩)组整合接触,下伏地层:雁岭沟(岩)组石墨大理岩;与上覆寨根(岩)组呈断层接触。地层厚度1 214.11m,时代归中元古代。此遗迹点保存完好,基本处于原始状态,具有豫西地区中元古代地层对比、野外观察、科学研究等科学价值,建议保护等级为省级,建议保护出露面积3.1km²。

21. 陡岭杂岩地层剖面

陡岭杂岩正层型地层剖面位于河南省南阳市淅川县荆紫关镇小陡岭。

该地层由河南省区域地质测量队(1976)创名于河南省淅川、西峡两县交界的大陡岭一带。原始定义指自下而上包括周进沟(岩)组、瓦屋场组和大沟组。陡岭杂岩主要岩性为眼球状混合岩、斜长角闪片麻岩、透辉变粒岩、石墨二长片麻岩夹石墨大理岩。与北侧周进沟(岩)组断层接触,南侧以石墨片岩夹斜长片麻岩结束为标志,与姚营寨组不整合接触。时代归古元古代。此遗迹点处于自然状态,未保护,具有豫西地区古元古代地层对比、野外观察、科学研究等科学价值,建议保护等级为省级,建议保护出露面积2.8km²。

22. 熊耳群大古石组地层剖面

熊耳群大古石组正层型地层剖面位于河南省济源市邵源乡黄背角大鼓石村。

该地层由河南省区域地质测量队(1965)创名于河南省济源县邵源乡黄背角大鼓石村。本组岩性下部为黄色、黄绿色及紫红色含砾长石石英砂岩;上部为紫红色砂岩、页岩。底部以砾岩、砂砾岩为标志,与太古宙太华(岩)群或古元古界不同层位不整合接触,下伏地层:双房(岩)组绿泥片岩;上与许山组安山岩为整合关系,上覆地层:许山组安山岩。地层剖面厚度60.2m,时代归中元古代。此遗迹点在王屋山世界地质公园内,自然出露完整,没有遭受到人为破坏,地层剖面研究程度较高,具有豫西地区中元古代地层对比、野外观察、教学实习、科学研究等科学价值,建议保护等级为国家级,建议保护出露面积1.1km²。

23. 熊耳群许山组地层剖面

熊耳群许山组正层型地层剖面位于河南省济源市邵源乡北寨村三担河—建虎门。

该地层由河南省区域地质测量队(1964)创名于河南省济源县邵源乡与山西省垣曲县同善乡交界的许山村附近。本组岩性为黄绿色安山岩、紫红色辉石安山岩、安山玄武岩夹少量流纹岩及火山碎屑岩。下以安山岩大量出现为标志,与大古石组整合接触,或不整合于太古宇、古元古界等不同层位,下伏地层:大古石组砂质岩、砂质页岩;上以安山岩结束为标志,与鸡蛋坪组流纹岩或石英斑岩整合接触,上覆地层:鸡蛋坪组石英斑岩。地层剖面厚度2 963.4m,时代归中元古代。此遗迹点在王屋山世界地质公园内,自然出露完整,没有遭受到人为破坏,地层剖面研究程度较高,具有豫西地区中元古代地层对比、野外观察、教学实习、科学研究等科学价值,建议保护等级为国家级,建议保护出露面积 $2.2km^2$。

24. 兵马沟组地层剖面

兵马沟组正层型地层剖面位于河南省伊川县吕店乡兵马沟。

该地层由河南省区域地质测量队(1964a)创名于河南省伊川县吕店乡兵马沟村附近。本组岩性为紫红色砾岩、砂砾岩、砂岩、粉砂质页岩。下以底砾岩为标志,与太古宙登封(岩)群不整合接触,下伏地层:登封(岩)群角闪斜长片麻岩;上与马鞍山组底砾岩平行不整合覆盖,上覆地层:马鞍山组灰白色砾岩。剖面厚度546m,时代归早震旦世。此遗迹点自然出露完整,没有遭受到人为破坏,地层剖面研究程度较高,具有豫西地区早震旦世地层对比、野外观察、教学实习、科学研究等科学价值,建议保护等级为国家级,建议保护出露面积 $2.1km^2$。

25. 官道口群龙家园组地层剖面

官道口群龙家园组次层型地层剖面位于河南省卢氏县官道口乡龙台西村。

该地层由阎廉泉(1959)创名于陕西省洛南县石门龙家园村。本组岩性为燧石条带白云岩、白云岩、含叠层石白云岩,底部为石英砂岩、含砂白云岩,局部夹薄层砾岩。下与高山河组整合接触,下伏地层:高山河组石英砾岩;上与巡检司组整合接触,上覆地层:巡检司组角砾状燧石岩。剖面厚度820m,时代归中元古代。此遗迹点保护良好,未遭到破坏,具有豫西地区中元古代地层对比、野外观察、科学研究等科学价值,建议保护等级为省级,建议保护出露面积 $3km^2$。

26. 官道口群巡检司组地层剖面

官道口群巡检司组次层型地层剖面位于河南省卢氏县杜关乡前院—苏家沟。

该地层由阎廉泉(1959)创名于陕西省洛南县石门乡巡检司村。本组岩性为燧石条带白云岩,含叠层石。下以米黄色含砾及泥砂质白云质板岩为标志,与龙家园组整合接触,下伏地层:龙家园组燧石条带白云岩;上以米黄色隐晶质白云岩为标志,与杜关组平行不整合接触,上覆地层:杜关组粉晶白云岩。剖面厚度434.5m,时代归中元古代。此遗迹点保护良好,未遭到破坏,具有豫西地区中元古代地层对比、野外观察、科学研究等科学价值,建议保护等级为省级,建议保护出露面积 $3.1km^2$。

27. 官道口群杜关组地层剖面

官道口群杜关组正层型地层剖面位于河南省卢氏县杜关乡步沟—石板村。

该地层由阎廉泉(1959)创名于卢氏县杜关乡。本组岩性下部为含砂砾岩、含砂砾泥质白云岩、同生角砾白云岩;中上部为燧石团块白云岩及板状白云岩,含丰富的叠层石。下以紫红色含砾砂质页岩出现为标志,与巡检司组平行不整合接触,下伏地层:巡检司组白云岩;上以紫红色板状白云岩结束为标志,与冯家湾组整合接触,上覆地层:冯家湾组厚层白云岩。剖面厚度196.69m,时代归中元古代。此遗迹点保护良好,未遭到破坏,地层剖面研究程度较高,具有豫西地区中元古代地层对比、野外观察、教学实习、科学研究等科学价值,建议保护等级为国家级,建议保护出露面积 $3.7km^2$。

28. 官道口群冯家湾组地层剖面

官道口群冯家湾组正层型地层剖面位于河南省卢氏县杜关乡步沟—石板村。

该地层由阎廉泉(1959)创名于河南省卢氏县杜关乡冯家湾村。本组岩性为厚层燧石条纹白云岩、含叠层石白云岩、砾屑白云岩，含丰富的叠层石。下以厚层白云岩出现为标志，与杜关组整合接触，下伏地层：杜关组白云质板岩；上以厚层白云岩结束为标志，与白术沟组平行不整合接触，上覆地层：白术沟组页岩。剖面厚度121.54m，时代归中元古代。此遗迹点保护良好，未遭到破坏，具有豫西地区中元古代地层对比、野外观察、科学研究等科学价值，建议保护等级为省级，建议保护出露面积1.7km²。

29. 浒湾（岩）组地层剖面

浒湾（岩）组正层型地层剖面位于河南省新县细吴湾—沙口塆。

该地层由北京地质学院豫南区域地质测量队（1961）创名于河南省新县浒湾一带。本（岩）组岩性主要为白云斜长（二云）片麻岩，夹白云石片岩、石英岩、大理岩和斜长角闪（片）岩，并见眼球状混合片麻岩，下以云母片岩底界为标志，与大别杂岩不整合接触，下伏地层：大别杂岩磁铁片麻岩；上与定远（岩）组断层接触，上覆地层：定远（岩）组白云母长石片麻岩。剖面厚度1 263.57m，时代归古元古代。此遗迹点自然出露，处于未保护状态，在大别山地区具有古元古代地层对比、野外观察、科学研究等科学价值，建议保护等级为省级，建议保护出露面积5.2km²。

30. 定远（岩）组地层剖面

定远（岩）组正层型地层剖面位于河南省罗山县定远店西。

该地层由北京地质学院豫南区测队（1961c）创名于河南省罗山县定远店一带。本（岩）组主要岩性为角闪片岩、钠长片岩、绢（白）云石英片岩，局部为白云斜长片麻岩，南与浒湾（岩）组断层接触，下伏地层：浒湾（岩）组白云石英片岩；北以韧性剪切带与南湾组接触，上覆地层：南湾组绿帘黑云石英片岩。本（岩）组变质变形强烈，层序不清，归苏家河（岩）群，地层厚度1 348.28m，时代归古元古代。此遗迹点自然出露，处于未保护状态，具有在豫南大别山地区古元古代地层对比和地质工作野外观察的意义，建议保护等级为省级，建议保护出露面积1.1km²。

31. 汝阳群云梦山组地层剖面

汝阳群云梦山组正层型地层剖面位于河南省汝阳县寺沟石门根—白堂根。

该地层由阎廉泉、韩影山（1952）创名于河南省汝阳（原伊阳）县云梦山，当时称云梦山层以及紫罗山（马山口）砾岩层和莲溪寺层。河南省区域地质测量队（1964a、b、c）将以上3层合并，称云梦山组。本组岩性为肉红色、灰白色石英砂岩夹少量紫红色、灰绿色页岩，底部为砾岩及不稳定的铁矿岩。下以底砾岩为标志，与兵马沟组平行不整合接触，普遍与熊耳群等老地层不整合接触；上以石英砂岩层基本结束为标志，与白草坪组整合接触，上覆地层：白草坪组紫红色页岩夹薄层石英砂岩。剖面厚度261.6m，时代归中元古代。此遗迹点自然出露，处于未保护状态，地层剖面研究程度较高，具有豫西地区中元古代地层对比、野外观察、教学实习、科学研究等科学价值，建议保护等级为国家级，建议保护出露面积2.2km²。

32. 汝阳群白草坪组地层剖面

汝阳群白草坪组正层型地层剖面位于河南省汝阳县寺沟白堂根白草坪。

该地层由阎廉泉、韩影山（1952）创名于河南省汝阳县白草坪村，当时称白草坪层。河南区域地质测量队（1964a、b、c）沿用此含义，改称白草坪组。本组岩性为紫红色、灰绿色粉砂质页岩、页岩，夹薄层石英砂岩，局部夹砾岩及白云岩。下以紫红色、灰绿色页岩结束为标志，与云梦山组整合接触，下伏地层:云梦山组石英砂岩;上以紫红色、灰绿色页岩和粉砂质页岩结束为标志,与北大尖组整合接触,上覆地层:北大尖组石英砂岩。剖面厚度107.3m,时代归中元古代。此遗迹点自然出露,处于未保护状态,地层剖面研究程度较高,具有豫西地区中元古代地层对比、野外观察、教学实习、科学研究等科学价值,建议保护等级为国家级,建议保护出露面积2.3km^2。

33. 汝阳群北大尖组地层剖面

汝阳群北大尖组正层型地层剖面位于河南省汝阳县洛峪下河西—崔庄。

该地层由阎廉泉、韩影山(1952)创名于河南省汝阳县北大尖,当时称北大尖层、上洛峪层及武湾后沟层。河南区域地质测量队(1964a,b,c)将北大尖层、上洛峪层及武湾后沟层的下部和中部三部分合并,改称北大尖组。本组岩性为灰白色石英砂岩、长石石英砂岩夹灰绿色、紫红色页岩、灰黑色碳质页岩、灰绿色海绿石砂岩、白云岩及铁矿岩等。下以石英砂岩出现为标志,与白草坪组整合接触,下伏地层:白草坪组紫红色、灰绿色页岩;上以白云岩结束为标志,与崔庄组整合接触,上覆地层:崔庄组石英砂岩。剖面厚度240m,时代归中元古代。此遗迹点自然出露,处于未保护状态。地层剖面研究程度较高,具有豫西地区中元古代地层对比、野外观察、教学实习、科学研究等科学价值,建议保护等级为国家级,建议保护出露面积3.1km^2。

34. 汝阳群崔庄组地层剖面

汝阳群崔庄组正层型地层剖面位于河南省汝阳县洛峪崔庄—龙保。

该地层由阎廉泉、韩影山(1952)创名于河南省汝阳县洛峪崔庄,当时称崔庄页岩。河南区测队(1964a)将武湾后沟层上部的石英砂岩层与崔庄页岩合并,称崔庄组。本组岩性为紫红色、灰绿色、灰黑色等颜色页岩,海绿石砂岩,含铁石英砂岩,夹少量石英砂岩、钙质砂岩、碳质页岩及菱铁矿层,底部有不稳定的赤铁矿层。下以石英岩为标志,与北大尖组整合接触,下伏地层:北大尖组砾屑白云岩;上以页岩或板岩结束为标志,与三教堂组整合接触,上覆地层:三教堂组中粒石英砂岩。剖面厚度128m,时代归中元古代。此遗迹点自然出露,处于未保护状态。地层剖面研究程度较高,具有豫西地区中元古代地层对比、野外观察、教学实习、科学研究等科学价值,建议保护等级为国家级,建议保护出露面积1.8km^2。

35. 汝阳群三教堂组地层剖面

汝阳群三教堂组正层型地层剖面位于河南省汝阳县上洪涧—下洪涧。

该地层由阎廉泉、韩影山(1952)创名于河南省汝阳县洛峪三角(教)堂村,当时称三教堂砂岩。河南区测队(1964a,b,c)沿用该含义,改称三教堂组。本组岩性为灰白色、淡红色石英砂岩,含磁铁斑点的薄层石英岩夹页岩,上部为绿色页岩。下均以石英砂岩为标志,与下伏崔庄组整合接触,下伏地层:崔庄组页岩;上与洛峪口组整合接触,上覆地层:洛峪口组页岩。剖面厚度81.5m,时代归中元古代。此遗迹点自然出露,处于未保护状态。地层剖面研究程度较高,具有豫西地区中元古代地层对比、野外观察、教学实习、科学研究等科学价值,建议保护等级为国家级,建议保护出露面积2.1km^2。

36. 汝阳群洛峪口组地层剖面

汝阳群洛峪口组正层型地层剖面位于河南省汝阳县韭菜凹村。

该地层由阎廉泉、韩影山(1952)创名于河南省汝阳县洛峪口村,当时称洛峪口层。河南区测队(1964a)沿用该含义,改称洛峪口组,并将三教堂砂岩顶部的页岩划归洛峪口组。本组岩性为白云岩、页岩、粉砂质页岩、白云质灰岩、含叠层石白云岩等。下以页岩出现为标志,与三教堂组整合接触,下伏地层:三教堂组石英砂岩;上与辛集组平行不整合接触,上覆地层:辛集组砾岩。剖面厚度181.4m,时代归中元古代。此遗迹点自然出露,处于未保护状态,地层剖面研究程度较高,具有豫西地区中元古代地层对比、野外观察、教学实习、科学研究等科学价值,建议保护等级为国家级,建议保护出露面积3.4km²。

37. 姚营寨组地层剖面

姚营寨组选层型地层剖面位于河南省西峡县田关大岭沟宋庄。

该地层由北京地质学院(1961b)创名于河南省内乡县姚营寨一带。本组岩性下部为砾岩、长石砂岩、含砾长石砂岩及绢云千枚岩;上部为石英角斑质凝灰岩、长石砂岩及含石墨绢云片岩。下以变质砾岩及长石砂岩出现为标志,与陡岭杂岩不整合接触,下伏地层:陡岭杂岩;上以石英角斑质凝灰岩结束为标志,与耀岭河组平行不整合接触,上覆地层:耀岭河组细碧岩。剖面厚度2 069.1m,时代归中元古代。此遗迹点未保护,处于原始状态,具有豫南地区中元古代区域地层对比、地质工作野外观察科学价值,建议保护等级为省级,建议保护出露面积2.2km²。

38. 五佛山群马鞍山组地层剖面

五佛山群马鞍山组正层型地层剖面位于河南省偃师市佛光峪镇马鞍山。

该地层由王曰伦、王泽九等(1959)创名于河南省偃师县佛光峪镇马鞍山。本组岩性为石英砂岩夹少量砾岩及粉砂质页岩,具底砾岩。下与郭家窑(岩)组不整合接触,下伏地层:郭家窑(岩)组绿泥绢云片岩;上以石英砂岩结束为标志,与葡萄峪组整合接触,上覆地层:葡萄峪组页岩。剖面厚度219.7m,时代归震旦纪。此遗迹点在嵩山世界地质公园内,保护良好,未遭到破坏,地层剖面研究程度较高,具有豫西地区震旦纪地层对比、野外观察、教学实习、科学研究等科学价值,建议保护等级为省级,建议保护出露面积3.3km²。

39. 五佛山群葡萄峪组地层剖面

五佛山群葡萄峪组正层型地层剖面位于河南省偃师市佛光峪镇葡萄峪村。

该地层由王曰伦、王泽九等(1959)创名于河南省偃师县佛光乡葡萄峪村附近。本组岩性为以紫红色板状页岩为主的杂色页岩、砂质页岩、碳质页岩夹细砂岩。下以页岩出现为标志,与马鞍山组整合接触,下伏地层:马鞍山组石英砂岩;上以页岩结束为标志,与骆驼畔组石英砂岩微不整合接触,上覆地层:骆驼畔组含砾石英砂岩。剖面厚度129.8m,时代归震旦纪。此遗迹点在嵩山世界地质公园内,保护良好,未遭到破坏,地层剖面研究程度较高,具有豫西地区震旦纪地层对比、野外观察、教学实习、科学研究等科学价值,建议保护等级为国家级,建议保护出露面积0.8km²。

40. 五佛山群骆驼畔组地层剖面

五佛山群骆驼畔组正层型地层剖面位于河南省偃师市佛光峪镇西骆驼畔村。

该地层由王曰伦、王泽九等(1959)创名于河南省偃师县佛光乡西骆驼畔。本组岩性为石英砂岩,底部有时有细砾岩。下以石英砂岩出现为标志,与葡萄峪组整合接触,下伏地层:葡萄峪组页岩;上以石英砂岩结束为标志,与何家寨组整合接触,上覆地层:何家寨组灰岩。剖面厚度68.2m,时代归震旦纪。此遗迹点在嵩山世界地质公园内,保护良好,未遭到破坏,地层剖面研究程度较高,具有豫西地区震旦纪地层对比、野外观察、教学实习、科学研究等科学价值,建议保护等级为国家级,建议保护出露

41. 五佛山群何家寨组地层剖面

五佛山群何家寨组正层型地层剖面位于河南省偃师市佛光峪镇何家寨。

该地层由王曰伦、王泽九等(1959)创名于河南省偃师县佛光乡何家寨村。本组岩性为黄绿色、紫红色页岩,灰色灰质泥岩,含叠层石灰岩,白云岩,泥质白云岩夹石英粉砂岩等。下以白云质灰岩出现为标志,与骆驼畔组整合接触,下伏地层:骆驼畔组灰黄色细—中粒厚层石英砂岩;上以页岩夹灰质泥岩结束为标志,与红岭组或辛集组平行不整合接触,上覆地层:辛集组砂砾岩。剖面厚度337m,时代归新元古代。此遗迹点在嵩山世界地质公园内,保护良好,未遭到破坏,地层剖面研究程度较高,具有豫西地区新元古代地层对比、野外观察、教学实习、科学研究等科学价值,建议保护等级为国家级,建议保护出露面积2.1km²。

42. 红岭组地层剖面

红岭组选层型地层剖面位于河南省偃师市佛光峪镇东红岭。

该地层由马杏垣、索书田等(1975)创名于河南省偃师县佛光乡红(横)岭。本组岩性为青灰色、玫瑰红色含叠层石燧石团块硅质白云岩,紫红色、灰绿色页岩,粉砂岩,硅质岩,含长石石英粉砂岩、砂岩等。下以砾岩、中粗粒石英砂岩出现为标志,与何家寨组平行不整合接触,下伏地层:何家寨组页岩夹泥灰岩;上与下寒武统辛集组砾岩、含砾砂岩平行不整合接触,上覆地层:辛集组砂砾岩。剖面厚度80m,时代归新元古代。此遗迹点在嵩山世界地质公园内,保护良好,未遭到破坏,地层剖面研究程度较高,具有豫西地区新元古代地层对比、野外观察、教学实习、科学研究等科学价值,建议保护等级为国家级,建议保护出露面积0.4km²。

43. 栾川群白术沟组地层剖面

栾川群白术沟组正层型地层剖面位于河南省栾川县三川乡白术沟村。

该地层由河南省地质局第三地质队(1978)创名于河南省栾川县三川乡白术沟。本组岩性复杂,主要为碳质千枚岩、碳质绢云千枚岩、变质石英砂岩、石英岩、石英变粒岩、含钾长石石英岩、绢云石英钾长变粒岩、石英大理岩、含泥砂质不纯大理岩、含碳质白云石大理岩、绿泥石英片岩等。下以碳质千枚岩出现为标志,与冯家湾组整合接触,下伏地层:冯家湾组白云岩;上以碳质千枚岩结束为标志,与三川组整合接触,上覆地层:三川组含砾砂岩。剖面厚度1 011.3m,时代归新元古代。此遗迹点自然出露完整,未遭到破坏,具有豫西、豫西南地区新元古代地层对比、野外观察、科学研究等科学价值,建议保护等级为省级,建议保护出露面积4.1km²。

44. 栾川群三川组地层剖面

栾川群三川组选层型地层剖面位于河南省栾川县三川乡祖师庙村。

该地层由河南省地质局第三地质队(1978)创名于河南省栾川县三川村。本组岩性下段为石英砂岩夹少量千枚岩,底部含细砾石英粗砂岩;上段为条带状黑云母大理岩、绢云母大理岩夹绢云钙质片岩等。下以含细粒石英砂岩出现为标志,与白术沟组整合接触,下伏地层:白术沟组黑色碳质千枚岩;上以大理岩或钙质片岩结束为标志,与南泥湖组整合接触,上覆地层:南泥湖组石英砂岩。剖面厚度451.8m,时代归新元古代。此遗迹点自然出露完整,未遭到破坏,具有豫西、豫西南地区新元古代地层对比及野外观察、科学研究等科学价值,建议保护等级为省级,建议保护出露面积3.8km²。

45. 栾川群南泥湖组地层剖面

栾川群南泥湖组选层型地层剖面位于河南省栾川县冷水乡北沟村。

该地层由阎廉泉(1959d)创名于河南省栾川县南泥湖村。本组岩性分3段：下段为浅黄褐色薄层状石英岩，中段为变斑黑云二云片岩，上段为条带状钙硅酸盐角岩。下与三川组整合接触，下伏地层：三川组大理岩；上与煤窑沟组断层接触，上覆地层：煤窑沟组石英砂岩。剖面厚度243.7m，时代归新元古代。此遗迹点自然出露完整，未遭到破坏，在豫西、豫西南地区具有新元古代地层对比及野外观察、科学研究等科学价值，建议保护等级为省级，建议保护出露面积3km^2。

46. 栾川群煤窑沟组地层剖面

栾川群煤窑沟组正层型地层剖面位于河南省栾川县城东煤窑沟。

该地层由河南省地质局第三地质队(1978)创名于河南省栾川县城东煤窑沟。本组岩性下部为石英岩、二云片岩夹石英大理岩，中上部为白云石大理岩，含叠层石大理岩夹石英岩、磁铁云母片岩及石煤层等。下以石英岩出现为标志，与南泥湖组整合接触，下伏地层：南泥湖组黑云片岩；上部被大红口组整合覆盖，上覆地层：大红口组次火山岩。剖面厚度1 154m，时代归蓟县纪。此遗迹点自然出露完整，未遭到破坏，具有豫西、豫西南地区蓟县纪地层对比及野外观察、科学研究等科学价值，建议保护等级为省级，建议保护出露面积3.1km^2。

47. 栾川群大红口组地层剖面

栾川群大红口组正层型地层剖面位于河南省栾川县三川乡九间房四棵树大红口村。

该地层由河南省地质局第三地质队(1978)创名于河南省栾川县三川乡九间房四棵树大红口村。本组岩性为粗面岩、粗面安山岩、变质粗面集块岩、变斑绢云石英片岩、黑云钠长绿泥片岩、变斑钠长阳起片岩和白云石大理岩等。下以粗面岩出现为标志，整合于煤窑沟组之上，下伏地层：煤窑沟组白云岩；其上与鱼库组整合接触，或被三岔口组平行不整合覆盖。剖面厚度957.8m，时代归新元古代。此遗迹点自然出露完整，未遭到破坏，具有豫西、豫西南地区新元古代地层对比及野外观察、科学研究等科学价值，建议保护等级为省级，建议保护出露面积5.6km^2。

48. 栾川群鱼库组地层剖面

栾川群鱼库组正层型地层剖面位于河南省栾川县中鱼库沟村。

该地层由河南省地质局第三地质队(1978)创名于河南省栾川县中鱼库沟村。本组主要岩性为厚层细粒石英白云石大理岩、方解石白云石大理岩及纯白云石大理岩夹石英岩、黑云绢云片岩，局部底部有砾岩。与下伏大红口组整合接触，下伏地层：大红口组变粗面岩；与上覆三岔口组不整合接触，上覆地层：三岔口组绢云石英片岩。地层剖面厚度596m，时代归新元古代。此遗迹点自然出露完整，未遭到破坏，地层剖面研究程度较高，具有豫陕地区新元古代地层对比及野外观察、科学研究等科学价值，建议保护等级为国家级，建议保护出露面积2.9km^2。

49. 黄连垛组地层剖面

黄连垛组正层型地层剖面位于河南省鲁山县下汤镇九女洞黄连垛。

该地层由关保德、潘泽成等(1980)创名于河南省鲁山县下汤镇九女洞黄连垛。本组岩性为硅质条带白云岩、白云岩夹砂砾岩、石英砂岩，底部为砾岩，顶部为燧石岩。与下伏洛峪口组平行不整合接触,下伏地层:洛峪口组白云岩;与上覆董家组平行不整合接触,上覆地层:董家组中厚层砂砾岩。地层剖面厚度134.2m,时代归新元古代。此遗迹点自然出露完整,未保护,剖面研究程度较高,在豫西地区具有新元古代野外观察、地质科学研究等科学价值,建议保护等级为国家级,建议保护出露面积0.4km²。

50. 董家组地层剖面

董家组正层型地层剖面位于河南省鲁山县下汤镇九女洞董家村。

该地层由关保德、潘泽成等(1980)创名于河南省鲁山县下汤镇九女洞董家村。本组岩性为长石石英砂岩、石英砂岩夹粉砂岩、海绿石砂岩、页岩,底为砂砾岩,顶为泥质白云质灰岩。下以砾岩或砂砾岩为标志,与黄连垛组平行不整合接触,下伏地层:黄连垛组条带状燧石岩;上以白云质灰岩为标志,与罗圈组平行不整合接触,上覆地层:罗圈组钙质泥砾岩。地层剖面厚度133.3m,时代归新元古代。此遗迹点自然出露完整,未保护,剖面研究程度较高,在豫西地区具有新元古代野外地层观察、地质科学研究的科学价值,建议保护等级为国家级,建议保护出露面积0.4km²。

51. 罗圈组地层剖面

罗圈组正层型地层剖面位于河南省汝州市蟒川镇罗圈村。

该地层由刘长安、林蔚兴(1961)创名于河南省汝州市(原临汝县)蟒川镇罗圈村。本组岩性为一套冰碛泥砂质砾岩、含砾页岩夹砂岩。下以砾岩出现为标志,与董家组或汝阳群等不整合接触,下伏地层:北大尖组石英砂岩;上以砾岩基本结束为标志,与东坡组为整合过渡关系,上覆地层:东坡组粉砂质页岩。地层剖面厚度218.2m,时代归新元古代。此遗迹点自然出露完整,未保护,剖面研究程度高,在豫陕晋南地区具有新元古代地层剖面野外观察、教学实习、地质科学研究等科学价值,建议保护等级为国家级,建议保护出露面积1.2km²。

52. 东坡组地层剖面

东坡组正层型地层剖面位于河南省汝州市蟒川镇罗圈村。

该地层由关保德、潘泽成等(1980)创名于河南省汝州市蟒川镇罗圈村东坡。本组岩性为灰绿色、紫红色粉砂质页岩,页岩夹少量海绿石砂岩。下以粉砂质页岩大量出现为标志,与罗圈组整合接触,下伏地层:罗圈组砂质页岩夹少量灰绿色页岩,偶夹砾石;上以页岩结束为标志,与寒武系辛集组平行不整合接触,上覆地层:辛集组含磷粉砂岩、砂砾岩。剖面厚度77.3m,时代归新元古代。此遗迹点自然出露完整,未保护,剖面在豫陕地区具有新元古代地层剖面野外观察、教学实习、地质科学研究等科学价值,建议保护等级为国家级,建议保护出露面积0.8km²。

53. 三岔口组地层剖面

三岔口组正层型地层剖面位于河南省栾川县陶湾乡北沟三岔口村。

该地层由河南省地质局第三地质队(1978)创名于河南省栾川县陶湾乡北沟三岔口村附近。本组岩性上部为深灰色、灰色碳质绢云片岩,下部为钙质砾岩。下以钙质砾岩出现为标志,与鱼库组或大红口组平行不整合接触,下伏地层:鱼库组透辉石大理岩;上以碳质片岩结束为标志,与陶湾(岩)组整合接触,上覆地层:陶湾(岩)组绢云石英片岩。剖面厚度163m,时代归新元古代。此遗迹点自然出露完整,未保护,剖面在卢氏、栾川地区具有新元古代地层剖面野外观察、地质科学研究等科学价值,建议保护等级为省级,建议保护出露面积5.1km²。

54. 陶湾（岩）组地层剖面

陶湾（岩）组正层型地层剖面位于河南省栾川县陶湾镇青岗坪—磨坪。

该地层由阎廉泉（1959）创名于河南省栾川县陶湾地区。本（岩）组岩性为碳质千枚岩、杂色大理岩、绢云钙质片岩、白云石大理岩夹黑云绢云片岩。下与三岔口组整合接触，下伏地层：三岔口组钙质砾岩；上覆地层：宽坪（岩）群二云更长片麻岩。地层剖面厚度 2 512.4m，时代归新元古代。此遗迹点自然出露完整，未保护，剖面在豫陕地区具有新元古代地层剖面野外观察、地质科学研究等科学价值，建议保护等级为国家级，建议保护出露面积 6.1km²。

55. 龟山（岩）组地层剖面

龟山（岩）组正层型地层剖面位于河南省信阳市平桥区辛店—左店。

该地层由北京地质学院豫南区域地质测量队（1961c）创名于河南省信阳市南龟山一带。本（岩）组岩性主要为石榴绢云石英片岩及斜长角闪片岩，夹石英岩、大理岩及碳质层等。与上覆地层南湾组断层接触，上覆地层：南湾组；下断层切割未见底。地层剖面厚度 2 835.5m，时代归新元古代。此遗迹点自然出露完整，未保护，剖面在豫南、豫西南地区具有新元古代地层剖面野外观察、地质科学研究等科学价值，建议保护等级为省级，建议保护出露面积 4.4km²。

56. 耀岭河组地层剖面

耀岭河组次层型地层剖面位于河南省内乡县庙岗乡唐子沟。

该地层由阎廉泉（1959）创名于陕西省商南县耀岭河。本组岩性主要为细碧岩夹细碧质熔角砾岩、熔凝灰岩及绢云片岩，具有气孔及枕状构造。下以枕状细碧岩底部为标志，与姚营寨组平行不整合接触，下伏地层：姚营寨组凝灰岩；上以细碧岩、绢云片岩结束为标志，与上震旦统陡山沱组平行不整合接触，上覆地层：陡山沱组含砾砂岩。地层剖面厚度 2 319.5m，时代归新元古代。此遗迹点自然出露完整，未保护，剖面在豫西南地区具有新元古代地层剖面野外观察、地质科学研究的科学价值，建议保护等级为省级，建议保护出露面积 9.3km²。

57. 陡山沱组地层剖面

陡山沱组次层型地层剖面位于河南省淅川县荆紫关镇秧田沟。

该地层由李四光等（1924）创名的陡山沱岩系演变而来。本组岩性为长石石英砂岩、绢云片岩，局部夹大理岩。下以变质砂岩夹大理岩出现为标志，与耀岭河组平行不整合接触，上以绢云片岩结束为标志，与灯影组整合接触。地层剖面厚度 439m，时代归新元古代。此遗迹点自然出露完整，未保护，剖面在淅川地区具有新元古代地层剖面野外观察、地质科学研究等科学价值，建议保护等级为省级，建议保护出露面积 0.6km²。

58. 灯影组地层剖面

灯影组次层型地层剖面位于河南省淅川县荆紫关镇菩萨堂。

该地层由李四光等（1924）创名的灯影石灰岩演变而来。本组岩性下部为厚层糖粒状白云质大理岩及角砾状白云质大理岩；中部为灰白色厚层致密块状白云岩，夹黑色白云岩及鲕状含磷白云岩等，具网格状、条带状构造；上部为网格状（蜂窝状）硅质白云岩，致密块状及微粒状白云岩等，局部地段有含磷层位。下以厚层白云质大理岩出现为标志，与陡山沱组整合接触，上以网格状（条带状）白云岩结束为标志,与寒武系平行不整合接触。地层剖面厚度222~399m,时代归新元古代。此遗迹点自然出露完整,未保护,剖面在内乡、淅川地区具有新元古代地层剖面野外观察、地质科学研究的科学价值,建议保护等级为省级,建议保护出露面积1.2km²。

59. 界牌(岩)组地层剖面

界牌(岩)组选层型地层剖面位于河南省西峡县西坪乡界牌庙岭村。

该地层由阎廉泉(1959)创名于河南省西峡县西坪乡界牌。本(岩)组岩性为白色条带状大理岩、黑云钙质石英片岩、角闪片岩及瘤状堇青石片岩、云母钙质石英片岩。下以薄层硅化大理岩、石英砂岩出现为标志,与寨根(岩)组整合接触,下伏地层:寨根(岩)组斜长角闪片岩;上与白垩系不整合接触,上覆地层:白垩纪中砂岩。地层剖面厚度3 590m,时代归新太古代。此遗迹点自然出露完整,未保护,剖面在西峡、镇平地区具有新太古代地层剖面野外观察、地质科学研究的科学价值,建议保护等级为省级,建议保护出露面积1.9km²。

60. 歪庙组地层剖面

歪庙组正层型地层剖面位于河南省商城县歪庙—龙王堂。

该地层由河南省区域地质调查队(1980c)创名于河南省商城县歪庙附近。本组岩性为斜长角闪岩、斑点状绢云片岩、白云斜长片麻岩、含石榴斜长黑云片岩、矽线二云片岩、黑云透闪片岩、变砾岩、砂砾岩,局部夹含砾大理岩透镜体。与上覆地层胡油坊组断层接触,上覆地层:胡油坊组灰绿色变质砂岩、变质细砂岩、变质粉砂岩;下伏地层未出露。地层剖面厚度979.67m,时代归晚古生代。此遗迹点自然出露完整,未保护,剖面在商城地区具有晚古生代地层剖面野外观察、地质科学研究等科学价值,建议保护等级为省级,建议保护出露面积2.4km²。

61. 二郎坪群大庙组地层剖面

二郎坪群大庙组正层型地层剖面位于河南省西峡县二郎坪乡大庙村。

该地层由金守文等(1973)创名于河南省西峡县二郎坪乡大庙一带。本组岩性为硅质板岩、长石板岩夹细碧岩、石英角斑岩及凝灰质砂岩、砂砾岩、大理岩等。上与火神庙组整合接触,上覆地层:火神庙组角闪片岩;岩体侵入,下未见底。地层剖面厚度1 085.03m,时代归早震旦世。此遗迹点自然出露完整,未保护,剖面在西峡、南召、桐柏、信阳地区具有早震旦世地层剖面对比、野外观察、地质科学研究等科学价值,建议保护等级为省级,建议保护出露面积3.2km²。

62. 二郎坪群小寨组地层剖面

二郎坪群小寨组正层型地层剖面位于河南省西峡县石界河乡小寨村北头。

该地层由金守文等(1973)创名于河南省西峡县石界河小寨一带。本组岩性为黑云石英片岩、黑云片岩、绢云片岩、二云片岩,下部夹含碳硅质岩、变粒岩、变质砂岩、变质砂岩透镜体。岩石中常见有石榴子石、十字石、红柱石、堇青石、矽线石等矿物。下以黑云斜长石英片岩出现为标志,与火神庙组整合接触,下伏地层:火神庙组斜长角闪片岩;上以斜长角闪片麻岩结束为标志,与抱树坪组整合接触,上覆地层:抱树坪组绢云石英片岩。地层剖面厚度1 133.27m,时代归早震旦世。此遗迹点自然出露完整,未保护,剖面在西峡、内乡、桐柏地区具有早震旦世地层剖面野外观察、地质科学研究等科学价值,建议保护等级为省级,建议保护出露面积5.9km²。

63. 辛集组地层剖面

辛集组正层型地层剖面位于河南省鲁山县辛集镇龙鼻村东南 1 000m 处。

该地层由河南省地质科学研究所(1962)创名于河南省鲁山县辛集镇龙鼻村附近。本组岩性为含磷砂砾岩、磷质含海绿石长石石英砂岩、紫红色砂岩。下与东坡组平行不整合接触,下伏地层:东坡组紫红色及黄绿色片理化泥质粉砂岩,夹薄层石英岩;上以石英砂岩消失、厚层角砾状白云质灰岩出现为标志,与朱砂洞组分界,上覆地层:朱砂洞组红色、淡黄色膏溶灰岩角砾岩,溶洞发育。地层剖面厚度 14.85m,时代归早寒武世。此遗迹点自然出露完整(图 4-4、图 4-5),未采取任何保护措施,三叶虫化石研究程度较高,对华北地区早寒武世早期地层对比、三叶虫化石产出地层研究具有野外观察的科学价值,建议保护等级为国家级,建议保护出露面积 0.7km²。

图 4-4　辛集组剖面野外保存自然状态

图 4-5　辛集组剖面野外露头

64. 朱砂洞组地层剖面

朱砂洞组选层型地层剖面位于河南省平顶山市姚孟村东南 1 400m 处。

该地层由冯景兰、张伯声(1952)创名于河南省平顶山市西南朱砂洞村。本组岩性下部为浅红色含燧石薄层泥灰岩,中部为泥质灰岩,上部为深红灰色(含云斑)灰岩,顶部为灰色浅红色中厚层灰岩。与下伏辛集组整合接触,下伏地层:辛集组中层砂岩与粉砂岩、泥岩互层;与上覆馒头组整合接触,上覆地层:馒头组灰黄色薄层状泥灰岩。地层剖面厚度 63.5m,时代归早寒武世。朱砂洞组正层型剖面已被学校建筑物覆盖(图 4-6);选层型剖面也已被建筑物或建筑垃圾覆盖(图 4-7),地层剖面遭到破坏。正层型及选层型地层剖面研究程度较高,对华北地区早寒武世早期地层对比研究具有野外观察、地质科学研究等科学价值,建议作为候选地层剖面并恢复保护出露面积 0.1km²。

图 4-6　朱砂洞组正层型剖面被学校建筑物覆盖

图 4-7　朱砂洞组选层型剖面被建筑物或建筑垃圾覆盖

65. 水沟口组地层剖面

水沟口组次层型地层剖面位于河南省淅川县脑子寨。

该地层由陕西省区域地质测量队(1958)创名于陕西省商南县汪家店乡水沟口村。本组岩性下部为黑色硅质岩、紫红色页岩夹硅质白云岩透镜体及硅质岩,含钒、磷;中部为灰色、灰紫色薄层泥晶灰岩,夹少量页岩;上部为灰色及灰紫色泥质条带白云质泥晶灰岩,夹少量页岩、泥晶灰岩。其下与灯影组平行不整合接触,其上与岳家坪组厚层白云质灰岩为整合接触关系。地层剖面厚度58.9m,时代归早寒武世。此遗迹点自然出露完整,未保护,剖面在淅川地区具有早寒武世地层剖面野外观察、地质科学研究等科学价值,建议保护等级为省级,建议保护出露面积1km^2。

66. 岳家坪组地层剖面

岳家坪组次层型地层剖面位于河南省淅川县脑子寨。

该地层由陕西省区域地质测量队(1966)创名于陕西省商南县岳家坪。本组岩性为深灰色白云质灰岩、浅灰色泥质灰岩、紫灰色粉砂岩、浅灰色厚层泥质白云质灰岩、泥质灰岩,夹少许钙质页岩,底部的厚层白云岩与水沟口组整合接触,上以灰紫色、灰黄色薄层泥晶白云岩与石瓮子组厚层白云岩整合接触。地层剖面厚度283.6m,时代归中寒武世。此遗迹点自然出露完整,未保护,剖面在淅川地区具有中寒武世地层剖面野外观察、地质科学研究等科学价值,建议保护等级为省级,建议保护出露面积1.2km^2。

67. 石瓮子组地层剖面

石瓮子组次层型地层剖面位于河南省淅川县脑子寨。

该地层由赵亚曾、黄汲清(1931)创名于陕西省柞水县石瓮子。本组岩性下部为灰白色厚层含燧石团块细晶白云岩,上部为中厚层细晶白云岩,夹少量灰岩。其下部与岳家坪组灰紫色、灰黄色薄层泥晶白云岩为整合关系,其上与白龙庙组细晶白云岩为整合-平行不整合接触关系。地层剖面厚度1 563m,时代归晚寒武世。此遗迹点自然出露完整,未保护,剖面在淅川地区具有晚寒武世地层剖面野外观察、地质科学研究等科学价值,建议保护等级为省级,建议保护出露面积1.4km^2。

68. 杨家堡组地层剖面

杨家堡组次层型地层剖面位于河南省淅川县秀子沟。

该地层由朱洪源等(1988)创名于湖北省均县习家店乡杨家堡。本组岩性下部为棕色薄层硅质岩,上部为碳质板岩。其下与震旦系灯影组白云岩呈平行不整合接触,其上以出现浅灰色黏土质板岩为标志,与岩屋沟组分界。地层剖面厚度58.8m,时代归早寒武世。此遗迹点自然出露完整,未保护,剖面在淅川地区具有早寒武世地层剖面对比的科学研究价值,建议保护等级为省级,建议保护出露面积1.3km^2。

69. 岩屋沟组地层剖面

岩屋沟组次层型地层剖面位于河南省淅川县秀子沟。

该地层由朱洪源等(1988)创名于湖北省均县习家店乡岩屋沟。本组岩性主要为浅灰色黏土质板岩,其下与杨家堡组碳质板岩整合接触,其上与冯家凹组灰色厚层灰岩整合接触。地层剖面厚度24.9m,时代归早寒武世。此遗迹点自然出露完整,未保护,剖面在淅川地区具有早寒武世地层剖面对比的科学研究价值,建议保护等级为省级,建议保护出露面积1.6km^2。

70. 冯家凹组地层剖面

冯家凹组次层型地层剖面位于河南省淅川县秀子沟。

该地层由朱洪源等(1988)创名于湖北省均县习家店乡冯家凹。本组岩性主要为厚层灰岩及厚层白云岩，夹生物碎屑灰岩及缎带状灰岩。其下以岩屋沟组浅灰色黏土质板岩消失、灰色厚层细晶灰岩出现为本组开始标志，其顶界以厚层细晶白云岩与习家店组薄层砂屑灰岩分界。地层剖面厚度35.5m，时代归中寒武世。此遗迹点自然出露完整，未保护，剖面在淅川地区具有中寒武世区域地层对比的科学研究价值，建议保护等级为省级，建议保护出露面积1.1km²。

71. 习家店组地层剖面

习家店组次层型地层剖面位于河南省淅川县秀子沟。

该地层由朱洪源等(1988)创名于湖北省均县习家店乡。本组岩性底部为灰紫色钙质页岩；下部为含泥质白云岩夹白云质灰岩、钙质页岩；上部为豹皮状灰岩、薄层白云质灰岩夹紫红色钙质页岩；顶部为薄—中层白云质灰岩。与下伏冯家凹组整合接触，与上覆秀子沟组整合接触。地层剖面厚度349.7m，时代归中寒武世。此遗迹点自然出露完整，未保护，剖面在淅川地区具有中寒武世区域地层对比的科学研究价值，建议保护等级为省级，建议保护出露面积5.2km²。

72. 秀子沟组地层剖面

秀子沟组正层型地层剖面位于河南省淅川县盛湾乡秀子沟。

该地层由北京地质学院豫南区域地质测量队(1961)创名于河南省淅川县盛湾乡秀子沟。本组岩性下部为中—厚层灰岩、白云质灰岩、泥质条带灰岩夹溶洞灰岩；中部为薄层微晶灰岩、泥质条带灰岩、细晶白云岩，岩面上常见红色泥质薄膜；上部为厚层含燧石团块灰岩、泥质团块纹层灰岩、细晶白云岩。其下以本组泥质条带灰岩与习家店组灰质白云岩整合接触，下伏地层：习家店组灰黑色缎带状泥晶灰岩夹砾屑灰岩；其上未见顶。地层剖面厚度1 132.8m，时代归晚寒武世—早奥陶世。此遗迹点自然出露完整，未保护，剖面在淅川地区具有晚寒武世—早奥陶世区域地层对比的科学研究价值，建议保护等级为省级，建议保护出露面积7.9km²。

73. 火神庙组地层剖面

火神庙组正层型地层剖面位于河南省西峡县二郎坪乡火神庙村。

该地层由金守文等(1973)创名于河南省西峡县二郎坪乡火神庙村。本组岩性主要为巨厚层细碧岩、细碧玢岩。下以石英角斑岩、细碧玢岩出现为标志，与大庙组整合接触，下伏地层：大庙组黑云石英片岩；上以细碧岩结束为标志，与小寨组整合接触，上覆地层：小寨组黑云石英片岩，归二郎坪群。地层剖面厚度3 000.64m，时代归早古生代。此遗迹点保存完好，基本处于原始状态，剖面在西峡、桐柏、信阳地区具有早古生代区域地层对比的科学研究价值，建议保护等级为省级，建议保护出露面积4.8km²。

74. 抱树坪组地层剖面

抱树坪组正层型地层剖面位于河南省西峡县石界河乡抱树坪村。

该地层由金守文等(1973)创名于河南省西峡县石界河乡抱树坪一带。本组主要岩性为石榴黑云石英片岩、黑云石英片岩夹斜长角闪质条带及黑云斜长片岩，上部夹基性火山岩、火山碎屑岩。下以绢云石英片岩出现为标志，与小寨组整合接触，下伏地层：小寨组斜长角闪片麻岩夹少量浅粒岩；上未见顶。地层剖面厚度1 134.92m,时代归晚震旦世。此遗迹点保存完好,基本处于原始状态,剖面在西峡地区具有晚震旦世区域地层对比的科学研究价值,建议保护等级为省级,建议保护出露面积4.9km²。

75. 石门冲(岩)组地层剖面

石门冲(岩)组正层型地层剖面位于河南省商城县三里坪乡石门冲村。

该地层由河南省地质局第十地质队(1976)创名于河南省商城县石门冲一带。本(岩)组岩性为白云石英片岩、石榴子石英片岩夹大理岩、斜长角闪片岩、碳质绢云片岩,含胶磷矿。与上覆地层胡油坊组断层接触,上覆地层:胡油坊组灰色中细粒变钙质粉砂岩;下未见底。地层剖面厚度1 475.04m,时代归早古生代。此遗迹点自然出露完整,未保护,剖面在大别山地区具有早古生代区域地层对比、野外观察等科学研究价值,建议保护等级为省级,建议保护出露面积12.2km²。

76. 周进沟(岩)组地层剖面

周进沟(岩)组正层型地层剖面位于河南省西峡县重阳乡周进沟村。

该地层由河南省区域地质调查队(1976)创名于河南省西峡县重阳乡周进沟村附近。本(岩)组岩性下部为透闪大理岩、金云大理岩、长石石英岩夹含金红石黑云钠长角闪片岩、石墨片岩等;上部为二云石英片岩、二云片岩、白云钙质片岩、钙质二云石英片岩夹方柱黑云石英片岩、方柱绿泥钙质片岩、变质粉砂岩、大理岩等。与上覆陡岭杂岩断层接触,未见底。地层剖面厚度1 967.2m,时代归早古生代。此遗迹点自然出露完整,未保护,剖面在西峡地区具有早古生代区域地层对比的科学研究价值,建议保护等级为省级,建议保护出露面积2.1km²。

77. 白龙庙组地层剖面

白龙庙组正层型地层剖面位于河南省淅川县脑子寨。

该地层由河南省地质矿产勘查开发局、北京地质学院豫南区域地质测量队(1966)创名于河南省淅川县白龙庙河。白龙庙组指石瓮子组之上、牛尾巴山组之下的一套地层,主要岩性为灰色、浅灰色厚层含燧石条带(或团块)细晶白云岩,上部夹含生物碎屑亮晶砂屑灰岩和泥晶灰岩。其下以含燧石条带厚层细晶白云岩与石瓮子组厚层细晶白云岩整合接触,其上以厚层含燧石条带(或团块)细晶白云岩与牛尾巴山组厚层微晶灰岩整合接触。地层剖面厚度415.5m,时代归奥陶纪。此遗迹点自然出露完整,未保护,剖面研究程度较高,在豫鄂交界地区具有奥陶纪地层对比、野外观察等科学研究价值,建议保护等级为国家级,建议保护出露面积1.4km²。

78. 牛尾巴山组地层剖面

牛尾巴山组正层型地层剖面位于河南省淅川县城东牛尾巴山。

该地层由刘印环(1985)创名于河南省淅川县城东牛尾巴山。本组岩性为泥晶灰岩、白云质灰岩及粉晶白云岩。其下以微晶、泥晶灰岩与白龙庙组含燧石条带白云岩整合接触,下伏地层:白龙庙组灰色厚层含燧石条带(或团块)细晶白云岩;其上与岞蚰组灰绿色玄武玢岩平行不整合接触,上覆地层:岞蚰组灰绿色玄武玢岩。地层剖面厚度168.1m,时代归早奥陶世。此遗迹点自然出露完整,未保护,剖面在淅川地区具有早奥陶世地层剖面对比、野外观察等科学研究价值,建议保护等级为省级,建议保护出露面积0.9km²。

79. 岞蚰组地层剖面

岞蚰组正层型地层剖面位于河南省淅川县王冠沟。

该地层由北京地质学院豫南区域地质测量队(1961b)创名于河南省内乡县岞曲,指牛尾巴山组之上、蛮子营组之下的一套火山岩系,主要岩性有灰绿色玄武玢岩、紫灰色凝灰岩、凝灰质粉砂岩、凝灰质砂砾岩、紫灰色页岩、砂岩等,局部夹灰岩、大理岩。其下与牛尾巴山组白云质灰岩平行不整合接触,下伏地层:牛尾巴山组灰岩;其上以土黄色页岩、泥灰岩、白云岩与蛮子营组整合接触,上覆地层:蛮子营组砂质页岩。地层剖面厚度127.4m,时代归早志留世。此遗迹点自然出露完整,未保护,剖面在淅川、内乡地区具有早志留世地层对比的科学研究价值,建议保护等级为省级,建议保护出露面积 $0.9km^2$。

80. 蛮子营组地层剖面

蛮子营组选层型地层剖面位于河南省淅川县石燕河。

该地层由北京地质学院豫南区域地质测量队(1961)创名于河南省淅川县蛮子营村。本组岩性为黄色泥岩、泥灰岩、粉砂质泥岩夹灰岩、泥质灰岩。其下以灰岩、粉砂岩、泥岩与岞曲组紫灰色凝灰岩、粉砂岩整合接触,下伏地层:岞曲组紫灰色凝灰质粉砂岩夹薄层灰紫色灰岩;其上与张湾组整合接触,上覆地层:张湾组灰色厚层含粉砂质泥岩。地层剖面厚度417.4m,时代归中奥陶世晚期—晚奥陶世。此遗迹点自然出露完整,未保护,剖面在淅川地区具有中—晚奥陶世区域地层对比、野外观察等科学研究价值,建议保护等级为省级,建议保护出露面积 $1.2km^2$。

81. 张湾组地层剖面

张湾组正层型地层剖面位于河南省淅川县张湾乡后凹村。

该地层由阎国顺等(1981)创名于河南省淅川县张湾村,指蛮子营组之上、上泥盆统白山沟组之下的一套以页岩为主的岩系,主要岩性为土黄色、黄绿色页岩,夹粉砂质泥岩、粉砂岩、泥灰岩。其下以蛮子营组泥岩夹灰岩结束、出现大量页岩或泥岩为本组开始标志,与下伏地层整合接触,下伏地层:蛮子营组土黄色厚层细粒长石石英砂岩;其上与上泥盆统白山沟组底部砾岩平行不整合接触,上覆地层:白山沟组灰黑色砾岩。地层剖面厚度238m,时代归早志留世。此遗迹点无保护措施,基本处于原始状态,剖面研究程度较高,剖面在淅川地区具有早志留世区域地层对比、野外观察等科学研究价值,建议保护等级为国家级,建议保护出露面积 $2.8km^2$。

82. 柿树园组地层剖面

柿树园组正层型地层剖面位于河南省南召县学院—二道河。

该地层由河南省区域地质调查队(1986)创名于河南省南召县乔端乡柿树园一带。本组岩性主要为绢云石英片岩、变石英砂岩和变斑状黑云石英片岩、碳质绢云石英片岩,大片黑云母变斑晶是本组的特征矿物,与南侧火神庙组和北侧宽坪(岩)群广东坪(岩)组均为断层接触,下伏地层:火神庙组变酸性晶屑凝灰岩夹大理岩透镜体。地层剖面厚度1 167.15m,时代归晚古生代。此遗迹点自然出露完整,未保护,剖面在南召地区具有晚古生代地层对比、野外观察等科学研究价值,建议保护等级为省级,建议保护出露面积 $1.4km^2$。

83. 南湾组地层剖面

南湾组正层型地层剖面位于河南省光山县牢山钱大湾—五岳水库。

该地层由北京地质学院豫南区域地质测量队(1961c)创名于河南省信阳市南湾水库一带。本组主要岩性为含碎屑(长石斑点)白云斜长片岩、二云斜长角闪片岩、黑云变粒岩、含石榴角闪变粒岩、绿帘黑云变粒岩、绢云石英片岩。南、北两侧分别与定远(岩)组、龟山(岩)组断层接触,下伏地层:龟山

（岩）组斜长角闪片岩。地层剖面厚度6 044.46m，时代归晚古生代。此遗迹点自然出露完整，未保护，剖面在豫南地区具有晚古生代区域地层对比、野外观察等科学研究价值，建议保护等级为省级，建议保护出露面积11.6km²。

84. 白山沟组地层剖面

白山沟组正层型地层剖面位于河南省淅川县魏营白山沟。

该地层由北京地质学院豫南区域地质测量队（1961b）创名于河南省淅川县白石崖村。本组岩性底部为紫黑色砾岩；下部为紫红色页岩与灰黄色石英岩互层；中部为紫色薄层含云母细粒长石石英砂岩；上部为姜黄色黏土岩夹薄层砂岩及砂质页岩；顶部为灰白色白云质石英细砂岩。下与志留系张湾组平行不整合接触，下伏地层：张湾组黄绿色页岩；上与王冠沟组整合接触，上覆地层：王冠沟组砂页岩、泥灰岩。地层剖面厚度444.28m，时代归晚泥盆世。此遗迹点自然出露完整，未保护，剖面研究程度较高，在淅川、内乡地区具有晚泥盆世区域地层对比、野外观察等科学研究价值，建议保护等级为国家级，建议保护出露面积1.4km²。

85. 王冠沟组地层剖面

王冠沟组正层型地层剖面位于河南省淅川县魏营东北王冠沟。

该地层由北京地质学院豫南区域地质测量队（1961b）创名于河南省淅川县王冠沟村。本组岩性下部为灰黄色中厚层中粒长石石英砂岩，含云母细砂岩与灰黄色黏土岩、礁灰岩互层；中部为灰黄色中厚层中粒长石石英砂岩与灰紫色黏土岩互层；上部为灰紫色黏土岩夹灰黄色细砂岩、灰岩。下与白山沟组整合接触，下伏地层：白山沟组砂页岩；上与葫芦山组整合接触，上覆地层：葫芦山组砂页岩。地层剖面厚度136m，时代归中泥盆世。此遗迹点自然出露完整，未保护，剖面研究程度较高，在淅川、内乡地区具有中泥盆世区域地层对比、野外观察等科学研究价值，建议保护等级为国家级，建议保护出露面积1.5km²。

86. 葫芦山组地层剖面

葫芦山组正层型地层剖面位于河南省淅川县胡家泉—付家营。

该地层由北京地质学院豫南区域地质测量队（1961b）创名于河南省内乡县葫芦山。本组岩性下部为灰白色厚层中细粒砂岩或岩屑石英砂岩；上部为灰白色厚层石英砂岩夹灰褐色铁泥质砂岩、页岩、岩屑砂岩，含铁石英砂岩及赤铁矿层。下与王冠沟组整合接触，下伏地层：王冠沟组砂页岩、泥灰岩；上与下石炭统下集组平行不整合接触，上覆地层：下集组白云质灰岩。地层剖面厚度231m，时代归晚泥盆世。此遗迹点自然出露完整，未保护，剖面研究程度较高，在淅川、内乡地区具有晚泥盆世区域地层对比、野外观察等科学研究价值，建议保护等级为国家级，建议保护出露面积1.8km²。

87. 下集组地层剖面

下集组正层型地层剖面位于河南省淅川县侯家坡村。

该地层由北京地质学院豫南区域地质测量队（1961）创名上集组，河南省地质矿产勘查开发局、北京地质学院豫南区域地质测量队（1966）改称下集组，地点在河南省淅川县下集。本组岩性主要为灰白色巨厚层泥晶白云质灰岩，灰黑色细晶或泥晶白云岩和白云岩化亮晶砂屑灰岩夹灰黑色泥晶灰岩，上部夹一层角砾状泥晶白云质灰岩。下以灰白色巨厚泥晶白云岩为标志，与上泥盆统葫芦山组平行不整合接触，下伏地层：葫芦山组灰白色厚层长石砂岩；上以灰白色厚层泥晶白云岩为标志，与梁沟组整合接触，上覆地层：梁沟组灰白色泥质灰岩。地层剖面厚度419.81m，时代归早石炭世。此遗迹点未采取保护措施,呈原始出露自然状态,在淅川地区具有早石炭世区域地层剖面对比、野外观察等科学研究价值,建议保护等级为省级,建议保护出露面积1.6km²。

88. 梁沟组地层剖面

梁沟组正层型地层剖面位于河南省淅川县石咀丫—梁沟。

该地层由北京地质学院豫南区域地质测量队(1961)创名于河南省淅川县梁沟村。本组岩性底部有一层褐黄色厚层角砾状白云质灰岩,下部为灰褐色中厚层白云质灰岩与灰岩互层,上部为灰褐色含燧石团块纯灰岩,产珊瑚化石,顶部多含泥质条带。下与下集组整合接触,下伏地层:下集组条带状灰岩;上与三关垭组整合接触,上覆地层:三关垭组灰黑色中厚层纯灰岩。地层剖面厚度645.92m,时代归早石炭世。此遗迹点未采取保护措施,呈原始出露自然状态,在淅川地区具有早石炭世区域地层剖面对比、野外观察等科学研究价值,建议保护等级为省级,建议保护出露面积1.8km²。

89. 三关垭组地层剖面

三关垭组正层型地层剖面位于河南省淅川县三关垭。

该地层由阎国顺等(1988)创名于河南省淅川县三关垭。本组岩性底部为白色、灰白色黏土岩,杂色黏土页岩,下部为灰色、浅灰色、黑灰色中厚层泥晶、细晶生物碎屑灰岩,硅质团块生物碎屑灰岩;中部为灰色中厚层生物碎屑灰岩、泥晶灰岩夹钙质泥岩及薄层泥灰岩、泥质粉砂岩;上部为黑灰色厚层生物碎屑灰岩、泥灰岩,未见顶。与下伏梁沟组为整合接触,下伏地层:梁沟组泥质条带灰岩。地层剖面厚度628.86m,时代归中石炭世。此遗迹点未采取保护措施,呈原始出露自然状态,在淅川地区具有中石炭世区域地层对比、野外观察等科学研究价值,建议保护等级为省级,建议保护出露面积9.4km²。

90. 花园墙组地层剖面

花园墙组正层型地层剖面位于河南省固始县花园墙—刘林。

该地层由聂宗笙(1959)创名于河南省固始县段集乡花园墙村。本组岩性中下部为中细粒钙质长石石英砂岩及粉砂质钙质页岩,上部为厚层细粒石英砂岩、细粒泥质石英砂岩。上以细粒石英砂岩结束为标志,与杨山组整合接触,上覆地层:杨山组巨厚层石英砾岩,夹细粒泥质含铁石英砂岩;下未见底。地层剖面厚度559.83m,时代归早石炭世。此遗迹点未采取保护措施,呈原始出露自然状态,在豫南地区具有早石炭世区域地层对比、野外观察等科学研究价值,建议保护等级为省级,建议保护出露面积3.1km²。

91. 杨山组地层剖面

杨山组正层型地层剖面位于河南省固始县杨山煤矿—小杨山。

该地层由聂宗笙等(1959)在河南省固始县方集乡大杨山西坡寒坡岭创名杨山砾岩和杨山煤系,河南省区域地质调查队(1980c)将两者合并为杨山组。本组岩性下部为灰白色巨厚层状石英砂岩夹少量含铁泥质石英砂岩;中部为灰白色石英砾岩、石英砂岩及粉砂质黏土岩夹灰色铝土页岩及煤(层)线;上部为含铁泥质石英砂岩、粉砂质黏土岩及石英砾岩夹煤线。下以石英砾岩底界为标志,与花园墙组整合接触,下伏地层:花园墙组石英砂岩;上以泥岩结束为标志,与道人冲组整合接触,上覆地层:道人冲组石英岩质砾岩、细粒含铁泥质石英砂岩。地层剖面厚度1 177.35m,时代归早石炭世晚期。此遗迹点未采取保护措施,呈原始出露自然状态,地层剖面研究程度较高,在豫南地区具有早石炭世区域地层对比、野外观察等科学研究价值,建议保护等级为国家级,建议保护出露面积0.9km²。

92. 道人冲组地层剖面

道人冲组正层型地层剖面位于河南省固始县管家店—杨山煤矿。

该地层由河南省区域地质调查队(1980c)创名于河南省固始县道人冲。本组岩性下部为含铁泥质石英砂岩、泥质粉砂岩、粉砂质黏土岩、泥页岩夹薄层砂砾岩及石英岩,含大量动物化石及植物化石碎片;上部为厚层复成分砾岩夹中细粒含铁泥质石英砂岩;顶部为白云质细砂岩夹灰岩、白云质石英砂岩及石英砾岩。下与杨山组整合接触,下伏地层:杨山组黏土岩;上以石英砂岩为标志,与胡油坊组整合接触,上覆地层:胡油坊组变质粉砂岩。地层剖面厚度1 162.65m,时代归中石炭世。此遗迹点未采取保护措施,呈原始出露自然状态,地层剖面研究程度较高,在豫南地区具有中石炭世区域地层对比、野外观察等科学研究价值,建议保护等级为国家级,建议保护出露面积3.1km^2。

93. 胡油坊组地层剖面

胡油坊组正层型地层剖面位于河南省商城县伏岭湾—固始县李家牌坊。

该地层由河南煤田地质局106队(1959)于河南省固始县胡油坊创名胡油坊板岩,聂宗笙等(1959)改称为胡油坊组。本组岩性下部为杂色砂岩、灰色板岩夹钙质长石砂岩;中部以粉砂岩、细砂岩为主夹复成分砾岩、含砾长石砂岩;上部为灰黑色含云母砂岩与板岩互层,夹钙泥质板岩和薄层灰岩透镜体。下以长石砂岩为标志,与道人冲组整合接触,下伏地层:道人冲组白云质细砂岩;上以泥质板岩、含粉砂泥岩为标志,与杨小庄组整合接触,上覆地层:杨小庄组含粉砂黏土岩。地层剖面厚度425.36m,时代归中石炭世。此遗迹点未采取保护措施,呈原始出露自然状态,地层剖面研究程度较高,在豫南地区具有中石炭世区域地层对比、野外观察等科学研究价值,建议保护等级为国家级,建议保护出露面积5.1km^2。

94. 杨小庄组地层剖面

杨小庄组选层型地层剖面位于河南省商城县卷棚桥—伏岭湾。

该地层由北京地质学院豫南区域地质测量队(1961a)创名于河南省商城县杨小庄。本组岩性为碳质细—粉砂岩、含粉砂质黏土岩、粉砂质泥岩夹煤线或透镜状煤层。下以角砾岩化含粉砂质黏土岩为标志,与胡油坊组板岩整合接触,下伏地层:胡油坊组泥板岩;上以矽线红柱绢云石英片岩结束为标志,与双石头组整合接触,上覆地层:双石头组含砾绢云石英片岩。地层剖面厚度1 538.73m,时代归中晚石炭世。此遗迹点未采取保护措施,呈原始出露自然状态,地层剖面研究程度较高,在豫南地区具有中石炭世区域地层对比、野外观察等科学研究价值,建议保护等级为国家级,建议保护出露面积5.2km^2。

95. 双石头组地层剖面

双石头组选层型地层剖面位于河南省商城县王坳村。

该地层由聂宗笙(1959)创名于河南省商城县双石头村。本组岩性为含砾绢云石英片岩,含红柱石绢云石英片岩夹碳质薄层及变质含砂砾岩。上未见顶,下以含砾绢云石英片岩为标志,与杨小庄组整合接触,下伏地层:杨小庄组石英片岩。地层剖面厚度310.3m,时代归晚石炭世。此遗迹点未采取保护措施,呈原始出露自然状态,在豫南地区具有晚石炭世区域地层对比、野外观察等科学研究价值,建议保护等级为国家级,建议保护出露面积3.8km^2。

96. 石盒子组小风口段地层剖面

石盒子组小风口段正层型地层剖面位于河南省禹州市大风口。

该地层由杨关秀(1985)创名于河南省禹州市神后大涧村南小风口。本组岩性为石盒子组下部灰白色砂岩，灰紫色铝土泥岩，灰绿色与灰黄色砂质泥岩、泥岩及煤层，包括三、四、五煤段。底界为砂锅窑砂岩底面，与山西组整合接触，下伏地层：山西组黄灰色薄层泥岩；顶界为田家沟砂岩底面，与云盖山段整合接触，上覆地层：石盒子组云盖山段灰白色中粒长石石英砂岩。地层剖面厚度306.25m，小风口段时代归早二叠世晚期。此遗迹点在禹州华夏植物群省级地质公园内(图4-8)，出露自然完整，在华北地区具有二叠纪地层对比的科学价值，建议保护等级为省级，建议保护出露面积6.5km²。

图4-8 石盒子组小风口段剖面野外露头

97. 石盒子组云盖山段地层剖面

石盒子组云盖山段正层型地层剖面位于河南省禹州市大风口。

该地层由杨关秀(1985)创名于河南省禹州市神后北5km的云盖山。云盖山段为石盒子组中部地层，岩性为灰绿色泥岩、粉砂岩夹白色砂岩、紫斑泥岩、灰黄色硅质海绵岩及煤层，包含六、七、八煤段。与下伏小风口段整合接触，下伏地层：石盒子组小风口段黄灰色含紫斑泥岩、粉砂质泥岩和粉砂岩；与上覆平顶山段整合接触，上覆地层：石盒子组平顶山段灰白色中厚层状中细粒长石石英砂岩。地层剖面厚度247.77m，时代归晚二叠世。此遗迹点出露自然完整(图4-9)，在华北地区具有二叠纪地层对比的科学价值，建议保护等级为省级，建议保护出露面积2.2km²。

98. 石盒子组平顶山段地层剖面

石盒子组平顶山段选层型地层剖面位于河南省平顶山市八矿。

该地层由中南勘察地质局401队(1956)创名于河南省平顶山市北平顶山。本段岩性为灰白色、肉红色中—粗粒长石石英砂岩，下部局部为巨砾，底部含小砾石，砂岩中夹浅黄色砂质泥岩。与下伏云盖山段整合接触，下伏地层：石盒子组云盖山段灰白色砂岩、粉砂质泥岩；与上覆孙家沟组整合接触，上覆地层：孙家沟组灰绿色细砂岩。地层剖面厚度100m，时代归晚二叠世。此遗迹点出露自然完整，在豫西地区具有二叠纪地层对比的科学价值，建议保护等级为省级，建议保护出露面积2.1km²。

图 4-9 云盖山剖面野外露头自然状态

99. 石千峰群孙家沟组地层剖面

石千峰群孙家沟组次层型地层剖面位于河南省宜阳县南天门。

该地层由刘鸿允等(1959)创名于河南省宁武县化北屯乡孙家沟。本组岩性为砖红色、紫红色黏土岩夹紫红色、灰绿色长石砂岩,长石石英砂岩及灰绿色、灰白色页岩和泥灰岩透镜体。其上与刘家沟组,其下与石盒子组均为整合接触。地层剖面厚度 82~406m,时代归晚二叠世。此遗迹点未采取保护措施,呈原始出露自然状态,在豫西地区具有二叠纪地层对比、野外观察等科学研究价值,建议保护等级为省级,建议保护出露面积 $1.3km^2$。

100. 石千峰群刘家沟组地层剖面

石千峰群刘家沟组次层型地层剖面位于河南省登封县大金店乡王堂水库。

该地层由刘鸿允等(1959)创名于河南省宁武县化北屯乡刘家沟。本组岩性以灰紫色、紫红色细砂岩为主,次为长石砂岩、中粒石英砂岩及钙质粉砂岩,夹薄层砂质黏土岩。下以紫红色石英砂岩为标志,与孙家沟组整合接触;上以紫红色厚层长石砂岩为标志,与和尚沟组整合接触。地层剖面厚度 100~378m,时代归早三叠世。此遗迹点未采取保护措施,呈原始出露自然状态,在豫西地区具有三叠纪地层对比、野外观察等科学研究价值,建议保护等级为省级,建议保护出露面积 $0.9km^2$。

101. 和尚沟组地层剖面

和尚沟组次层型地层剖面位于河南省宜阳县南天门煤矿。

该地层由刘鸿允等(1959)创名于河南省宁武县东寨乡和尚沟。本组岩性以鲜红色与暗紫红色钙质、砂质黏土岩和粉砂岩为主,夹暗紫色、灰白色中—细粒长石石英砂岩,局部夹灰绿色长石砂岩和页岩。其下和上均以紫红色黏土岩为标志,分别与刘家沟组和二马营组整合接触。地层剖面厚度353m,时代归早三叠世。此遗迹点未采取保护措施,呈原始出露自然状态,在豫西地区具有三叠纪地层对比、野外观察等科学研究价值,建议保护等级为省级,建议保护出露面积1.6km²。

102. 延长群油房庄组地层剖面

延长群油房庄组正层型地层剖面位于河南省济源市油房庄—谭庄。

该地层由河南石油地质队(1960)创名于河南省济源县西承留乡油房庄。本组岩性为黄绿色、杏黄色长石砂岩与灰绿色、紫红色黏土岩不等厚互层,以杏黄色长石砂岩居多为特征。下以灰绿色长石砂岩为标志,与二马营组整合接触,下伏地层:二马营组红色泥岩;上以灰紫色黏土岩为标志,与椿树腰组整合接触,上覆地层:椿树腰组黄绿色细砂岩夹灰绿色薄层砂质页岩。地层剖面厚度719m,时代归中三叠世。此遗迹点保护良好,未遭到破坏,地层剖面研究程度较高,剖面在济源、义马、宜阳、登封地区三叠纪地层对比、野外观察中具有科学价值,建议保护等级为国家级,建议保护出露面积5.7km²。

103. 延长群椿树腰组地层剖面

延长群椿树腰组正层型地层剖面位于河南省济源市西承留乡椿树腰。

该地层由河南石油地质队(1960)创名于河南省济源县西承留乡椿树腰村。本组岩性为黄绿色细粒长石砂岩,粉砂岩与灰绿色、灰黄色、暗紫红色黏土岩,砂质黏土岩互层,夹长石石英砂岩、泥灰岩及煤层(线)。下以黄绿色长石砂岩为标志,与油房庄组整合接触,下伏地层:油房庄组暗紫色砂质黏土岩夹灰绿色细砂岩;上以灰绿色黏土岩为标志与谭庄组整合接触,上覆地层:谭庄组棕黄色、黄绿色砂岩。地层剖面厚度1 065m,时代归晚三叠世。此遗迹点保护良好,未遭到破坏,地层剖面研究程度较高,剖面在济源、义马、登封地区三叠纪地层对比、野外观察中具有科学价值,建议保护等级为国家级,建议保护出露面积2.5km²。

104. 延长群谭庄组地层剖面

延长群谭庄组正层型地层剖面位于河南省济源市西承留乡谭庄村。

该地层由河南石油地质队(1960)创名于济源县西承留乡谭庄村。本组岩性为灰黄色、黄绿色黏土岩和钙质黏土岩与黄灰色、褐灰色钙质粉砂岩互层,夹煤层(线)、油页岩和黑色黏土岩,顶部为铝土质页岩。下以灰绿色砂岩为标志,与椿树腰组整合接触,下伏地层:椿树腰组黄绿色中细粒砂岩夹砂质泥岩;上以黄绿色黏土岩为标志,与鞍腰组整合接触,上覆地层:鞍腰组粉砂质黏土岩。地层剖面厚度183.3m,时代归晚三叠世。此遗迹点保护良好,未遭到破坏,地层剖面研究程度较高,剖面在济源、义马、登封地区三叠纪地层对比、野外观察中具有科学价值,建议保护等级为国家级,建议保护出露面积5.3km²。

105. 太山庙组地层剖面

太山庙组正层型地层剖面位于河南省南召县太山庙鸭河东岸。

该地层由焦作矿业学院(1982)创名于河南省南召县太山庙鸭河东岸。本组岩性下段为深灰色、黑色泥岩,砂质泥岩与灰—灰褐色中—厚层状细粒石英砂岩互层,夹多层碳质页岩、煤线和薄煤层,底部为紫红色厚层状砾岩;中段为灰色、深灰色、灰绿色厚层泥岩和砂质泥岩与灰褐色中—厚层状细砂岩、粉砂岩及铁质石英砂岩互层,夹少量泥灰岩,偶含钙质结核及菱铁矿薄层,底部为黑色、棕黑色油页岩;上段为灰—灰褐色中—厚层长石石英砂岩和石英砂岩及深灰色、黑色板岩,夹两层巨厚状硅质层。与下伏宽坪(岩)群断层接触,下伏地层:宽坪(岩)群黑灰色片岩;与上覆太子山组整合接触,上覆地层:太子山组灰色、黄褐色巨厚层状细粒石英砂岩。地层剖面厚度657.09m,时代归晚三叠世。此遗迹点未采取保护措施,呈原始出露自然状态,在南召地区具有晚三叠世地层对比、野外观察等科学研究价值,建议保护等级为省级,建议保护出露面积1.6km²。

106. 鞍腰组地层剖面

鞍腰组正层型地层剖面位于河南省济源市鞍腰村。

该地层由河南石油地质队(1960)创名于河南省济源县西承留乡鞍腰村。本组岩性为黄绿色细粒长石石英砂岩夹黄绿色粉砂质泥岩、页岩,以铝土质页岩为界分为下鞍腰层和上鞍腰层。与下伏谭庄组为整合接触,下伏地层:谭庄组铝土质页岩;与上覆马凹组整合接触,上覆地层:马凹组石英砂岩。地层剖面厚度246m,时代归早侏罗世。此遗迹点保护良好,未遭到破坏,剖面在济源地区早侏罗世地层对比、野外观察中具有科学价值,建议保护等级为省级,建议保护出露面积1.8km²。

107. 马凹组地层剖面

马凹组正层型地层剖面位于河南省济源市承留乡谭庄东山。

该地层由河南石油地质队(1960)创名于河南省济源县西承留乡马凹村。本组岩性底部为砾岩,下部为灰白色、灰绿色中粗粒长石石英砂岩夹黏土岩;中部为杂色黏土岩夹粉、细砂岩;上部为杂色土岩与黄绿色、灰黄色泥灰岩不等厚互层,夹蚌壳灰岩,含双壳类、介形虫、叶肢介及鱼类和植物化石。下与鞍腰组整合接触,下伏地层:鞍腰组页岩和长石砂岩;上与韩庄组不整合接触,上覆地层:韩庄组砂岩。地层剖面厚度230.4m,时代归中侏罗世。此遗迹点保护良好,未遭到破坏,剖面在济源地区中侏罗世地层对比、野外观察中具有科学价值,建议保护等级为省级,建议保护出露面积0.7km²。

108. 韩庄组地层剖面

韩庄组正层型地层剖面位于河南省济源市承留乡马凹—韩庄。

该地层由河南石油地质队(1960)创名于河南省济源县西承留乡韩庄。本组岩性为砖红色长石石英细砂岩、紫红色页岩夹薄层灰绿色页岩、砖红色砾岩。与下伏马凹组为不整合接触,下伏地层:马凹组泥岩夹泥灰岩;与上覆聂庄组不整合接触,上覆地层:聂庄组砾岩。地层剖面厚度21.1m,时代归晚侏罗世。此遗迹点保护良好,未遭到破坏,剖面在济源地区晚侏罗世地层对比、野外观察中具有科学价值,建议保护等级为省级,建议保护出露面积1.4km²。

109. 义马组地层剖面

义马组选层型地层剖面位于河南省义马市北露天矿西部。

该地层由河南煤田地质局104队(1960)创名于河南省义马市北露天矿西部。本组岩性为灰黑色黏土岩、粉砂质黏土岩和灰色与土黄色黏土岩、细砂岩夹多层煤层,底部为灰绿色砂砾岩。上与东孟村组不整合接触,下与谭庄组不整合接触。地层剖面厚度119.61m,时代归早—中侏罗世。此遗迹点自然出露,未采取保护措施,剖面在渑池、义马地区早—中侏罗世地层对比、野外观察中具有科学价值,建议保护等级为省级,建议保护出露面积2.4km²。

110. 南召组地层剖面

南召组正层型地层剖面位于河南省南召县马市坪乡黄土岭。

该地层由曹美珍等(1986)创名于河南省南召县马市坪乡黄土岭。本组岩性为灰褐色和黄褐色细砂岩、粉砂岩与黄绿色黏土岩、灰泥岩组成的正粒序韵律层,夹复成分砾岩,以含昆虫化石黏土岩夹层为特征。下与宽坪(岩)群断层接触,下伏地层:中元古界宽坪(岩)群斜长角闪片岩;上与马市坪组平行不整合接触,上覆地层:马市坪组砾岩。地层剖面厚度510.4m,时代归晚侏罗世。此遗迹点自然出露,未采取保护措施,剖面在南召地区晚侏罗世地层对比、野外观察中具有科学价值,建议保护等级为省级,建议保护出露面积3.5km²。

111. 朱集组地层剖面

朱集组选层型地层剖面位于河南省固始县下河湾水库—武庙。

该地层由北京地质学院豫南区域地质测量队(1961a)创名于河南省固始县朱集。本组岩性下部为紫红色砾岩;中部为灰色、灰黄色岩屑长石砂岩,长石石英砂岩;上部为紫红色砂岩、粉砂岩夹砾岩。下以紫红色砾岩为标志,与花园墙组不整合接触,下伏地层:花园墙组中粒石英砂岩;上与段集组不整合接触,上覆地层:段集组砾岩。地层剖面厚度2 200m,时代归中侏罗世。此遗迹点未采取保护措施,呈原始出露自然状态,地层剖面研究程度较高,在固始、商城地区中侏罗世地层对比、野外观察等工作中具有科学研究价值,建议保护等级为国家级,建议保护出露面积6.8km²。

112. 段集组地层剖面

段集组选层型地层剖面位于河南省固始县武庙—下庄子。

该地层由北京地质学院豫南区域地质测量队(1961a)创名于河南省固始县段集。本组岩性以紫红色厚—巨厚层砾岩为主,夹中—粗粒长石砂岩及少量砂质黏土岩。下以紫红色砾岩为标志,与朱集组不整合接触,下伏地层:朱集组长石砂岩;上以巨厚砾岩为标志,与陈棚组整合接触,上覆地层:陈棚组紫红色中粒岩屑长石砂岩夹少量砂砾岩及流纹斑岩。地层剖面厚度791m,时代归晚侏罗世。此遗迹点未采取保护措施,呈原始出露自然状态,地层剖面研究程度较高,在固始、商城地区晚侏罗世地层对比、野外观察等工作中具有科学研究价值,建议保护等级为国家级,建议保护出露面积4.0km²。

113. 金刚台组地层剖面

金刚台组选层型地层剖面位于河南省商城县晏家楼—金寨郑世坳。

该地层由河南省地质科学研究所(1962)创名于商城县金刚山。本组岩性为暗紫色、灰绿色厚层辉石安山岩,安山玢岩,粗面安山岩,夹火山角砾岩及凝灰岩。与下伏杨小庄组断层接触,下伏地层:杨小庄组页岩;上未见顶。地层剖面厚度5 239m,时代归早白垩世。此遗迹点保护良好,未遭到破坏,剖面在商城、固始等豫皖交界地区早白垩世地层对比、野外观察中具有科学价值,建议保护等级为省级,建议保护出露面积13.0km²。

114. 陈棚组地层剖面

陈棚组选层型地层剖面位于河南省光山县石窝岗—孙洼。

该地层由杨志坚(1961)创名于河南省光山县陈棚村。本组岩性下部为浅灰色、肉红色熔结凝灰岩,角砾凝灰岩夹深灰色砂岩;上部为安山岩、英安岩夹流纹岩及珍珠岩等。下以角砾晶屑凝灰岩为标志,与段集组不整合接触,下伏地层:段集组厚层砾岩夹砂岩;上以桃红色膨润土、深灰色珍珠岩或安山岩为标志,与周家湾组不整合接触,上未见顶。地层剖面厚度大于636m,时代归晚白垩世。此遗迹点自然出露,未采取保护措施,剖面在大别山地区晚白垩世地层对比、野外观察中具有科学价值,建议保护等级为省级,建议保护出露面积3.5km²。

115. 白湾组地层剖面

白湾组正层型地层剖面位于河南省镇平县赵湾水库白湾村东。

该地层由河南省区域地质测量队(1978)创名于河南省镇平县白湾村。本组岩性上部为黄色、灰白色块状泥灰岩,夹少量灰绿色黏土岩及砂砾岩;下部为灰绿色、黄绿色黏土岩,砂质黏土岩夹灰白色砂砾岩。下以灰白色砂砾岩为标志,与雁岭沟(岩)组不整合接触,下伏地层:秦岭(岩)群雁岭沟(岩)组石墨大理岩;上以灰绿色泥灰岩为标志,与高沟组整合接触,上覆地层:高沟组砾岩。地层剖面厚度327.4m,时代归早白垩世。此遗迹点自然出露,未采取保护措施,地层剖面研究程度较高,在镇平地区早白垩世地层对比、野外观察中具有科学价值,建议保护等级为国家级,建议保护出露面积0.3km²。

116. 马市坪组地层剖面

马市坪组正层型地层剖面位于河南省南召县马市坪镇黄土岭村。

该地层由曹美珍等(1986)创名于河南省南召县马市坪镇黄土岭。本组岩性下部为黄褐色砾岩、长石石英砂岩夹粉砂岩;中、上部为浅灰色、黄褐色、灰绿色黏土岩,泥质粉砂岩夹细砂岩,砂砾岩及泥灰岩。下与南召组平行不整合接触,下伏地层:南召组黄灰色砂质页岩及粉砂岩;上与上白垩统平行不整合接触,上覆地层:上白垩统黄褐色砾岩。地层剖面厚度780.2m,时代归早白垩世。此遗迹点自然出露,未采取保护措施,在南召地区早白垩世地层对比、野外观察中具有科学价值,建议保护等级为省级,建议保护出露面积12.7km²。

117. 九店组地层剖面

九店组正层型地层剖面位于河南省汝阳县裴家湾—嵩县九店。

该地层由河南省区域地质测量队(1964a)创名于河南省嵩县九店。本组地层岩性为紫红色、灰白色晶屑岩屑凝灰岩,晶质凝灰岩夹多层砾岩,底部为不稳定砾岩。下与洛峪口组不整合接触,下伏地层:洛峪口组白云质灰岩;上与陈宅沟组不整合接触,上覆地层:陈宅沟组砾岩。地层剖面厚度1 806.85m,时代归白垩纪。此遗迹点自然出露,未采取保护措施,在汝阳地区白垩纪地层对比、野外观察中具有科学价值,建议保护等级为省级,建议保护出露面积6.8km²。

118. 大营组地层剖面

大营组选层型地层剖面位于河南省宝丰县大营—韩庄。

该地层由河南省地质调查研究所(1962)创名于河南省宝丰县大营镇。本组地层岩性下部为褐黄色、灰绿色泥质粉砂岩,黏土岩夹细砾岩及泥灰岩;中部深灰色、紫红色、灰绿色玄武岩夹火山角砾岩;上部为安山质角砾岩夹安山玢岩及粉砂质黏土岩。下以褐黄色细砾岩为标志,与石盒子组不整合接触,下伏地层:石盒子组长石砂岩;上未见顶。地层剖面厚度1 108.7m,时代归早白垩世。此遗迹点自然出露,未采取保护措施,在宝丰地区早白垩世地层对比、野外观察中具有科学价值,建议保护等级为省级,建议保护出露面积17.2km²。

119. 高沟组地层剖面

高沟组正层型地层剖面位于河南省淅川县滔河镇黑豆崖—东西寺。

该地层由周世全等(1930)创名于河南省淅川县大石桥滔河高沟。本组地层岩性为棕红色、浅灰色、灰黑色砾岩,细—粉砂岩,钙质粉砂岩。下以棕红色砾岩为标志,与白湾组平行不整合接触;上以棕红色粉砂岩为标志,与马家村组整合接触,上覆地层:马家村组灰白色含钙质中砂岩。地层剖面厚度112.5m,时代归晚白垩世。此遗迹点自然出露,未采取保护措施,地层剖面研究程度较高,在豫鄂交界地区晚白垩世地层对比、野外观察中具有科学价值，建议保护等级为国家级，建议保护出露面积4.1km²。

120. 马家村组地层剖面

马家村组正层型地层剖面位于河南省淅川县滔河镇黑豆崖—东西寺马家村。

该地层由周世全等(1975)创名于河南省淅川县滔河黑豆崖。本组地层岩性为棕红色钙质粉砂岩、细砂岩夹砂砾岩及泥灰岩。下以棕红色砾岩为标志，与高沟组整合接触，下伏地层：高沟组棕红色、灰绿色钙质粉砂岩；上以灰白色泥质粉砂岩为标志，与寺沟组整合接触，上覆地层：寺沟组灰白色、灰黄色砾岩。地层剖面厚度390.2m，时代归晚白垩世。此遗迹点自然出露，未采取保护措施，地层剖面研究程度较高，在豫鄂交界地区晚白垩世地层对比、野外观察中具有科学价值，建议保护等级为国家级，建议保护出露面积4.2km²。

121. 寺沟组地层剖面

寺沟组正层型地层剖面位于河南省淅川县滔河镇黑豆崖—东西寺寺沟。

该地层由周世全等(1975)创名于河南省淅川县滔河镇黑豆崖。本组地层岩性为褐色、棕红色含砾泥质砂岩，砂质黏土岩，底部为砾岩。下以棕红色砾岩为标志，与马家村组整合接触，下伏地层：马家村组棕红色含粉砂质泥灰岩；其上被玉皇顶组红色砂质黏土岩整合覆盖。地层剖面厚度360.6m，时代归晚白垩世。此遗迹点自然出露，未采取保护措施，地层剖面研究程度较高，在豫鄂交界地区晚白垩世地层对比、野外观察中具有科学价值，建议保护等级为国家级，建议保护出露面积0.9km²。

122. 东孟村组地层剖面

东孟村组正层型地层剖面位于河南省渑池县东孟村。

该地层由焦作矿业学院(1982)创名于河南省渑池县东孟村。本组地层岩性为砖红色、灰黄色、灰绿色泥质粉砂岩夹砾岩及石英砂岩。下以砖红色砾岩为标志，与义马组不整合接触，下伏地层：早侏罗世碳质页岩夹烟煤；上以灰绿色砂质黏土岩为标志，与古近系不整合接触，上覆地层：新近纪灰色钙质砾岩。地层剖面厚度193.9m，时代归晚白垩世。此遗迹点自然出露，未采取保护措施，在渑池地区晚白垩世地层对比、野外观察中具有科学价值，建议保护等级为省级，建议保护出露面积1.1km²。

123. 南朝组地层剖面

南朝组正层型地层剖面位于河南省灵宝市川口镇东涧沟村。

该地层由董永生、王景文(1980)创名于河南省灵宝市五亩乡南朝村。本组地层岩性为砖红色砂质黏土岩夹砾岩。下与熊耳群断层接触，下伏地层：熊耳群玄武岩；上未见顶。地层剖面厚度459.9m，时代归晚白垩世。此遗迹点自然出露，未采取保护措施，在灵宝地区晚白垩世地层对比、野外观察中具有科学价值，建议保护等级为省级，建议保护出露面积5.6km²。

124. 高峪沟组地层剖面

高峪沟组正层型地层剖面位于河南省栾川县潭头乡李家庄北。

该地层由董永生等(1980)创名于河南省栾川县潭头乡高峪沟附近。本组地层岩性以棕红色、紫红色泥岩，砂质泥岩夹砂岩为主，下部夹褐灰色、紫红色砾岩，砂砾岩，中上部夹灰绿色钙质粉砂岩和灰白色薄层泥灰岩。下与秋扒组整合接触，上与潭头组整合接触。地层剖面厚度535.5m，时代归古新世。此遗迹点自然出露,未采取保护措施,地层剖面研究程度较高,在栾川地区古新世地层对比、野外观察中具有科学价值,建议保护等级为国家级,建议保护出露面积 6.3km²。

125. 潭头组地层剖面

潭头组正层型地层剖面位于河南省栾川县潭头镇李家庄。

该地层由秦岭区域地质测量队(1959b)于河南省栾川县潭头附近将一套红层命名为潭头系。本组地层岩性为灰绿色、灰黑色泥岩与灰黄色、灰白色泥灰岩,灰岩及灰色、灰绿色砾岩,砂砾岩,砾岩互层,夹灰黑色油页岩,局部夹薄层褐煤。与下伏高峪沟组整合接触,下伏地层:高峪沟组黄绿色、棕褐色钙质细砂岩,泥岩夹瓦灰色泥灰岩;上未见顶。地层剖面厚度 584.2m,时代归始新世。此遗迹点自然出露,未采取保护措施,地层剖面研究程度较高,在栾川地区始新世地层对比、野外观察中具有科学价值,建议保护等级为国家级,建议保护出露面积 3.8km²。

126. 玉皇顶组地层剖面

玉皇顶组正层型地层剖面位于河南省淅川县仓房镇石庙村。

该地层由河南石油地质队(1961)创名于湖北省均县玉皇顶附近。本组地层岩性以灰色、灰黄色、灰绿色、棕红色砂质泥岩,钙质泥岩和灰岩,浅肉红色泥灰岩为主,局部夹棕红色、灰黄色砾岩和砂岩。与下伏上白垩统寺沟组整合接触,下伏地层:寺沟组棕红色、红褐色含砾泥质粉砂岩,含砾粉砂质泥岩夹透镜状砾岩;与上覆大仓房组整合接触,上覆地层:大仓房组灰色、红褐色、砖红色含砾砂质泥岩,含砾粉砂岩夹浅灰色薄层砂砾岩。地层剖面厚度 589.6m,时代归古新世。此遗迹点自然出露,未采取保护措施,地层剖面研究程度较高,在豫鄂交界地区古新世地层对比、野外观察中具有科学价值,建议保护等级为国家级,建议保护出露面积 2.2km²。

127. 大仓房组地层剖面

大仓房组正层型地层剖面位于河南省淅川县仓房镇石庙村。

该地层由河南石油地质队(1961)创名于河南省淅川县仓房附近。本组地层岩性为褐色及棕红色泥岩、砂质泥岩、含膏泥岩、棕黄色砂岩、含砾砂岩、灰白色砂砾岩,夹灰白色泥灰岩,局部夹薄层石膏。与下伏玉皇顶组整合接触,下伏地层:玉皇顶组灰绿色、红褐色粉砂质泥岩;与上覆核桃园组整合接触,上覆地层:核桃园组灰白色、灰绿色泥灰岩。地层剖面厚度 607.8m,时代归始新世。此遗迹点自然出露,未采取保护措施,地层剖面研究程度较高,在豫鄂交界地区始新世地层对比、野外观察中具有科学价值,建议保护等级为国家级,建议保护出露面积 5.3km²。

128. 核桃园组地层剖面

核桃园组正层型地层剖面位于河南省淅川县仓房镇石庙村。

该地层由河南石油地质队(1961)创名于河南省淅川县仓房镇核桃园附近。本组地层岩性为棕红色、灰绿色泥岩,钙质泥岩与灰白色、灰绿色泥灰岩互层,下部局部夹碳质泥岩和浅棕红色粉砂岩,上部夹薄层砾岩。与下伏大仓房组整合接触,下伏地层:大仓房组红褐色泥岩夹含膏泥岩;与上覆上寺组整合接触,上覆地层:上寺组灰黑色砾岩。地层剖面厚度 817.7m,时代归始新世。此遗迹点自然出露,未采取保护措施,地层剖面研究程度较高,在豫鄂交界地区始新世地层对比、野外观察中具有科学价值,建议保护等级为国家级,建议保护出露面积 10.2km²。

129. 上寺组地层剖面

上寺组正层型地层剖面位于河南省淅川县仓房镇石庙村。

该地层由河南石油地质队(1961)创名于河南省淅川县仓房镇上寺附近。本组地层岩性为厚层—巨厚层状灰黑色砾岩，底部夹薄层泥岩。与下伏核桃园组整合接触，下伏地层：核桃园组灰绿色、紫红色泥岩，底部夹白色泥灰岩；上未见顶。地层剖面厚度299.3m，时代归渐新世。此遗迹点自然出露，未采取保护措施，在淅川地区渐新世地层对比、野外观察中具有科学价值，建议保护等级为省级，建议保护出露面积0.7km^2。

130. 李庄组地层剖面

李庄组正层型地层剖面位于河南省信阳市平桥区明港镇西南畜牧场—尹庄村。

该地层由周世全等(1980)创名于河南省信阳县明港镇西南李庄附近。本组地层岩性下段为灰白色、棕红色砂砾岩，含砾粗砂岩，细至中砂岩，粉砂质泥岩，砂质泥岩，含钙质、钙质结核及灰绿色斑块；上段为灰白色、灰绿色、黄褐色、棕红色砂砾岩，含砾中粗砂岩，粉—细砂岩，粉砂质泥岩，未见顶、底。地层剖面厚度2 202.3m，时代归始新世。此遗迹点自然出露，未采取保护措施，在信阳、罗山、光山、潢川地区始新世地层对比、野外观察中具有科学价值，建议保护等级为省级，建议保护出露面积0.9km^2。

131. 毛家坡组地层剖面

毛家坡组正层型地层剖面位于河南省桐柏县固县镇李士沟村北。

该地层由河南省区域地质测量队(1968)创名于桐柏县固县镇毛家坡附近。本组地层岩性为砖红色、灰红色、淡红色砾岩，砂砾岩和砂质泥岩，上部间夹透镜状含砾砂岩。与下伏秦岭(岩)群不整合接触，下伏地层：秦岭(岩)群灰白色、灰黄色白云钾长片麻岩；与上覆李士沟组整合接触，上覆地层：李士沟组黄绿色厚层砂砾岩。地层剖面厚度61.6m，时代归始新世。此遗迹点自然出露，未采取保护措施，在桐柏地区始新世地层对比、野外观察中具有科学价值，建议保护等级为省级，建议保护出露面积1.2km^2。

132. 李士沟组地层剖面

李士沟组正层型地层剖面位于河南省桐柏县固县镇李士沟村南—余庄村南。

该地层由河南省区域地质测量队(1968)创名于河南省桐柏县固县镇李士沟附近。本组地层岩性底部为桔黄色、草绿色厚层砂砾岩，向上为灰绿色、灰黄色砂砾岩与砂岩，含砂砾岩互层，夹灰绿色、棕红色泥岩，灰白色泥灰岩，局部夹透镜状砾岩。下与毛家坡组整合接触，下伏地层：毛家坡组浅红色砂质泥岩；上与五里墩组整合接触，上覆地层：五里墩组灰绿色厚层含砾砂岩。地层剖面厚度294.9m，时代归晚始新世早期。此遗迹点自然出露，未采取保护措施，在桐柏地区晚始新世早期地层对比、野外观察中具有科学价值，建议保护等级为省级，建议保护出露面积1.1km^2。

133. 五里墩组地层剖面

五里墩组正层型地层剖面位于河南省桐柏县吴城乡五里墩村。

该地层由河南省区域地质测量队(1968)创名于河南省桐柏县吴城乡五里墩村附近。本组地层岩性为灰绿色、灰黄色粉砂岩，砂岩与砂质泥岩，页岩互层，夹灰绿色、灰白色泥灰岩，底部为砾岩，下部和中部多夹黑灰色油页岩。与下伏李士沟组整合接触，下伏地层：李士沟组褐黄色、橘黄色厚层状砾岩；与上覆第四系不整合接触，上覆地层：第四系黄土。地层剖面厚度 340.3m，时代归晚始新世晚期。此遗迹点自然出露，未采取保护措施，在桐柏地区晚始新世晚期地层对比、野外观察中具有科学价值，建议保护等级为省级，建议保护出露面积 1.6km²。

134. 张家村组地层剖面

张家村组正层型地层剖面位于河南省卢氏县张麻龙潭—坡根。

该地层由河南省地质矿产勘查开发局（1989）创名于河南省卢氏县张麻张家村附近。本组地层岩性为棕红色、棕黄色、灰褐色黏土岩，泥质粉砂岩与砾岩，砂砾岩或砂岩互层。与下伏熊耳群不整合接触，下伏地层：熊耳群安山岩；与上覆卢氏组整合接触，上覆地层：卢氏组灰绿色泥砂岩。地层剖面厚度 1 636.3m，时代归中始新世。此遗迹点自然出露，未采取保护措施，在卢氏地区中始新世地层对比、野外观察中具有科学价值，建议保护等级为省级，建议保护出露面积 11.7km²。

135. 卢氏组地层剖面

卢氏组选层型地层剖面位于河南省卢氏县城南 3km 红崖村南。

该地层由周明镇等（1957）创名于河南省卢氏县。本组地层岩性为棕红色、灰绿色、褐黄色黏土岩，钙质黏土岩与灰绿色、灰白色泥灰岩互层，夹砾岩和砂岩。与下伏官道口群不整合接触，下伏地层：官道口群白云岩；与上覆大峪组整合接触，上覆地层：大峪组棕褐色砾岩。地层剖面厚度 376.4m，时代归始新世。此遗迹点自然出露，未采取保护措施，地层剖面研究程度较高，在豫陕交界地区始新世地层对比、野外观察中具有科学价值，建议保护等级为国家级，建议保护出露面积 14.5km²。

136. 大峪组地层剖面

大峪组正层型地层剖面位于河南省卢氏县南苏村东南三角沟。

该地层由周明镇等（1957）创名于河南省卢氏县南苏村附近。本组地层岩性为棕红色砾岩、砂岩、泥岩，夹灰白色、灰绿色泥灰岩。与下伏卢氏组整合接触，下伏地层：卢氏组灰黑色钙质泥岩夹薄层石膏；与上覆第四系不整合接触，上覆地层：第四系黄土与砂砾石互层。地层剖面厚度 495.5m，时代归渐新世。此遗迹点自然出露，未采取保护措施，地层剖面研究程度较高，在豫西地区渐新世地层对比、野外观察中具有科学价值，建议保护等级为国家级，建议保护出露面积 18.8km²。

137. 陈宅沟组地层剖面

陈宅沟组正层型地层剖面位于河南省宜阳县城关镇陈宅村南。

该地层由河南省区域地质测量队（1964a）创名于宜阳县城关镇陈宅沟。本组地层岩性为红色砾岩、砂砾岩夹泥岩、页岩。与下伏熊耳群不整合接触，下伏地层：熊耳群安山玢岩；与上覆第四系不整合接触，上覆地层：第四系黄土。地层剖面厚度 411.4m，时代归始新世。此遗迹点自然出露，未采取保护措施，在宜阳、伊川、登封、汝阳、汝州地区始新世地层对比、野外观察中具有科学价值，建议保护等级为省级，建议保护出露面积 12.5km²。

138. 蟒川组地层剖面

蟒川组正层型地层剖面位于河南省汝州市蟒川西南 4km。

该地层由河南省区域地质测量队（1964a）创名于河南省汝州市蟒川附近。本组地层岩性为红色砂岩、砾岩、砂质页岩，与淡色（青灰色、灰白色）砂岩、砾岩互层，夹泥灰岩及碳质页岩。与下伏石盒子组不整合接触,下伏地层:石盒子组黄绿色砂岩;与上覆第四系不整合接触,上覆地层:第四系砾石夹亚黏土。地层剖面厚度635.0m,时代归始新世。此遗迹点自然出露,未采取保护措施,在汝州、汝阳、洛宁地区始新世地层对比、野外观察中具有科学价值,建议保护等级为省级,建议保护出露面积13.3km²。

139. 石台街组地层剖面

石台街组正层型地层剖面位于河南省汝州市杨楼乡石台街西南。

该地层由河南区测队(1964a)创名于汝州市杨楼乡石台街村附近。本组地层岩性为红色、淡红色、灰紫色砾岩,砂砾岩与砂岩,砂质泥岩,砂质页岩互层。与下伏蟒川组整合接触,下伏地层:蟒川组砂质泥岩;与上覆中更新统不整合接触,上覆地层:中更新世黄土。地层剖面厚度848.4m,时代归渐新世。此遗迹点自然出露,未采取保护措施,在宜阳、伊川、嵩县、汝阳、汝州地区渐新世地层对比、野外观察中具有科学价值,建议保护等级为省级,建议保护出露面积3.1km²。

140. 聂庄组地层剖面

聂庄组选层型地层剖面位于河南省济源市轵城乡张庄村。

该地层由河南石油地质队(1961)创名于河南省济源县轵城乡聂庄附近。本组地层岩性下部为砖红色、紫红色厚层砾岩夹砂岩;上部为砖红色厚层中细粒长石石英砂岩、粉砂岩夹透镜状砾岩。与下伏韩庄组不整合接触,下伏地层:韩庄组长石砂岩;与上覆余庄组整合接触,上覆地层:余庄组紫红色薄层细粒长石石英砂岩与泥岩互层。地层剖面厚度485.1m,时代归始新世。此遗迹点自然出露,未采取保护措施,地层剖面研究程度较高,在豫北地区始新世地层对比、野外观察中具有科学价值,建议保护等级为国家级,建议保护出露面积6.2km²。

141. 余庄组地层剖面

余庄组选层型地层剖面位于河南省济源市轵城乡余庄村。

该地层由河南石油地质队(1961)创名于河南省济源县轵城乡余庄村附近,1962年改名余庄组。本组地层岩性为紫红色、紫灰色、灰黄色中细粒长石石英砂岩与紫红色泥岩、砂质泥岩互层,局部夹砂砾岩、砾岩。与下伏聂庄组整合接触,下伏地层:聂庄组砖红色厚层中细粒长石石英砂岩、粉砂岩;与上覆泽峪组整合接触,上覆地层:泽峪组灰白色、淡红色厚层中粒长石石英砂岩。地层剖面厚度577.3m,时代归始新世。此遗迹点自然出露,未采取保护措施,在济源地区始新世地层对比、野外观察中具有科学价值,建议保护等级为省级,建议保护出露面积5.9km²。

142. 泽峪组地层剖面

泽峪组选层型地层剖面位于河南省济源市承留乡泽峪村。

该地层由河南石油地质队(1961)创名于河南省济源县承留乡泽峪村附近。本组地层岩性为灰白色、灰黄色、紫红色中—细粒长石石英砂岩与紫红色、褐灰色泥岩,砂质泥岩互层,夹砂砾岩,局部夹黄绿色长石石英砂岩条带。与下伏余庄组整合接触,下伏地层:余庄组紫色薄层细粒长石石英砂岩和泥岩互层;与上覆南姚组整合接触,上覆地层:南姚组紫红色细粒长石石英砂岩夹紫红色泥岩。地层剖面厚度676.5m,时代归始新世。此遗迹点自然出露,未采取保护措施,在济源地区始新世地层对比、野外观察中具有科学价值,建议保护等级为省级,建议保护出露面积0.8km²。

143. 南姚组地层剖面

南姚组正层型地层剖面位于河南省济源市承留乡南姚村。

该地层由河南石油地质队(1961)创名于河南省济源县承留乡南姚村。本组地层岩性为紫红色、灰黄色砂岩，粉砂岩，夹紫红色泥岩、砂砾岩。与下伏泽峪组整合接触，下伏地层：泽峪组灰褐色厚层中粒长石砂岩，底部为薄层砂砾岩；与上覆第四系不整合接触，上覆地层：第四系黄土。地层剖面厚度489.5m，时代归始新世。此遗迹点自然出露，未采取保护措施，在济源地区始新世地层对比、野外观察中具有科学价值，建议保护等级为省级，建议保护出露面积0.3km²。

144. 彰武组地层剖面

彰武组正层型地层剖面位于河南省安阳县水冶镇彰武水库东侧庙子岭南东1km。

该地层由河北省第一区域地质调查队(1974)创名于河南省安阳县水冶镇一带。本组地层岩性底部为黄绿色砾岩；下部为紫色黏土岩及砂质黏土岩；中部为灰白色钙质粉砂岩及含砾砂岩；上部为杂色黏土岩夹砂砾岩及粉砂质泥灰岩薄层。下以底砾岩与石盒子组不整合接触，下伏地层：石盒子组紫色砂岩夹紫色砂质页岩；上以灰白色黏土岩或砂质黏土岩结束为标志，与鹤壁组不整合接触，上覆地层：鹤壁组灰色灰质砾岩。生物化石带为 $Macrotherium$ sp. $Pocrocuta\ hebeiensis$，$Oiocerosc(?)$。地层剖面厚度68m，时代归中新世。此遗迹点自然出露，未采取保护措施，在豫北地区中新世地层对比、野外观察中具有科学价值，建议保护等级为省级，建议保护出露面积3.2km²。

145. 鹤壁组地层剖面

鹤壁组选层型地层剖面位于河南省安阳县龙泉东平—于串。

该地层由王钰等(1935)创名于鹤壁附近。本组地层岩性下部以灰色、深灰色灰质砾岩为主，夹褐黄色、灰绿色钙质泥岩及泥质砂岩，局部夹薄层泥灰岩；上部为灰白色、白色、灰绿色钙质砂岩，钙质泥质砂岩或砂质钙质泥岩，夹泥灰岩薄层及不稳定的砂砾岩和砾岩。下以灰质砾岩出现为标志，与彰武组平行不整合接触，上以灰绿色、褐黄色钙质砂岩或砂质泥岩结束为标志，与潞王坟组平行整合接触。生物化石带有 $Cathaica\ faeciola$，$Rhinocerotida$ sp.。地层剖面厚度292.1m，时代归新近纪。此遗迹点自然出露，未采取保护措施，在豫北地区新近纪地层对比、野外观察中具有科学价值，建议保护等级为省级，建议保护出露面积15.6km²。

146. 潞王坟组地层剖面

潞王坟组正层型地层剖面位于河南省新乡市潞王坟采石场。

该地层由山西省区域地质测量队(1974)创名于河南省新乡市潞王坟。本组地层岩性下部为紫红色、红色黏土岩与白色中厚层状泥灰岩互层，夹褐黄色细砂岩；中部为白色、灰白色厚层状泥灰岩，隐晶质灰岩夹钙质砂岩、泥岩及钙质砂砾岩；上部为灰白色中—厚层状泥灰岩与褐黄色、灰绿色泥质砂岩互层，夹红色黏土岩。下部以细砂岩或中厚层状泥灰岩出现为标志，与鹤壁组或洛阳组整合接触；上以砂质钙质泥岩或砂岩结束为标志，与庞村组平行不整合接触。下伏地层：奥陶系马家沟组灰褐色灰岩；上未见顶。本组主要生物化石带为 $Hipparion\ dermatorhinus$，$Chilotherium$。地层剖面厚度263m，时代归上新世早期。潞王坟组正层型地层剖面未采取保护措施，已被挖除(图4-10)，地层剖面研究程度较高，在豫晋交界地区上新世早期地层对比、野外观察中具有科学价值。

147. 庞村组地层剖面

庞村组选层型地层剖面位于河南省淇县高村乡杨庄淇河西岸。

图 4-10　潞王坟组层型剖面已被破坏不复存在

该地层由河南省区域地质调查队(1979)创名于河南省鹤壁市庞村镇附近。本组地层岩性下部为含玄武质砾石的砂砾岩夹泥质岩及泥灰岩薄层；中部为中基性火山角砾岩夹砂砾岩及泥岩；上部为橄榄玄武岩。下以砂砾岩中含玄武质砾石出现为标志，与潞王坟组平行不整合接触，上以橄榄玄武岩结束为标志，与第四系不整合接触，上覆地层：下更新统冰碛砾石层。生物化石带有 Hyaena sp., Rhinocerotoidae。地层剖面厚度 14.3m，时代归上新世。此遗迹点自然出露，未采取保护措施，在淇县地区上新世地层对比、野外观察中具有科学价值，建议保护等级为省级，建议保护出露面积 $0.2km^2$。

148. 洛阳组地层剖面

洛阳组正层型地层剖面位于河南省洛阳市西郊孙旗屯镇东沙坡村。

该地层由河南省区域地质调查队(1964a)创名于河南省洛阳市东沙坡村附近。本组地层岩性下部为灰色、黄褐色及杂色砾岩，砂砾岩，钙质泥质砂岩，粉砂质泥岩夹泥灰岩薄层；中部为棕红色、橙黄色砂质黏土岩，泥质砂岩夹薄层泥灰岩及砂砾岩透镜体；上部为棕红色砂质黏土岩或泥岩夹砂砾岩。下未见底，上与中更新统不整合接触，上覆地层：中更新统浅棕红色亚黏土。地层剖面厚度 38.9m，时代归上新世。此遗迹点自然出露，未采取保护措施，在洛阳、新安、登封、新密、荥阳、郑县地区上新世地层对比、野外观察中具有科学价值，建议保护等级为省级，建议保护出露面积 $11.1km^2$。

149. 大安组地层剖面

大安组正层型地层剖面位于河南省汝阳县内埠镇马坡村。

该地层由河南科学地质研究所(1962)创名于河南省汝阳县大安乡。本组地层岩性下部为深紫灰色辉石橄榄玄武岩;中部为深红色砂质黏土岩,灰黄色玄武质凝灰岩;上部为深灰色、紫灰色辉石橄榄玄武岩。下未见底,上与中更新统不整合接触,上覆地层:中更新统棕红色黏土。地层剖面厚度25.1m,时代归上新世。此遗迹点自然出露,未采取保护措施,在汝阳、伊川、汝州、嵩县地区上新世地层对比、野外观察中具有科学价值,建议保护等级为省级,建议保护出露面积7.2km²。

150. 雪家沟组地层剖面

雪家沟组正层型地层剖面位于河南省卢氏县文峪镇雪家沟。

该地层由刘后贻(1963)创名于河南省卢氏县王家村附近。本组地层岩性为棕红色、棕黄色、灰褐色黏土岩,泥质粉砂岩与砾岩,砂砾岩或砂岩互层。与下伏卢氏组不整合接触,下伏地层:卢氏组灰褐色、灰绿色砂质泥岩;与上覆中更新统不整合接触,上覆地层:中更新统黄土。地层剖面厚度70.0m,时代归上新世。此遗迹点自然出露,未采取保护措施,在卢氏地区上新世地层对比、野外观察中具有科学价值,建议保护等级为省级,建议保护出露面积2.9km²。

151. 棉凹组地层剖面

棉凹组正层型地层剖面位于河南省三门峡市高庙镇棉凹村。

该地层由曹照垣等(1985)创名于河南省三门峡市棉凹村东坡沟。本组地层岩性下部为棕黄色、棕红色砾岩,砂砾岩夹细砂岩,局部夹透镜状含砾亚黏土;上部为棕红色含砾亚砂土、亚黏土与棕黄色砾岩或砂砾岩互层。下未见底,上与三门组不整合接触,上覆地层:三门组红色砂砾石层。地层剖面厚度108.1m,时代归上新世。此遗迹点自然出露,未采取保护措施,在三门峡地区上新世地层对比、野外观察中具有科学价值,建议保护等级为省级,建议保护出露面积1.7km²。

152. 尹庄组地层剖面

尹庄组正层型地层剖面位于河南省桐柏县平氏乡尹庄村。

该地层由河南省区域地质测量队(1968)创名于河南省桐柏县平氏乡尹庄村附近。本组地层岩性下部为灰色、灰绿色及杂色砾岩,砂砾岩;上部为灰绿色砂岩、粉砂岩及砂质泥岩,间夹砂砾岩透镜体。与下伏古近系不整合接触,下伏地层:古近系砂质泥岩;与上覆第四系不整合接触,上覆地层:第四系砂砾石层。地层剖面厚度15.0m,时代归新近纪。此遗迹点自然出露,未采取保护措施,在桐柏、信阳、唐河地区新近纪地层对比、野外观察中具有科学价值,建议保护等级为省级,建议保护出露面积2.6km²。

153. 凤凰镇组地层剖面

凤凰镇组正层型地层剖面位于河南省淅川县凤凰镇。

该地层由周世全等(1979)创名于河南省淅川县凤凰镇。本组地层岩性下部为深灰色砾岩夹暗绿色泥岩;中部为褐色、棕红杂灰绿色黏土岩,砂岩,粉砂岩夹砂砾岩;上部为灰色、灰白色泥灰岩或薄层泥灰岩与钙质泥岩互层,局部夹褐黄色砂岩及含砾砂岩。下未见底,上与中更新统不整合接触,上覆地层:中更新统棕红色亚黏土。地层剖面厚度33.0m,时代归新近纪。此遗迹点自然出露,未采取保护措施,在淅川地区新近纪地层对比、野外观察中具有科学价值,建议保护等级为省级,建议保护出露面积9.1km²。

154. 三门组地层剖面

三门组正层型地层剖面位于河南省三门峡市。

该地层由丁文江(1918)创名三门系,1923年安特生首次使用,命名地点在黄河中游三门峡一带。

丁文江命名的三门系指黄土沉积以前、蓬蒂期以后的地层。1959年裴文中认为三门系应只包括泥河湾期的地层,相当于欧洲维拉方期地层。陕西地质局石油普查队301分队(1976)将张家坡剖面的上部称三门组。三门组湖相地层以深黄色亚黏土、亚砂土为主,夹少数灰绿色与棕红色层,剖面最下层为带有灰绿色斑纹的棕红色黏土。此剖面上三门组出露厚116.5m。在三门组地层中还发现 *Equus sanmeniensis*、*Dicerorhinus mercki*、*Stegodon* sp. 等,主要分布于渭河盆地、三门峡一带。现在三门组正层型剖面已被三门峡水库淹没。在豫陕晋交界地区第四纪地层对比、野外观察中具有科学价值,建议保护等级为省级,建议保护出露面积9.1km²。

155. 赵下峪黄土剖面

赵下峪黄土地层剖面位于河南省荥阳市北邙乡刘沟村。

该剖面出露S_{10}以上黄土—古土壤序列,厚达172.1m。其中,S_1古土壤厚达15.7m,是由3层紫红色古土壤夹2层黄土、钙质结核层组成的复合古土壤。L_1马兰黄土厚达77.3m,由5层古土壤或弱发育古土壤和6层黄土组成。赵下峪黄土剖面是目前世界上已发现的晚更新世厚度最大的黄土剖面(图4-11)。S_1以上的9层古土壤和8层黄土,反映了末次间冰期以来古气候的多变性,为更新世古气候研究提供了大量信息。此遗迹点在郑州黄河国家地质公园内,自然出露,保护良好,在华北马兰黄土地区第四系黄土地层对比、野外观察中具有科学价值,建议保护等级为国家级,建议保护出露面积4.8km²。

图4-11 赵下峪黄土剖面野外自然状态

156. 汝州晚前寒武纪罗圈古冰川遗迹

汝州晚前寒武纪罗圈古冰川遗迹位于河南省汝州市蟒川镇罗圈村。

罗圈冰碛层(罗圈组)于1957年前为杨志坚所报道,并为林蔚兴等(1959)正式命名,位于汝州市(原临汝县)蟒川镇罗圈村(图4-12),时代归新元古代。震旦系罗圈组古冰川地质遗迹在国内外地学界有重要影响,英国剑桥大学Hambrey M J博士和加拿大西安大略大学地质系主任先后到河南考察罗圈组古冰川。国内地质院校和科研单位的院士、专家、学者纷纷到现场考察,研究后发表了大量的论文和专著。据不完全统计，目前发表与震旦系罗圈组古冰川地质遗迹研究直接相关的论文已有23篇，与罗圈组间接相关的论文更多，并且在国际地学杂志上也已有关于罗圈组古冰川的卓有见地的论文。

罗圈组冰碛岩以石英砂岩和部分白云质灰岩作基底，岩石表面保存有完好的冰蚀痕迹，包括冰溜面、冰川擦痕、冰蚀糟、羊背石等，在汝州小龙庙、赶蛋场及鲁山石门沟也有分布。此遗迹点自然出露，已采取保护措施，在亚洲、欧洲、北美洲晚前寒武纪古冰川地质遗迹对比、野外观察中具有科学价值，建议保护等级为世界级，建议保护出露面积 1.2km²。

图 4-12 汝州晚前寒武纪罗圈古冰川遗迹

第二节　岩石剖面类地质遗迹

1. 石牌河闪长岩体

石牌河闪长岩体剖面位于河南省登封市君召乡青羊沟。

该岩体为中性岩体,位于北秦岭褶皱带北缘,为新太古代嵩阳期侵入岩,地表呈南北向延伸的不规则长条形岩株,南北长约5km,东西宽0.5～3.5km,南部较宽,出露面积10.0km²。岩体侵入于郭家窑组,被马鞍山组覆盖,西部及东南部分被吴家堐岩体和石秤花岗岩体侵吞,多有细粒闪长岩、变粒岩、角闪片岩、变辉长岩和二长花岗片麻岩捕房体。岩石呈灰白—浅绿色,半自形粒状结构,块状构造,边部具糜棱结构,片麻状—流状构造。主要矿物成分为:角闪石30%～40%,斜长石5%～10%,钾长石35%～55%,次要矿物成分有石英、黑云母,副矿物有磷灰石、锆石、榍石等。矿物粒度变化较大,一般在0.2～1.5mm之间,斜长石呈不等粒状,常被钾长石、绿帘石交代。岩体锆石U-Pb年龄为2 520Ma左右。石牌河闪长岩体剖面出露自然完整,已建立嵩山世界地质公园并采取保护措施,对嵩箕微古陆块中性岩的形成研究具有重要的科学意义,建议保护等级为国家级,建议保护出露面积7.3km²。

2. 石秤花岗岩体

石秤花岗岩体剖面位于河南省登封县君召乡水磨湾。

该岩体为中元古代王屋山期酸性侵入岩,地表呈西宽东窄的长条形岩株,东西长约14km,南北最宽4km,面积55.5km²,侵入于登封(岩)群、嵩山群及嵩阳期石牌河闪长岩体中。岩体分为内部相和边缘相,其间为过渡带。内部相分布于岩体中部,占岩体的绝大部分,岩性为中粗粒黑云母花岗岩,局部含长石斑晶,岩石暗红—肉红色,花岗结构,块状构造。边缘相分布于岩体边部,为花岗闪长岩,是花岗岩与围岩同化混染的产物,岩石呈灰白色,中粒结构,局部斑状结构,块状构造。从内部相到边缘相,矿物颗粒变细,暗色矿物增多。石秤花岗岩体剖面出露自然完整,对嵩箕微古陆块花岗岩的形成研究具有重要的科学意义,建议保护等级为国家级,建议保护出露面积10.6km²。

3. 三坪沟石英闪长岩体

三坪沟石英闪长岩体剖面位于河南省淅川县三坪沟。

该岩体为中性岩,位于南秦岭褶皱带北缘,木家垭-内乡-商城深断裂带南侧,为中元古代晋宁期侵入岩,地表呈北西-南东向延伸的不规则长条形岩株,面积92.0km²,侵入于陡岭群和毛堂群并被加里东期和海西期花岗岩体侵入。因受晚期酸性岩浆活动影响,岩体边部常出现花岗闪长岩。岩石为灰白—浅绿色,半自形粒状结构,块状构造,定向构造。三坪沟石英闪长岩体剖面出露自然完整,对秦岭-桐柏-大别造山带中性岩的形成研究具有重要的科学意义,建议保护等级为省级,建议保护出露面积4.8km²。

4. 洋淇沟超基性岩体

洋淇沟超基性岩体剖面位于河南省西峡县西坪镇洋淇沟。

西峡洋淇沟蛇绿岩是从原秦岭群中解体出来,主要由超镁铁质岩和镁铁质岩以构造关系叠置并已强烈变形变质异地无根的构造蛇绿岩片。该岩体东西长22km,最宽处2.2km,向西延入陕西称为松树沟岩体,河南省内面积8.0km²,平面形态呈长纺锤形。它是在深部地幔动力演化背景下所产生的一套中新元古代有限扩张小洋盆性质的蛇绿岩,其洋壳残片性质反映了东秦岭商南—西峡区间曾存在中新元古代有限扩张小洋盆,并经历了中新元古代晋宁期洋-陆相互作用的汇聚拼合。洋淇沟的古秦岭洋有限扩张小洋盆洋壳超镁铁质蛇绿岩属于国家级地质遗迹,具有重大的科学研究价值和典型意义,建议保护等级为国家级。洋淇沟超基性岩体现在受到开采橄榄砂矿的破坏威胁(图4-13),建议保护出露面积2.1km²。

图4-13 洋淇沟超基性岩存在采矿问题

5. 吐雾山花岗斑岩体

吐雾山花岗斑岩体剖面位于河南省邓州市罗庄东吐雾山。

该岩体为中元古代加里东晚期酸性侵入岩,地表呈近椭圆形岩株,周围被第四系覆盖,面积1.5km²,主体为花岗斑岩,边部有少量派生的钠闪霓辉花岗岩脉。花岗斑岩呈灰白—浅肉红色,斑状结构,基质为显微共结结构、假球粒结构、微嵌晶结构,块状构造。吐雾山岩体属定位较深的浅成相岩体,岩石富碱,含有较多的高价阳离子,是北秦岭地区加里东晚期最晚形成的侵入体。岩体出露自然完整,对秦岭-桐柏-大别造山带古生代加里东晚期酸性侵入岩的形成研究具有重要的科学意义,建议保护等级为省级,建议保护出露面积2.0km²。

6. 龙王䃎花岗岩体

龙王䃎花岗岩体剖面位于河南省栾川县鸭池沟。

该岩体为古生代加里东晚期酸性侵入岩,地表形态近似椭圆形,面积140.0km²,侵入于秦岭群宽坪岩组中东部,被燕山期花岗岩吞噬。内接触带绢云母化强烈,外接触带有钠长石化、黑云母化、绢云母化、绿帘石化、纤闪石化等蚀变现象。岩体剥蚀深度不大,属深成相重熔型岩体。岩性为中粗粒黑云母钾长花岗岩。岩石呈肉红色,中粗粒花岗结构,块状构造,东南边部具片麻状构造。龙王䃎花岗岩体出露自然完整,对秦岭-桐柏-大别造山带古生代加里东晚期酸性侵入岩的形成研究具有重要的科学意义,建议保护等级为国家级,建议保护出露面积20.2km²。

7. 柳树庄超基性岩体

柳树庄超基性岩体剖面位于河南省桐柏县二郎山乡柳树庄。

该岩体为早古生代加里东晚期侵入岩,地表呈东宽西窄蝌蚪状,深部不规则似盆状,面积 $0.27km^2$,侵入于秦岭(岩)群宽坪(岩)组中。岩体分为内部相和边缘相,其间界线清楚。内部相分布于岩体中部,约占岩体的 73%,由辉橄岩、橄榄岩、含辉纯橄岩等富镁质超基性岩组成,岩石呈灰白—深绿色,网环状结构,块状构造。边缘相分布于岩体边部,由橄辉岩、辉石岩、透闪-阳起石岩等组成,岩石为浅绿—深绿色,纤状变晶或斑状结构,块状构造。该岩体中首次发现自然界新矿物——桐柏矿(Tongbaite),分子式 Cr_3C_2,含 Cr 为 84.26%,这一发现对研究铬的赋存状态开辟了新途径。柳树庄超基性岩体出露自然完整,对秦岭-桐柏-大别造山带古生代加里东晚期超基性岩的形成研究具有重要的科学意义,建议保护等级为省级,建议保护出露面积 $2.3km^2$。

8. 德河片麻状花岗岩

德河片麻状花岗岩剖面位于河南省西峡县寨根乡老龙窝。

该片麻状花岗岩为古生代加里东中期侵入岩,位于西峡县西部寨根-马山口复背斜内。地表形态近似纺锤形,呈北西-南东向展布,面积约 $25.0km^2$,侵入于秦岭(岩)群中。岩体剥蚀深度中等,属重熔型花岗岩体,岩性为中粗粒黑云母钾长花岗岩。岩石呈灰白色,细粒花岗结构,块状构造、片麻状构造。德河片麻状花岗岩体出露自然完整,对秦岭-桐柏-大别造山带新元古代晋宁期(变形)花岗岩的形成研究具有重要的科学意义,建议保护等级为省级,建议保护出露面积 $1.8km^2$。

9. 桐柏麻粒岩

桐柏麻粒岩剖面位于河南省桐柏县大河镇罗庄东北。

该麻粒岩为古元古界郭庄(岩)组变质岩。桐柏县松扒—黄庄一带紫苏辉石麻粒岩、二辉麻粒岩产于古元古界郭庄(岩)组的角闪片麻岩及斜长片麻岩中,麻粒岩呈透镜体状,多为灰—深灰色,中粗粒花岗变晶结构,块状构造或略具片麻状构造,紫苏辉石呈自形—半自形柱状及粒状,具粉红色多色性,大小 $0.5\sim1.0mm$,边缘有纤闪石化,有的具滑石化。单斜辉石呈边缘圆滑的半自形—自形柱粒状,一般为无色,或具淡绿色。斜长石为半自形—自形板柱状,大小 $0.5\sim1.0mm$,聚片双晶发育,An=35~40 号的中长石,普遍具绢云母化。麻粒岩中石英含量较高,呈拉长的粒状,分布在主要矿物之间,并有包裹辉石和斜长石的现象,具波状消光。岩石中黑云母呈鳞片状,Ng 为褐棕色,Np 为浅宗色,散布在主要矿物之间。桐柏麻粒岩出露原始自然状态,未采取保护措施,对秦岭-桐柏-大别造山带古元古界郭庄(岩)组变质岩的形成研究具有重要的科学意义,建议保护等级为国家级,建议保护出露面积 $0.4km^2$。

10. 老湾花岗岩体

老湾花岗岩体剖面位于河南省桐柏县老湾。

该岩体为古生代海西晚期酸性侵入岩,地表形态为西窄东宽的长条形岩株,呈北西西向展布,为两次侵入的复式岩体,面积 $35.0km^2$,侵入于泥盆系南湾(岩)组中。第一次侵入的岩体可分为内部相、过渡相和边缘相,内部相为浅肉红色粗中粒花岗岩;过渡相为灰白色、肉红色中粒花岗岩;边缘相为灰白色中细粒花岗岩。岩石普遍具花岗结构,块状构造。第二次侵入的花岗岩呈(无定向)脉状侵入到第一次侵入的岩体中,岩性为细粒花岗岩。岩石呈灰白色,细粒花岗结构,块状构造。老湾花岗岩体出露原始自然状态,未采取保护措施,对秦岭-桐柏-大别造山带古生代海西晚期酸性侵入岩的形成研究具有重要的科学意义,建议保护等级为省级,建议保护出露面积 0.9km²。

11. 东冶闪长岩体

东冶闪长岩体剖面位于河南省林州市和顺镇东冶。

该岩体为中性岩,位于太行山复背斜东翼的中性岩带西部,为中生代燕山期侵入岩,侵入于古生代奥陶纪灰岩中。地表呈南北向延伸的长方形岩株,面积 33.0km²。岩体边部常出现花岗闪长岩、闪长玢岩。岩石为浅灰—灰绿色,自形—半自形粒状结构,块状构造。矿物成分为斜长石、普通角闪石以及黑云母、石英、钾长石、辉石等。该岩体为太行山隆起上燕山期中性侵入岩的典型代表。东冶闪长岩体出露原始自然状态,未采取保护措施,对太行山隆起带中性岩的形成研究具有重要的科学意义,建议保护等级为省级,建议保护出露面积 1.8km²。

12. 嵩县万村花岗岩体

嵩县万村花岗岩体剖面位于河南省嵩县大章乡万村北。

该岩体为中生代燕山早期酸性侵入岩,地表形态近似马鞍形,面积 198.0km²,侵入于太华(岩)群混合岩化片麻岩中,北部被稍晚的黑云母花岗岩侵入。岩体剥蚀深度不大,属深成相岩体。岩石具斑状结构,基质为中粒花岗结构,蠕英净边结构,斑晶为粗大的微斜条纹长石。矿物成分为:微斜长石 40%,更长石 30%,石英 20%,普通角闪石 5%,少量黑云母及蠕石英,斑晶含量 5%~15%。更长石具弱绢云母化、黝帘石化、高岭土化,普通角闪石具黑云母化、褐铁矿化。万村花岗岩体出露原始自然状态,未采取保护措施,对中生代秦岭-大别造山期后侏罗纪中期花岗岩侵位研究具有重要的科学意义,建议保护等级为省级,建议保护出露面积 5.2km²。

13. 蒿坪花岗岩体

蒿坪花岗岩体剖面位于河南省洛宁县神灵寨。

该岩体为中生代燕山晚期酸性侵入岩,地表形态呈中部向北凸出的马鞍形,面积 58.0km²,北部侵入于太华(岩)群混合岩化片麻岩中,南部侵入于稍早的斑状黑云母花岗岩(万村岩体)。岩体剥蚀深度不大,属深成相岩体。岩石呈浅红—肉红色,具斑状结构,基质为花岗结构。岩石以发育微斜条纹长石斑晶为特点,主要矿为:钾长石、更长石、石英、黑云母、角闪石等。微斜条纹长石斑晶含量在 10%以下,微斜条纹长石斑晶在岩体中心发育,向边部减少,逐渐过渡为中(细)粒花岗岩,具弱绢云母化、黝帘石化、黑云母化等蚀变现象。蒿坪花岗岩体出露原始自然状态,未采取保护措施,对中生代秦岭-大别造山期后早白垩世花岗岩侵位研究具有重要的科学意义,建议保护等级为省级,建议保护出露面积 14.6km²。

14. 合峪花岗岩体

合峪花岗岩体剖面位于河南省栾川县合峪乡庙湾西北。

该岩体位于栾川断裂北部,为中生代燕山晚期酸性侵入岩,合峪超单元由童子庄、合峪、石人山 3 个复式深成岩体组成,划分为 6 个单元,单元之间为脉动或涌动接触,早期单元分布于外侧,晚期单元位于中间,呈套环式分布,面积 722km²,北部侵入于秦岭(岩)群、中元古代熊耳群中,南部侵入于晋宁期片麻状花岗岩中,接触面较陡,倾角多在 50°~80°之间,岩体内常见围岩捕虏体,属深成相岩体,岩石呈灰白—肉红色,斑状结构,块状构造。斑晶为微斜条纹长石,含量 15%~50%。基质以中粗粒花岗结构为主,次为中细粒花岗结构,主要矿物为:微斜条纹长石 35%,更长石 25%~30%,石英 25%,黑云母 5%,角闪石少量等。岩体外接触带围岩常有不同程度的蚀变,主要有绢云母化、钾长石化和绿泥石化等蚀变现象,局部围岩发生角岩化。该岩体规模很大,从西到东贯穿栾川、鲁山等县,石人山景区就在其中。合峪花岗岩体出露原始自然状态,未采取保护措施,对中生代秦岭-大别造山期后早白垩世花岗岩侵位研究具有重要的科学意义,建议保护等级为省级,建议保护出露面积1.3km²。

15. 南泥湖花岗闪长斑岩体

南泥湖花岗闪长斑岩体剖面位于河南省栾川县冷水乡南泥湖。

该岩体为中生代燕山晚期中深成相酸性侵入岩,呈小岩株状,地表形态呈椭圆形,面积0.12km²,侵入于栾川群中,接触面较陡,岩体东部倾角50°~80°,西部倾角20°~40°。该岩体为复式岩体,早期为花岗闪长斑岩(未出露地表),晚期为花岗斑岩。花岗闪长斑岩具斑状结构,斑晶含量5%~10%,主要为正长条纹长石、斜长石、石英等。基质具细粒—显微花岗结构,由钾长石、石英、黑云母组成。晚期为花岗斑岩(岩体主体),呈浅肉红色,蚀变后为灰白色或深肉红色,斑状结构,斑晶含量40%~60%,由正长石、双锥状石英及斜长石组成,基质具显微花岗结构,含正长条纹长石30%~35%,石英25%~35%,黑云母少量等。岩体及围岩蚀变较弱,岩体蚀变由内向外可分为钾长石化、石英-云母化、强硅化3个带,围岩蚀变可分为石英-金云母-阳起石化带、磁铁矿-透闪石-透辉石化带、蛇纹石化带3个带,其外侧为角闪石化及大理石化。南泥湖花岗闪长斑岩体出露原始自然状态,未采取保护措施,对中生代秦岭-大别造山期后晚白垩世深成侵入相酸性斑岩体研究具有重要的科学意义,建议保护等级为省级,建议保护出露面积2.5km²。

16. 嵖岈山花岗岩体

嵖岈山花岗岩体剖面位于河南省遂平县嵖岈山。

该岩体为中生代燕山晚期碱性侵入岩,仅出露有两处,一处在嵖岈山($K_1\xi r$),另一处在断山—牛心山等地。地表形态呈不规则状,近似长方形,南北长5.25km,东西宽2km,面积7km²。该岩体侵入于太古宇太华(岩)群、中元古界汝阳群、新元古界洛峪群与震旦系、古生界寒武系等地层中。岩体风化深度不大,属深成相岩体。岩性为中粗粒正长花岗岩,岩石呈肉红—浅紫红色,细粒—粗粒花岗结构,块状构造。含微斜条纹长石(或条纹长石)50%~60%,酸性斜长石10%~20%,石英25%,黑云母少量。该类岩体在河南省十分稀有,嵖岈山花岗岩地貌形成的风景区即在此岩体上。嵖岈山花岗岩体位于嵖岈山国家地质公园内,出露原始自然状态,已采取保护措施,对中生代秦岭-大别造山期后早白垩世碱性花岗岩体研究具有重要的科学意义,建议保护等级为省级,建议保护出露面积3.1km²。

17. 新县花岗岩体

新县花岗岩体剖面位于河南省新县城关镇杷棚西200m。

该岩体位于新县县城以西,陡山河乡以东,为中生代燕山晚期酸性侵入岩,地表形态呈不规则鸡蛋形,长约30km,最宽20km,面积约480km²。从南到北依次侵入于古元古界新县(岩)组、七角山(岩)组和中—新元古界浒湾(岩)组中。岩体剥蚀深度不大,属深成相岩体。岩石呈灰白—浅肉红色,中细粒—中粗粒花岗结构,块状构造,主要矿物为:钾长石25%~45%,斜长石25%~40%,石英22%~30%,黑云母小于10%。岩体由中心向边部矿物颗粒变细,钾长石和石英含量减少,斜长石增多,构成不同的岩相带。中心相为中(粗)粒花岗岩,含钾长石40%~45%,石英25%~30%,斜长石25%~30%;边缘相为细粒花岗岩,含钾长石35%~40%,石英20%~25%,斜长石30%~35%。新县花岗岩体在大别山省级地质公园内,出露原始自然状态,已采取保护措施,对中生代秦岭-大别造山期后早白垩世深成相花岗岩体研究具有重要的科学意义,建议保护等级为省级,建议保护出露面积2.4km²。

18. 大乌山-化象金伯利岩体群

大乌山-化象金伯利岩体群剖面位于河南省鹤壁市鹤山区鹤壁集乡姬家山西。

该岩体群为河南省新生代喜马拉雅期较大的岩体群,由14个金伯利岩小岩体组成,沿鹤壁大乌山-化象北北东向断裂带呈雁行状排列。单个岩体最大者$2.5 \times 10^4 m^2$,最小者几百平方米,呈似层状、透镜状、管状、脉状、枝状侵入于早—中奥陶世白云岩、泥灰岩及角砾状灰岩中,局部可见围岩被挤压而拱起,并伴有烘烤、蚀变等现象。岩石类型主要为斑状金伯利岩,其次为角砾状金伯利岩,凝灰状金伯利岩。岩石呈蓝绿、灰绿、黄绿、砖青、橙黄、土黄等色,具斑状、凝灰状结构,块状、角砾状、岩球状构造。斑晶含量20%~40%,由橄榄石、金云母及少量镁铝榴石组成。岩体蚀变强烈,主要蚀变为碳酸岩化、蛇纹石化、绿泥石化,局部具有弱金云母化和硅化。该岩体是寻找金刚石的目标岩体。大乌山-化象金伯利岩体群出露原始自然状态,未采取保护措施,对太行山隆起带喜马拉雅期超基性岩的形成研究具有重要的科学意义,建议保护等级为省级,建议保护出露面积$2.3 km^2$。

19. 鹤壁尚峪苦橄玢岩

鹤壁尚峪苦橄玢岩岩石剖面位于河南省鹤壁市鹿楼乡上峪村西。

该苦橄玢岩为一上大下小的漏斗状岩管,顶部直径200~250m,"漏斗"颈部直径3m。西侧还有3条苦橄玢岩小岩墙,长30~70m,宽0.8~6.0m,分别沿北东55°、北东67°、南东100°向西延伸,属幔源型成岩系列,为喜马拉雅晚期的产物。岩体由多期喷溢形成,首先是苦橄岩质的凝灰物质喷发,形成凝灰岩层,接着是苦橄岩质的熔岩角砾岩喷溢,成层覆于凝灰岩之上,最后是苦橄玢岩熔浆在高压下大量溢出,盖在凝灰岩与角砾岩之上,组成管状体的底端与火山颈相连接,形成漏斗状岩管。溢出熔岩与马家沟组上部灰岩接触,接触处形成明显的棕红色烘烤带,苦橄玢岩呈黑色、暗灰色,斑状结构,块状、角砾状构造,局部具气孔和杏仁状构造。斑晶由橄榄石、顽火辉石组成,基质主要由板条状含钛普通辉石、蛇纹石组成,属侵入与喷出之间的过渡类型。鹤壁尚峪苦橄玢岩出露原始自然状态(图4-14),未建立地质公园,已采取保护措施,对欧亚板块东亚裂谷带喜马拉雅期火山岩的野外观察及形成研究具有重要的地质科学意义,建议保护等级为国家级,建议保护出露面积$0.1 km^2$。

图 4-14　鹤壁尚峪苦橄玢岩遗迹保存状态

20. 汝阳李陈庄新近纪古火山机构

汝阳李陈庄新近纪古火山机构岩石剖面位于河南省汝阳县陶营乡李陈庄。

该火山机构是河南省地质历史上新近纪火山喷发的一个重大热事件，在嵩箕地区有上百平方千米的橄榄玄武岩出露，该火山机构极为完整、清晰、典型，包括火山口、火山喉管、火山熔岩锥、熔岩流、熔岩被及玄武岩、橄榄玄武岩、火山角砾岩等。它为研究喜马拉雅运动的岩浆活动对河南省的影响提供了最直接的证据，故具有较高的科学研究价值。在此不仅可以看到火山喷发形成的火山角砾岩、浮岩、烘烤边、熔岩及其沿石英砂岩山坡流动的壮观场面，而且可以看到火山喷发之后辉石闪长玢岩株又沿火山通道侵位的地质遗迹，是地质院校教学和进行科普宣传的理想场所。汝阳李陈庄新近纪古火山机构出露原始自然状态（图4-15），未采取保护措施（图4-16），对嵩箕地区喜马拉雅期古火山活动的野外观察及形成研究具有重要的地质科学意义，建议保护等级为省级，建议保护出露面积1.4km²。

图4-15 李陈庄古火山机构自然状态

21. 熊耳群火山岩

熊耳群火山岩岩石剖面位于河南省济源市邵源镇小沟背村。

中元古界熊耳群火山岩是华北古大陆南部在裂解过程中形成的三叉裂谷内火山活动的产物。火山喷发形成典型的枕状熔岩、淬碎熔岩、安山岩等，其中枕状熔岩是炽热熔岩流在水下流动或喷发的结果。熔岩流在水下凝固时，表面接触冷水首先形成硬壳，然后由于冷却收缩以及内部压力挤压发生破裂，致使内部未凝固的熔浆又从裂隙中流出，在此基础上形成另一个椭球硬壳，如此反复进行，就形成了枕头状椭球体，称之为枕状构造，具有枕状构造的火山岩称为枕状熔岩，为王屋山-黛眉山世界地质公园内的主要地质遗迹。熊耳群火山岩出露原始自然状态（图4-17），已建立世界地质公园并采取保护措施，为研究华北古大陆南部三叉裂谷形成提供了科学依据，建议保护等级为世界级，建议保护出露面积0.2km²。

图 4-16 李陈庄古火山机构存在采石问题

图 4-17 熊耳群火山岩遗迹自然露头

22. 高压—超高压榴辉岩

高压—超高压榴辉岩岩石剖面位于河南省新县泗店乡腊树塘。

高压—超高压榴辉岩主要由红棕色石榴子石和草绿色绿辉石组成,是高压—超高压基性变质岩(图4-18)。新鲜岩石呈灰绿色,风化较强者颜色变浅,片麻理发育。镜下观察为鳞片粒状变晶结构、柱粒状变晶结构,片麻状构造、条带状构造、斑杂状构造和块状构造。岩石主要矿物成分:石榴子石5%～40%,绿辉石10%～30%,角闪石5%～40%,绿帘石0～30%,石英0～10%,副矿物有金红石、磷灰石。榴辉岩呈包体或透镜体状分布于变质表壳岩及大别片麻杂岩中。榴辉岩的形成充分说明新县大别山地质公园内的变质表壳岩及大别片麻杂岩经历了地壳深部的高压—超高压的变质过程。高压—超高压榴辉岩修路揭露自然状态(图4-19),已建立新县大别山省级地质公园并采取保护措施,反映华北板块与扬子板块碰撞深俯冲折返造山过程的地质遗迹,对研究中国中央造山带具有重要的地质科学意义,建议保护等级为世界级,建议保护出露面积$0.3km^2$。

图 4-18 高压—超高压榴辉岩

23. 巨型波痕

巨型波痕位于河南省修武县云台山世界地质公园云台山园区。

该巨型波痕发育于下寒武统馒头组上部灰岩层面上。波峰形状对称,波峰波谷圆滑,波脊呈曲线延伸并常见分叉,波长30～40cm,波高2～5cm,波痕指数8～10,形成于潮坪环境。此类波痕构造在寒武纪地层中十分常见,但大面积出露并完整保存却是罕见(图4-20)。巨型波痕出露原始自然状态,已建立云台山世界地质公园并采取保护措施,对华北地区早寒武世海相沉积的沉积岩相学研究具有地质科学意义,建议保护等级为国家级,建议保护出露面积$0.4km^2$。

图 4-19　高压—超高压榴辉岩出露状态

24. 鞍腰组深湖浊积岩

鞍腰组深湖浊积岩岩石剖面位于河南省济源市西承留乡鞍腰村西北。

中生代时期形成的济源盆地，代表性的剖面地点在济源市的虎岭—鞍腰一带，济源盆地是鄂尔多斯(陕甘宁)湖盆的一部分。济源盆地中晚三世—早侏罗世发育了一套完整的河流—河口三角洲—浅湖—深湖相沉积序列，有大量的植物、动物和遗迹化石，国内外有许多科研机构都对其进行过深入研究，已成为华北地层对比研究的标准，特别地，深湖浊积岩是国内外研究对比的标准。下侏罗统鞍腰组可见非常清晰的，具有典型鲍马序列的深湖相浊积层序，由 Tab、Tcde、Tde 段的砂岩组成向上变厚的深湖相充填序列。研究表明，这种深湖相浊积岩在国内极为少见，在世界上仅有米德湖、日内瓦湖、苏黎世湖及君士坦丁湖等地存在。因此，这种深湖相浊积岩是一种典型而稀有的地质遗迹，是王屋山-黛眉山世界地质公园主要地质遗迹。鞍腰组深湖浊积岩出露原始自然状态（图 4-21），研究程度高，已建立世界地质公园并采取保护措施，为研究中生代华北古地理环境提供了科学依据，建议保护等级为世界级，建议保护出露面积 0.2km²。

25. 小沟背组河流砾岩

小沟背组河流砾岩岩石剖面位于河南省济源市邵源镇小沟背村。

该河流砾岩为中元古代沉积岩，分布于小沟背村—银洞坪一带，主要由巨砾岩、粗砾岩、中砾岩及含砾粗砂岩组成。砾石主要成分为辉石安山岩、安山岩、英安岩、石英岩、变质石英砂岩、脉石英等。各种砾石的含量不一，一般旋回底部含火山岩砾石较多，向上逐渐以变质砂岩、石英岩、脉石英砾石为主。砾石大小不一，从小于 1cm 到数十厘米，个别可达 1m 左右。砾石砾径由下向上有逐渐变小的趋势，略具分选性。磨圆度不一，一般砾径大的火山岩砾石磨圆度稍差，多呈半棱角状，石英岩、变质砂岩

图 4-20　巨型波痕　　　　　　　　图 4-21　鞍腰组深湖浊积岩野外露头

磨圆度较好,脉石英磨圆度良好。胶结物以砂质、硅质、铁质为主。根据岩相组合特点,本组为一套以河床相沉积为主的陆相磨拉石建造。小沟背组河流砾岩出露原始自然状态(图 4-22),没有遭受到人为破坏,已建立王屋山-黛眉山世界地质公园并采取保护措施,为研究中元古代华北古大陆南部地理环境提供了科学依据,建议保护等级为省级,建议保护出露面积 0.1km²。

图 4-22　小沟背组河流砾岩野外保存自然状态

26. 嵩山新太古代TTG片麻岩

嵩山新太古代TTG片麻岩岩石剖面位于河南省登封市法王寺景区公路边。

TTG岩系是英云闪长岩（Tonalite）-奥长花岗岩（Trondhjemite）-花岗闪长岩（Granodiorite）的合称。嵩山地区新太古代TTG片麻岩是指嵩山地区大塔寺英云闪长岩、会善寺奥长花岗岩、北沟二长花岗岩、青杨沟变辉长闪长岩等TTG质片麻岩体，是古老的侵入岩。根据接触关系、岩石组构及地球化学特征，从登封（岩）群中解体出来，将嵩山地区新太古代TTG片麻岩划分为两个片麻岩套，含6个构造岩石单位。嵩山地区新太古代TTG片麻岩形成年龄在2 600～2 500Ma之间，该片麻岩的侵入代表了一次重要的古陆壳水平增生过程，说明华北克拉通南缘可能在随后的2 500Ma左右发生过一次重要的微古陆块碰撞拼合事件。嵩山新太古代TTG片麻岩出露原始自然状态（图4-23、图4-24），没有遭受到人为破坏，已建立嵩山世界地质公园并采取保护措施，对华北古大陆形成研究具有重要的地质科学意义，建议保护等级为国家级，建议保护出露面积7.0km²。

图4-23 大塔寺英云闪长片麻岩露头

图4-24 片麻岩条带状、片麻状构造

第三节 构造剖面类地质遗迹

1. 嵩阳运动(角度不整合)

嵩阳运动地质遗迹位于河南省登封市老母洞北。

嵩阳运动由张伯声(1951)命名,是指发生在新太古代登封(岩)群沉积以后,古元古代嵩山群沉积以前的一次剧烈的地壳运动。嵩山群底砾岩呈角度不整合覆盖在新太古代登封(岩)群和变质变形侵入体的不同层位。嵩阳运动角度不整合界面出露地貌部位处于太室山近山顶陡崖处,地势西高为崖壁,东低为山谷。上覆地层嵩山群罗汉洞组,岩性为变质砾岩、石英岩,产状倾向305°~340°,倾角28°~32°;下伏地层登封(岩)群郭家窑(岩)组,岩性为白云石英片岩,产状倾向285°,倾角50°。嵩阳运动地质遗迹出露原始自然状态(图4-25),没有遭受到人为破坏,已建立嵩山世界地质公园并采取保护措施,对研究新太古代与古元古代之间的地壳运动具有重要的科学意义,具有地质工作野外观察及教学实习的科学价值,建议保护等级为世界级,建议保护出露面积 $0.2km^2$。

图 4-25 嵩阳运动地质遗迹野外露头

2. 中岳运动(角度不整合)

中岳运动地质遗迹位于河南省登封市玄天庙西北。

中岳运动系西北大学张尔道(1954)创名,是发生在古元古代嵩山群沉积之后,中元古代五佛山群沉积之前的一次剧烈地壳运动,形成了五佛山群马鞍山组底砾岩不整合覆盖在嵩山群和太古宇的不同层位上。中岳运动角度不整合界面是划分古元古代地层和中元古代地层的界线,界面以上为中元古界五佛山群马鞍山组,岩层倾角0~20°;界面以下为古元古界嵩山群,岩层倾角大于65°。中岳运动地质遗迹出露原始自然状态(图4-26),没有遭受到人为破坏,已建立嵩山世界地质公园并采取保护措施,对研究古元古代与中元古代之间的地壳运动具有科学意义,具有地质工作野外观察及教学实习的科学价值,建议保护等级为世界级,建议保护出露面积 $0.4km^2$。

3. 少林运动(角度不整合)

少林运动地质遗迹位于河南省偃师市佛光乡堂前村东850m。

少林运动由中国地质科学院王曰伦(1959)命名,是发生在早寒武世前的一次构造运动,寒武系底部的砂砾岩层呈角度不整合超覆于中元古界五佛山群、马鞍山群、嵩山群和太古宇登封(岩)群的不同层位之上。嵩山地区少林运动界面是划分元古宇与古生界的界线,界面以下为中元古界五佛山群地层,以上为古生界寒武系。少林运动地质遗迹出露原始自然状态(图4-27),没有遭受到人为破坏,已建立嵩山世界地质公园并采取保护措施,对研究寒武系与中元古界五佛山群之间的地壳运动具有科学意义,具有地质工作野外观察、教学实习科学价值,建议保护等级为世界级,建议保护出露面积0.2km²。

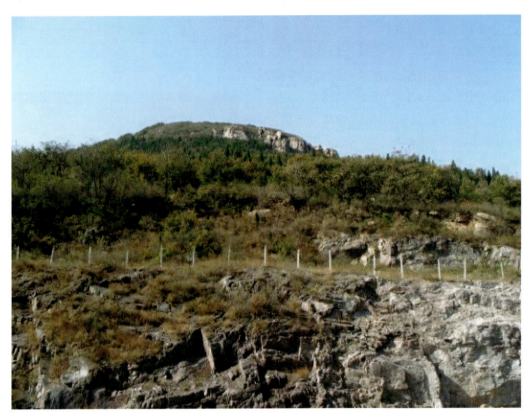

图4-26 中岳运动地质遗迹保存自然状态

4. 王屋山运动(角度不整合)

王屋山运动地质遗迹位于河南省济源市邵源镇小沟背村。

王屋山运动由山西省区域地质调查队(1974)创名,是一次被称为"王屋山运动"造山运动事件。中元古界小沟背组砾岩不整合覆盖在中元古界熊耳群许山组火山岩之上,上覆地层为距今1 450Ma前后形成的中元古界小沟背组砾岩,下伏地层是形成于1 850Ma~1 700Ma的中元古界熊耳群许山组火山岩,上下地层之间的接触关系为角度不整合。王屋山运动地质遗迹出露原始自然状态(图4-28),没有遭受到人为破坏,已建立王屋山-黛眉山世界地质公园并采取保护措施,为中元古代早期与晚期的地壳构造运动研究提供了野外观察依据,建议保护等级为世界级,建议保护出露面积0.1km²。

5. 五佛山群重力滑动构造

五佛山群重力滑动构造位于河南省偃师县佛光乡五佛山村。

该地质遗迹点为我国著名地质学家马杏垣教授提出"重力滑动构造"的原始创名地。马杏垣教授对五佛山群重力滑动构造变形群落的特点、组合关系、发生发展过程和成因等,进行了深入系统的研究和详细精辟的论述。重力滑动构造的结构要素分为下伏系统、润滑层、滑面(主滑面)、滑动系统和外缘推挤带5个部分,反映这些重力滑动构造的地质遗迹出露的系统完整,重力滑动构造的断层三角

图 4-27 少林运动地质遗迹保存自然状态

图 4-28 王屋山运动地质遗迹野外保存自然状态

面如图 4-29 所示。五佛山群重力滑动构造出露原始自然状态,没有遭受到人为破坏,已建立嵩山世界地质公园并采取保护措施,具有研究重力滑动构造的地质科学意义,对嵩山地区的古构造研究及为五佛山群重力滑动构造理论建立提供了野外观察依据,建议保护等级为世界级,建议保护出露面积 0.2km²。

图 4-29 五佛山群重力滑动构造断层三角面

6. 马超营断裂带（鸡笼山）

马超营断裂带（鸡笼山）位于河南省卢氏县范里乡鸡笼山。

该断裂带在区域上称为华北陆块华熊古隆起与华北陆块南缘褶断带的分界断裂带，西自陕西延入河南，从卢氏潘河、马超营至狮子庙—古城一带向东延到嵩县木植街南，在鲁山赵村一带向东经下汤、黄土岭、拐河、独树至确山胡庙。在鸡笼山断裂带走向为 140°~165°，断裂带多向北倾，倾角 50°~75°。断裂带分为南、北两个带，南侧为鸡笼山-曹家凹脆韧性剪切带，北侧为庄根韧脆性剪切带，断裂带南北宽约 2km。脆韧性剪切带参与变形的岩石主要为熊耳群中酸性火山岩，韧性变形强烈，发育大量的构造片岩、千枚岩、糜棱岩、片理化岩石及构造透镜体等，构造片理及糜棱面理发育，可见片理或面理构造的挠曲或褶皱现象。韧脆性剪切带内发育大量的碎裂岩、碎粉岩、构造角砾岩以及呈带状分布的构造片岩等，卢氏县鸡笼山-南沟口庄根断裂带实测构造剖面如图 4-30 所示。马超营断裂带（鸡笼山）出露原始自然状态，未采取保护措施，对华北陆块华熊古隆起与华北陆块南缘褶断带构造地质研究具有科学意义，建议保护等级为国家级，建议保护出露面积 1.5km²。

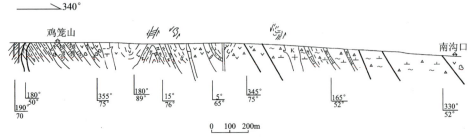

图 4-30 卢氏县鸡笼山-南沟口庄根断裂带实测构造剖面图

7. 马超营断裂带（白土街）

马超营断裂带（白土街）位于河南省栾川县白土乡白土街村西北。

该断裂带在区域上称为华北陆块华熊古隆起与华北陆块南缘褶断带的分界断裂带，西自陕西延入河南，从卢氏潘河、马超营至狮子庙—古城一带向东延到嵩县木植街南，在鲁山赵村一带向东经下汤、黄土岭、拐河、独树至确山胡庙。在栾川白土街断裂带向北倾，倾向10°～20°，倾角50°，断裂破碎带宽50～60m，发育大量的片理化岩石和构造片岩、千枚岩、糜棱岩、透镜体等，构造片理及糜棱面理发育。该断层名称为铁岭-石窑沟断层，属于马超营断裂带中的断层，断层北盘为熊耳群许山组碎裂安山岩，断层南盘为熊耳群马家河组杏仁状安山岩。马超营断裂带（白土街）修路揭露自然状态（图4-31），未采取保护措施，对华北陆块华熊古隆起与华北陆块南缘褶断带构造地质研究具有科学意义，建议保护等级为国家级，建议保护出露面积0.1km²。

图4-31 马超营断裂带（白土街）遗迹出露保存状态

8. 马超营断裂带（东岭台）

马超营断裂带（东岭台）位于河南省栾川县狮子庙镇东岭台沟。

该断裂带在区域上称为华北陆块华熊古隆起与华北陆块南缘褶断带的分界断裂带，西自陕西延入河南，从卢氏潘河、马超营至狮子庙—古城一带向东延到嵩县木植街南，在鲁山赵村一带向东经下汤、黄土岭、拐河、独树至确山胡庙。在栾川县狮子庙一带断裂带走向为95°～100°，断裂带多向北倾，倾向10°～15°。该断裂带名称狮子庙-古城断裂带，断裂破碎带宽10m，断裂带北盘为蓟县系官道口群龙家园组白云质大理岩，南盘为长城系熊耳群许山组安山岩。脆性剪切带内发育大量的碎裂岩、碎粉岩、构造角砾岩以及呈带状分布的构造片岩等。马超营断裂带（东岭台）出露原始自然状态（图4-32），未采取保护措施，对华北陆块华熊古隆起与华北陆块南缘褶断带构造地质研究具有科学意义，建议保护等级为国家级，建议保护出露面积0.2km²。

图 4-32　马超营断裂带（东岭台）出露自然状态

9. 栾川-明港断裂带

栾川-明港断裂带位于河南省栾川县庙子镇南。

该断裂带是华北陆块南缘与北秦岭构造带分界断裂带。在庙子南一带，断裂带南侧为泥盆纪郭条坪岩体及宽坪（岩）群四岔口（岩）组，北侧为栾川群南泥湖组及南华纪正长斑岩。郭条坪岩体主要为糜棱岩化花岗岩、花岗质初糜棱岩。宽坪（岩）群四岔口岩组主要为黑云石英片岩、斜长角闪片岩、透辉斜长片岩，部分已形成构造片岩、角闪质糜棱岩。断裂带主要为长英质糜棱岩，宽约 5m，断裂带北倾，倾向 25°，倾角 63°。北侧南泥湖组基本未变形，主要为细晶灰岩、泥晶灰岩及碎裂泥晶灰岩，小断层较发育。栾川-明港断裂带修路揭露（图 4-33），保存自然状态，未采取保护措施，具有研究华北板块构造特征的地质科学意义和教学实习价值，建议保护等级为国家级，建议保护出露面积 $0.2 km^2$。

图 4-33　栾川-明港断裂带野外露头

10. 朱阳关-夏馆断裂带(军马河)

朱阳关-夏馆断裂带(军马河)位于河南省西峡县军马河镇盆坑村西。

该断裂带为一多期次韧性及脆性活动的复合型断裂带,总体走向300°。断裂带可分为北部韧性剪切带和南部脆性构造带两部分。韧性剪切带中不对称组构及拉伸线理较发育,拉伸线理向东倾伏,侧伏角可由近水平到与糜棱面理倾向近于一致,多表现为由小到大的逐渐变化,局部地段可见陡倾的拉伸线理使近水平的拉伸线理发生弧形弯曲,弧顶向上,反映了由近水平右行走滑到由南向北韧性推覆的递进变形特征。脆性构造带由一系列近平行排列的断层或破碎带组成,单个破碎带一般宽数十米至数百米不等,断面以向南西陡倾为主,部分向北东陡倾,倾角50°~80°,沿断层带分布各种脆性构造岩,如构造角砾岩、碎裂岩、碎粒岩等。断裂带性质表现为以挤压逆冲作用为主,曾有多次的拉张活动,只是多已被后期的挤压逆冲活动所改造和掩盖。朱阳关-夏馆断裂带(军马河)修路揭露,保存自然状态(图4-34),未采取保护措施,具有研究多期次韧性剪切和脆性断裂活动的复合型断裂带的地质科学意义,建议保护等级为国家级,建议保护出露面积0.2km²。

图 4-34 朱阳关-夏馆断裂带(军马河)保存自然状态

11. 朱阳关-夏馆断裂带(金庄河)

朱阳关-夏馆断裂带(金庄河)位于河南省镇平县高丘镇金庄河村东北。

该断裂带在高丘镇(原马山口镇)金庄河—狼洞洼一带,断面总体走向300°~310°,倾向南西,倾角大于70°,表现为一平直陡立的复杂构造带,脆性断裂带表现了良好的分带性,由南向北可分为:挤压片理-透镜体带、碎裂岩带、密集节理带,断裂带构造剖面素描图如图4-35所示。朱阳关-夏馆断裂带(金庄河)出露原始自然状态(图4-36),未采取保护措施,具有华北板块与中秦岭板块边界划分的构造学研究意义,建议保护等级为国家级,建议保护出露面积0.2km²。

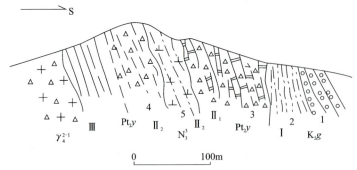

图 4-35 朱阳关-夏馆断裂带构造剖面素描图

Ⅰ.挤压片理-透镜体带;Ⅱ₁.钙质碎裂岩;Ⅱ₂.蚀变碎裂岩;Ⅲ.碎裂岩化钙质糜棱岩;Ⅲ.密集节理带;
K_2g.白垩系红层;Pt_2y.秦岭(岩)群雁岭沟(岩)组;γ_4^{2-1}.海西期花岗岩;N_3^3.加里东期蚀变基性岩;
1.砾岩;2.片理化砂岩;3.碎裂岩化大理岩;4.碎裂岩化糜棱岩化大理岩;5.蚀变基性岩

图 4-36 朱阳关-夏馆断裂带(金庄河)出露原始自然状态

12. 西官庄-镇平断裂带

西官庄-镇平断裂带位于河南省西峡县重杀沟口。

该断裂带在区域上称为商县-丹凤-镇平-龟山-梅山断裂带,由多条不同时期形成的韧性及脆性断裂构造带共同组成,总体走向290°,形成于中元古代末期—新元古代早期,出露于西峡县西官庄、石龙堰,内乡县夫子垭、马山口一带,马山口以东被覆盖,过南阳盆地后在桐柏县南部及大别山北麓重新出露,向西延入陕西。在西峡县重杀沟口沿断裂带主界面及其两侧分布,主韧性剪切带由各种(变晶)糜棱岩、(变晶)超糜棱岩、构造片岩及糜棱岩化岩石构成,宽数百米至千余米,构造岩多具不同程度的后期静态恢复,形成大量变晶构造,如石英多晶条带、矩形边构造等。糜棱面理因受后期变形改造变化较大,但以北东倾为主,倾角50°~80°。糜棱面理上可见两组矿物拉伸线理:一组呈近水平状,大多略向西缓倾,倾角多小于20°,δ形旋转碎斑、片理不对称褶皱、S-C组构等不对称组构一致指示为右行剪切;另一组与糜棱面理倾向近于一致。两组线理及不对称组构总体上反映了一期由右行走滑递进变形至自北向南推覆的韧性剪切活动,断裂带构造剖面如图4-37所示。西官庄-镇平断裂带因修路揭露,保存自然状态(图4-38),未采取保护措施,其野外采样孔如图4-39所示。此断裂带为华北板块与扬子板块缝合带地质遗迹,对研究中国中央造山带具有重要的地质科学意义,建议保护等级为世界级,建议保护出露面积0.2km²。

第四章 地质遗迹特征

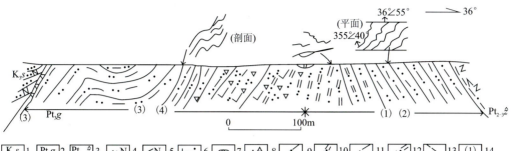

图 4-37 西峡县重杀沟口西官庄-镇平断裂带构造剖面图

1.寺沟组；2.龟山(岩)组；3.寨根(岩)组；4.长石砂岩；5.斜长角闪岩；6.钙硅质岩；7.大理岩；
8.碎裂岩；9.糜棱岩；10.超糜棱岩；11.变晶糜棱岩；12.变晶超糜棱岩；13.糜棱岩化；14.断裂分带号

图 4-38 西官庄-镇平断裂带野外保存自然状态

图 4-39 西官庄-镇平断裂带野外采样孔

13. 松扒-龟山断裂带（松扒）

松扒-龟山断裂带（松扒）位于河南省桐柏县大河乡松扒村南400m。

该断裂带在区域上称为商县-丹凤-镇平-龟山-梅山断裂带，隶属华北板块与扬子板块的缝合线，是秦岭造山带内规模最大、最为瞩目的一条多期活动深大断裂带，它不仅使得断裂带内岩石发生强烈变形，而且造成沿断裂带展布的地层大量消减。在桐柏—信阳一带断续出露长约94km。断裂带北侧出露秦岭（岩）群陆源碎屑岩-碳酸盐岩夹基性火山岩建造；南侧出露龟山（岩）组泥砂质碎屑岩-基性火山岩建造。沿断裂带发育0.2～2.0km宽的构造片岩、变晶糜棱岩带。在松扒角闪质糜棱岩亚带，变形岩石主要为郭庄（岩）组和龟山（岩）组的斜长角闪片岩。在露头上能清晰地显示出强变形带与夹持其间弱应变域规律组合的网结状剪切系统，糜棱岩中糜棱面理、拉伸线理和剪切褶皱发育。糜棱面理总体产状10°～45°∠60°～70°；拉伸线理向西倾伏，倾伏角10°～25°；剪切褶皱主要由长英质条带显示，多为褶皱枢纽与拉伸线理一致的A型褶皱（图4-40）。

图4-40　松扒-龟山断裂带（松扒）野外剪切褶皱

松扒-龟山断裂带（松扒）出露原始自然状态（图4-41），未采取保护措施，为华北板块与扬子板块缝合带地质遗迹，对研究中国中央造山带具有重要的地质科学意义，建议保护等级为世界级，建议保护出露面积0.1km²。

14. 松扒-龟山断裂带（睡仙桥）

松扒-龟山断裂带（睡仙桥）位于河南省信阳县董家河乡睡仙桥村南。

该断裂带在区域上称为商县-丹凤-镇平-龟山-梅山断裂带，隶属华北板块与扬子板块的缝合线，是秦岭造山带内规模最大、最为瞩目的一条在很长的地质历史时期内多期次活动的深断裂带，它不仅使得断裂带内岩石发生强烈变形，而且造成沿断裂带展布的地层大量消减。在桐柏—信阳一带断续出露长约94km。断裂带北侧出露秦岭（岩）群陆源碎屑岩-碳酸盐岩夹基性火山岩建造；南侧出露龟山（岩）组泥砂质碎屑岩-基性火山岩建造。沿断裂带发育0.2～2.0km宽的构造片岩、变晶糜棱岩

图 4-41　松扒-龟山断裂带(松扒)野外保存自然状态

带。在信阳睡仙桥一带沿断裂带见有上古生界蔡家凹组大理岩、下石炭统花园墙组构造岩块混入,紧依断裂带北侧有柳树庄、卧虎基性—超基性岩,即蛇绿岩残片断续分布。沿断裂带两侧分布的秦岭(岩)群长英质岩和龟山(岩)组云英片岩中分别发育上千米的长英质变晶糜棱岩带(北亚带)、云英质构造片岩带(南亚带)。另外,沿断裂带见有小型走滑糜棱岩带叠加,其内糜棱面理、拉伸线理、长英质脉体布丁化和剪切褶皱发育。后期脆-脆韧性断裂产状变化较大,断面主体南倾,倾角一般大于 75°,影响宽度较小,断续出露,构造岩主要表现为早期糜棱岩的构造角砾岩化,沿带发育的牵引褶曲及挤压构造透镜体指示由南向北逆冲断层性质,断裂带剖面图如图 4-42 所示。松扒-龟山断裂带(睡仙桥)因修路揭露自然状态(图 4-43),未采取保护措施,为华北板块与扬子板块缝合带地质遗迹,对研究中国中央造山带具有重要的地质科学意义,建议保护等级为世界级,建议保护出露面积 $0.2km^2$。

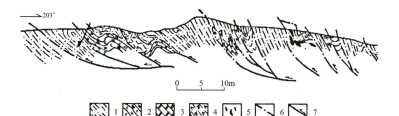

图 4-42　松扒-龟山断裂带(睡仙桥)剖面图

1. 长英质变晶糜棱岩;2. 含碳质白云母片岩;3. 大理岩;
4. 斜长角闪岩;5. 透闪石岩块、碳质片岩岩块;6. 糜棱岩带;7. 脆性断层

15. 龟山-梅山断裂带

龟山-梅山断裂带位于河南省商城县鲇鱼山乡周后塆村西南 800m。

该断裂带出露于商城县凉亭—杨家寨—红盆窑一带,区域上相当于龟山-梅山断裂带,是信阳(岩)群龟山(岩)组与上石炭统分界的韧性剪切带,出露可见长 15km,宽 50~300m 不等,中段出露大部分被鲇鱼山水库淹没,总体走向280°~300°,构造岩石由花岗质糜棱岩、糜棱岩化长石石英砂岩及构造片岩组成。花岗质糜棱岩主要出露于剪切带中部和南侧,鲇鱼山水库大坝东端罗家湾一带出露较宽,达200余米,具典型S-C组构特征,岩石为糜棱结构,眼球状纹理构造,碎斑由斜长石、钾长石组成。在周后塆村西南鲇鱼山水库东岸边出露断裂带主断面,构造碎裂岩发育,碎裂岩中夹大理岩透镜体(图4-44),劈理发育,剪切带形成时代归海西晚期。龟山-梅山断裂带出露原始自然状态(图4-45),未采取保护措施,为华北板块与扬子板块缝合带,反映华北板块与扬子板块碰撞深俯冲折返造山过程的地质遗迹,对研究中国中央造山带具有重要的地质科学意义,建议保护等级为世界级,建议保护出露面积0.3km²。

图4-43 松扒-龟山断裂带(睡仙桥)野外保存自然状态

图4-44 龟山-梅山断裂带挤压大理岩透镜体

图4-45 龟山-梅山断裂带野外露头

16. 晓天-磨子潭断裂带

晓天-磨子潭断裂带位于河南省新县浒湾乡曹湾行政村南坳村。

该断裂带出露于新县管郑湾—八里畈一带，区域上相当于八里畈-晓天-磨子潭断裂带，为韧性剪切带，是大别核杂岩变形带与南秦岭变形带之间的分划性断裂，亦即高压变质块体与中压变质块体之间的边界断裂，沿带宽75~925m，为长英质糜棱岩、云英质构造片岩、花岗质糜棱岩带（图4-46）。剪切带内强变形带与弱变形岩块组成露头尺度的网结状剪切系统。糜棱面理总体倾向北北东，局部倾向北西，倾角45°~70°。糜棱面理上见由石英、白云母及长石等矿物形成的定向拉伸，形成的拉伸线理倾伏向20°~50°，倾伏角25°~60°。剪切带内发育A型褶皱，显示强烈剪切流变特征。八里畈西云英质变晶糜棱岩中δ形碎斑及多米诺骨牌构造运动学标志表明，剪切带的运动性质为由南向北滑脱剪切性质。晓天-磨子潭断裂带因修路揭露自然状态（图4-47），未采取保护措施，是反映华北板块与扬子板块碰撞深俯冲折返造山过程的地质遗迹，对研究中国中央造山带具有重要的地质科学意义，建议保护等级为国家级，建议保护出露面积0.4km²。

17. 车村-鲁山断裂带

车村-鲁山断裂带位于河南省鲁山县下汤镇李家庄村西沟。

该断裂带在区域上位于车村—鲁山一线，走向95°，在栾川县庙子镇西接黑沟-叫河断裂带，向东延伸经鲁山、平顶山等地被黄淮平原第四系覆盖。断层带北盘为中元古界，南盘以燕山期花岗岩为

图 4-46 晓天-磨子潭断裂带糜棱岩

图 4-47 晓天-磨子潭断裂带野外保存自然状态

主。断层面倾角70°以上，主体南倾，断面呈舒缓波状，断层破碎带一般宽20～30m，中心为碎粉岩或碎粒岩等，两侧为角砾岩或碎裂岩。断层带中岩脉纵横交错，高岭土化、绿泥石化、硅化、绢云母化等热液蚀变作用强烈，断层岩的微观结构及岩脉穿插现象反映曾有多期活动特征。断面擦痕多为近水平产状，断层带附近伴生小褶皱枢纽陡倾近70°，显示为明显的走滑剪切，从区域地层、岩石分布状况的分析来看应为左旋走滑、燕山晚期脆性断块活动的产物。沿断裂带出露鲁山县上汤、中汤、下汤等地热温泉，表明该断裂带为一活动断裂，车村-下汤断裂带剖面如图4-48所示。车村-鲁山断裂带出露原始自然状态，未采取保护措施，具有华北板块板内活动断裂的地质科学研究价值，对研究鲁山地热异常带具有重要的地质科学意义，对研究中国中央造山带具有重要的地质科学意义，建议保护等级为国家级，建议保护出露面积0.1km²。

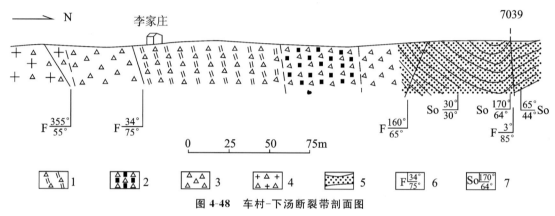

图4-48 车村-下汤断裂带剖面图

1.碎粉岩；2.碎裂岩；3.构造角砾岩；4.碎裂花岗岩；5.碎裂石英砂岩；6.断层产状；7.层理产状

18. 任村-西罗平断裂

任村-西罗平断裂位于河南省林州市姚村乡甘家坟头村西。

该断裂带在甘家坟头村西出露（图4-49），向北经方家沟、白草坡、任村进入河北省内，向南到西罗平，为太行山东麓深断裂带的西侧大断裂。断层西盘为太古宇登封（岩）群片麻岩、中元古界汝阳群石英砂岩及中寒武世鲕状灰岩；东盘掩入新生界之下，为正断层。由于新生界覆盖，多处未见断层面，甘家坟头西断层破碎带发育，断层走向20°～40°，倾向110°～130°，倾角50°～70°，在河南省内长80km，形成于燕山期。任村-西罗平断裂出露原始自然状态，未采取保护措施，对太行山隆升、欧亚板块东亚裂谷断裂构造的野外观察具有构造地质科学研究价值，并对研究中国中央造山带具有重要的地质科学意义，建议保护等级为国家级，建议保护出露面积0.1km²。

19. 青羊口断裂带

青羊口断裂带位于河南省淇县北阳乡北窑村东南500m。

该断裂带位于淇县西形盆、东场、北四井、青羊口南一带，由数条大致平行的断层组成，总体走向25°～30°，全长20km，宽度不等，最宽可达2～3km。北段在庙口北较发育，断层密集成带，南段在东场以南断层多呈单体出现，断面倾向北西西或南东东，倾角55°～80°。断裂两盘在北四井以北为寒武纪、奥陶纪各种灰岩、白云岩、页岩，南段青羊口一带，断层西盘为太古宇登封（岩）群片麻岩，东盘为寒武纪灰岩、白云岩。破碎带宽达40m，岩石破碎，见有糜棱岩、角砾岩、构造透镜体，片理化强烈，两侧次级羽状断裂和劈理发育。青羊口断裂带因修路揭露，保存自然状态（图4-50），未采取保护措施，对太行山隆升、欧亚板块东亚裂谷断裂构造的野外观察具有构造地质科学研究价值，建议保护等级为省级,建议保护出露面积 0.1km²。

图 4-49　任村-西罗平大断裂出露地质遗迹点

图 4-50　青羊口断裂带出露地质遗迹点

20. 盘古寺断层

盘古寺断层位于河南省济源市克井镇盘古寺西北。

该断层西起营盘河,东延经盘古寺、河口、白涧口、山王庄,全长 57km,为太行山南麓东西向盘古寺断裂带的主要断层。断层面倾向南,倾角 50°～70°。从交地以东至九里口由多条相互平行的断层组成,并形成阶梯状断层悬崖。断层北侧由太古宇登封(岩)群、古元古界嵩山群、中元古界汝阳群、寒武系及奥陶系组成,南侧除河口及公一带有寒武系出露外,多被第四系覆盖,地形平坦,为正断层,沿断层南侧岩层产状变化剧烈。在河口沿断层北侧,震旦系破碎剧烈并发生强烈扭曲。断层地表地貌反差标志十分明显,两侧相对高差500～1 000m,并形成明显的断层陡崖,济源北(太行山南麓)盘古寺断层悬崖与第四系(Qp^2)山前洪积扇层素描示意如图4-51所示。盘古寺断层出露原始自然状态,未采取保护措施,对太行山隆升的野外观察具有构造地质科学研究价值,建议保护等级为省级,建议保护出露面积0.2km²。

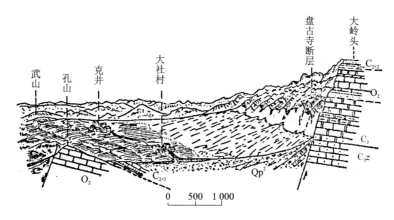

图4-51　济源北(太行山南麓)盘古寺断层悬崖与第四系(Qp^2)山前洪积扇层素描示意图

21. 封门口断层

封门口断层位于河南省济源市西承留乡虎岭村北900m。

该断裂西起封门口、清虚宫、神宫、出水窑至河底河西,东至李八庄,全长42km。断层走向290°～305°,断层面倾向南及南西,倾角47°～70°,为一高角度正断层。北侧为上升盘,岩性为古元古界赤山沟组斜长绢云片岩,南侧为下降盘,岩性为中奥陶世灰岩。断层泥、糜棱岩、断层角砾岩发育,断层破碎带宽50～100m,估计断距约为5 000m,具有多期活动性,主要时代归中条期和燕山期。封门口断裂出露原始自然状态(图4-52、图4-53),未采取保护措施,对太行山隆升的野外观察具有构造地质科学研究价值,建议保护等级为省级,建议保护出露面积0.1km²。

22. 小秦岭变质核杂岩伸展拆离构造

小秦岭变质核杂岩伸展拆离构造位于河南省灵宝市槐树岭口。

距今65Ma以来,受喜马拉雅运动的影响,小秦岭地区产生了区域性伸展、拆离的构造运动,区内的上、下基底地层(距今3 000～2 500Ma形成)从地壳深部被抽拉至地表,形成了变质核杂岩。河南小秦岭国家地质公园园区,是典型的科迪勒拉型变质核杂岩分布区,变质核杂岩出露边界清晰,按构造层次和岩性,该拆离断层体系自下而上由糜棱岩带、绿泥石化角砾岩带、微角砾岩、假熔岩带、断层面、断层破碎带、断层角砾和断层泥构成。边缘拆离断层体系构造带保存完整,尤其是园区东部核杂岩转折端的有序变化和标志性构造岩系列的连续展布堪称经典,这些构造遗迹主要分布在小秦岭周边的娘娘山槐树岭口以及武家山、五亩、王义沟等处。变质核杂岩赋存并控制着小秦岭金矿床,小秦岭金矿床是世界上唯一的特大型变质核杂岩金矿床。变质核杂岩伸展拆离构造出露自然状态(图4-54),已建立小秦岭国家地质公园并采取保护措施,对变质核杂岩形成特大型金矿床的成矿构造背景研究,具有极高的科学研究价值,建议保护等级为世界级,建议保护出露面积59.3km²。

图 4-52 虎岭村北封门口断层露头

图 4-53 封门口村封门口断层露头

图 4-54 小秦岭变质核杂岩伸展拆离构造遗迹露头

23. 少室山平卧褶皱

少室山平卧褶皱位于河南省登封市十里铺西。

平卧褶皱是轴面和两翼产状近于水平的一种褶皱。少室山东坡的平卧褶皱是在中岳运动东西向强大挤压力的作用下,嵩山群的石英岩变形形成的平卧褶皱构造,它的一翼地层层序是倒转的,地层时代及岩性为古元古界嵩山群石英岩。少室山平卧褶皱构造出露原始自然状态(图 4-55),已建立嵩山世界地质公园并采取保护措施,具有构造地质学教学实习及地质工作野外观察等科学意义,建议保护等级为国家级,建议保护出露面积 $0.1\ \text{km}^2$。

24. 天坛山倒转背斜

天坛山倒转背斜位于河南省济源市王屋山世界地质公园阳台宫—天坛山。

该背斜剖面主体表现为一个大型倒转背斜,剖面示意如图 4-56 所示。背斜的核部是新太古界(2 500Ma 之前)林山(岩)群的变质变形花岗岩,两翼为古元古界银鱼沟群的石英岩和片岩,倒转背斜的南、北两侧分别为封门口断层和天坛山北断层错断,顶部是一个古风化面,其上沉积了中元古界小沟背组河流相砾岩及汝阳群砂岩。通过这个构造剖面提供的丰富地质信息,地质学家确定,该倒转背斜形成于距今 1 850Ma 以前,是中条运动即 Columbia(哥伦比亚)超大陆聚合的产物。天坛山倒转背斜为王屋山世界地质公园重要的地质遗迹之一,出露原始自然状态,已建立王屋山-黛眉山世界地质公园并采取保护措施,为研究距今 1 800Ma 前后华北古大陆南部发生的聚合造山事件提供了野外观察依据,建议保护等级为国家级,建议保护出露面积 $7.5\ \text{km}^2$。

图 4-55 少室山平卧褶皱保存自然状态

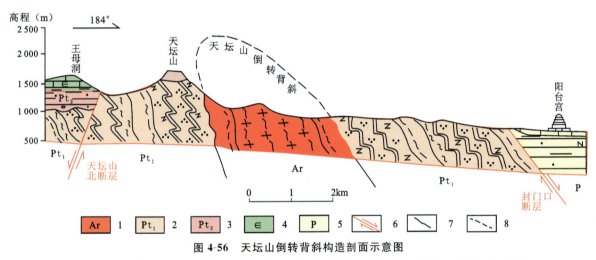

图 4-56 天坛山倒转背斜构造剖面示意图

1.太古宇；2.古元古界；3.中元古界；4.寒武系；5.二叠系；6.断层；7.角度不整合界线；8.平行不整合界线

第四节 重要化石产地类地质遗迹

1. 义马义马组银杏植物群化石产地

义马义马组银杏植物群化石产地位于河南省义马市北露天矿西部。

该植物群有古植物约29属87种，以银杏类、真蕨类为主，尤以银杏类的极大丰富和高分异度为典型特征，属于中国北方的典型 Coniopteris-Phoneicopsis 植物群。其中所产义马银杏（Ginkgoyimaensis Zhou et Zhang）是目前所知世界上最古老的保存有胚珠器官的银杏化石种。义马银杏果图案曾被作为1995年和2000年第五、第六届国际古植物大会会徽。化石产地为露天煤矿,未采取保护措施,义马银杏为银杏属存在于中生代提供了可靠的证据,对银杏属植物生殖器官在地质历史时期的进化和演变也提供了具有重要科学价值的依据,建议保护等级为世界级,建议保护出露面积1.7km²。

2. 汝阳刘店组恐龙动物群化石产地

汝阳刘店组恐龙动物群化石产地位于河南省汝阳县刘店乡刘富沟西。

在汝阳盆地东部的白垩系蟒川组(K_2m)中,自2006年3月汝阳恐龙化石被发现以来,已在刘店、三屯两乡30多平方千米的区域内发现了96处恐龙化石点,发掘出大量恐龙化石,确定了其中有大型蜥脚类、结节龙类、肉食龙类等9类以上的恐龙,首批正式命名了"汝阳黄河巨龙""洛阳中原龙""巨型汝阳龙"3个新属种(图4-57、图4-58)。洛阳中原龙体长5m,头骨长大于宽,尾椎末端没有尾椎构造,尾端较尖,身体背面披满形态不一的甲板,呈现出典型的结节龙类特征。生活在距今110~85Ma的晚白垩世早期,以植物为食。该发现填补了中国没有结节龙类甲龙的空白,也对结节龙的迁徙、演化提供了重要的新证据。化石产地已获取建立汝阳恐龙国家地质公园建设资格并采取保护措施,对研究甲龙类的演化提供了重要信息,尤其是对结节龙类甲龙的起源、古地理分布和演化具有重要的科学意义,建议保护等级为世界级,建议保护出露面积1.1km²。

3. 西峡恐龙蛋化石产地

西峡恐龙蛋化石产地位于河南省西峡县丹水镇三里庙村上田组(图4-59)。

该恐龙蛋化石产地地质遗迹极其丰富,已发现有8科11属15种和2个比较种、6个未定种,主要赋存于上白垩统高沟组和马家村组中,寺沟组中稀少。南阳恐龙蛋化石群最精华的部分就在此地。该地恐龙蛋化石分布密集、数量巨大、类型多样、保存完整,是研究含恐龙蛋地层的经典地区之一,世界上独有的西峡巨型长形蛋和稀有的戈壁棱柱形蛋均在此地。西峡恐龙蛋化石产地属于世界级的地质遗迹,在白垩纪恐龙蛋及恐龙古生物地质演化史上具有全球对比意义,化石产地建立伏牛山世界地质公园,已采取保护措施,建议保护等级为世界级,建议保护出露面积0.1km²。

4. 淅川奥陶纪无脊椎动物群化石产地

淅川奥陶纪无脊椎动物群化石产地位于河南省淅川县大石桥乡石燕河村。

该化石产地以淅川县大石桥乡石燕河村为主,主要产于上奥陶统蛮子营组,目前已发现有层孔虫、珊瑚、腹足类、双壳类、头足类、三叶虫、苔藓虫、腕足类、海百合、牙形石10个门类,其中以珊瑚、头足类、三叶虫、腕足类和牙形石研究较详,分别是珊瑚:*Favistina calapoecia*,*Plasmoporella*,*Agetolites*,*Agetolitoides*,*Agetolitella*;头足类:*Jiangxiceras* cf. *resupinatum*,*Yushanoceras* sp.,*Diestoceras*;三叶虫:*Neseuretus (neseuretinus) henanensis*,*Pliomerailiensis*,*Lsotelus laevis*,*Dulanaspis laevis*;牙形石:*Aphelognathus neixingensis*,*Yao xiangnatuhs yaoxiaensis*,*Belodina stonei*,*B. confluens*,*Culumbodina perpusillus*;腕足类:*Plaeosiomys (dinorthis)*,*Kassini*,*Catazyga* cf. *anticostiensis*,*Nalivkinia latirectus*,*Kritorhynchiagracilis*,*Palaeoschizophoria latisepta*。该动物群可与国内外许多地区对比,更为有意义的是,产该动物群的石燕河剖面为奥陶系与志留系连续剖面,其中所产晚奥陶世牙形石动物群完全可以与国际奥陶系—志留系界线副层型——加拿大Anticosti岛剖面媲美,具有重要对比价值,建议保护等级为世界级,建议保护出露面积1.2km²。

图 4-57 尚未完全剥离的洛阳中原龙头骨

图 4-58 洛阳中原龙发掘现场

图 4-59　西峡恐龙蛋化石产地原址

5. 禹州华夏植物群化石产地

禹州华夏植物群化石产地位于河南省禹州市磨街花园至大风口。

该植物群是典型的二叠纪华夏植物群，大风口剖面含植物化石 34 层，古植物共鉴定 112 属 306 种，分属于 12 个植物类别。禹州植物群绝大多数是华夏植物群的特有属种，几乎占总数的 2/3，华夏区特有属 *Lobatannularia*，*Fasipteris*，*Tingia*，*Yuania*，*Emplectopteris*，*Emplectopteridium*，大羽羊齿目各属和盾籽目的 *Psygmophllam*，*Shenzhouphyllum*，是只见于华夏植物区二叠纪的珍奇植物。该化石产地剖面地层为朱屯组、神垕组、小风口组、云盖山组，出露良好，层序连续，石炭系—二叠系剖面总厚近千米，其中含煤地层厚达 720m。各组间标志层特征明显，地层界线清晰，古生物化石丰富，沉积环境典型，被第十一届国际石炭纪—二叠纪地层和地质大会选定为野外参观考察地，1989 年被列为中国煤田地质总局"华北晚古生代聚煤规律与找煤"国家研究项目的"铁柱子"。该化石产地研究程度极高，出露自然状态（图 4-60），已建立禹州华夏植物群省级地质公园，具有研究全球四大植物群对比，华北晚古生代聚煤规律，石炭纪—二叠纪古植物、古地理环境的重大科学意义，教学实习价值极高，建议保护等级为世界级，建议保护出露面积 3.3km²。

6. 叶县早寒武世杨寺庄动物群化石产地

叶县早寒武世杨寺庄动物群化石产地位于河南省叶县保安镇杨寺庄南约 1km。

杨寺庄动物群产于河南省下寒武统辛集组，总计有 27 属 37 种，3 未定种，其中 5 个属、17 个种于

图 4-60 禹州华夏植物群化石产地保存自然状态

叶县杨寺庄发现并命名,主要由小壳动物组成。其内容十分丰富,主要生物门类有软舌螺、单板类、腹足类、双壳类和分类不明的齿形类、骨针类,可称 *Parakorilithes-Anabarella derpanida-Auriculatespira-Pojetaia* 组合。该组合面貌既不同于早寒武世早期的小壳类群,也不同于中寒武世早期的小壳动物群,它代表小壳动物演化过程中的一个重要阶段。由于该组合上部有三叶虫 *Hsuaspis*, *Redlichia* 共生,其时代宜确定为沧浪铺中期,但也不排除包括沧浪铺早期的可能。化石产地出露自然状态,未采取保护措施,对研究华北地台南缘早中寒武世小壳动物群演化过程具有国内外对比的重要科学意义,建议保护等级为国家级,建议保护出露面积 $0.5km^2$。

7. 淅川早志留世笔石动物群化石产地

淅川早志留世笔石动物群化石产地位于河南省淅川县张湾后凹。

该动物群共计9属22种。根据这些笔石在剖面上的分布情况,自下而上初步建立了4个笔石带:① *Coronograptus* Leei 带;② *Demirastrites trangulatus* 带;③ *Demirastrites conrolutus* 带;④ *Monograptus sedgwickii* 带。该地层中不仅含有较丰富的笔石化石,而且还有许多其他门类,如三叶虫、腕足类、双壳类、海百合茎及苔藓虫等。化石产地出露自然状态,未采取保护措施,对秦岭北大巴山地区早志留世笔石动物群研究具有重要科学意义,建议保护等级为国家级,建议保护出露面积 $2.3km^2$。

8. 淅川石炭纪无脊椎动物群化石产地

淅川石炭纪无脊椎动物群化石产地位于河南省淅川县白石崖、三关垭。

该动物群以早石炭世珊瑚和晚石炭世䗴类研究较详。前者产于下集组和梁沟组，自下而上可建两个组合带：①*Beichuanophyllum-Siphonophyllia* 组合带；②*Yunanophyllum-Kueichouphyllum* 组合带。后者产于梁沟组和三关垭组，自下而上可划分为 6 个化石带：①*Eostaffella postmosquensis-E. pseudostrurei* 组合带；②*Verella spicata-Pseuostaffella antique posterior* 组合带；③*Pseudostaffella quanwangtouensis* 延限带；④*Profusulinella rhomoboides* 延限带；⑤*Neostefflla sphaeodiea-Eofusulina triangular minima* 组合带；⑥*Fusulinella pulchra* 延限带。除珊瑚和䗴类外，本区还产有腕足类、牙形石和海百合等。化石产地出露自然状态，未采取保护措施，对豫西南地区石炭纪珊瑚和䗴类的研究具有科学意义，建议保护等级为国家级，建议保护出露面积 3.1km²。

9. 固始杨山早石炭世植物群化石产地

固始杨山早石炭世植物群化石产地位于固始县方集镇杨山村。

该植物群主要产于下石炭统杨山组中，现经研究鉴定的古植物化石约 24 属 43 种（含未定种、相似种和亲近种），为全国几个主要早石炭世化石产地之一，而且有独特性，既与湖南测水煤系古植物有相似属种，又与陕南及甘肃清远同期植物群可以对比，与华夏植物群有密切关系，为中州华夏植物群的雏期阶段，是中州华夏植物群的挚生起源地。因此，对国内该时期古植物及华夏植物群的起源、地层对比和古地理演化的研究有重要价值，是十分珍贵的古植物地质遗迹，是国家级地质遗迹，也可与华夏植物群结合为世界级地质遗迹。化石产地保存自然状态（图 4-61），未采取保护措施，是国内少有的 6 处早石炭世含植物化石产地之一，建议保护等级为国家级，建议保护出露面积 1.1km²。

图 4-61 固始杨山早石炭世植物群化石产地保存自然状态

10. 济源承留中侏罗世双壳动物群化石产地

济源承留中侏罗世双壳动物群化石产地位于河南省济源市承留镇马凹村。

该动物群主要产于马凹组，地质时代归中侏罗世，分布在承留镇的潭庄、东山、马凹及鞍腰村一带,沿承留—大沟河公路两侧出露良好。双壳类产出丰富,有5属(含亚属)20余种(含亲近种)(已经正式发表),属淡水双壳动物群(河湖相),可称为 Eolamprotula cremeri-Psilunioglo bitriangularis 珠蚌类动物群。对华北、华南动物群对比有重要意义。共生的其他动物化石有叶肢介、介形虫及鱼类,植物化石丰富。双壳类在马凹村一带有3~4层,呈含蚌壳泥灰岩状和10cm厚的壳层。叶肢介:Euestheria cf. changouensis, E. cf. shiguaiziensis;介形虫:Darwinula sarytirmenensis Shar., D. cf. impudica Shar., D. cf. changxiensis Ye,等;鱼类:Hylaodonfidae, Hybodus sp., Chelonion sp., Ganoid sp., Holosstei(sp. Indet), Pthchlepidae(sp. indet), Pholidoptoriformis(sp. indet);植物化石为新芦木、木贼和维叶蕨类。化石产地出露自然状态,未采取保护措施,珠蚌类生物群可与华北、华南对比,生物演化和古地理研究有重要的科学价值,建议保护等级为国家级,建议保护出露面积1.4km^2。

11. 南召马市坪早白垩世热河生物群化石产地

南召马市坪早白垩世热河生物群化石产地位于河南省南召县马市坪乡黄土岭村(村南约150m)。

该生物群是曹美珍等(1986)创名的早白垩世马市坪组(K_1m)及晚侏罗世南召组(J_3n)古生物组合,主要由昆虫、叶肢介、双壳类、介形类、腹足类、古植物及轮藻等组成,并认为生物群面貌显示属热河动物群中上部。下部为南召组(510.4m)灰褐色砂岩夹灰绿色页岩和泥灰岩,产昆虫 Ephemeropsis trisetalis 等及小形叶肢介,为叶肢介-昆虫组合;上部为马市坪组(厚770.2m)黄褐色砂岩、粉砂岩夹灰黑色泥岩,产双壳类 Sphaerium jeholense, S. subplanum, S. zhexiense, S. yongkangense, S. aff. wiljuicum, S. mashipingense 等;腹足类 Probaicalia sp.;介形类 Cypridea(C.)sp., C.(C.)mashipingensis, C.(C.) cf. trita, C.(Cyamocypris) sp., C. sp. 1, C. sp. 2, Mongolocypris cf. subinfidelis, M. sp., Lycopterocypris infantilis. Ziziphocypris simakovi, Zonocypris sp., Mongolianella sp., Cypridea(Cypridea) nanzhaoensis, C.(C.) mashipingensis, C.(Yumenia) flexodorsalis, C.(Cypridea)huangtulingensis sp. nov., C.(C.) cf. laeva, Ziziphocyris cf. simakovi, Lycopterocypris debilis, C.(C.) cf. cavernosa 等;叶肢介:Yanjiestheria cf. simplex, Y. cf. chekiangensis。马市坪组产植物化石:兹摩密坎北极蕨(Arctopteris tschumikanensis),北极蕨(Arctopteris sp.),小蛟河蕨?(未定种)[Chiaohoella? sp. 1(cf. C. neozamioides)],小蛟河蕨?(未定种2)[C.? sp. 2(cf. C. panilioformis)],似银杏(未定种)(Ginkgiites sp.),杜德斯铁姆毒型叶(Pityophyllum lindstroemi),周氏榧(比较种)(Torreya? cf. chowii),属北方型植物群。另有轮藻:Aclistochara hucangtulingensis, Songliaochara? mashipingensis。河南的热河生物群南界可及镇平、确山以及大别山北麓,属热河动物群中晚期。化石产地出露自然状态,未采取保护措施,对研究白垩纪地质和动物群分布以及印支期华北、华南构造发育史有重要科学价值,建议保护等级为国家级,建议保护出露面积0.3km^2。

12. 栾川秋扒晚白垩世晚期恐龙动物群化石产地

栾川秋扒晚白垩世晚期恐龙动物群化石产地位于河南省栾川县秋扒镇蒿坪村。

该恐龙动物群是新发现(河南省地质博物馆,2009)的以小型兽脚类恐龙-哺乳动物为组合的世界新兴的又一重要恐龙产地,称为栾川恐龙动物群,其中的驰龙类经研究命名为河南栾川盗龙。在栾川还发现有蜥脚类,大型甲龙类和大型肉食恐龙化石以及丰富的哺乳动物、龟鳖类、蜥蜴类和鸟类化石等。目前可以确认,栾川一带至少存在8种不同类型的恐龙,4种恐龙蛋,2种早期哺乳动物,3种蜥蜴,1种鸟类和1种龟鳖类,证实是我国晚白垩世又一重要的以小型兽脚类恐龙为主的丰富的古脊椎动物群产地。来自8个国家和地区的36名古生物专家评价:"栾川潭头盆地发现了小型虚骨龙类、大型肉食龙类以及蜥脚类、甲龙类、蜥蜴类和龟鳖类,还有哺乳动物等",显示出一个以小型虚骨龙类为主的恐龙动物群,地质时代为晚白垩世,是全球该时期恐龙动物群的重要组成部分,有其独特的组成,也可与蒙古国南戈壁的晚白垩世晚期的动物群对比,有重要的科学价值和社会价值,是一处世界级的地质遗迹。化石产地出露自然状态,未采取保护措施,是晚白垩世的重要恐龙及脊椎动物化石产地,可与国际该类化石对比,建议保护等级为国家级,建议保护出露面积0.6km²。

13. 卢氏新生代脊椎动物群化石产地

卢氏新生代脊椎动物群化石产地位于河南省卢氏县孟家坡(王家坡)。

卢氏盆地新生代古近纪、新近纪地层中含有丰富的脊椎动物化石,被称为卢氏脊椎动物群,自下而上可划分为3个组合:①*Uintatherium insperatus-Lophialetes* 组合,产于张家村组,时代为中始新世早期;②*Honanodon macrokonus-Sianodon honanensis* 组合,产于卢氏组,时代为中始新世中期;③*Hipparion richthofeni-Cerocerus novorossiae* 组合,产于雪家沟组,时代为上新世早期,属典型的三趾马动物群。化石产地出露自然状态(图4-62),未采取保护措施,动物群含有的灵长目秦岭卢氏猴是亚洲发现存在时代最早的灵长类,洛河卢氏兔、杨氏秦岭鼠是兔科和先松鼠科在亚洲最原始的代表,cf. *Eusmilus* sp. 是目前世界上最先发现的代表,建议保护等级为国家级,建议保护出露面积0.3km²。

图 4-62 卢氏新生代脊椎动物群化石产地保存自然状态

14. 鲁山辛集寒武纪三叶虫动物群化石产地

鲁山辛集寒武纪三叶虫动物群化石产地位于河南省鲁山县辛集乡西北2.5km石膏矿。

鲁山辛集寒武纪三叶虫较为丰富,尤以毛庄阶和徐庄阶最为丰富,自下而上可建10个带:①*Yaojiayuella* 带;②*Shantangaspis* 带;③*Hsuchuangia-Ruichengella* 带;④*Ruichengaspis* 带;⑤*Pegetia*(*Sinopagetia*)*jinnanensis* 带;⑥*Sunaspis-Sunaspidella* 带;⑦*Metagraulos* 带;⑧*Lnouyops* 带;⑨*Poriagraulos* 带;⑩*Bailiella-Lioparia* 带。三叶虫化石产于下寒武统辛集组,中寒武统毛庄组、徐庄组、张夏组。化石产地出露自然状态,未采取保护措施,对我国华北区三叶虫动物群的科学研究具有重要意义,建议保护等级为省级,建议保护出露面积1.3km²。

15. 固始庙冲晚石炭世生物群化石产地

固始庙冲晚石炭世生物群化石产地位于河南省固始县杨山煤矿西至庙冲。

该生物群产于道人冲组、胡油坊组和杨小庄组，主要有螳类、双壳类、介形类、腕足类、海百合茎和植物等。它们是：螳 *Pseudostaffella* sp.；双壳类 *Parallelodon*, *Edmondia*, *Myalinella*, *Selenimyafina*, *Septimyalina*, *Schizodus*, *Dunbarella*, *Astartella*, *Palaeoneilo*, *Posidoniella* 等；介形类 *Hollinella*, *Bairdia* 等；腹足类 *Naticopsis*, *Bucania*, *Anomphalus*, *Ectomaria*, *Euompholus* 等；腕足类 *Orthotetes*, *Rugosochonetes*, *Schuchertella* 等；海百合茎 *Cycolcyclicus*，植物 *Neuropteris*, *Calamites*, *Mesocalamites* 等。化石产地出露自然状态，未采取保护措施，对研究大别山地区晚石炭世的古地理、古气候、构造运动等方面具有重要的科研价值，建议保护等级为省级，建议保护出露面积 $0.55km^2$。

16. 镇平赵湾水库早白垩世热河生物群化石产地

镇平赵湾水库早白垩世热河生物群化石产地位于河南省镇平县石佛寺镇赵湾水库旁。

该生物群产于白湾组，其中包含了介形类、叶肢介、昆虫和孢粉等化石。介形类：*Cypridea*(*Cypridea*)*unicostata*, *C.*(*C.*)*huangliuhsiaensis*, *C.*(*C.*)*baiwanensis*, *C.*(*C.*)*subporrecta*, *C.*(*C.*)*concina*, *Darwinula leguminella*, *Rhinocypris* sp., *Clinocypris* sp., *Eucypris zhengongensis* sp.。叶肢介：*Eosestheria subelongata*, *E. peipiaoensis*, *E. elliptica*, *E.* aff. *elongata*, *E.* aff. *middendorfii*, *Diestheria* aff. *suboblong*, *D. shangyuanensis*, *D.* sp., *Yangjiestheria yumenesis*, *Y. sinensis*, *Neodiestheria* sp. 等。昆虫：*Ephemeropsis trisetaiis*。孢粉：可分 2 个组合，上为 *Classopollis-Schizaeoisporites-Jugella-Cicatricosisporites* 组合；下为 *Classopollis-Schizaeoisporites* 组合，时代为早白垩世。化石产地出露自然状态，未采取保护措施，对河南省内热河生物群的分布和迁移以及相关地层的时代对比都有重要意义，建议保护等级为省级，建议保护出露面积 $0.4km^2$。

17. 淅川始新世脊椎动物群化石产地

淅川始新世脊椎动物群化石产地位于河南省淅川县仓房乡石庙村。

该动物群主要产于古新世—始新世的玉皇顶组，中始新世大仓房组和核桃园组。淅川始新世古脊椎动物群的形成大致经过 3 个地质历史时期。在早始新世茶岭期仅以冠齿兽为代表，即 *Asiocoryphodon conicus*, *A. lophodontus*, *A. progressus*, *Manteodon flerouwi*，其他成员有 *Gobiatherium minitum*, *Lophioletes*?, *Primus*, *Yimengia* sp., *Forstercooperia*? sp., *Eomoropus*?, *Zhongyuanus xichuanensis* Hou, 1980。在中始新世卢氏期的早期为该古脊椎动物群形成的第二个时期。这个时期中冠齿兽为代表的成员全部消失，其余成员也极少见，只有脊齿貘和 *Euryodon minimus* 继续存在，新出现了古兽类成员 *Palaeosyps* sp.。另外，尚有鳄目、啮齿目、肉食目及中兽科、雷兽科无法进一步鉴定的破碎骨化石。在中始新世较晚期，本动物群到达鼎盛时期，其中貘类成员的 3 个科 7 个属 10 个种占有重要地位，为第三期的标志。淅川始新世古脊椎动物群于中始新世垣曲期达到鼎盛时期，其成员共 13 个目 20 个科 28 个属 31 个种。本动物群内容丰富，产出层位及地质时代明确，形成历史确定，以冠齿兽为代表，在国内、国际有重要影响。其化石有较高的科学研究价值和科学普及及观赏价值，可作为国家级地质遗迹资源保护。化石产地出露自然状态，未采取保护措施，曾有学者建议此动物群所在剖面为卢氏阶的层型及动物群，可见对始新世脊椎动物研究和对比具有很大的意义及价值，建议保护等级为省级，建议保护出露面积 $0.8km^2$。

18. 桐柏吴城始新世脊椎动物群化石产地

桐柏吴城始新世脊椎动物群化石产地位于河南省桐柏县固县镇李士沟村北。

该动物群产于毛家坡组、李士沟组和五里墩组,主要有:Deparella sp., Sinohadrianus sp., Yuomys elegans, Hyaenodon sp., Lushiamynodon wuchengensis, Sianodon sp., Amynodon mongliensis, Forstercoperia sp., Pappaceras sp., Deperetella sp., Eomoropus sp., Juxia sp., Gigantanynodon sp., Amynodon sinensis, Lmequincisora mazhuangensis, I. micracis, I. sp. 等。其中大部分种属可与内蒙古萨拉木伦组、山西垣曲河堤组的动物群对比,时代为晚始新世晚期。化石产地出露自然状态,未采取保护措施,对桐柏吴城始新世脊椎动物群的研究具有重要科学意义,建议保护等级为省级,建议保护出露面积 $0.3km^2$。

19. 新乡中新世三趾马动物群化石产地

新乡中新世三趾马动物群化石产地位于河南省新乡市潞王坟。

该动物群产 Hipparion dermatorhinum, H. platyodus, Chilotherium sp. 等,时代属中新世保德期,产于潞王坟组,可与晋东南的下榆社组、陕西蓝田灞河组对比。新乡中新世三趾马动物群化石产地现在已被挖除,不复存在,其剖面如图 4-63 所示。

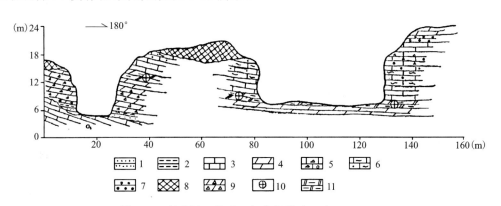

图 4-63 新乡潞王坟采石场中新统潞王坟组剖面图
1.粉砂岩;2.泥岩;3.灰岩;4.泥灰岩;5.含角砾与砾石灰岩;6.假竹叶状小球状灰岩;
7.碳质;8.人工堆积;9.角砾状泥灰岩;10.古脊椎动物化石;11.白云质黏土质泥灰岩

20. 南召猿人遗址

南召猿人遗址位于河南省南召县云阳镇李楼村阮庄杏花山。

南召猿人遗址是中更新统(Qp^2)直立人(Homo erectus Mayr)的产出地,已发现一枚保存完好的直立人青年个体的右下第二前臼齿,共生的哺乳动物化石有21属种。发现南召猿人遗址的地层剖面由上而下可分为:①人工挖乱过的堆积层,0~1.0m;②褐黑色砂质黏土,含灰岩角砾,0~0.8m;③褐色砂质黏土层,0.5m;④黄色砂砾岩层,上部细砂质土,中部粗砂质土,下部砾石和粗砂,0.1~1.0m;⑤褐黄色砂质黏土层,含灰岩角砾岩和砾岩,富含化石,已发掘厚1.8m,未见底。

该遗址为中原旧石器文化最早发现的有明确地点和层位的直立人化石所在地,对研究华北、华南过渡地带古人类和动物群以及古地理、古气候等有重要意义,也是中国中原古人类研究的重要地址。化石产地出露自然状态,采取封闭洞口保护措施,对过渡地带古人类研究、中国古人类与动物群研究有重大意义,建议保护等级为省级,建议保护出露面积 $1.4km^2$。

21. 新蔡第四纪哺乳动物群化石产地

新蔡第四纪哺乳动物群化石产地位于河南省新蔡县练村集乡姚庄。

新蔡县练村集到淮滨县黑龙潭洪河"练黑取直"的新河道开挖中,于1955年发现了许多哺乳类动物化石,已发现有1纲7目13科18属9种(1个近似种、8个未定种),主要有北京斑鹿(*Pseudaxis hortulorum* Swinhoe)、四不像鹿(*Elaphurus menziesianus* Sowerby)、德永氏象(*Palaeoloxodon tokunagai* Matsumoto)等更新世中期哺乳动物群化石,称之为淮河动物群。淮河动物群被认为是更新世中期华北动物群与华南动物群之间的一个过渡类型动物群,这些哺乳动物化石主要赋存于中更新统新蔡组灰黄色砂质黏土、黑灰色黏土中。化石产地出露自然状态,未采取保护措施,在第四纪哺乳动物群演化史研究方面具有全国对比意义的重要科学研究价值,建议保护等级为省级,建议保护出露面积5.4km²。

22. 唐河西大岗脊椎动物群化石产地

唐河西大岗脊椎动物群化石产地位于河南省唐河县城关镇西大岗龙山路北段。

西大岗基岩出露区为古近系始新统核桃园组中段,产有中国厚龟(未定种)(*Sinohadrianus* sp.),碱层上下的砂泥岩中含鱼化石双棱鲱(*Diplomystus* sp.)及短首鲅(*Barbus brevicephalus*)等脊椎动物化石,特别是短首鲅等鱼类的发现,对环太平洋淡水鱼类的演化和分布研究有重要意义。共生的无脊椎动物有双壳类:河球蚬(近似种)(*Sphaerium* cf. *rivicolum* Leach),近坚固球蚬(*S. subsolidam* Clessin)等,另有介形虫、轮藻和孢粉等微型化石。化石产地出露自然状态(图4-64),未采取保护措施,对环太平洋淡水鱼类演化分布研究有重要意义,是华北南部古近纪含有层位的稀有露头,具有古脊椎动物研究、教学的意义,建议保护等级为省级,建议保护出露面积1.1km²。

图4-64 唐河西大岗脊椎动物群化石产地保存状态

23. 济源二叠纪硅化木化石产地

济源二叠纪硅化木化石产地位于河南省济源市下冶乡草沟东村驼煤岭北。

大型硅化木群主要出露于济源市西南部逢石河景区、邵原向斜与王屋向斜西南翼的冲沟内,产出范围长大于18.0km,宽100余米,面积达2.0km²左右,呈北西-南东向带状分布。区内出露二叠纪地层,硅化木群主要赋存于二叠纪晚期(距今250Ma前后)石盒子组和孙家沟组砂岩中。已被挖掘的几根硅化木中已知挖掘出部分最长超过6.0m(其余部分未被挖出),直径最大的超过1.2m,这些被砂石掩埋了约250Ma后重见天日的树化石,许多树皮的痕迹、年轮、树心都清晰可见。古树化石外部形态与内部结构保留了树木的特征(图4-65)。化石产地出露自然状态(图4-66),已建立王屋山-黛眉山世界地质公园并采取保护措施,为研究古生代华北地区植物演化、环境变迁和气候变化等提供了科学的依据,建议保护等级为省级,建议保护出露面积0.5km²。

图4-65 济源二叠纪硅化木

图4-66 济源二叠纪硅化木化石产地保存自然状态

24. 济源古近纪两栖犀化石产地

济源古近纪两栖犀化石产地位于河南省济源市西承留乡东张村附近。

中国科学院古脊椎动物与古人类研究所济源野外队（刘宪亭等,1963）在济源承留、花石、东张一带观察古近纪地层剖面,主要岩性为浅褐红色砂岩、含砾砂岩及砂质泥岩并夹多层砾岩,下部为厚层状砾岩,胶结较松,分选差,不整合覆盖于侏罗系之上,砾岩向上泥质成分逐渐增加、变细。古近纪两栖犀化石（Amynodontidae）产于中部褐红色砂质泥岩及砂岩中。上部为砖红色泥岩,出露不全。主要化石产于济源承留东张村附近,除两栖犀化石之外,还发现有其他哺乳动物及龟鳖类化石,脊椎动物化石有：*Youmys cavioides*, *Hyraeodontidae*, *Sianodon*, *chiyuanensis*, *S. sinensis*, *Lushiamynodon obesus* 等。这些化石还见于垣曲盆地河南省内河堤组任村段,时代归晚始新世晚期。这个动物群与内蒙古沙拉木伦动物群属同一动物群。化石产地出露自然状态,已建立王屋山-黛眉山世界地质公园并采取保护措施,为研究河南、山西晚始新世古地理环境提供了科学依据,建议保护等级为省级,建议保护出露面积 $2.0 km^2$。

第五节　重要岩矿石产地类地质遗迹

1. 平顶山煤矿产地

平顶山煤层露头位于河南省平顶山市擂鼓台—平顶山。

平顶山煤矿产地北接禹县煤田,西连韩梁煤田,南达叶县,东邻许昌,东西长110km,南北宽40km,面积约$3\,000 km^2$。平顶山煤田交通便利,各级公路密布,铁路可直达井口,是中国平煤神马集团的生产基地。煤田共有井田及煤矿18处,总储量150亿t,年产能力0.7亿t。该矿产地含煤地层为石炭—二叠系,共含煤9组43～53层,最多可达88层,其中可采或局部可采13层。煤种以肥煤、气煤、焦煤为主,次为瘦煤。本溪组厚2～20m,顶部局部偶含可采煤1层;太原组厚56～85m,含煤6～10层,一$_2$、一$_4$、一$_5$煤局部可采;山西组厚21～25m,含煤3～4层,二$_1$、二$_2$煤普遍可采;下石盒子组厚136～177m,含煤0～2层,均不可采;上石盒子组厚610～704m,含33～37层,可采或局部可采共7层,分别为：四$_2$、四$_3$、五$_1$、五$_2$、六$_2$、七$_2$、八$_3$煤。在这多层可采煤中,主要可采煤层是：二$_1$、二$_2$煤,二$_1$煤平均厚4.5m,二$_2$煤平均厚1.5m。大部分可采煤层是：二$_2$(B_{10})、四$_2$(C_{15})、四$_2$(C_{16})、四$_3$(C_{17})、五$_2$(E_{21})、五$_2$(E_{22}),其平均厚分别为：1.2m、2.5m、1.5m、1.5m、1.4m、0.9m,其他煤层均为局部可采。煤质特征一般随煤层赋存层位变化而变化,层位越高硫含量越低,灰分含量越高。除一煤组外,其他煤组的煤层均为低硫、低磷煤。灰熔点一般大于1 400℃,煤种分布规律：五煤组以上为气煤,五煤组至二煤组为肥气煤,一煤组以肥煤为主,局部稍有变化,出现瘦焦煤。平顶山煤矿已成为我国品种最全的炼焦煤、动力煤生产基地。煤层出露自然状态,为特大型煤业基地,煤种齐全,具有煤矿矿床学的科学研究及教学意义,建议保护等级为国家级,建议保护出露面积 $7.1 km^2$。

2. 焦作煤矿产地

焦作煤矿产地矿业地质遗迹位于河南省焦作市中站区李封矿井。

该矿产地是焦作煤田的一部分,东西长1 469m,南北宽1 091m,面积约$0.818 km^2$。焦作煤矿交通便利,公路密布,焦晋高速从矿区西侧通过,焦作—济源公路从矿区南侧通过,铁路可直达井口,原是焦作煤业集团的生产基地,已于1988年闭坑。截至1988年底,二₁煤累计探明地质储量2 674.8万t,采出煤量1 055.6万t,累计损失煤量919.2万t,采出率39.46%,由于电厂项目上马,闭坑前,该煤层残留有大量的煤炭资源。一₅煤累计探明地质储量418.4万t,采出煤量237.0万t,累计损失煤量166.7万t,采出率56.64%。该矿产地含煤地层为石炭系和二叠系,共含煤4组,主要可采煤层3层,煤种为优质无烟煤。煤系地层:本溪组厚20m,偶含煤线1层;太原组厚90～105m,含煤9层,一₁、一₅煤可采;山西组厚70～80m,含煤1～2层,二₁煤为矿区主采煤层,二₀煤局部可采;下石盒子组厚0～55m,含煤3～5层,均不可采。在多层可采煤中,主要可采煤层是二₁煤,平均厚5.36m。大部分可采煤层是一₅煤,平均厚1.4m。煤质全部为无烟煤,其中二₁煤为低—中灰分、低硫、低磷煤,一₅煤为中灰、富硫、低磷无烟煤。焦作煤矿已成为我国开采历史悠久的古老矿山,具有极高的矿山历史文化价值。采矿遗址保存自然状态,为重要煤业基地较早闭坑的矿井,具有煤矿矿床学的教学意义,建议保护等级为国家级,建议保护出露面积0.4km²。

3. 舞阳铁山铁矿产地

舞阳铁山铁矿产地位于河南省舞钢市八台乡尚庙铁山。

该铁矿矿区东西长2 500m,南北宽1 500m,面积4km²。铁矿赋存于太古宇太华(岩)群铁山庙组中部的变质岩中,主要岩性为条带状石英辉石磁铁矿,夹大理岩、辉石岩、含铁石英岩及更长角闪片麻岩,厚度达268m。矿体严格受地层控制,自下而上共分4层矿,分别厚6.47m、26.54m、11.18m、25.97m,合计总厚70.16m。矿体呈层状、似层状产出,1～4层矿之间的距离分别为35m、18m、86m。矿床规模为大型,资源储量为24 336.1万t。矿石矿物主要为磁铁矿、假象赤铁矿。脉石矿物为石英和单斜辉石,次有玉髓、角闪石、方解石、白云石、透闪石、斜方辉石等。矿石品位贫,有益有害组分均低微,TFe 29.15%,S 0.059%,P 0.075%。矿石为半自形细—中粒变晶结构,块状和条带状构造。矿石自然类型较简单,主要为条带状石英辉石磁铁矿、辉石白云石磁铁矿、辉石磁铁矿、蓝闪假象赤铁矿、石英假象赤铁矿等,按氧化程度可分为原生矿、半氧化矿、氧化矿。矿石工业类型为:磁铁矿石、磁赤铁矿石、赤铁矿石。矿石虽品位低,但是可选性良好。采矿遗址保存自然状态,对华北太古宇太华(岩)群铁矿的成矿研究具有重要的科学意义,建议保护等级为国家级,建议保护出露面积1.2km²。

4. 安林式铁矿产地

安林式铁矿产地位于河南省林州市东冶铁矿。

安林铁矿田位于安阳县和林州市内,南起安林公路,北邻漳河,东至水冶—铜冶一线,西抵太行山麓,面积600余平方千米。安林铁矿田交通便利,是安阳钢铁公司的铁矿石原料生产基地。矿田共有李珍、泉门、东冶、下庄、都里、杨家庄、石村、东街、晋家庄9个矿床,共发现矿体上百个,除李珍矿床储量超过1 000万t外,其余均只有数百万吨。安林铁矿是燕山期闪长岩体与中奥陶世灰岩接触交代而生成的矽卡岩式铁矿,矿床工业类型属大冶式,矿石主要有用矿物为磁铁矿,主要矿体长150～900m,厚3.69～10.68m,最厚可达51.97m。铁矿石TFe平均品位为41%左右,多为自熔、半自熔性矿石。安林铁矿矿石品位较高,易采易选,且矿体埋藏浅,多可露采,为河南省大冶式铁矿地质遗迹,采矿遗址保存自然状态,具有矿床学的教学意义,建议保护等级为省级,建议保护出露面积0.4km²。

5. 新安黛眉寨铁矿产地

新安黛眉寨铁矿产地位于河南省新安县黛眉寨。

该铁矿矿区东西长5 000m,南北宽2 000m,面积10km²。铁矿赋存于中元古界汝阳群云梦山组沉积岩中,下部至熊耳群马家河组古侵蚀面之上。矿层和岩层均呈单斜产出,倾向100°~140°,倾角4°~13°。矿体形态严格受古地形控制和后期冲刷作用的影响,呈大小不等的透镜状。矿区共有矿体23个,最大矿体1 500m,最小几十米,最大厚度15.27m,一般2.5m。无矿间隔70~1 800m,一般在250m内,矿体呈层状、似层状产出。矿床规模为中型,资源储量为1 633.6万t。矿石矿物主要为赤铁矿及针铁矿。黏土矿物是矿石的主要杂质,还有微量锆石、电气石、白云母、滑石、重晶石等。矿石品位TFe 46.47%,S 0.369%,P 0.743%,属高硫、高磷富矿,脱硫、脱磷后方可利用。矿石为叶片状、肾状及砂状结构,致密块状和条带状构造,属非自熔性硅质矿石。矿层顶板砾岩、底板石英岩均较坚硬,唯有顶板局部的砂岩、页岩较软。综合各种因素可知,该矿床适合洞采。铁矿层出露自然状态,已建立王屋山-黛眉山世界地质公园,对河南省中元古代沉积成因的铁矿床研究具有重要的科学意义,建议保护等级为省级,建议保护出露面积13.1km^2。

6. 栾川钼钨矿产地

栾川钼钨矿产地位于河南省栾川县冷水镇南泥湖。

该钼钨矿可分为南泥湖、三道庄和上房沟3个矿区,其中南泥湖、三道庄矿区为钼钨矿床,上房沟矿区为钼铁矿床。矿体赋存于新元古界栾川群三川组、南泥湖组和煤窑沟组,以及燕山期斑状钾长花岗岩与斑状黑云母花岗闪长岩组成的复式岩体的内外接触带及其附近经接触变质交代形成的矽卡岩和各种角岩或大理岩中,矿体呈层状、似层状。上房沟钼铁矿床的矿体主要赋存于碱长花岗斑岩的内外接触带中,岩性为蚀变碳酸盐岩、角岩及变辉长岩,矿体呈倒杯状、横断面呈环形。该矿田矿床规模为巨型,金属储量:钼204.154万t,三氧化钨63.79万t,硫1 432.74万t,另外上房沟钼铁矿区还有共生铁矿石687.7万t。矿石中金属矿物除辉钼矿外,还有白钨矿、黄铁矿、闪锌矿、方铅矿等,有用组分以钼、钨为主,伴共生组分有硫、铁、铼等。区内蚀变主要有矽卡岩化、钾交代、硅交代,上房沟矿区还存在黑云母化和绢云母化。矿石钼品位高,南泥湖矿床0.076%,三道庄矿床0.115%,上房沟矿床0.13%~0.159%。矿石结构主要为片状结构、束状结构、放射状结构、自形—半自形粒状结构、镶嵌结构。矿石构造主要为稀疏浸染状构造、细脉状构造、角砾状构造。矿石自然类型主要为矽卡岩型、长英角岩型,次为透辉石型、斜长石角岩型、花岗斑岩型、细晶正长岩型、变辉长岩型。矿床类型为矽卡岩型-斑岩型钼钨矿床。上房沟矿区则为矽卡岩型-斑岩型钼(铁)矿床。采矿遗址保存自然状态,未采取保护措施,对巨型的矽卡岩型-斑岩型钼钨矿床的成矿研究具有重要的科学意义,建议保护等级为世界级,建议保护出露面积4.8km^2。

7. 巩义小关铝土矿产地

巩义小关铝土矿产地位于河南省郑州市巩义市小关镇以南1km。

该铝土矿处于华北地台豫西铝土矿成矿区巩义铝土矿带,出露地层主要为寒武纪—奥陶纪碳酸盐岩和石炭纪—二叠纪煤系地层。铝土矿赋存在上石炭统本溪组含矿岩系的中上部,矿床类型属于一水沉积型铝土矿床。在走向近东西向长达22km的铝土矿带内,自西向东依次排列有钟岭、大峪沟、竹林沟、茶店、水头5个大中型铝土矿床。截至2009年底,累计查明铝土矿资源储量8 281万t,是我国著名的铝土矿田,小关矿区是我国较早建成的铝矿山之一。区内铝土矿体呈似层状,极为稳定,长2 500~5 300m,宽200~2 100m,厚0.54~9.31m,平均厚2.10m。矿石平均品位:Al$_2$O$_3$ 64.07%,SiO$_2$ 14.40%,Fe$_2$O$_3$ 2.45%,A/S 4.4,共伴生耐火黏土、熔剂灰岩、镓等矿产。该矿山为中国铝业公司河南分公司(原郑州铝厂)的铝矿山之一,但因矿石品位较贫,没有正规生产。铝矿层露头保存自然状态,未采取保护措施,对研究我国一水沉积型铝土矿床的成因和成矿规律具有十分重要的科学价值,建议保护等级为国家级,建议保护出露面积1.9km^2。

8. 新安张窑院铝土矿产地

新安张窑院铝土矿产地位于河南省新安县石寺镇张窑院村东 1 400m(图 4-67)。

图 4-67 新安张窑院铝土矿产地采坑

该铝土矿处于华北地台豫西铝土矿成矿区新安铝土矿带，出露地层主要为寒武纪—奥陶纪碳酸盐岩和石炭纪—二叠纪煤系地层。铝土矿赋存在上石炭统本溪组含矿岩系的中上部，矿床类型属于一水沉积型铝土矿床。在北北东走向长达 25km 的铝土矿带内，自南向北连续排列有张窑院、贾沟、石寺、马行沟和竹园-狂口 5 个大中型铝土矿床。截至 2009 年底，累计查明铝土矿资源储量1.11 亿 t，是我国著名的铝土矿田。该铝土矿田内的张窑院-贾沟矿区已开发成为中国铝业公司洛阳铝矿，区内已查明似层状铝土矿体 11 个，长 500～1 800m，宽 100～1 400m，平均厚 4.0～7.5m。截至 2009 年底，累计查明铝土矿资源储量 3 111 万 t。矿石平均品位：Al_2O_3 62.82%～70.79%，SiO_2 7.55%～8.68%，Fe_2O_3 6.95%～9.27%，A/S 7.2～9.4，共伴生有耐火黏土、镓等矿产。新安张窑院铝土矿为中国铝业公司河南分公司(原郑州铝厂)的主要矿山，设计年产 60 万 t 矿石。自 1966 年开办以来，累计生产富铝矿石 1 000 万 t 以上，为中国铝工业发展做出了突出贡献。采矿遗址保存自然状态，未采取保护措施，对研究我国一水沉积型铝土矿床的成因和矿化富集规律具有十分重要的科学价值，建议保护等级为国家级，建议保护出露面积 0.2km²。

9. 围山矿产地(桐柏破山银矿产地)

围山矿产地(桐柏破山银矿产地)位于河南省桐柏县围山城金银矿床破山矿区。

1979 年，在河南省桐柏县围山城金银矿床中发现了围山矿物(Weishanite)，样品采自围山城金银矿床破山矿区 ZK55 孔的岩芯，经机械破碎、人工淘洗后发现富集重矿物。之后在镜下鉴定，其矿物含量甚微(在 2.8kg 的样品中找到二十几粒)。该矿物于 1983 年 4 月经国际矿物学会新矿物和矿物命名委员会投票一致通过作为新矿物，标本存放在中国地质博物馆，矿物以产地命名。围山矿物是一种金和汞的金属互化物，含有少量的银，呈微细晶粒($n\sim30\mu m$ 和细小粒状集合体)。单体粒径一般为几微米至十几微米，最大可达 $3\mu m$ 左右，成分 $(Au,Ag)_3Hg_2$，六方晶系。集合体粒径多为 0.1～0.2mm，最大可达 0.4mm。集合体易碎，为浅黄白色，强金属光泽，硬度 2.4，具延展性。围山矿产于上部矿段的底部黑云母变粒岩中,与其伴生的金属矿物有黄铁矿、方铅矿、闪锌矿、磁黄铁矿、白钨矿、辉钼矿、辉银矿、自然金、自然银等。典型矿物命名地保存自然状态,未采取保护措施,产出围山矿物的围山城金银矿床地表没有出露,围山矿物的发现为秦岭-桐柏-大别造山带岩石、矿床和构造地质研究提供了新的科学依据,具有矿物学研究的重要科学意义,建议保护等级为世界级,建议保护出露面积 $0.3km^2$。

10. 桐柏矿产地

桐柏矿产地位于河南省桐柏县二郎山乡柳树庄。

桐柏矿物(Tongbaite)产于柳树庄超基性岩体中,是自然界首次发现的一种新矿物,根据产地命名为桐柏矿。桐柏矿作为新矿物,已于1983年3月由国际矿物学会(IMA)新矿物及矿物命名委员会通过,该矿物的名称也于1983年2月由该委员会通过,标本现存在中国地质博物馆。桐柏矿物成分Cr_3C_2,斜方晶系,常呈假六方或菱面柱状,部分晶体末端呈矛状,矿物粒径一般为$0.1mm×0.3mm$,表面呈古铜色,新鲜面为浅棕黄色,强金属光泽,硬度8.5,条痕暗灰色。桐柏矿物是在对柳树庄超基性岩体进行研究时,于人工重砂中发现,主要产于岩体中部的矿化金云辉石橄榄岩和角砾状金云橄榄二辉岩中。典型矿物命名地保存自然状态,未采取保护措施,天然桐柏矿物的发现为秦岭-桐柏-大别造山带岩石、矿床和构造地质研究提供了新的科学依据,具有矿物学研究的重要科学意义,建议保护等级为世界级,建议保护出露面积 $0.8km^2$。

11. 桐柏大河铜锌矿产地

桐柏大河铜锌矿产地位于河南省桐柏县大河镇刘山岩村。

该铜锌矿区东西长1 500m,南北宽500m,面积$0.75\ km^2$。矿区位于秦岭褶皱系东延部分,铜锌矿赋存于下古生界二郎坪群刘山岩组中的挤压破碎带内。刘山岩组为一套浅变质富钠火山岩和火山沉积变质岩系,岩性为变质细碧岩、石英角斑岩、辉绿玢岩、辉绿岩、次闪石岩、凝灰岩、大理岩和硅质板岩。矿体严格受区内3条平行的挤压破碎带控制,呈脉状或连藕状,在剖面上呈叠瓦状或倒悬状产出。矿区共圈出4个矿体,矿体长650~1 000m,延深70~220m,平均厚1.53~3.59m。走向南东,倾向北东,倾角30°~80°,矿床规模为中型,资源储量:铜2.38万t,锌超过10万t。矿石主要金属矿物为黄铜矿、闪锌矿、黄铁矿,次为方铅矿、黝铜矿、辉银矿、铅矾、辉铜矿、铜蓝等,非金属矿物为绢云母、石英、重晶石、绿泥石、方解石、黑云母、钠长石等。矿石平均品位:Cu 0.89%,Pb 0.52%,Zu 5.96%。矿石为半自形细——中粒变晶结构,块状和条带状构造。矿石自然类型较简单,主要为块状、浸染状、条带状、网脉状和细脉状等。按氧化程度可分为原生矿、半氧化矿、氧化矿。矿石类型为:铜锌矿石、铜矿石和锌矿石,矿床类型为低温热液型脉状矿床。该矿床为易选矿,铜锌选矿回收率均可达到80%以上,硫可达到68%。采矿遗址保存自然状态,未采取保护措施,对低温热液型脉状矿床的成矿研究具有重要的科学意义,建议保护等级为省级,建议保护出露面积$0.3km^2$。

12. 栾川赤土店铅锌矿产地

栾川赤土店铅锌矿产地位于河南省栾川县赤土店乡。

该铅锌矿位于栾川县城西北9km。矿赋存于新元古界栾川群煤窑沟组,主要岩性为碳质片岩、白云质灰岩、绢云母石英钙质片岩或厚层状白云岩。控矿断裂基本上有两组:一组为倾向近北东40°,倾角50°的压扭性层间裂隙,发育充填宽数米,长数米至200米的透镜状、饼状矿脉;另一组走向30°~60°,多倾向北西,形成囊状和脉状矿化,裂隙破碎强烈处矿化也强烈。矿体多出现于矿化裂隙交会处及构造裂隙弯曲处。单个矿化带长60~80m,最长达200m。矿体位于矿化带中,一般长25~50m,呈透镜状、筒状及不规则状。矿床规模为大型,金属储量:铅5万t,锌1万t。矿石金属矿物为方铅矿、闪锌矿、黄铁矿、辉银矿、硫镉矿、黄铜矿,非金属矿物为方解石、石英、白云母、绢云母。氧化带一般深40~50m,氧化矿石为褐铁矿、白铅矿、菱铁矿、铅矾。矿石品位:Pb 10.79%,Zn 2.43%,Ag (30~50)×10^{-6}。矿石为半自形细—中粒变晶结构,块状和条带状构造。矿石自然类型较简单,主要为块状、浸染状、条带状、网脉状和细脉状等。按氧化程度可分为原生矿、半氧化矿、氧化矿,矿石工业类型为脉状铅锌矿床。围岩蚀变为硅化、碳酸岩化、黄铁矿化和绢云母化。采矿遗址保存自然状态,未采取保护措施,对大型脉状铅锌矿床的成矿研究具有重要的科学意义,建议保护等级为省级,建议保护出露面积0.4km²。

13. 卢氏大河沟锑矿产地(卢氏五里川锑矿产地)

卢氏大河沟锑矿产地位于河南省卢氏县五里川镇北西17km处。

五里川锑矿田是我国北方重要的锑矿产地,其中大河沟矿区已发现11个锑矿体,均呈陡立透镜状、似层状,单个矿体长60~710m,一般厚2~4m,最大厚度7m,矿石品位Sb 1.04%~9.33%,单样最高可达13.51%,该矿区查明锑资源储量为3.24万t。该处矿床地质遗迹位于秦岭造山带北西西向朱阳关-夏馆大断裂带以南的秦岭地体内,出露地层主要为古元古界秦岭(岩)群雁岭沟(岩)组以碳酸盐岩建造为主的变质岩系。矿脉严格受朱阳关-夏馆大断裂的次级断裂和裂隙控制。矿床类型属与中生代岩浆或断裂构造活动有关的低温热液型矿床。在长约60km,宽6~10km的锑矿田内,已发现大河沟、王店、掌耳沟、大红沟、南阳山、洞沟等中小型锑矿和庆家沟、风雨沟等一系列锑矿点。截至2009年底,累计查明锑资源储量10.12万t。该矿田的锑矿自1958年即有民采,1974年建成了地方国营卢氏县锑矿,现由卢氏县五里川矿业开发公司等企业进行开采,保有锑资源储量仅有1.2万t。采矿遗址保存自然状态,未采取保护措施,该锑矿田处于世界第三条锑成矿带上,即中亚-秦岭带的东段,是我国北方重要的锑矿产地,具有与中生代岩浆或断裂构造活动有关的低温热液型矿床的重要科研价值,建议保护等级为省级,建议保护出露面积0.6km²。

14. 灵宝小秦岭金矿产地

灵宝小秦岭金矿产地位于河南省灵宝市朱阳镇杨砦峪(图4-68)。

图4-68 灵宝小秦岭金矿产地遭到大量的粗放型开采,急需保护

小秦岭金矿已发现含金石英脉600余条,脉长数十米至数千米不等,含金石英脉具有成群、成带、平行分布的特点,走向以北西西向者为主,近南北向者次之。小秦岭各金矿床和矿体主要分布在石英脉中,呈脉状和透镜状,矿体长30～300m,最长者达740m,延深100～500m,矿体厚度一般0.3～2m,最厚7.71m,金平均品位$(6\sim16)\times10^{-6}$。典型矿床——桐沟金矿303矿脉,是小秦岭金矿田中部一条规模较大、品位最富、具有代表性的含金石英矿脉,矿化石英脉沿韧性剪切带充填,属典型的低硫化物含金石英脉矿床。矿床均赋存于太古宇太华(岩)群中,其生成与太华(岩)群和燕山期花岗岩体关系密切。采矿遗址保存自然状态,未采取保护措施,对含金石英脉矿床特征、金矿化富集规律等方面具有重要的科学研究价值,建议保护等级为国家级,建议保护出露面积6.6km^2。

15. 桐柏银洞坡金矿产地

桐柏银洞坡金矿产地位于河南省桐柏县朱庄乡银洞坡。

该金矿是围山城金银矿田的一个矿床,矿区东西长2 000m,南北宽1 500m,面积3km^2。金矿赋存于新元古界二郎坪群大庙组的变火山-沉积建造(矿区称歪头山组)中部,主要岩性为绢云石英片岩、碳质绢云石英片岩,夹少量白云变粒岩。矿体严格受地层控制,共查明矿体19个,其中主要矿体4个,矿体产状与围岩基本一致,走向300°～310°,倾向南西或北东,与碳质绢云石英片岩界线不清。矿体呈舒缓波状透镜体或扁豆状,在剖面上呈平行排列或多层重叠等。1～3号矿体长500～800m,厚2.71～7.6m。矿床规模为大型,金属储量:金75.913t,银300t,铅30 772t,锌15 730t。矿石金属矿物主要为黄铁矿、方铅矿、闪锌矿、自然金、银金矿、金银矿等,少量自然银、辉银矿、银黝铜矿、黄铜矿、磁黄铁矿等,次生矿物有褐铁矿、黄钾铁矾、白铅矿、硬锰矿、赤铁矿、铜蓝等。非金属矿物主要为石英、绢云母、碳质,次有角闪石、方解石、白云石、长石、绿泥石、重晶石、黑云母等。围岩蚀变为硅化、绢云母化、碳酸岩化,表生作用有高岭土化、褐铁矿化及黄铁钾矾化。矿区矿石平均品位 Au 8.95×10^{-6},Ag $(38.41\sim343)\times10^{-6}$,Pb 0.5%～6.3%,Zn 0.1%～1.6%,伴生组分绝大部分已达到或接近工业品位,可构成中型铅、锌矿床。矿石中硫、镉、锗、镓可供综合利用。矿石结构为自形—他形晶粒结构、固溶体分解结构、交代结构、压碎结构等,构造以浸染状-网脉状构造为主,次有角砾状构造、条带状构造、块状构造及蜂窝状构造等。矿床自然类型应属(火山)沉积-变质中温热液矿床。按氧化程度可分为原生矿、半氧化矿、氧化矿,氧化带深度可达47～67m。矿石工业类型以金银为主的多金属矿床。总之该矿床规模大,采选条件较好,河南省内稀有。采矿遗址保存自然状态,未采取保护措施,对河南省以金矿为主的多金属大型金矿床成矿研究具有重要的科学意义,建议保护等级为省级,建议保护出露面积0.9km^2。

16. 洛宁沙沟银铅矿产地

洛宁沙沟银铅矿产地位于河南省洛宁县下峪乡沙沟村(前赵沟)南偏东约600m。

该处矿床地质遗迹位于华北地台南缘的熊耳山变质核杂岩构造内,出露地层为新太古界太华(岩)群变质岩系,矿床类型属与中生代岩浆活动有关的构造蚀变岩型银铅矿床。在东西长4km,南北宽2～3km,面积约10km^{2}的矿区范围内,已发现银铅矿脉20余条,一般长900～1 600m,最长如S_7、S_8等达3 000m以上,形成近北东走向的成矿带。矿脉宽度不大,一般0.6～2.5m,倾角较陡,一般50°～70°。矿体严格受矿脉控制,呈典型薄脉状,一般长100～300m,最长850m;控制延深大于600m;一般厚0.3～0.8m,平均厚0.57m,最大厚度4.0m。截至2010年底,已查明银铅矿石量560万t,金属量:银3 924t,铅84.63万t,锌32.87万t,平均品位:Ag 696×10^{-6},Pb 15.01%,Zn 5.82%。其中基础储量银1 501t,铅48.26万t,锌27.78万t。该矿山自2006年投产以来,采选能力已达1 000t/d,年产矿石量35万t,银、铅、锌精粉6万t,年产值超10亿元。由河南有色地矿公司与加拿大希尔威公司合作建立的河南发恩德矿业有限公司,针对厚度不足1m的薄脉型陡倾斜矿体,采用先进的削壁充填法采矿技术,使回采率达到95%以上。矿山选矿设备先进,铅、锌、银的选矿回收率分别达到93%、81%和90%,使矿山经济效益大大提高,已成为我国规模大、经营效益好的银铅骨干企业。银铅矿脉出露保存自然状态(图4-69、图4-70),未采取保护措施,对研究我国造山期后伸展运动中的成矿作用和薄脉型矿床的矿化富集规律具有极重要的科学价值,建议保护等级为国家级,建议保护出露面积0.1km²。

图4-69 洛宁沙沟矿薄脉型矿脉露头

图4-70 洛宁沙沟银铅矿薄脉型矿脉

17. 卢氏官坡稀有金属矿产地

卢氏官坡稀有金属矿产地位于河南省卢氏县官坡镇西 2km。

该处矿床地质遗迹位于秦岭造山带东段北西西向朱阳关-夏馆大断裂带附近,受同构造方向的花岗伟晶岩脉控制。这些含矿伟晶岩脉属白云母型和锂云母型,钠长石化、锂云母化等交代作用十分发育。矿床类型属以铌钽矿化和锂铍矿化为主的花岗伟晶岩型稀有金属矿床。在西起豫陕省界,东至蔡家沟北,长约 20km,南北宽 3~4km 的稀有金属矿田内,已发现伟晶岩脉 1 000 余条。已查明南阳山、蔡家沟 2 个中小型矿床,累计查明资源储量:Li_2O 1.84 万 t,BeO 1 087t,Nb_2O_5 291t,Ta_2O_5 464t,Rb_2O 2 305t,Cs_2O 571t。矿石平均品位:Li_2O 10.65%~0.78%,BeO 0.044%~0.052%,Nb_2O_5 0.01%,Ta_2O_5 0.012%,Rb_2O 0.02%,Cs_2O 0.047%~0.3%。官坡稀有金属矿田发现和勘查于 20 世纪 60 代初期,是我国当时规模仅次于新疆可可托海稀有金属矿田的又一个伟晶岩型稀有金属矿田。该矿于 1967 年筹建卢氏县钽铌矿进行开发,日处理 200t 矿石,为解决国家当时急需的稀有金属矿资源做出了贡献。1978 年以来,因我国南方找到了开发条件更好的大型钽铌矿,该矿山遂停产关闭。采矿遗址保存自然状态,未采取保护措施,具有重要的科学价值,建议保护等级为省级,建议保护出露面积 32.8km²。

18. 信阳上天梯珍珠岩矿产地

信阳上天梯珍珠岩矿产地位于河南省平桥区五里店乡刘家冲(图 4-71)。

图 4-71 信阳上天梯珍珠岩矿产地珍珠岩

该矿产地是我国迄今为止唯一经过勘探的大型珍珠岩矿产地,其交通便利,公路密布,京港澳高速从矿区西边通过。信阳上天梯珍珠岩矿是火山喷发时酸性岩浆溢出地表迅速冷却的产物。该珍珠岩矿床属大型矿床,总储量 4 645 万 t,矿体赋存于白垩系陈棚组火山岩中,东西向展布,形态呈岩钟状、囊状、似层状产出,上覆较厚的流纹岩,二者接触处有一20cm厚的燧石层。矿体或沿流纹岩流动方向呈夹层状产于其中,呈喷发不整合接触,矿石呈灰白、灰、深灰、灰黑等色,断口呈玻璃光泽,为透明—半透明结构、玻璃质结构,珍珠状构造、纤维状构造和流动构造。矿石具有不同程度的蒙脱石化和相伴而生的脱玻化现象。典型矿床类露头遭到大量开采(图4-72),未采取保护措施,作为我国稀少的大型珍珠岩矿床,该珍珠岩矿极具火山成因矿床学的教学及研究价值,建议保护等级为国家级,建议保护出露面积3.2km²。

图4-72　信阳上天梯珍珠岩矿产地采矿掘进露头

19. 焦作大洼耐火黏土矿产地

焦作大洼耐火黏土矿产地位于河南省焦作市中站区龙洞乡西部。

该黏土矿为滨海潟湖-沼泽相沉积矿床,赋存于中石炭统本溪组中,呈层状、似层状和透镜体状多层产出,倾向南东,倾角10°~20°,大体上可分为上、中、下3层,中矿层为主矿层。单个矿体沿走向长100~1 000m,沿倾斜宽100~650m,厚0.7~7.35m,严格受下伏中奥陶世碳酸盐岩侵蚀间断面起伏的控制,主要矿石类型为软质和半软质耐火黏土矿,占总储量的60%,集中分布于中矿层。其次为硬质耐火黏土矿和少量的高铝耐火黏土矿,多见于上矿层。矿石主要矿物成分为高岭石,含量80%~90%。此黏土矿采矿遗址保存自然状态,未采取保护措施,是典型的耐火黏土矿床,具有耐火黏土沉积矿床教学实习及研究意义,建议保护等级为省级,建议保护出露面积2.9km²。

20. 淅川马头山蓝石棉(虎睛石)矿产地

淅川马头山蓝石棉(虎睛石)矿产地位于河南省淅川县城东偏北5km处马头山。

该矿产地矿区南距淅川县—南阳公路2km，交通尚属便利。马头山蓝石棉矿赋存于新元古界毛堂群马头山组火山岩中，其上段的杏仁状细碧岩、熔凝灰岩是主要的含矿层位，属大型矿床，储量1 000t以上。矿体呈脉状，以单脉和复脉为主，网状脉较少，东西向展布，倾向南，倾角5°～20°。单脉厚度较稳定，一般脉长1～10m，最长62m，脉宽0.5～1.5cm，最宽71cm，脉体多呈平行排列，脉间距一般在0.5～5m之间。全区共有矿体156个，较大的矿体14个。14个较大矿体一般长100～300m，宽50～150m，平均厚1.56m。矿石为纤铁蓝闪石石棉，棉纤维主要为纵纤维及混合纤维，纤维长3～5mm，最长达200mm。以其纤维长度划分为4个品级，Ⅰ～Ⅲ级品含量最高可达121 093.33g/m³，Ⅳ级品40 102.73g/m³。矿区Ⅰ+Ⅱ+Ⅲ级品平均品位113.77g/m³，Ⅳ级品平均品位198.98g/m³。与蓝石棉共生矿物有纤铁蓝闪石、镜铁矿、钠长石、方解石、重晶石、石英、虎睛石、绿泥石、霓石等，其中虎睛石经济价值最大，主要围岩蚀变有钠长石化、绿帘石化、绿泥石化等。该矿床是我国稀少的大型蓝石棉矿床，具有热液矿床学的教学实习及研究意义，目前典型矿床类露头已遭到开采，未采取保护措施，建议保护等级为国家级，建议保护出露面积0.8km²。

21. 南阳隐山蓝晶石矿产地

南阳隐山蓝晶石矿产地位于河南省南阳县新店乡隐山。

该矿床赋存于下古生界二郎坪群下部小寨组中，自下而上分为两个岩性段，第一岩性段下部为含砾绢云石英岩，上部为碎裂石英岩，第二岩性段为蓝晶石含矿层。矿床主要岩性为片状含砾绢云石英岩、片理化绢云石英岩，矿层由不同厚度的蓝晶石英岩、片状绢云蓝晶石英岩、蓝晶石岩、片状蓝晶石英岩、含砾蓝晶石英岩等组成。岩层走向320°～330°，倾向47°～75°，倾角42°～75°，矿层产状与岩层产状基本一致。矿区共有矿体20个，1～9号矿体有工业意义。蓝晶石矿石主要是含蓝晶石的石英岩，矿物成分主要为石英60%～75%，蓝晶石15%～25%，绢云母3.1%，还有金红石、黄玉、磷灰石、锆石、电气石等。伴生矿物有钙基膨润土，伴生元素有Cu、Au、Ti。矿体有明显的硅化、黄铁矿化、云英岩化现象。矿区共探明蓝晶石矿石储量1 989.73万t，为一大型矿床。典型矿床类露头遭到开采，未采取保护措施，对于高温耐火材料原料蓝晶石矿床的找矿和开采研究具有重要的科学意义，建议保护等级为国家级，建议保护出露面积0.7km²。

22. 镇平杨连沟矽线石矿产地

镇平杨连沟矽线石矿产地位于河南省镇平县二龙乡杨连沟东北。

该矿床赋存于新元古界秦岭（岩）群石槽沟（岩）组中，主要岩性为石榴矽线片麻岩和含矽线石黑云片岩，矿带呈北西-南东向延伸800m，厚一般40～60m，矿体呈长条状和不规则团块状，矽线石含量一般0.1%～10%，浮选矽线石精矿品位：Al_2O 54.68%，TiO 20.31%，Fe_2O 35.05%，精矿回收率49%。矿区矽线石矿石储量1 989.73万t，为一大型矿床。典型矿床类露头遭到开采，未采取保护措施，对于高温耐火材料原料矽线石矿床的找矿和开采研究具有重要的科学意义，建议保护等级为国家级，建议保护出露面积1.4km²。

23. 西峡羊乃沟红柱石矿产地

西峡羊乃沟红柱石矿产地位于河南省西峡县桑坪乡羊乃沟。

该矿床赋存于古元古界二郎坪群下部小寨组中，岩性主要为石榴子石、十字石、红柱石二云石英片岩、绢云母石英片岩、斜长角闪片岩、含红柱石、堇青石黑云石英片岩等夹硅质大理岩。矿床呈北西-南东向延伸，长达数千米，已发现8个红柱石矿化层，含矿岩系在羊乃沟厚达600m，以包沟-羊乃沟-仓房段矿化较佳。红柱石的晶体很大，最大块度30cm×5cm×5cm，此红柱石矿是迄今为止国内已发现晶体最大的产地之一。据少量红柱石样品试验资料可知，耐火度为178°～179°，是制造高端耐火材料的必备原材料。矿区探明资源储量449万t,为一大型红柱石矿床。典型矿床类露头遭到开采,未采取保护措施,对大型红柱石矿床的成矿研究具有重要的科学意义,建议保护等级为国家级,建议保护出露面积2.3km²。

24. 桐柏吴城天然碱矿产地

桐柏吴城天然碱矿产地位于河南省桐柏县吴城镇南部。

该矿产地分布面积约4.66km²,天然碱矿赋存于新生代断陷沉积盆地内的始新统五里墩组下段,矿层埋藏较浅,一般埋深642～974m,构造简单。探明资源储量(水采)天然碱3 648.67万t,石盐1 769.45万t,共生油页岩矿石5 684.76万t。天然碱矿的顶板岩性主要为细砂岩-粉砂质泥岩,或粉砂质泥岩、油页岩组成基本韵律,局部夹泥灰岩。矿层密封条件良好,呈多层状产出,与地层产状一致,倾向南东,倾角8°～10°,含矿段厚度变化很大,一般为33～160m。岩性主要由含粉砂泥质白云岩、油页岩、盐碱矿和少量的黏土岩、粉砂岩组成。沉积的韵律性是含矿段最突出的特点,含矿段由油页岩-天然碱矿(盐碱矿)-泥质白云岩这一组合形式周期性重复,这样的组合共连续沉积36个。该矿分上下两段,下段为天然碱段,共15层,单层厚0.5～2.38m;上段为盐碱段,共21层,单层厚1～3m。天然碱和盐碱的质量较好,下矿段天然碱平均品位:Na_2CO_3 54.90%,NaCl一般低于0.3%,个别为1.0%。上段盐碱矿平均品位:Na_2CO_3 33.96%,NaCl 45.55%。有害组分含量很低,As一般在0.000 05%左右;Cu、Pb、Zn总量一般低于0.000 1%;Ca、Mg离子一般低于0.05%。矿物成分较简单,矿石矿物主要为天然碱和岩盐,次为中碳酸盐,共生矿物有碳钠钙石、氯碳钠镁石,其他有白云石、方解石、黄铁矿、蛋白石等。矿石呈不等粒自形—他形板状、柱状、叶片状、放射状等。桐柏吴城碱矿是我国少见的大型优质碱矿之一,目前已成为我国纯碱工业的重要基地之一。采矿遗址保存自然状态,未采取保护措施,对华北地区新生代盆地中碱矿的形成研究具有重要的科学意义,建议保护等级为国家级,建议保护面积1.4km²。

25. 南阳独山玉矿产地

南阳独山玉矿产地位于河南省南阳市北郊独山岭。

该矿床赋存于加里东期辉长岩、次闪石化辉长岩中,长2.5km,宽0.7～1.2km,面积2km²。独山玉矿呈脉状分布在蚀变辉长岩体两侧的挤压破碎带中,为热液矿床,尤以独山西南坡形成玉脉密集带,资源储量19 571t。玉矿体长度不大,大于10m的约占5%,其中最长者20m,1～10m者占43%,小于1m者占52%,厚度一般0.1～1m,矿脉以倾向北北东为主,倾角42°～75°,往往呈雁行状排列。岩体蚀变有次闪石化、黝帘石化等,玉矿体与岩体蚀变在空间上关系密切,特别是黝帘石化强烈地段矿化较好。独山玉矿物成分属斜长石类,含斜长石55.90%,黝帘石5.7%,其次铬云母5%～15%,钠长石1%～5%,黑云母小于1%,以及少量绿帘石、阳起石等。由于矿物成分的差别,玉石颜色亦不相同,根据色彩变幻可分为80种。总的来说可分为白色、绿色、紫黄色、红色、黑色5类。独山玉特点是矿物颗粒小于0.05mm,质地细腻,色彩鲜艳,摩氏硬度3.5～8,抗压强度16.8kg/mm²,抗拉强度1.8kg/mm²,相对密度2.7～3,耐火度1 593℃,除白独山玉具有较高透明度外,多属半透明—微透明。该矿床开采历史悠久,最早在安阳"殷墟"出土的玉器中就有独山玉,具有较高的宝玉石矿产开采研究价值。采矿遗址保存自然状态,已建立独山玉国家矿山公园并采取保护措施,对蚀变辉长岩形成玉脉的热液矿床成矿研究具有重要的科学意义,建议保护等级为国家级,建议保护出露面积1.2km²。

26. 新密密玉矿产地

新密密玉矿产地位于河南省新密市牛店镇助泉寺。

该矿产地处于嵩箕复背斜的东沿部位。矿体东西展布,东段在新密市境内的助泉寺,西段在登封市内的井湾。矿床赋存于古元古界嵩山群庙坡山组下部细粒石英岩中,其中比较稳定的矿层有6层,主矿层为第三层。矿层厚度1~2m,最厚可达3.9m。绿色密玉以脉状产于石英岩裂隙中,在白河沟南坡矿脉倾向南,倾角35°,厚0.1~0.2m,长70m;北坡矿脉倾向北东,倾角70°,厚0.2~0.7m,脉长90m。该矿以坑道形式开采,采深已达170m。密玉主要由石英(97%~99%)组成,另有少量绢云母、锆石、电气石、金红石、磷灰石、髓石、金属矿物、泥质物等。密玉的颜色与其所含次生绢云母及铬、镍、铜元素有关。此外密玉还有肉红、黑、白等色。该矿床开采历史悠久,具有较高的宝玉石矿产开采研究价值。采矿遗址保存自然状态,未采取保护措施,对细粒石英岩形成密玉矿脉的后期热液交代型矿床成矿研究具有重要的科学意义,建议保护等级为省级,建议保护出露面积16 km^2。

27. 汝阳梅花玉矿产地

汝阳梅花玉矿产地位于河南省汝阳县上店镇西南。

梅花玉为火山岩,岩石学名称杏仁状玄武安山岩,矿床赋存于中元古界长城系熊耳群马家河组火山岩中。矿层厚约20m,出露长约150m,倾角20°,估算梅花玉资源量$40×10^4 m^3$。上等梅花玉具斑状构造、杏仁状构造及块状构造,主要矿物成分为斜长石30%~65%,辉石15%~20%,绿泥石、绿帘石20%~30%,少量角闪石、磷灰石等。质地致密、细腻、坚韧,呈黑色、墨绿色,少数呈紫红色。磨光之后呈现出白、红、绿、黄、紫罗兰、竹叶青等各色花朵状,簇拥成团,艳丽异常。梅花玉以其独特的玉质、自然的花形及工艺可塑性等特点,赢得了世人的喜爱,英国大英博物馆和维多利亚博物馆已将梅花玉列为收藏品。梅花玉又称"汝州玉""汝州石",历史上在汉代、北魏就已经开采,可见该矿床开采历史悠久,具有较高的宝玉石矿产开采研究价值。采矿遗址保存自然状态,未采取保护措施,对于中元古界熊耳群马家河组杏仁状玄武安山岩形成梅花玉的找矿和开采研究具有重要的科学意义,建议保护等级为省级,建议保护出露面积0.6 km^2。

28. 泌阳水晶矿产地

泌阳水晶矿产地位于河南省泌阳县南部的铜山、许小庄、竹林等地。

该水晶矿产于燕山期花岗岩体内的花岗伟晶岩中,呈筒状、囊状或不规则状产于晶洞中。水晶产出的伟晶岩有100余条,且具有分带性,可分为石英核带、长石带、长石石英带、似文象带。茶水晶多产在石英核带与长石带之间的晶洞内,少数产在长石石英带中,晶体最大对径13cm,高30cm。茶水晶晶洞内往往充填白色高岭土。无色水晶主要产于侵入元古宙变质岩系的石英脉中,亦在晶洞内产出。无色水晶晶洞内往往有红黄色黏土充填。泌阳水晶开采利用历史已有百年以上,产地采矿老窿很多,是不可多得的水晶矿采矿遗址,具有很高的研究价值。采矿遗址保存自然状态,未采取保护措施,对河南省燕山期花岗岩体内的花岗伟晶岩晶洞形成水晶矿的成因研究具有重要的科学意义,建议保护等级为省级,建议保护出露面积0.4 km^2。

29. 镇平小岔沟石墨矿产地

镇平小岔沟石墨矿产地位于河南省镇平县二龙乡。

该石墨矿产于寺山乡与内乡县马山口乡交界处,矿区东西长5 600m,南北宽1 870m,面积10.5 km^2。石墨矿赋存于古元古界秦岭(岩)群雁岭沟(岩)组变质岩中,主要岩性为钙质晶质石墨片岩、斜长角闪岩、大理岩、斜长片麻岩等,厚度达120~180m。矿体严格受地层控制,主要存在于含矿层的下部和上部,呈层状、似层状、透镜状产出,以下层矿为主矿层。该矿由4个矿体组成,各矿体长度均在2 000m以上,一般为3 000m左右,厚1.33~37.67m,延深330~392m,平均品位4.2%,最高品位17.84%。矿床规模为大型,石墨量613.99万t。固定碳含量4.53%,石墨品质为Ⅱ级。采用单一浮选流程,精矿品位达90.52%,选矿回收率95.98%,效果良好。矿石类型简单,主要为方解石晶质石墨片岩,次为黝帘石晶质石墨片岩。矿石矿物为石墨,呈片状或鳞片状集合体。石墨单体片晶在0.045~1.12mm之间。该矿矿体形态简单,厚度大,石墨质量好,易采易选,且交通便利。20世纪70年代以来,由地方小型开采,年产精矿240t。采矿遗址保存自然状态,未采取保护措施,对河南省古元古界秦岭(岩)群雁岭沟(岩)组变质成因大型石墨矿的成矿研究具有重要的科学意义,建议保护等级为省级,建议保护出露面积11.2km²。

30. 叶县马庄盐矿产地

叶县马庄盐矿产地位于河南省叶县马庄回族乡。

该盐矿产地是叶县-舞阳盐田的一部分,分布面积约6.35km²。盐矿赋存于新生代沉积盆地内的古近系始新统核桃园组。矿层地表未出露,埋藏较浅,一般埋深1 100~1 600m,构造简单。岩盐顶底板岩性主要为细碎屑沉积岩—化学沉积岩,岩石致密,含水性差,断裂及节理不发育,矿层密封条件良好。矿层分上、下两段,上段含盐9层,单层厚2~18m,总厚68m;下段含盐8层,单层厚1~17m,总厚35m。岩盐的质量较好,NaCl平均含量83.04%,$CaSO_4$平均含量5.11%,Na_2SO_4平均含量0.02%。此外,还有微量的$CaCl_2$、$MgCl_2$、KCl、$MgSO_4$等成分。叶县-舞阳盐田是我国少见的特大型优质盐田之一。据专家估算,整个盐田远景储量在3 300亿t以上。2007年9月,中国矿业联合会授予叶县"中国岩盐之都"称号,故叶县马庄盐矿遗迹具有岩盐矿的典型性,是不可多得的盐矿采矿遗迹。采矿遗址保存自然状态,未采取保护措施,对华北地区新生代盆地沉积盐矿的形成研究具有重要的科学意义,建议保护等级为国家级,建议保护出露面积8.2km²。

第六节 岩土体地貌类地质遗迹

1. 修武云台山红石峡谷地貌

修武云台山红石峡谷地貌位于河南省修武县云台山世界地质公园云台山园区。

红石峡谷是发育在红色石英砂岩中的线状峡谷,红色石英砂岩形成于距今1 200Ma之前,为中元古界蓟县系云梦山组石英砂岩,而峡谷是在距今2.6Ma以来才形成的。由于新构造运动的强烈抬升和水蚀作用的深度切割,形成的红石峡谷长1 500m,宽仅数米至数十米,峡谷两侧的丹崖断墙高达150余米。石英砂岩崖壁岩面可见节理、滨海相沉积层序、波痕、交错层理等,峡谷底溪潭相连,水流潺潺,呈现碧水丹峡景观(图4-73)。云台山红石峡谷地貌保存自然状态,已建立云台山世界地质公园并采取保护措施,对华北地区中元古界蓟县系云梦山组石英砂岩形成线状峡谷地貌景观具有重要的地貌学研究科学价值,极具观赏性的旅游开发价值,建议保护等级为世界级,建议保护出露面积0.4km²。

图4-73 修武云台山红石峡谷地貌

2. 林州嶂石岩地貌

林州嶂石岩地貌位于河南省林州市红旗渠地质公园太行山大峡谷景区(图 4-74)。

林州嶂石岩地貌为中元古代紫红色石英砂岩形成的地貌景观,主要有飞龙峡——绝壁丹崖地貌景观。构成飞龙峡的岩石主要为石英砂岩,在这套巨厚的石英砂岩中,局部含有较软的黏土(页)岩,在飞龙壁的底部恰巧发育了一层紫红色的黏土(页)岩。这层黏土(页)岩受风化和流水侵蚀的作用极易被掏空,上覆坚硬的石英砂岩悬空,由于石英砂岩中垂直节理比较发育,这些垂直节理连通性又非常好,在地震、暴雨等外力的诱发下极易沿垂直节理面发生崩塌作用,无数次的崩塌作用便形成了绝壁丹崖嶂石岩地貌景观。林州嶂石岩地貌出露自然状态,已建立红旗渠·林虑山国家地质公园并采取保护措施,是典型的嶂石岩地貌景观,具有地貌科研和教学意义以及观赏性的旅游开发价值,建议保护等级为省级,建议保护出露面积 1.2km²。

3. 新安龙潭峡谷地貌

新安龙潭峡谷地貌位于河南省洛阳市新安县石井乡(图 4-75)。

龙潭峡又称"波痕峡",长约 5km,宽 2~5m,深达 70~120m,为流水沿中元古界汝阳群云梦山组紫红色石英砂岩中的两组相互直交且连通性好的垂直节理侵蚀深切形成的线状峡谷。在两组节理交会的部位形成"天井",在一组节理发育的部位形成隘谷(一线天),如此形成了这种天井、一线天相间分布的红石峡谷。峡谷山形成的巨型崩塌岩块随处可见,各种不同类型的波痕形成了一个天然的波痕博物馆,在瀑、泉、溪、潭的映衬下,构成了一幅幅五彩缤纷的经典画卷。龙潭峡有八大自然奇观[佛光罗汉崖、水往高处流、石上天书、仙人足迹、神女出浴、绝世天碑、波浪石屏(波痕崖)、石上春秋],是中原地区罕见的山水画廊。新安龙潭峡谷地貌出露自然状态,已建立王屋山-黛眉山世界地质公园并采取保护措施,对华北古陆块中元古代岩相古地理研究和红石峡谷地貌景观研究具有极高的科学研究、教学实习、科普教育意义及观赏性的旅游开发价值,建议保护等级为世界级,建议保护出露面积 2.1km²。

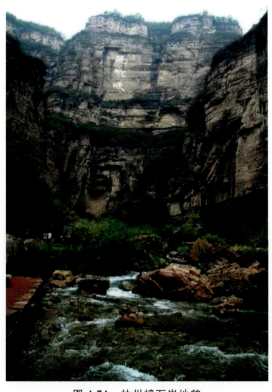

图 4-74 林州嶂石岩地貌

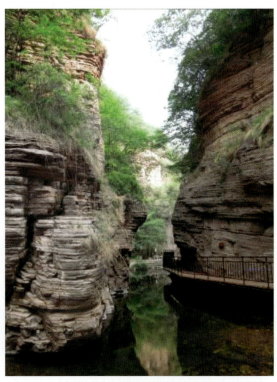

图 4-75 新安龙潭峡谷地貌

4. 新安天碑石碎屑岩地貌

新安天碑石碎屑岩地貌位于河南省洛阳市新安县石井乡龙潭峡谷(图4-76)。

天碑是一个巨型崩塌岩块，为中元古界汝阳群云梦山组紫红色石英砂岩，高达50m。由于崩塌时的位移，原来近水平产出的岩层此时呈直立状，巍然耸峙在峡谷一侧，高大雄伟，气势恢宏，称之天碑。天碑一景多变，步移景换，从不同角度仰望，呈现景观或苍鹰，或飞鸟，或飞鱼，或刀背，或天碑，大自然赋予其无限美感，极具旅游观赏性。新安天碑石碎屑岩地貌出露自然状态，已建立王屋山-黛眉山世界地质公园并采取保护措施，对崩塌地貌景观的形成具有重要的科学研究意义，并具观赏性的旅游开发价值，建议保护等级为世界级，建议保护出露面积0.1km²。

5. 渑池仰韶大峡谷地貌

渑池仰韶大峡谷地貌位于河南省渑池县段村乡南岭村(图4-77)。

仰韶大峡谷包括仙侠、神龟峡南北两段，仙侠南起核园，北至南岭村；神龟峡南起南岭村，北至金灯河村，仰韶大峡谷全长约5 500m。峡谷两侧崖壁主要为中元古界汝阳群云梦山组紫红色石英砂岩。峡谷为新构造运动抬升地壳与流水沿断裂或节理侵蚀所形成。峡谷迂回曲折，两侧山峰尖耸，由石英砂岩构成的岩墙顶部多形成峰丛，仰看为峰，俯瞰为岭，顺看为墙，峡谷内崩塌岩块形成奇石林立的象形石景观，流水冲刷形成众多潭瀑景观。韶山省级地质公园是2010年被河南省国土资源厅批准为省级地质公园。渑池仰韶大峡谷地貌保存自然状态，已建立渑池韶山省级地质公园并采取保护措施，对红岩峡谷地貌景观的形成具有重要的科学研究意义，较具观赏性的旅游开发价值，建议保护等级为省级，建议保护出露面积2.1km²。

图4-76 天碑石碎屑岩地貌

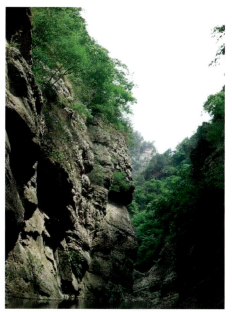

图4-77 仰韶大峡谷地貌景观

6. 遂平嵖岈山花岗岩地貌

遂平嵖岈山花岗岩地貌位于河南省遂平县嵖岈山风景区(图4-78)。

嵖岈山位于伏牛山余脉东端，又名玲珑山，山势嵯峨，怪石林立，嵖岈山花岗岩地貌景观千姿百态、丰富多彩，整体精巧典雅，看似天然盆景。根据嵖岈山花岗岩地貌景观的形态特征及成因，其形态类型主要划分为花岗岩象形石景观、花岗岩奇峰景观、花岗岩洞穴（石棚）景观3种类型。该景观主要为燕山期花岗岩经风化剥蚀形成的花岗岩象形石地貌景观，岩性为中粗粒正长花岗岩。花岗岩象形石景观主要有猴石（图4-79）、母子石、剑鱼石、蜗牛石等，奇峰景观有蜜蜡峰、凤凰台等，花岗岩洞穴（石棚）景观有舞阳洞、桃花洞等。花岗岩地貌景观分为南山景区、北山景区、六峰山景区，分布面积约7km²。花岗岩形成-中生代燕山晚期，时间距今113Ma。嵖岈山花岗岩地貌出露自然状态，已建立嵖岈山国家地质公园并采取保护措施，具有华北板块南部板内燕山晚期花岗岩地貌景观形成科学研究价值和岩浆活动分界侵入岩体的典型地质意义，且具观赏性旅游开发价值，建议保护等级为国家级，建议保护出露面积2.3km²。

图4-78　嵖岈山花岗岩地貌

图4-79　嵖岈山花岗岩猴石

7. 鲁山尧山花岗岩地貌

鲁山尧山花岗岩地貌位于河南省鲁山县尧山镇西南约15km。

尧山又名石人山，地处伏牛山东段，花岗岩地貌山脊陡峭，山形奇特，为早白垩世花岗岩经风化剥蚀形成的地貌景观，岩性主要为大斑中粗粒黑云母二长花岗岩，同位素年龄135Ma。花岗岩峰主要有石人峰、大将军峰（图4-80）、二将军峰及和合峰（图4-81）等。和合峰是石人山风景区的峰丛景观，一高一矮两峰，似情侣、似夫妻、似兄弟，紧紧依偎。和合峰上粗下细，卓然挺立，打破了一般山峰下部粗、顶端细的造型，堪称奇景。山峰顶部青松挺立，周围群山环抱，铺青叠翠，景色如画。尧山花岗岩地貌出露自然状态，已建立尧山省级地质公园并采取保护措施，具有华北板块南部板内早白垩世花岗岩侵入体及地貌景观形成的科学研究价值，并具观赏性旅游开发价值，建议保护等级为国家级，建议保护出露面积7.4km²。

图4-80　鲁山尧山花岗岩地貌大将军峰

图 4-81　鲁山尧山花岗岩地貌和合峰

8. 洛宁中华大石瀑花岗岩地貌

洛宁中华大石瀑花岗岩地貌位于河南省洛宁县神灵寨风景区（图 4-82）。

图 4-82　洛宁中华大石瀑花岗岩地貌

中华大石瀑花岗岩地貌景观是神灵寨花岗岩石瀑崖壁地貌景观的典型代表。流水沿花岗岩崖壁面流动侵蚀形成沟槽是其主要成因。中华大石瀑上下两瀑相叠，集帘瀑、悬瀑、叠瀑于一身，整个石瀑面高 218m 左右，水平宽 578m，规模宏大，优美壮观，堪称石瀑之珍品。公园园区内的石瀑类型众多，主要有帘瀑、萝卜瀑、悬瀑、叠瀑。花岗岩石瀑集中分布于花山复式岩体蒿坪超单元的第二单元边缘，即于蒿坪超单元第一单元的涌动型接触边缘，岩性为含巨斑状黑云母二长花岗岩，凡有该单元分布的地区均可见或大或小的石瀑景观。花山复式花岗岩形成于燕山期，这些花岗岩不仅形成了奇特的地貌景观，而且记录并见证了板块构造运动的特定阶段和形式，对揭示和反演秦岭造山带的形成与演化历史具有重要意义。中华大石瀑花岗岩地貌出露自然状态，已建立神灵寨国家地质公园并采取保护措施，具有华北板块南部板内燕山晚期花岗岩侵入体及花岗岩石瀑地貌景观形成科学研究意义，并具观赏性旅游开发价值，建议保护等级为国家级，建议保护出露面积 $0.6km^2$。

9. 洛宁五女峰花岗岩地貌

洛宁五女峰花岗岩地貌位于河南省洛宁县神灵寨风景区（图4-83）。

五女峰为花岗岩峰丛，花岗岩在长期的风化剥蚀和流水侵蚀作用下沿断裂带、构造节理及花岗岩原生节理面发生崩塌，岩块脱落，形成底座相连的花岗岩峰丛。五女峰峰丛中的5个山峰高低不等，错落有致，形态各异，犹如五仙女下凡，称五女峰。五女峰花岗岩为早白垩世蒿坪序列大斑状中粒含黑云角闪二长花岗岩。五女峰花岗岩地貌出露自然状态，已建立神灵寨国家地质公园并采取保护措施，具有华北板块南部板内燕山晚期花岗岩侵入体及花岗岩峰丛地貌景观形成的科学研究意义，并具观赏性旅游开发价值，建议保护等级为国家级，建议保护出露面积 $1.1km^2$。

10. 信阳鸡公山花岗岩地貌

信阳鸡公山花岗岩地貌位于河南省信阳市鸡公山风景区（图4-84）。

鸡公山位于豫鄂两省交界的大别山中，主峰报晓峰位于鸡公山景观区西南，海拔744m，群山环绕，突兀拔起，巨石嵯峨不乱，岩石嶙峋有则，酷似引颈啼晓的雄鸡。雄鸡"冠鬓目口皆具"，首向西北，尾伸东南，敦实且英俊。从东侧观赏，近则似饱食而卧，神态安详；远则似伸颈欲鸣，气势雄伟。鸡公山为早白垩世花岗岩体风化剥蚀形成的地貌景观，岩性主要为似斑状中细粒二长花岗岩，岩体同位素年龄130Ma。鸡公山花岗岩地貌出露自然状态，已采取保护措施，具有花岗岩地貌景观、花岗岩体等方面的科学研究价值，并具观赏性旅游开发价值，建议保护等级为国家级，建议保护出露面积 $1km^2$。

图4-83 洛宁五女峰花岗岩地貌

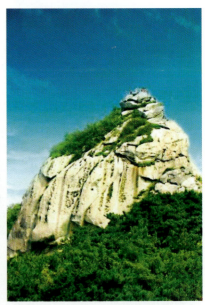

图4-84 信阳鸡公山花岗岩地貌

11. 新县金兰山花岗岩地貌

新县金兰山花岗岩地貌景观位于河南省新县金兰山风景区(图4-85)。

图4-85　新县金兰山花岗岩地貌

金兰山由北峰、中峰、南峰3座花岗岩山峰组成。花岗岩北峰雄壮险峻,山峰呈浑圆的峰丘状,上部花岗岩为灰白色,高耸孤立,崖壁陡峭,为金兰山最高峰,海拔664m,处在新县花岗岩体西北部,由早白垩世侵入的新县花岗岩体超单元中第二单元粗(中)粒二长花岗岩经地壳抬升暴露地表后风化剥蚀而成。花岗岩形成时间距今100Ma。峰顶上建有金兰山道观真武宫、帝君殿两座道教宫殿。新县大别山地质公园花岗岩奇峰还有富士峰、巨象峰、弥勒佛峰、卧佛峰等,花岗岩象形石景观形象逼真,喻意巧妙,拟人似物,栩栩如生,主要有老子石(图4-86)、关尹子石、庄子石、龟背天书、母子情深、八戒醉泉、笑天猴等。金兰山花岗岩地貌出露自然状态,已建立大别山省级地质公园并采取保护措施,对中央造山带燕山期花岗岩体及其地貌景观形成研究具有重要的科学意义,并具观赏性旅游开发价值,建议保护等级为省级,建议保护出露面积2.2km²。

12. 汝阳炎黄峰花岗岩地貌

汝阳炎黄峰花岗岩地貌位于河南省汝阳县付店镇南(图4-87)。

高145.8m的炎黄峰无论是远眺还是近观,其神态都酷似炎黄二帝并肩而坐,为花岗岩象形石景观。燕山晚期花岗岩侵入体经地壳抬升出露地表后,在距今100Ma左右,沿花岗岩节理的球形风化剥蚀形成炎黄峰,成为天下奇观。炎黄峰花岗岩地貌出露自然状态,已建立汝阳恐龙化石群省级地质公园并采取保护措施,具有典型的球形风化花岗岩地貌景观学教学实习意义,较具观赏性旅游开发价值,建议保护等级为省级,建议保护出露面积0.2km²。

图 4-86　花岗岩老子石　　　　　　图 4-87　汝阳炎黄峰花岗岩地貌

13. 内乡宝天曼花岗岩地貌

内乡宝天曼花岗岩地貌位于河南省内乡县宝天曼国家自然保护区(图 4-88)。

该花岗岩地貌位于豫西南伏牛山南麓内乡县北部山区,山体海拔 500～1 845m,以花岗岩峰丛、花岗岩崖壁地貌景观为特色。花岗岩地貌峰群山耸峙,拔地腾霄,分布区遍布着花岗岩峰(图 4-89)、瀑布、峡谷等珍贵的地质遗迹,主要景点有五龙潭、七星潭、天心洞、仙人洞、古檀沟等。组成花岗岩地貌的岩性主要为加里东期二长花岗岩,沿花岗岩体中的断裂、节理、裂隙风化剥蚀形成花岗岩象形石、峰林地貌景观。宝天曼花岗岩地貌出露自然状态,已建立伏牛山世界地质公园并采取保护措施,具有研究秦岭造山带加里东期花岗岩地貌景观的地质地貌科学意义,较具观赏性旅游开发价值,建议保护等级为省级,建议保护出露面积 $1.8km^2$。

图 4-88　内乡宝天曼花岗岩地貌　　　　　　图 4-89　内乡宝天曼花岗岩峰

14. 灵宝女郎山花岗岩地貌

灵宝女郎山花岗岩地貌位于河南省灵宝市焦村内(图4-90、图4-91)。

女郎山占地28km²，主峰海拔1 563m。风景区融山水景观和人文景观于一体，由石瀑布、娘娘庙、芳草甸三大部分组成，其中飞瀑流泉、气势恢宏的石瀑布景区最具魅力，电视剧《石瀑布》曾取景于此。女郎山有黄天墓、娘娘庙、马跑泉、砥石峪、苍龙岭、石撞飞瀑六大景区，主要景点有石瀑、五子石、望乡崖、金井、坐佛、十八秀盘、入云阁、步云洞、步云梯、对弈石、八戒石等34处，神奇而迷人。花岗岩地貌岩性为燕山早期细粒—中粒含斑黑云二长花岗岩。女郎山花岗岩地貌出露自然状态，已建立小秦岭国家地质公园并采取保护措施，具有华北板块中生代燕山早期花岗岩峰林地貌景观形成的科学研究价值和典型意义，较具观赏性旅游开发价值，建议保护等级为国家级，建议保护出露面积1.1km²。

图4-90　灵宝女郎山花岗岩地貌

图4-91　女郎山花岗岩峡谷

15. 宜阳花果山花岗岩地貌

宜阳花果山花岗岩地貌位于河南省宜阳县木柴关乡西南3 000m(图4-92)。

花果山花岗岩地貌景观是花果山省级地质公园的主体地貌景观，岩性主要为早白垩世侵入的花山超单元第三单元细中粒含斑黑云二长花岗岩及第二单元中粗粒斑状角闪二长花岗岩，同位素年龄84Ma。花岗岩呈灰白色或浅肉红色，质地坚硬，垂直节理特别发育，沿节理裂隙的风化剥蚀作用形成了峭壁悬崖、孤峰擎天的花岗岩峰和造型奇特的花岗岩象形石地貌景观，如女儿峰、岳顶、金刚峰、罗汉峰、镇宇峰、独秀峰、壁画峰等。天书壁位于岳山顶，其成因主要是花岗岩中的节理非常发育，垂直节理形成崖壁面，近水平节理则将岩石切割成层，好似一部天书。花岗岩形成了千姿百态的拟人、拟物、拟兽等象形石，形象逼真，生动可爱，主要有唐僧岩象形石，为差异风化作用形成，它们突兀于山脊、山坡，或滚落于山沟、山麓，如组石、悟空被困石、神龟驮经石等。花果山省级地质公园是2010年河南省国土资源厅批准的省级地质公园。花果山花岗岩地貌出露自然状态，已建立花果山省级地质公园并采取保护措施，对早白垩世花山超单元花岗岩侵入体及花岗岩地貌景观形成具有科学研究意义，较具观赏性旅游开发价值，建议保护等级为省级，建议保护出露面积0.4km²。

16. 玉皇尖花岗岩地貌

玉皇尖花岗岩地貌位于河南省卢氏县狮子坪乡玉皇山(图4-93)。

图 4-92　宜阳花果山花岗岩地貌

图 4-93　玉皇尖花岗岩地貌

该地貌景观地处伏牛山南麓卢氏县的西南部豫陕交界处,西面与陕西省的商南、丹凤两县毗邻,花岗岩峰海拔高度2 057.9m。玉皇尖花岗岩地貌景观为断崖绝壁景观,花岗岩奇峰挺拔,怪石林立,谷峡峪长,溪幽潭深,坚硬的花岗岩面上刻槽、擦痕等古冰川刨蚀遗迹依稀可见,点将台、太君椅、试刀石等奇妙的花岗岩象形石是古冰川异地搬运来的冰川漂砾。此地貌景观为古生代加里东晚期灰池子花岗岩侵入体,岩性为中细粒、中粗粒黑云母花岗岩,形成年龄382Ma。玉皇尖花岗岩地貌出露自然状态,已于2003年被河南省国土资源厅批准建立玉皇山省级地质公园并采取保护措施,对古生代加里东期花岗岩地貌景观的形成研究具有科学意义,较具观赏性旅游开发价值,建议保护等级为省级,建议保护出露面积1km²。

17. 西峡老界岭花岗岩地貌

西峡老界岭花岗岩地貌位于河南省西峡县太平镇乡西北部，离西峡县城约50km（图4-94、图4-95）。

图4-94　西峡老界岭花岗岩地貌

图4-95　西峡老界岭花岗岩峡谷

老界岭是伏牛山主峰,为长江黄河分水岭,地貌由中山组成,主峰走向北西-南东,支脉呈羽状向南延伸,为国家级自然保护区,其山势陡峭,沟壑纵横,峰峦叠嶂,气势磅礴。区内海拔最高点2 002.5m,最低点600余米,相对高差1 600余米,海拔1 800m以上尖峰15处,主要景点:中原第一山——犄角尖、少女峰、擎天峰、情人谷、仙人谷、日月谷、瀑布群、九珠峰、迎宾石、刀劈岩和人迹罕至的原始森林,是登高寻幽、避暑度假、科普考察的理想园地。岩体为泥盆纪汤河岩体,岩性主要为糜棱岩化细粒二长花岗岩、糜棱岩化斑状中细粒二长花岗岩,为偏铝质-过铝质高钾钙碱性碰撞型花岗岩。老界岭花岗岩地貌出露自然状态,已建立伏牛山世界地质公园并采取保护措施,具有华北板块古生代加里东期花岗岩峰林地貌景观形成科学研究价值和典型意义,较具观赏性旅游开发价值,建议保护等级为省级,建议保护出露面积19.1km²。

18. 镇平五朵山花岗岩地貌

镇平五朵山花岗岩地貌位于河南省镇平县五朵山风景区(图4-96)。

五朵山北坡位于南召县西南部伏牛山南麓,因5座主峰在南北一线3km内并连矗立,势成五极而得名。该地貌景观瑰丽多姿,山势巍峨,壁立万仞,层峦叠嶂,逶迤连绵,林茂水秀,飞瀑流泉,怪石嶙峋,古树参天,兼有华山之险、黄山之奇、峨眉之秀、青城之幽,圣朵、禅庵朵、摩云朵、娇女朵、哑女朵、流文瀑、明石瀑、溅玉瀑、开心瀑、玉盘潭、翠屏湖、珍珠潭、灵芝潭、许愿潭、犁水濠、金顶、天梯、跑马岭、拴马桩、祖师洞等200余处景点星罗棋布,错落有致,组合成暴瀑峡、万福宫、五朵峰三大游览区,构成了一条完美的游览环线。构成此地貌景观的岩体为五朵山花岗岩体,岩性为海西期中斑细中粒黑云母二长花岗岩。五朵山花岗岩地貌出露自然状态,已建立伏牛山世界地质公园并采取保护措施,具有华北板块南部板内海西期花岗岩侵入体及地貌景观形成的科学研究价值和典型意义,较具观赏性旅游开发价值,建议保护等级为省级,建议保护出露面积44.6km²。

图4-96 镇平五朵山花岗岩地貌

19. 栾川老君山花岗岩地貌

栾川老君山花岗岩地貌位于河南省栾川县老君山自然保护区(图4-97)。

老君山坐落在洛阳市栾川县南部，海拔2 192m，是伏牛山三大主峰之一，又名景室山，其山势险峻，植被茂盛，层峦叠嶂，奇峰嵯峨。区内海拔最高点2 212.5m，最低点600余米，相对高差1 600余米，主要山峰有鸡角尖，是西峡、栾川、嵩县三县界山，海拔2 212.5m，为群峰之最，因山峰高矗，远看似向东引颈高歌之雄鸡而闻名。山水景点72处，其石林奇景被世界地质公园评审专家赵逊先生称是"迄今为止世界范围内发现规模最大的花岗岩峰林奇观"。老君山有3次岩浆侵入活动，第一期岩性为大斑中细粒二长花岗岩，分布在岩体的边部；第二期岩性为中斑中粒二长花岗岩，分布在大斑中细粒二长花岗岩之南；第三期岩性为含斑细粒二长花岗岩，为富钾过铝质-偏铝质碱性岩系，属造山后板内岩浆活动产物。锆石U-Pb法年龄值为113±2Ma，属早白垩世。老君山花岗岩地貌出露自然状态，已建立伏牛山世界地质公园并采取保护措施，具有华北板块早白垩世花岗岩峰林地貌景观形成科学研究价值和典型意义，较具观赏性旅游开发价值，建议保护等级为省级，建议保护出露面积1.9km²。

图4-97 栾川老君山花岗岩地貌

20. 栾川龙峪湾花岗岩地貌

栾川龙峪湾花岗岩地貌位于河南省栾川县龙峪湾风景区(图4-98)。

龙峪湾位于伏牛山腹地的栾川县内，花岗岩地貌景观特征为山势雄伟、峰峦叠嶂、林海茫茫、古木参天。该风景区内有白马潭、小华山、护萱石、仙人谷、万亩森林、原始森林、黑龙潭、旱莲园、红桦林、诗歌碑林、杜鹃园、鸡角尖等景区，主要景点为藏兵洞、飞来石、黑风寨、珍珠岩、鸡角尖、护萱石、黑龙潭、白马潭、仙人瀑布、彩虹瀑布、青龙瀑布、仙人洞、贞女洞、帽盔洞等。境内最高峰——鸡角尖，海拔2 212.5m，状如鸡角，引吭高歌，势如刀削，奇险无比，当代作家李准赞誉"秀压五岳，奇冠三山"。园区面积300余平方千米,构成地貌景观的岩性为燕山期黑云母花岗岩、似斑状黑云母花岗岩。龙峪湾花岗岩地貌出露自然状态,已建立伏牛山世界地质公园并采取保护措施,具有华北板块南部早白垩世花岗岩峰林地貌景观形成的科学研究价值和典型意义,较具观赏性旅游开发价值,建议保护等级为省级,建议保护出露面积55.4km²。

21. 嵩县白云山花岗岩地貌

嵩县白云山花岗岩地貌位于河南省嵩县白云山国家自然保护区(图4-99)。

白云山位于河南省洛阳市嵩县南部伏牛山腹地,是国家级森林公园、国家级自然保护区、国家AAAA级旅游景区、中国十佳休闲胜地。景区总面积168km²,现已开发白云峰、玉皇顶、鸡角曼(小黄山)、九龙瀑布、原始森林五大观光区和白云湖、高山森林氧吧、高山牡丹园、留侯祠、芦花谷五大休闲区。区内海拔1 500m以上的山峰37座,其中玉皇顶海拔2 216m,为中原第一峰,是看日出观云海的最佳处。景区内主要景观有中原第一峰——玉皇顶、鸡角曼、白云山、鸡角尖、仙人桥、杜鹃林、原始森林、银杏林、九龙瀑布、珍珠潭、黄龙井等。构成地貌景观的岩体为老君山花岗岩体,岩性为早白垩世中斑中粒黑云母二长花岗岩、大斑中粗粒黑云母二长花岗岩。白云山花岗岩地貌出露自然状态,已建立伏牛山世界地质公园并采取保护措施,具有华北板块南部早白垩世花岗岩峰林地貌景观形成的科学研究价值和典型意义,较具观赏性旅游开发价值,建议保护等级为省级,建议保护出露面积8.2km²。

图4-98 栾川龙峪湾花岗岩地貌

图4-99 嵩县白云山花岗岩地貌

22. 嵩县木札岭花岗岩地貌

嵩县木札岭花岗岩地貌位于河南省嵩县车村镇东南部龙王村(图4-100)。

木札岭地处伏牛山腹地,总面积达125km²,是国家级生态园林,位于伏牛山世界地质公园嵩县园区。该花岗岩地貌景观的形态类型主要划分为花岗岩象形石景观和花岗岩奇峰景观,由九撞沟、原始森林、官帽峰三大景区组成。旅游区海拔950~2 153m,有著名的八景:官帽天成、天河飞瀑、古木幽林、灵石妙趣、流泉映翠、云海仙境、松桦月影、木楼逸情。木札岭是上天慷慨赐予八百里伏牛山腹地的一处天然画卷。这画卷远望气势磅礴、雄浑苍劲,近看则另有一番趣味,高山、洼地、深涧、幽谷、洞壑、峭壁都自然成型,天然成趣,主要景点有飞来石、云海、氧吧、天河瀑布群、天梯、仙人瀑布、三叠瀑等。构成花岗岩地貌的岩体为合峪花岗岩体,岩性为早白垩世大斑中粗粒黑云母二长花岗岩。木札岭花岗岩地貌出露自然状态,已建立伏牛山世界地质公园并采取保护措施,具有华北板块南部早白垩世花岗岩峰林地貌景观形成的科学研究价值和典型意义,较具观赏性旅游开发价值,建议保护等级为省级,建议保护出露面积 10.3km²。

图 4-100　嵩县木札岭花岗岩地貌

23. 嵩县天池山花岗岩地貌

嵩县天池山花岗岩地貌位于河南省嵩县王莽寨林场(图 4-101)。

图 4-101　嵩县天池山花岗岩地貌

天池山地处嵩县西北部,原为王莽寨林场,森林覆盖率高达98.57%,主峰王莽寨海拔1 859.6 m。景区内山间层峦叠嶂,峡谷深涧,森林茂盛,绿荫如盖,石洁如洗,水清如滤,有以天池、玉女溪、二郎沟、飞瀑为代表的瀑潭景观,以飞来石、石鹰、青石峡、群乳峰、玉兔峰为代表的险峰奇石景观,以原始森林、杜鹃、水杉、落叶松为代表的森林景观,以春杜鹃、夏牡丹、秋红叶、冬雾凇为代表的物候景观。整个天池山景区分水、石、林、人文4条旅游线路,雄、险、奇、秀、幽交相辉映。在中国天池系列家族中,它排在长白山天池(白头山天池)、天山天池之后,居第三。飞来石号称"天下第一石",高26 m,围粗86 m,是一块地道的"天下第一石"。这块飞来石兀立在海拔1 200 m的高峰之巅,它和下面山体相连的面积不过10多平方米,而外缘和山体构成千尺绝壁。构成花岗岩地貌的岩体为花山花岗岩体,岩性主要为早白垩世中粗粒斑状角闪二长花岗岩。天池山花岗岩地貌出露自然状态,已建立伏牛山世界地质公园并采取保护措施,具有华北板块南缘早白垩世花岗岩地貌景观形成的科学研究价值和典型意义,较具观赏性旅游开发价值,建议保护等级为省级,建议保护出露面积16.2 km²。

24. 登封少室山石英岩地貌

登封少室山石英岩地貌位于河南省登封市清凉寺北3 km(图4-102)。

图4-102 登封少室山石英岩地貌

古元古界嵩山群石英岩由石英砂岩经区域变质作用形成,岩石中石英含量大于85%。中岳运动褶皱造山使石英岩成为近直立的岩层,经过风化剥蚀形成当今壁立千仞、陡峭险峻的奇特石英岩地貌景观,构成少室山石英岩地貌的岩性为古元古界嵩山群石英岩。少室山石英岩地貌出露自然状态,已建立嵩山世界地质公园并采取保护措施,具有古元古界石英岩地貌景观科学研究价值和典型意义,极具观赏性旅游开发价值,建议保护等级为国家级,建议保护出露面积6.1 km²。

25. 桐柏鞘褶皱洞穴群——桃花洞

桐柏鞘褶皱洞穴群——桃花洞位于河南省桐柏县固庙镇南(图 4-103)。

图 4-103　桐柏鞘褶皱洞穴群——桃花洞

该洞穴群处于小寨片麻岩体固庙韧性剪切带中,洞体岩性主要为片麻岩,沿着韧性剪切带平行方向鞘褶皱或 A 型褶皱发育。这些片麻岩洞穴群分布于韧性剪切带通过的地段,其洞穴的成因从外观形态来看,鞘褶皱或 A 型褶皱构成洞穴的轮廓形态,黑云母、角闪石等暗色矿物富集在鞘褶皱中心部位,岩性抗风化能力较弱。两条北北东向相距 80m 的平行变形节理形成峡谷两侧岩壁,鞘褶皱中心黑云母、角闪石等风化剥蚀及大洞穴中人为对洞穴层状岩石的剥落作用,使组成洞穴的软弱岩石风化剥蚀掉落,形成新类型的片麻岩洞穴群。这种片麻岩洞穴成因既不同于灰岩岩溶洞穴,也不同于崩塌洞穴,是一种新的成因类型洞穴。桃花洞的形成时间距今约 100Ma。鞘褶皱洞穴群——桃花洞地貌景观出露自然状态,已建立桐柏山省级地质公园并采取保护措施,对桐柏-大别造山带韧性剪切带中鞘褶皱洞穴地貌景观形成具有重要的科学研究意义,极具观赏性旅游开发价值,建议保护等级为国家级,建议保护出露面积 $0.3km^2$。

26. 桐柏山元古宙花岗岩地貌

桐柏山元古宙花岗岩地貌位于河南省桐柏县固庙镇南 5 000m(图 4-104)。

桐柏山太白顶为桐柏山主峰,由桐柏山片麻杂岩的太白顶片麻岩经风化剥蚀而形成。桐柏山片麻杂岩广泛分布于桐柏山山脊及南北两坡,岩性主要是太白顶片麻岩(包括变质表壳岩、望花楼片麻岩包体或残留体)、小寨片麻岩和望花楼片麻岩。太白顶片麻岩原岩为中细粒二长花岗岩,形成时间距今 1 200Ma。因此,太白顶为元古宙花岗岩地貌景观,其主要特征是岩石颜色灰白,质地坚硬,常形成奇峰、峭壁、陡崖、象形石等,元古宙花岗岩地貌景观形成时间距今 200Ma。元古宙花岗岩地貌景观出露自然状态,已建立桐柏山省级地质公园并采取保护措施,对桐柏-大别造山带桐柏山片麻杂岩的太白顶片麻岩及元古宙花岗岩地貌景观的形成具有重要的科学研究意义,极具观赏性旅游开发价值,建议保护等级为国家级,建议保护出露面积 $2.6km^2$。

图 4-104　桐柏山元古宙花岗岩地貌

27. 商城猫耳石火山岩地貌

商城猫耳石火山岩地貌位于河南省商城县肆鼓墩乡刘小坳村南(图 4-105)。

图 4-105　商城猫耳石火山岩地貌

猫耳石是高高耸立于山头的一块上大下小的孤岩,岩块与山脊分离,四面陡崖,沟壑深邃,高差近50m,几十里外清晰可见,因外形似猫耳而得名。猫耳石是古火山的火口垣残留体,为火山集块岩经风化剥蚀而形成。猫耳石旁侧是火山颈相石英二长岩,金刚台火山喷发为斯通博利型喷发,主要以爆发作用为主,间或夹有熔浆溢出,形成了多个火山喷发韵律和喷火口,火山建造总厚度超过750m。火山一边塑造各种火山地貌,一边对其进行强烈改造。现今的火山岩地貌景观是火山喷发和后期风化剥蚀过程的综合结果,形成了猫耳石、金刚绝壁、大小月亮口等火山岩地貌景观,金刚台火山岩根据锆石 U-Pb SHRIMP 法测年结果为 128.4 ± 3.6Ma。猫耳石火山岩地貌景观出露自然状态,已建立金刚台国家地质公园并采取保护措施,对中央造山带大别山早白垩世火山岩及其地貌景观形成研究具有重要的科学意义,极具观赏性旅游开发价值,建议保护等级为国家级,建议保护出露面积 $0.4km^2$。

28. 修武龙凤壁岩溶地貌

修武龙凤壁岩溶地貌位于河南省修武县云台山世界地质公园云台山园区(图 4-106)。

图 4-106 修武龙凤壁岩溶地貌

近水平产出的碳酸盐岩受构造控制和流水的差异侵蚀作用形成台阶。同时,含有丰富碳酸氢钙组分的地表水,由于二氧化碳的逸出和水分的蒸发,部分碳酸钙析出沉淀在台阶表面,形成台阶状钙化体,从上至下的水流在钙化体上形成龙凤青苔图案,称龙凤壁。龙凤壁岩溶地貌景观出露自然状态,已建立云台山世界地质公园并采取保护措施,具有岩溶学溶蚀地貌景观形成研究的重要科学意义,极具观赏性旅游开发价值,建议保护等级为国家级,建议保护出露面积 $0.1km^2$。

29. 栾川鸡冠洞岩溶地貌

栾川鸡冠洞岩溶地貌位于河南省栾川县城西3km(图 4-107、图 4-108)。

鸡冠洞因其坐落于鸡冠山中而得名,是呈阶梯状分布的碳酸盐岩溶洞,洞深 5 600m,上下分 5 层,落差 138m,总面积 8 万 m²。目前已开发洞长 1 800m,观赏面积 23 000m²,共分八大厅,厅内景观各异,厅厅相连,依次命名为玉柱潭、溢彩殿、叠帏宫、洞天河、聚仙宫、瑶池宫、藏秀阁、石林坊。洞内景观千姿百态,富丽堂皇,景观布局疏密有致,石旗、石鼓、石琴、石盾、石花、石瀑、石柱、石幔、钟乳石密布,形态各异,天然成趣,巧夺天工。以奇、丽、幽、深、险、峻、秀七绝并举而著称"北国第一洞"。鸡冠洞处于黑沟-栾川断裂带上,是碳酸盐岩地层在断裂带后期活动影响下岩石破碎、地下水溶蚀、碳酸钙在洞穴中淋滤沉淀而形的钟乳石景观。鸡冠洞岩溶地貌景观出露自然状态,已建立伏牛山世界地质公园并采取保护措施,具有岩溶洞穴景观、水文地质等方面的重要科学研究价值,极具观赏性旅游开发价值,建议保护等级为国家级,建议保护出露面积 0.2km²。

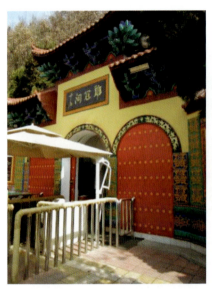

图 4-107　栾川鸡冠洞洞口

图 4-108　栾川鸡冠洞岩溶地貌

30. 巩义雪花洞岩溶地貌

巩义雪花洞岩溶地貌位于河南省巩义市新中镇老庙村东南 400m(图 4-109)。

雪花洞因其洞壁布满雪花石而得名。雪花石是呈丛花状散布在洞壁或洞穴碳酸钙沉积物表面的碳酸钙凝集物,因洞内气温、湿度变化成簇状的碳酸钙凝结水析出所形成,状如雪花,晶莹剔透。雪花洞发育于下寒武统朱砂洞组灰色白云质灰岩中,原始洞口为一天窗,初期流水对碳酸盐岩垂直溶蚀,后来沿 55°～70°的一组构造裂隙溶蚀扩展而成,属简单天井式垂直洞穴和简单廊道式水平洞穴的复合型洞穴。洞体长 170m 以上,洞高 2～13m,洞宽 1～15m,洞底坡度 2°～25°,洞体走向与岩层倾角一致,面积约 4 600m²。洞内主要景观有形态各异的钟乳石、石笋、石幔等,其中雪花石、石葡萄、石珊瑚、鹅管、石柱的观赏及研究价值较高,其原始形态保存完好。溶洞开发后,景观出现了氧化和破损现象,但仍有部分石笋、石柱等岩溶景观处于生长状态。雪花洞岩溶地貌景观出露自然状态,未建立地质公园,已采取保护措施,对北方岩溶洞穴地貌景观的形成具有重要的科学研究意义,较具观赏性旅游开发价值,建议保护等级为省级,建议保护出露面积 0.3km²。

31. 卢氏九龙洞岩溶地貌

卢氏九龙洞岩溶地貌位于河南省卢氏县双槐树乡九龙洞(图 4-110)。

九龙洞地处伏牛山南麓,西接秦岭,东与熊耳山主峰毗连,南与玉皇尖森林公园相望,是一处天然大理岩溶洞,洞口宽约3m,高2m,深约5m,称为"献殿",前行则稍低,行人须躬,数米后渐高敞,地面有积水,数十米处有一深潭,水自石洞下部流出洞外。洞内呈多层结构,其上层为洞中之洞,下层集水成潭为水中之洞。据传九龙洞有九层,是九龙圣母生有九条小龙,分别盘踞在九层楼上和九龙潭内,故称九龙洞。九龙洞下有一泉水奔涌而出,浪花飞溅,流量稳定,常年不枯,清澈甘甜。因水从九龙洞下涌出,故名九龙泉。九龙洞主要景观是形态各异的钟乳石、石笋、石幔、"瀑布"飘落、"佛像"端坐、"大象"静立、奇石耸立等,溶洞由地下水沿大理岩层理及裂隙长期溶蚀而形成。九龙洞岩溶地貌景观出露自然状态,已建立玉皇尖省级地质公园并采取保护措施,对北方岩溶洞穴地貌景观的形成具有重要的科学研究意义,较具观赏性旅游开发价值,建议保护等级为省级,建议保护出露面积1.3km²。

图 4-109　巩义雪花洞岩溶地貌

图 4-110　卢氏九龙洞

32. 新密神仙洞岩溶地貌

新密神仙洞岩溶地貌位于河南省新密市米村乡尖山村东北(图 4-111)。

神仙洞距省会郑州45km,古称崆山洞,又称仙宇灵源,传说是神仙广成子的居所,轩辕黄帝曾到此向其问道。景区由斗龙沟、鬼谷、鸡山三大中心区域组成,总面积21km²。长达近5 000m的神仙洞是我国北方地区规模较大的溶洞,现已开发2 100m。神仙洞主要景点有惊心石、波纹山、神泉、倒挂金钟、韩湘玉笛、明月高悬、大雪压松、神龟探海、玉树屏风等。洞内曲径通幽,泉水肆溢,钟乳石造型奇特,总面积达15 000m²,可分为7个大厅。最高处达20余米,最宽处17~18m,最大的厅可容纳数千人,恰似一个天造地设、鬼斧神工的地下宫殿,令人向往。神仙洞岩溶地貌景观出露自然状态,已建立新密市神仙洞风景区并采取保护措施,对北方岩溶洞穴地貌景观的形成具有重要的科学研究意义,较具观赏性旅游开发价值,建议保护等级为省级,建议保护出露面积0.3km²。

33. 西峡伏牛地下河岩溶地貌

西峡伏牛地下河岩溶地貌位于河南省西峡县双龙镇小水村(图 4-112)。

该地下河溶洞处于朱阳关-夏馆断裂带南侧,沿断裂裂缝溶蚀形成,地层岩性为古元古界秦岭(岩)群郭庄(岩)组白云质大理岩,洞体自然完整,溶洞与河谷相连。溶洞处于拦河坝积水的区域,山体植被发育,洞内曲径通幽,泉水肆溢,钟乳石造型奇特,总面积达7 000m²,可分为3个大厅。最高处达20m,最宽处15~16m,最大的厅可容纳数百人。伏牛地下河岩溶地貌景观出露自然状态,已建立伏牛山世界地质公园并采取保护措施,具有观察古元古代大理岩岩溶洞穴地貌景观的重要科学研究价值,较具观赏性旅游开发价值,建议保护等级为省级,建议保护出露面积2.1km²。

图4-111　新密神仙洞岩溶地貌

图4-112　西峡伏牛地下河岩溶洞口

34. 西峡荷花洞岩溶地貌

西峡荷花洞岩溶地貌位于河南省西峡县双龙镇独阜岭根村。

该溶洞处于朱阳关-夏馆断裂带南侧次级断层,沿断裂裂缝白云质大理岩经溶蚀形成溶洞。溶洞组成地层岩性为古元古界秦岭(岩)群郭庄(岩)组白云质大理岩,洞体自然完整,溶洞洞内曲径通幽,泉水肆溢,钟乳石造型奇特,总面积达2 000m²,可分为2个大厅。最高处达十几米,最宽处12~13m,最大的厅可容纳百人。洞内钟乳石发育,岩溶景观奇特如鬼斧神工,天造地设,具有旅游开发利用价值。荷花洞岩溶地貌景观出露自然状态,已建立伏牛山世界地质公园并采取保护措施,具有观察古元古代大理岩岩溶洞穴地貌景观的重要科学研究价值,较具观赏性旅游开发价值,建议保护等级为省级,建议保护出露面积1.1km²。

35. 邓州杏山岩溶地貌

邓州杏山岩溶地貌位于河南省邓州市杏山办事处杏山村(图4-113)。

杏山省级地质公园位于南秦岭褶皱带东段,紧邻丹江口水库及南水北调中线渠首。公园地质遗迹景观以岩溶地貌景观为主体,属北方典型、稀有的岩溶地貌,主要有岩溶洼地、溶洞、溶沟、石芽、泉水、倒转褶皱地质构造遗迹等景观。公园出露地层岩性主要为上寒武统三游洞群厚层泥晶白云岩、细晶白云岩。公园区以朱连山主峰为中心,海拔471m,在朱连山南、北两侧各有一个规模较大的岩溶洼地,洼地南部边缘有多个岩溶漏斗(落水洞),漏斗向下数米,为互相连通的溶洞,溶洞内有钟乳石、石笋等钙质沉积物奇观。山上的落水洞、溶洞与涌水泉相互连通,落差120~130m,在朱连山东面的清泉沟、西面的格提寺均见涌水泉出露。邓州杏山省级地质公园是2005年被河南省国土资源厅批准为省级地质公园,为人们提供了集岩溶地质地貌景观、生态环境保护、人文等为一体的主题地质公园。杏山岩溶地貌景观出露自然状态,已建立杏山省级地质公园并采取保护措施,对岩溶地貌景观及岩溶地下水的形成具有重要的科学研究意义,较具观赏性旅游开发价值,建议保护等级为省级,建议保护出露面积1.9km²。

36. 永城剥蚀残丘地貌

永城剥蚀残丘地貌位于河南省永城市芒山镇芒砀山（图 4-114）。

芒砀山位于华北地台南缘，犹如孤岛矗立在豫东平原上，为剥蚀残丘地貌景观，主要由芒砀山、保安山、夫子山、僖山、磨山、鱼山等剥蚀残丘组成。芒砀山、保安山、夫子山、僖山由晚寒武世—早奥陶世碳酸盐岩组成，鱼山、磨山为燕山期花岗岩地貌在豫东平原所独有。芒砀山、保安山、夫子山、鱼山等海拔高度大于百米，其余均在百米之下，剥蚀残丘从平原上拔地而起，山虽不高，却显巍峨陡峻，主要成因是豫东地区为华北沉降带南部，形成了沉积平原矗立剥蚀残丘地貌景观（沉积物的厚度尚不足以掩盖芒砀山剥蚀残丘的高度，故而一些山头出露地表）。所有的汉墓墓室均建于晚寒武世—早奥陶世碳酸盐岩中，已发掘的墓室主要有保安山梁孝王墓、柿园壁画墓、僖山金缕玉衣墓、王后墓、南山汉墓和保安山北峰梁孝王王后墓等共 8 处 14 座，其中规模最为恢宏的要数汉梁孝王王后墓。芒砀山地质公园 2010 年被河南省国土资源厅批准为省级地质公园，为人们提供了以剥蚀残丘地貌景观为主、以人文景观为辅的综合性地质公园。永城剥蚀残丘地貌景观遭受到开挖，已建立永城市芒砀山省级地质公园并采取保护措施，对剥蚀残丘地貌景观的形成具有重要的科学研究意义，较具观赏性旅游开发价值，建议保护等级为省级，建议保护出露面积 1.1km²。

图 4-113 邓州杏山岩溶地貌

图 4-114 永城芒砀山剥蚀残丘地貌

37. 郑州邙山塬黄土地貌

郑州邙山塬黄土地貌位于河南省郑州市黄河风景名胜区（图 4-115）。

邙山塬属黄土高原最东南部边缘的黄土塬，构造地貌上位于中国大陆构造地貌阶梯西部上升区与东部沉降区的转折部位。现存塬面东西长约 18km，南北宽约 5km，塬面高程 190～200m，高出黄河河床 100～110m，南坡相对平缓，北坡陡峻，为黄河冲刷岸，塬边冲沟较发育，切割深度达 100m 之多，冲沟多呈树枝状分布，冲沟上游呈"V"形，向下游逐渐变为"U"形。受华北平原沉降的影响，黄土-古土壤序列自西向东倾伏，受黄河南移侵蚀作用影响，北侧发育陡立岸坡和深切冲沟，形成良好的黄土与古土壤结构景观。山体顶面为厚度不足 1m 的全新世以来（0.01Ma 至今）的黄土堆积，塬体上部为晚更新世马兰黄土（0.13～0.01Ma），在深切沟谷内可见中更新世离石黄土（0.73～0.13Ma）或早更新世午城黄土（早于 0.73Ma）。邙山塬黄土地貌景观出露自然状态，已建立郑州黄河国家地质公园并采取保护措施，对华北晚更新世以来黄土地貌景观形成具有重要的科学研究、教学实习、科普教育意义，较具观赏性旅游开发价值,建议保护等级为国家级,建议保护出露面积 13.2km²。

图 4-115　郑州邙山塬黄土地貌

第七节　构造地貌类地质遗迹

1. 沁阳神农山龙脊岭

沁阳神农山龙脊岭位于河南省沁阳云台山世界地质公园神农山园区(图 4-116)。

神农山的主脊是一条长达 11.5km、高 100～200m 的山岭,宽仅数米至百余米,两坡陡峻,脊部如墙,突起部位状若烽火台,蜿蜒于群山之上,距今 400Ma 奥陶纪灰岩构成的崖墙蛇曲盘延,就像是一个天然长城。神农山龙脊岭地貌景观出露自然状态,已建立云台山世界地质公园并采取保护措施,具有构造地貌景观成因机制的重要地貌学研究价值,极具观赏性旅游开发价值,建议保护等级为国家级,建议保护出露面积 2.5km²。

2. 林州太行大峡谷

林州太行大峡谷位于河南省林州市西太行山区红旗渠国家地质公园大峡谷景区(图 4-117)。

第四章 地质遗迹特征

图 4-116 沁阳神农山龙脊岭

图 4-117 林州太行大峡谷

大峡谷南北走向,南北长7km,东西宽700m,峡谷内到处可见陡峭如墙、高耸入云的直立崖壁,崖壁的单层高度多在200~300m之间,最高可达500m,长可达千米。太行山断块强烈的隆起和水动力作用沿断裂的深度下切,形成博大恢宏的太行山大峡谷景观。高耸挺拔的气势造就的峡谷崖壁底部为新太古代花岗片麻岩,中部为中元古代石英岩,上部为古生代灰岩,地层产状水平,崖壁呈梯级展布,极具观赏性,是地质公园内的主要地质遗迹之一。太行大峡谷地貌景观出露自然状态,已建立红旗渠·林虑山国家地质公园并采取保护措施,为典型的太行山区峡谷地貌景观,具有地貌科研及教学意义,且具有观赏性旅游开发价值,建议保护等级为国家级,建议保护出露面积4.3km²。

3. 博爱唐县期夷平面

博爱唐县期夷平面位于河南省博爱县云台山世界地质公园青天河景区(图4-118)。

夷平作用是外营力作用于起伏的地表,使其被削高填凹,逐渐变为平面的作用。各种夷平作用形成的陆地平面被称为夷平面,包括准平原、山麓平原、风化剥蚀平原和高寒夷平作用形成的平原等。发生在距今5~3Ma的夷平作用所形成的夷平面被称为唐县期夷平面,该夷平面在太行山南缘分布比较普遍,海拔较低,集中在河谷两侧的低山地带,位于青天河口两侧的夷平面就是唐县期夷平面。唐县期夷平面地貌景观出露自然状态,已建立云台山世界地质公园并采取保护措施,为研究太行山地貌形成的时代提供了科学依据,具有地貌科研及教学意义,较具观赏性旅游开发价值,建议保护等级为国家级,建议保护出露面积2.4km²。

图4-118 博爱唐县期夷平面

4. 辉县关山石林地貌

辉县关山石林地貌位于河南省辉县市上八里镇温水泉村西北(图4-119)。

关山石林上部由崩塌残留的柱状石林组成,关山地区在特定构造背景下形成独特的古崩塌残留地貌景观,自然形状千变万化,天然艺术造型石体众多,石柱林高大伟岸,与险峻的悬崖峭壁构成了美妙的对比,俨然一幅雄秀兼有的立体画卷,是河南关山国家地质公园的主体景观。关山石林地貌景观出露自然状态,已建立关山国家地质公园并采取保护措施,是中国北方特有的岩溶地貌类型,为崩塌、滑坡与岩溶共同作用的结果并形成了次生石林(石柱),是我国石林地貌家族的新类型,具有科学研究价值,较具观赏性旅游开发价值,建议保护等级为国家级,建议保护出露面积0.2km²。

图 4-119 辉县关山石林地貌

5. 嵩山太室山（褶皱山）地貌

嵩山太室山（褶皱山）地貌位于河南省登封市嵩山（图 4-120）。

中岳嵩山为五岳之中，位于登封市北，太室山主峰为峻极峰，海拔高度 1 491.73m。太室山的山基为距今约 2 500Ma 形成的新太古代花岗片麻岩，地貌上呈低缓丘陵，山体为距今约 2 000Ma 形成的古元古代石英岩，地貌为陡崖绝壁。著名的嵩阳运动在此命名，受构造运动影响，整个太室山地层都发生了强烈的褶皱变形，嵩山山体为大复背斜（图 4-121），各种形态的皱褶遗迹随处可见。嵩山历史古迹众多，全国重点文物保护单位有 8 处，著名的有中岳庙、嵩阳书院、法王寺等。太室山（褶皱山）地貌景观出露自然状态，已建立嵩山世界地质公园并采取保护措施，对褶皱山构造地貌景观的形成具有重要的科学研究意义，并具观赏性旅游开发价值，建议保护等级为国家级，建议保护出露面积 25.3km²。

图 4-120 嵩山太室山（褶皱山）地貌景观

图 4-121　嵩山大复背斜示意图

6. 卫辉跑马岭构造地貌

卫辉跑马岭构造地貌位于河南省卫辉市狮豹头乡西 3 000m。

跑马岭位于南太行山,为构造抬升形成的构造地貌景观,组成跑马岭的地层岩性为下奥陶统中厚—巨厚层状结晶白云岩、含燧石结核及条带白云岩,上寒武统灰色厚层状白云岩。构造地貌景观特征:跑马岭山顶为草原(图 4-122),此外,跑马岭有着雄险的石壁悬崖(图 4-123)和惟妙惟肖的象形石景观,公园主要景点有老君爷、万亩草原、白龙湖、仙人观鱼等,为人们提供了以构造地貌景观为主、以人文景观为辅的综合性地质公园。跑马岭构造地貌景观出露自然状态,已于 2005 年被河南省国土资源厅批准为省级地质公园,并采取保护措施,对太行山构造地貌景观的形成具有重要的科学研究意义,较具观赏性旅游开发价值,建议保护等级为省级,建议保护出露面积 8.5km²。

图 4-122　跑马岭山顶草原地貌

图 4-123 跑马岭绝壁地貌景观

第八节 水体地貌类地质遗迹

1. 修武云台天瀑

修武云台天瀑位于河南省修武县云台山世界地质公园云台山园区(图 4-124)。

泉瀑峡的尽头是一处三面环壁、一面开放的围谷,由寒武纪和奥陶纪灰岩构成的断崖高达300~360m,崖壁陡峭,水流从断崖上直泻而下,造就了单级落差达314m的云台天瀑,是亚洲最高的大瀑布。从瀑下仰观云台天瀑,飞流上吻蓝天,如擎天玉柱,似白练当空,气势壮观恢宏。云台天瀑地貌景观出露自然状态,已建立云台山世界地质公园并采取保护措施,具有水体瀑布地貌景观的重要地貌学研究意义及教学实习价值,并具观赏性旅游开发价值,建议保护等级为世界级,建议保护出露面积 $0.2km^2$。

2. 林州九连瀑

林州九连瀑位于河南省林州市石板岩乡桃花洞村东 1.3km(图 4-125)。

九连瀑分布在桃花谷景区的桃花谷中,它由九级瀑布组成,故称九连瀑。九连瀑有的缓慢清流,有的湍急而下,形神近似于贵州的黄果树大瀑布,因而被人们称为"小黄果树瀑布",是众多瀑布中的精品。瀑布宽50m,落差40m,水流为面状流,流量随季节变化,夏秋季水量大,冬春季水量小。它属非构造型瀑布,分布于中低山地貌的河谷中。地层岩性为早寒武世($\in_1$)紫红色、砖红色页岩夹薄层泥灰岩及灰岩,局部地段下部夹粉砂岩,底部具底砾岩,属岩性差异形成的瀑布,页岩构成平缓的瀑布平台,灰岩与砂岩构成直立的瀑布岩墙。九连瀑地貌景观出露自然状态,已建立红旗渠·林虑山国家地质公园并采取保护措施,具有河流侵蚀下切反映新构造抬升的重要地貌学的研究价值及教学实习意义,较具观赏性旅游开发价值,建议保护等级为省级,建议保护出露面积0.1km²。

图 4-124 云台天瀑

图 4-125 林州九连瀑

3. 辉县万仙山磨剑峰瀑布

辉县万仙山磨剑峰瀑布位于河南省辉县市万仙山景区内(图 4-126)。

磨剑峰是指一个与绝壁分离的山峰,从远处看犹如刀劈而开,由此称为磨剑峰。磨剑峰瀑布是万仙山最高的瀑布,瀑布从红岩绝壁上倾泻而下,与绝壁巧妙结合,是众多瀑布中的精品。瀑布高120多米,它发源于小双河,水源来自圣母洞泉水,水量随季节变化。瀑布位于太行山中低山地貌的河谷中,地层岩性为中元古界云梦山组红色石英砂岩,属构造型瀑布。由于地壳的抬升,地层广泛发育了两组断层与构造节理,由于石英砂岩非常坚硬,地形沿断层面与节理面切割成高达120多米的红岩绝壁。瀑布两侧是典型的断层崖壁,断层南北向延伸,溪水流淌在直立的崖壁处便形成了瀑布。瀑布横断面呈典型的"U"形大峡谷,谷深410m,两壁山峰高118~125m。万仙山磨剑峰瀑布地貌景观出露自然状态,已建立关山国家地质公园并采取保护措施,在新构造抬升运动河流侵蚀下切形成瀑布的研究方面具有地貌学的科学研究价值及教学实习意义,较具观赏性旅游开发价值,建议保护等级为省级,建议保护出露面积0.2km²。

4. 南召龙潭沟瀑布

南召龙潭沟阶梯式瀑布位于河南省南召县马市坪乡河北村西北约250m龙潭沟沟谷(图 4-127)。

南召龙潭沟阶梯式瀑布群分布于中低山地貌的河谷中,源于伏牛山腹地的石人山主峰南侧,顺龙潭河谷而下,到龙潭沟一带因山势的险峻和急剧的落差,形成了布局最集中的瀑布群,在约 4 km 的河床中形成 10 余个高低不等的瀑布,最大落差 130 余米,最小也有 10 余米,一瀑一潭,潭瀑相应。瀑布水流为面状流,流量随季节变化,夏秋季水量大,冬春季水量小。瀑布分布地区的地层岩性为新太古代混合片麻岩或混合花岗岩及晋宁期片麻状花岗岩。瀑布发育于北西向断裂带上,属构造与岩性成因型瀑布,片麻岩片麻理、花岗岩冷凝收缩裂隙与构造裂隙组合,经风化剥蚀与侵蚀形成了阶梯式地形地貌,断裂形成的落差构成瀑布,在河谷中则形成阶梯式瀑布群。南召龙潭沟瀑布地貌景观出露自然状态,已建立伏牛山世界地质公园并采取保护措施,在新构造抬升运动河流侵蚀下切形成花岗岩瀑布地貌景观的研究方面,具有地貌学的科学研究价值及教学实习意义,较具观赏性旅游开发价值,建议保护等级为省级,建议保护出露面积 0.3 km²。

图 4-126 万仙山磨剑峰瀑布　　　　　　　　图 4-127 南召龙潭沟瀑布

5. 桐柏水帘洞瀑布

桐柏水帘洞瀑布位于河南省桐柏县水帘洞风景区(图 4-128)。

在景区通天河两侧的绝壁间有一天然石洞,洞顶的通天河溪水常年不断飞泻而下,恰似水帘悬挂洞前,人称水帘洞。水帘洞瀑布从石崖绝壁上倾泻而下,瀑布与洞巧妙结合,是众多瀑布中的精品。夏季洪水季节,瀑布宽 17m,落差 67.5m,可喷泻到 20m 以外,流量达 27m³/s,冬季为枯水季节,瀑布宽度在 5m 左右,冬春季水量小,水流流量随季节变化,夏秋季水量大,水流为面状流。瀑布位于桐柏山中低山地貌的河谷中,地层岩性为太白顶片麻状黑云母二长花岗岩,属构造型瀑布。由于地壳的抬升,北西西向与北东向两组断层交会,在交会处构造节理及片麻理发育,节理产状 138°∠22°,片麻理产状 15°∠50°,沿断层面、片麻理面、节理面软弱岩风化剥蚀,岩块崩塌脱落形成了陡峭的岩壁及水帘洞穴,溪水流淌在直立的崖壁处便形成了瀑布。水帘洞瀑布地貌景观出露自然状态,已建立桐柏山省级地质公园并采取保护措施,在新构造抬升运动形成变质岩地区洞穴及河流侵蚀下切形成瀑布地貌景观的研究方面具有重要的科学研究价值,较具观赏性旅游开发价值,建议保护等级为省级,建议保护出露面积 0.1 km²。

6. 安阳珍珠泉

安阳珍珠泉位于河南省安阳市水冶镇向阳村珍珠泉景区内(图 4-129)。

珍珠泉水喷涌,清澈晶莹,直见水底,泉池中水泡串串,恰如大大小小的银白色珍珠,故称珍珠泉。珍珠泉出露于太行山脚下的小寨沟谷中,原有 8 个泉眼,分布面积约 1 300 m²,一般涌水量 1.6 m³/s,平均水深 2 m。珍珠泉位于丘陵与平原的转折部位,含水层为古生代中奥陶世灰岩,在岩溶水强径流带与覆盖层较薄的第四纪沉积物接触部位涌出,属承压水。泉水补给来源主要为大气降水,其次是地表水体入渗,泉域面积 250 km²。通过岩溶水强径流带运移,地下水总的流向自西向东,在北东向与北西向断层交会处以泉的形式排泄,最终汇入安阳河。自改革开放以来,由于上游地区人工开采和矿坑排水使泉水量下降,涌水量降至 0.46 m³/s 左右,在春季 4—5

图 4-128 桐柏水帘洞瀑布

月多次出现干涸断流,在丰水季节可以出泉。泉水清澈透明,未受到污染,水化学类型为 HCO_3-Ca·Mg 型水,矿化度小于 0.5 g/L。珍珠泉是水冶镇工农业及居民生活用水水源,同样也用于观赏旅游,已有 1600 年的开发利用历史。1971 年,安阳县人民政府把珍珠泉风景区列为重点文物保护单位,公园内"柏门珠沼"是安阳八大景之冠,为中州四大明泉之一。珍珠泉水体地貌景观出露自然状态,未建立地质公园,并采取保护措施,为典型岩溶地下水露头,具有水文地质科学研究的重要意义及教学实习价值,较具观赏性旅游开发价值,建议保护等级为省级,建议保护出露面积 0.1 km²。

图 4-129 安阳珍珠泉

7. 西峡龙潭沟瀑布群

西峡龙潭沟瀑布群位于河南省西峡县龙潭沟景区(图4-130)。

龙潭沟阶梯式瀑布群分布于龙潭沟景区的蛇尾河上游西庄河,河流犹如一条巨龙盘旋,故称龙潭沟。它源于二郎坪乡蒿坪村老龙垛通天壕的西庄河,长约17.5km。瀑布共计19级,大小潭穴72处,而落差则由海拔1 300m降至410m,总落差890m。长约3km的龙潭沟段地形相对高差500多米,瀑布落差最高约35m,最低也有15m。龙潭沟景区服务中心北侧瀑布宽约100m,落差18m,潭水面400～800m²,水深2～4m,水流为面状流,流量随季节变化,夏秋季水量大,冬春季水量小。瀑布分布于中低山地貌的河谷中,地层岩性为燕山晚期的二长花岗岩和加里东期的奥长花岗岩,属构造与综合成因型瀑布,花岗岩冷凝收缩裂隙与构造裂隙组合,经风化剥蚀与侵蚀形成了阶梯式地形地貌,在河谷中则形成阶梯式瀑布群。西峡龙潭沟瀑布群地貌景观出露自然状态,已建立伏牛山世界地质公园并采取保护措施,具有研究花岗岩地区河流侵蚀作用的重要科学意义及教学实习价值,较具观赏性旅游开发价值,建议保护等级为省级,建议保护出露面积0.5km²。

8. 博爱鲸鱼湾风景河段

博爱鲸鱼湾风景河段位于河南省博爱县青天河景区(图4-131)。

该河段为青天河的一处半圆形转弯河道,因其内侧的山梁外形酷似鲸鱼头部,近2m高的侵蚀边恰似鲸鱼的唇边,故名鲸鱼湾。它是在东亚裂谷背景下形成的近南北向张裂带和近东西向次级断裂,经河流的长期侵蚀和下切形成的独特地貌形态。鲸鱼湾风景河段地貌景观出露自然状态,已建立云台山世界地质公园并采取保护措施,具有河流侵蚀作用的地貌学重要科学研究价值及教学实习意义,并具观赏性旅游开发价值,建议保护等级为国家级,建议保护出露面积0.2km²。

图4-130 西峡龙潭沟瀑布群

图4-131 博爱鲸鱼湾风景河段

9. 西峡鹳河漂流河段

西峡鹳河漂流河段位于河南省西峡县军马河乡夫子岈起至双龙镇寨岗(图4-132)。

鹳河漂流是中原地带开发最早、漂流距离最长、最刺激、规模最大的项目,被人们称为"中原第一漂"。鹳河位于西峡境内老鹳河上游,主要干流长254km,流域面积4219km²,上下游落差1340m。鹳河漂流段全程12km,河道时宽时窄,最宽处达30m,最窄处仅5m,河水平均流量20m³/s,漂流段落差48m。漂流过程中沿途佳景颇多,既有急流险滩,又有平湖深潭,有"鹳河第一滩""九龙滩",形象逼真的"卧龙""龙椅",惊心动魄的"跳舞滩"等大小十八滩。顺流而下,一波三折,浪遏飞舟,惊心动魄,有惊无险,在蜿蜒、曲折的河流中,游客或博浪闯滩,或戏水嬉闹,可纵情放怀,回归自然。鹳河漂流河段地貌处于伏牛山中低山的河谷部位,为V型河谷,河段出露地层岩性为早古生代(Pz_1)二云石英片岩与石墨大理岩夹斜长角闪岩,河段由沿裂隙断裂带溯源侵蚀形成。河段未受到工业与生活污水的污染,但已出现旅游垃圾。整个河流内山势起伏,植被及地貌组合类型丰富,其中有被称为活化石的银杏树、桫椤树等珍稀植物。西峡鹳河漂流河段地貌景观出露自然状态,已建立伏牛山世界地质公园并采取保护措施,具有研究新构造抬升河流侵蚀下切的重要地貌学意义,并具有观赏性旅游开发价值,建议保护等级为省级,建议保护出露面积1.4km²。

10. 修武幽潭

修武幽潭位于河南省修武县云台山世界地质公园云台山园区(图4-133)。

该幽潭位于天瀑处波痕石坪之下,为一由流水下切形成的隘谷景观,宽3~15m,长百余米,谷壁高几十米,谷底是一水潭,水潭在丰水期由天瀑、多孔泉、私语泉供给,枯水期主要由私语泉供给。潭内可泛舟,是通往天瀑的水路,取其寻幽之意,曰幽潭。修武幽潭地貌景观出露自然状态,已建立云台山世界地质公园并采取保护措施,具有河流侵蚀作用的重要地貌科学研究意义及教学实习价值,具有观赏性旅游开发价值,建议保护等级为国家级,建议保护出露面积0.1km²。

图4-132 西峡鹳河漂流河段

图4-133 修武幽潭

11. 豫北黄河故道湿地

豫北黄河故道湿地位于河南省新乡市东南封丘县荆隆宫乡柳园口。

该湿地位于封丘县内的黄河滩涂和背河洼地，长约50km，宽3km，面积142.8km²（原为柳园口）。区内水域、滩涂广阔，野生动植物资源丰富，鸟类众多，是黄河中下游平原人口稠密区交通发达地带遗存下来较大的一块湿地，动植物的北方物种、南方物种和广布种十分丰富，是冬候鸟的越冬北界，共有鸟类130余种，其中有国家一级、二级保护鸟类34种，主要保护对象为天鹅、鹤类等珍禽及内陆湿地生态系统。豫北黄河故道湿地类型为自然资源保护区，对保护中原地区的生物多样性具有重要意义，具有重要的生物多样性保护意义和潜在的科研开发及生态旅游价值。此地貌景观受到人为影响，已建立国家级湿地自然保护区并采取保护措施，建议保护等级为国家级，建议保护出露面积221.3km²。

12. 汝州温泉街温泉

汝州温泉街温泉位于河南省汝州市温泉镇温泉街。

该温泉出露地貌部位为平顶山至临汝丘陵的沟谷中，附近地层为汝阳群、上寒武统、下二叠统，受九皋山-温泉街断裂控制，于温泉街-宝丰断裂复合处出露，出露处地层为第四纪松散沉积物，属承压水，分布了7处泉眼，水温为63℃，流量12.5L/s，矿化度1.944g/L，水化学类型$SO_4·Cl-Na$，泉水未受到污染。地下水来源为大气降水，地热来源的通道为华北板块边缘平顶山至临汝地热异常区的深大断裂与新构造活动的复合部位。汝州温泉街温泉历史悠久，现建有河南省工人疗养院等，主要用于疗养。温泉街温泉地貌景观受到人为影响，未建立地质公园，已采取保护措施，具有地热地质科学及水文地质科学的重要研究意义，建议保护等级为省级，建议保护出露面积0.3km²。

13. 陕县温塘温泉

陕县温塘温泉位于陕县大营镇温塘村南西约600m温水沟口。

该温泉出露地貌部位为沿黄河分布的三门峡盆地沟谷中，东西长约2.5km，南北宽约500m，地热异常区面积约1.25km²，水温一般为61℃，地热水温50℃以上的温泉分布地区长0.8km，宽0.5km，面积约0.41km²。地层为汝阳群、中寒武统，构造受温塘-会兴镇断裂控制，出露处地层为第四纪松散沉积物，属承压水，流量6L/s，由于近几年开采量较大，泉流量减小，水位下降，矿化度0.597g/L，水化学类型$HCO_3·SO_4-Na·Ca$，泉水未受到污染。地下水来源为大气降水，地热来源的通道为山西裂谷带地热异常区的深大断裂与新构造活动的复合部位，温泉位于汾渭热矿水带弧形转折处和山西裂谷边缘基地，构造复杂，是一个具有优越隔热条件的径流区，地热异常呈北东-南西向带状分布。陕县温塘温泉历史悠久，因沐浴治病有较好的疗效，故称"神水"，主要用于疗养，现建有小型疗养院、鱼塘等。陕县温塘温泉水体地貌景观受到人为影响，未建立地质公园，已采取保护措施，具有研究地热温泉及新构造活动的地质科学意义，建议保护等级为省级，建议保护出露面积0.1km²。

14. 栾川潭头汤池温泉

栾川潭头汤池温泉位于栾川县潭头镇西营村汤池寺。

该温泉出露的地貌部位为伏牛山北麓潭头盆地的南缘伊河南岸上，温泉出露在熊耳群安山玢岩中,构造受马超营断裂控制,温泉区为一小型穹状构造,属承压水,水温为69℃,流量8.5L/s,矿化度0.915g/L,水化学类型HCO_3-Na,泉水未受到污染。地下水来源为大气降水,地热来源的通道为华北板块边缘热异常区的深大断裂与新构造活动的复合部位。栾川潭头汤池温泉历史悠久,现建有小型疗养院等,主要用于疗养。栾川潭头汤池温泉水体地貌景观受到人为影响,未建立地质公园,已采取保护措施,具有研究地热温泉及新构造活动的地质科学意义,建议保护等级为省级,建议保护出露面积$0.1km^2$。

15. 卢氏汤池温泉

卢氏汤池温泉位于卢氏县汤河乡汤前边村(图4-134)。

该温泉出露地貌部位为伏牛山低山区老鹳河西岸,温泉出露在γ_5花岗质碎斑岩中,受瓦穴子断裂控制,属承压水,水温为54℃,流量2.22L/s,矿化度0.56g/L,水化学类型$HCO_3 \cdot SO_4$-Na。地下水来源为大气降水,地热来源的通道为秦岭大别造山带的深大断裂与新构造活动的复合部位。温泉目前开发利用程度不高,泉水未受到污染,现建有沐浴的小池子等,主要用于沐浴,该温泉以裸浴闻名。卢氏汤池温泉水体地貌景观受到人为影响,未建立地质公园,已采取保护措施,具有研究地热温泉及新构造活动的地质科学意义,建议保护等级为省级,建议保护出露面积$0.1km^2$。

图4-134 卢氏汤池温泉

16. 鲁山上汤温泉

鲁山上汤温泉位于鲁山县赵村镇上汤村东南。

该温泉又称乱汤,位于鲁山县城西57km上汤村附近的沙河南岸Ⅰ级阶地上,高出沙河河谷8~18m,标高270~280m,为一泉群,原有12眼,呈北东向排列,温泉出露面积160 000m^2。泉所处地貌部位为伏牛山山脉的低山丘陵沟谷,温泉出露在γ_5^3花岗岩中,受车村大断裂控制,属承压水,水温61~71℃,流量14.82L/s,钻孔自流量达137.29 m^3/h,钻孔最高喷涌高度15.58m。由于近几年开采量较大,泉流量减小,水位下降,矿化度0.398g/L,水化学类型$HCO_3·SO_4-Na$,水质属偏硅酸-氟型医疗热矿水。地下水来源为大气降水,地热来源的通道为华北板块边缘的深大断裂活动构造部位。鲁山上汤温泉历史悠久,现建有豪华宾馆与疗养院等,主要用于疗养,泉水未受到污染。河南鲁山温泉群就出露于其中的车村-下汤这个深大活动断裂带上,沿该断裂带在沙河两岸渐次出露上汤、中汤、温汤、下汤、神汤(碱场)五大温泉群。鲁山上汤温泉水体地貌景观受到人为影响,已建立尧山省级地质公园,面临着过量开采的破坏威胁,具有研究地热温泉及新构造活动的地质科学意义,建议保护等级为国家级,建议保护出露面积$0.1km^2$。

17. 鲁山中汤温泉

鲁山中汤温泉位于鲁山县赵村镇中汤村。

该温泉位于上汤村东10km的中汤村附近,高出沙河河谷约8.3m,标高221m,为一泉群,由于修路泉口已被覆盖,泉水引入水池中使用,温泉出露面积$0.08km^2$。泉出露地貌部位为伏牛山山脉的低山丘陵的沟谷,温泉出露在γ_5^3花岗岩中,受车村大断裂控制,属承压水,中汤水温61~63℃,流量2.972L/s,现自流,矿化度0.415g/L,水化学类型$HCO_3·SO_4-Na$,水质属偏硅酸-氟型医疗热矿水,泉水未受到污染。地下水来源为大气降水,地热来源的通道为华北板块边缘的深大断裂活动构造部位。鲁山中汤温泉历史悠久,现建有宾馆与疗养院等,主要用于疗养。鲁山中汤温泉水体地貌景观受到人为影响,已建立尧山省级地质公园,面临着过量开采的破坏威胁,具有研究地热温泉及新构造活动的地质科学意义,建议保护等级为国家级,建议保护出露面积$0.1km^2$。

18. 鲁山下汤温泉

鲁山下汤温泉位于鲁山县下汤镇下汤村。

该温泉又称汤谷温泉、皇女汤、温泉寺温泉,位于中汤村东10km的下汤村附近沙河北岸下汤街北头,南距沙河岸边150m,高出沙河河谷约4m,标高179m,为一泉群,原有7眼,呈北西向排列,温泉出露面积$150m^2$。泉出露地貌部位为伏牛山山脉低山丘陵的沟谷,温泉出露在γ_5^3花岗岩中,受车村大断裂控制,属承压水,水温63~64℃,流量8.53L/s,现自流,由于近几年开采量较大,泉流量减小,水位下降,矿化度0.443g/L,水化学类型$HCO_3·SO_4-Na$,水质属氟水、硅水、温水及淡水医疗热矿水,泉水未受到污染。地下水来源为大气降水,地热来源的通道为华北板块边缘深大断裂活动构造部位。鲁山下汤温泉历史悠久,现建有宾馆与疗养院等,主要用于沐浴与疗养。鲁山下汤温泉水体地貌景观受到人为影响,已建立尧山省级地质公园,面临着过量开采的破坏威胁,具有研究地热温泉及新构造活动的地质科学意义,建议保护等级为国家级,建议保护出露面积$0.1km^2$。

19. 鲁山温汤温泉

鲁山温汤温泉位于鲁山县赵村镇温汤村。

该温泉地处沙河南岸Ⅰ级阶地后缘,距中汤温泉南820m,标高220m,为一泉群,温泉出露面积$0.1km^2$,中汤与温汤二泉呈北东向排列。泉出露地貌部位为伏牛山山脉低山丘陵的沟谷,温泉出露在γ_5^3花岗岩中,受车村大断裂控制,属承压水,水温49℃,流量0.61L/s,现自流,矿化度0.364g/L,水化学类型$HCO_3·SO_4-Na$,水质属氟-偏硅酸复合型医疗热矿水,泉水未受到污染。地下水来源为大气降水,地热来源的通道为华北板块边缘深大断裂活动构造部位。温泉现正准备开发,主要用于疗养。鲁山温汤温泉水体地貌景观受到人为影响,已建立尧山省级地质公园,面临着过量开采的破坏威胁,具有研究地热温泉及新构造活动的地质科学意义,建议保护等级为国家级,建议保护出露面积0.1km²。

20. 洛阳龙门温泉

洛阳龙门温泉位于河南省洛阳市龙门石窟风景区东侧。

洛阳龙门温泉出露于洛阳市城南15km的龙门石窟风景区东侧伊河西岸沿线的河滩和谷壁上,温泉分布区长1 400m,宽300m,面积约0.42km²,温泉出露点19处。泉出露地貌部位为丘陵的沟谷,基岩为寒武系,受吕店-龙门断裂控制,属承压水,水温43℃,流量5L/s,矿化度0.628g/L,水化学类型$SO_4 \cdot Cl-Na \cdot Ca$,泉水未受到污染。地下水来源为大气降水,地热来源的通道为活动断裂构造部位,温泉目前利用程度低。洛阳龙门温泉水体地貌景观受到人为影响,未建立地质公园,面临着过量开采的破坏威胁,具有研究地热温泉及新构造活动的地质科学意义,建议保护等级为省级,建议保护出露面积0.5km²。

21. 商城汤泉池温泉

商城汤泉池温泉位于河南省商城县汤泉池管理处(图4-135、图4-136)。

该温泉位于县城西南15.5km汤泉池,古称汤坑,现名汤泉池。温泉出露的地貌部位为雷山脚下的汤泉池河谷,原有8个泉眼,分布面积约5 000m²,现泉群处于鲇鱼山大型水库淹没区,在水库修建时采取了保泉措施,留泉口3个,1号泉以集水塔形式已开发利用,2号、3号泉自由流入水库,目前汤泉池温泉北侧水库岸上打地热井3眼抽取地热温泉水利用。温泉出露在商城花岗岩体和残留的变质岩接触带上,受汤泉池断裂与商城-麻城断裂呈"人"字形相交控制的影响,产出于汤泉池断裂上,沿花岗岩裂隙涌出地热水,属承压水,流量580.5m³/d,流量、水温常年稳定,不受季节、气候影响。泉水清澈透明,未受到污染,水化学类型SO_4-Na,属医疗矿泉分类中的淡温泉(水温为56℃,矿化度668mg/L)、硅酸泉(可溶性SiO_2含量70mg/L)、氟泉(氟含量8.5~10mg/L),富含宜医疗的H_2S气体,含硫、镁、锶、钡、钛、硼等多种元素,对各种皮肤病、风湿性疾病及妇科病等有显著疗效。汤泉池温泉历史悠久,是闻名遐迩的温泉疗养胜地。地热水来源为大气降水,地下水在运移过程中经深循环加温(热的主要来源为地热增温和活动断裂释放的热能)形成地热水,主要用于温泉水洗浴,现建有茗阳温泉度假村等。商城汤泉池温泉水体地貌景观受到人为影响,已建立金刚台国家地质公园,面临着过量开采的破坏威胁,具有地热温泉热水医疗矿泉的科学研究价值,建议保护等级为国家级,建议保护出露面积0.1km²。

22. 嵩县汤池沟温泉

嵩县汤池沟温泉位于河南省嵩县饭坡乡曲里村汤池沟。

该温泉位于嵩县城东北约20km的陆浑水库大坝东侧伊河东岸,面积约300m²,东西向展布。泉出露的地貌部位为丘陵伊河谷地,基岩为熊耳群安山玢岩,受九店南-三岔口逆断层控制,属承压水,水温46℃,流量1.123L/s,矿化度1.084g/L,水化学类型HCO_3-Na,属高氟水,泉水未受到污染。地下水来源为大气降水,地热来源的通道为华北板块边缘地热异常区的活动断裂构造部位。温泉历史悠久,现只有当地群众洗浴,主要用于沐浴。嵩县汤池沟温泉水体地貌景观受到人为影响,未建立地质公园,面临着过量开采的破坏威胁,具有活动断裂形成地热温泉水的科学研究价值,建议保护等级为省级,建议保护出露面积0.1km²。

第四章 地质遗迹特征

图 4-135　商城汤泉池温泉

图 4-136　商城汤泉池温泉眼

23. 郑州三李温泉

郑州三李温泉位于郑州市侯寨乡梨园河村南。

该温泉从郑州至新密公路间通过,温泉分布于贾鲁河上游的梨园河东岸,以泉群形式出露,泉眼10余处。泉出露的地貌部位为嵩箕山东北侧山前丘陵的梨园河沟谷中,泉附近地层为第四系、第三系、寒武系、奥陶系,受小关-贾峪断裂控制。温泉产出于三李断层之上,属承压水,水温38℃,流量13.85L/s,矿化度0.537g/L,水化学类型$HCO_3·SO_4-Ca$,泉水未受到污染。地下水来源为大气降水,地热来源的通道为华北板块边缘地热异常区的活动断裂构造部位。温泉还处于自然状态,大量热水自然流入贾鲁河。郑州三李温泉水体地貌景观受到人为影响,未建立地质公园,面临着过量开采的破坏威胁,具有活动断裂形成地热温泉水的科学研究价值,建议保护等级为省级,建议保护出露面积0.1km²。

24. 内乡大桥温泉

内乡大桥温泉位于河南省内乡县大桥乡灵山头村东。

该温泉位于内乡县南7km伏牛山之首的灵山脚下(灵山头),湍河西岸。泉出露的地貌部位为内乡西南丘陵与冲积平原的交会部位,温泉产出于中奥陶统中,受北西向的西峡-内乡(或称毛堂-大桥)断裂、北北东向默河断裂控制。温泉出露于两断裂交叉部位的西南侧,属承压水,水温27℃,流量3.5L/s,矿化度0.515g/L,水化学类型$HCO_3·SO_4-Mg$,泉水未受到污染。地下水来源为大气降水,地热来源的通道为秦岭大别造山带活动断裂构造部位。温泉还处于自然状态,主要用于育苗、疗养。内乡大桥温泉水体地貌景观受到人为影响,未建立地质公园,面临着过量开采的破坏威胁,具有活动断裂形成地热温泉水的科学研究价值,建议保护等级为省级,建议保护出露面积0.1km²。

25. 辉县百泉

辉县百泉位于河南省辉县市百泉镇(图4-137)。

该泉因湖底遍布泉眼,故名百泉。百泉由北部太行山地下水沿断裂发育的强径流地下水通道补给而形成,为上升泉。泉水多年平均流量3.89m³/s,最大流量8.6m³/s,最小流量受人为开采地下水影响出现断流(图4-138)。百泉湖早在三千年前殷商即行开凿,清乾隆十五年(1750年)为防泄水,绕岸砌石,成一长方形泉湖。湖水面积3.4万m²,最深处达3m,水温常年20℃左右,冬暖夏凉,湖水四季碧绿,泉水甘洌,清澈见底;湖内鱼来蟹往,荇藻交横;湖畔亭台楼阁星罗棋布,曲桥相接;湖周古柏参天,绿柳婆娑,山水楼台交相辉映,景色如画,被誉为"中州颐和园""北国小西湖"。辉县百泉水体地貌景观受到人为影响,未建立地质公园,面临着过量开采的破坏威胁,为典型岩溶地下水露头,具有水文地质的重要科学研究价值及教学实习意义,建议保护等级为国家级,建议保护出露面积0.1km²。

26. 巩义小龙池泉

巩义小龙池泉位于河南省巩义市新中镇小龙池(图4-139)。

该泉又名珍珠池、岚泉,位于巩义市南30km的浮戏山雪花洞景区内,泉出露的地貌部位为嵩山余脉——五指岭北麓低山的玉仙河西岸沟谷中,泉出露的含水岩组为中寒武统张夏组鲕粒灰岩、白云岩岩溶含水岩组,为一天然的裂隙-岩溶泉,属侵蚀下降泉。水温14~15℃,泉水流量0.2L/s,干旱年

第四章 地质遗迹特征

图 4-137 百泉原泉水充盈

图 4-138 百泉现在已断流干枯

0.1L/s，流量一年四季变化不大。水质清澈透明，无色无味，无杂质，pH 为 7~8，总硬度 19.12，永久硬度 2.04，矿化度 0.3g/L，水化学类型 HCO_3-Ca·Mg，泉水钠含量较低，占总固体含量 3% 左右，极适于饮用。地下水来源为大气降水，该泉补给区面积较大，上游含水地层为厚度较大的中—晚寒武世鲕粒灰岩、白云岩，在玉仙河沟谷两侧，当岩溶水遇到相对隔水的中—晚寒武世泥质条带灰岩和页岩或阻水构造时，便以下降泉的形式排泄。巩义小龙池泉水体地貌景观出露自然状态，未建立地质公园，已采取保护措施，为典型岩溶地下水露头，具有水文地质的重要科学研究价值及教学实习意义，建议保护等级为省级，建议保护出露面积 $0.1km^2$。

图 4-139 巩义小龙池泉涌水口

27. 博爱三姑泉

博爱三姑泉位于河南博爱县青天河峡谷西岸步道口。

三姑泉游览区位于大泉湖中段左岸，原始檀榆遮天蔽日，清幽古寺藏匿其中，可凭栏俯瞰和领略山水间如画的景色与回归自然的古朴静谧、浪漫与温馨。三姑泉由峡谷西壁涌出（现被水淹没），泉径约 2m，常年涌水，水量 $4\sim7m^3/s$，沿途还可见到多处出露水面数十米以上的钙华，也是第四纪太行山抬升的证据之一。博爱三姑泉水体地貌景观出露自然状态，已建立云台山世界地质公园并采取保护措施，为典型岩溶地下水露头，具有水文地质的重要科学研究价值及教学实习意义，建议保护等级为国家级，建议保护出露面积 $0.1km^2$。

第九节 地质灾害类地质遗迹

1. 辉县崩塌

辉县崩塌位于河南省辉县市上八里镇老君堂东 500m（图 4-140）。

崩塌与岩性、地层、产状、构造节理裂隙、新构造运动以及地形地貌条件等关系密切。碳酸盐岩构成的山体因崩塌作用形成了造型奇特的山峰、石柱、崖壁、岩洞、峡谷、一线天等异彩纷呈的崩塌地貌景观。辉县崩塌地质灾害景观出露自然状态，已建立关山国家地质公园并采取保护措施，由崩塌作用形成我国北方独特的地质灾害景观，具有崩塌地质灾害防治的科学研究价值，建议保护等级为国家级，建议保护出露面积0.1km²。

2. 焦作朱村煤矿地面塌陷

焦作朱村煤矿地面塌陷位于河南省焦作市中站区朱村北部办事处（图4-141）。

该地面塌陷地形为山前冲积扇，地表被第四系覆盖，含煤层地层为太原组和山西组，地层走向为北东东向，地层倾角一般为5°~12°，煤系地层总厚度164.72m，共含煤10~11层，煤层总厚度9.34m，岩性为灰岩、砂岩、砂质泥岩和煤层互成。塌陷原因：地下采矿、巷道掘进。塌陷特征：塌陷呈长条形和圆形，长条形单坑长500~1 000m，宽400~600m，可见深度1~12m；圆形直径400m，可见深度4.5m。塌陷时间：1958—1988年；规模：大型—中型；灾情：中型—小型；威胁对象：主要为居民、房屋和耕地。朱村煤矿地面塌陷地质灾害景观出露自然状态，未建立地质公园，已采取保护措施，对地面塌陷地质灾害形成、预防与治理具有科学研究价值和典型意义，建议保护等级为省级，建议保护出露面积0.6km²。

图4-140 辉县崩塌

图4-141 焦作朱村煤矿地面塌陷形成水坑

3. 卢氏县黑马渠沟泥石流

卢氏县黑马渠沟泥石流位于河南省卢氏县城关镇西黑马渠（图4-142）。

该泥石流处于卢氏县城西侧，河流属于洛河一级支流，流域面积6.79km²，流域内最高海拔926.1m，最低海拔560m，相对高差366.1m，沟口以上主沟长4.39km，平均纵比降37.94‰。黑马河主沟及14条支谷属沟谷型泥石流，流体属于黏性，容重值在1.6~2.06t/m³之间，规模在2万~20万m³之间。堆积区地势比较平坦，平均坡降17.4‰。物质来源：该区上游覆盖较厚砂砾黄土等坡积物，植被稀少，沟谷切割深，岩层倾角大，因重力侵蚀形成的崩塌、滑坡、碎屑流补给和沟床侵蚀补给。流通区的形态为"V"字形，地形陡峭，堆积区呈羽毛形。根据以往资料分析，黑马沟泥石流暴发的前期降雨量和当日降雨量之和在50mm以上，激发泥石流1h降雨量大于20mm。威胁对象及范围：卢氏县城及居民的生命和财产安全。卢氏县黑马渠沟泥石流地质灾害景观出露自然状态，未建立地质公园采取保护措施，对泥石流地质灾害形成、预防与治理具有科学研究价值和典型意义，建议保护等级为省级，建议保护出露面积3.7km²。

4. 鲁山县尧山镇泥石流

鲁山县尧山镇泥石流位于河南鲁山县尧山镇(图4-143)。

尧山镇地处伏牛山东段,位于淮河二级支流沙河上游四道河和玉皇庙沟交会处,四道河流域面积76.6km²,有21条支流,玉皇庙沟流域面积64.5km²,有23条支流,流域内最高海拔2 153.1m,最低海拔347m,相对高差1 806.1m。两者主沟属于河谷型泥石流沟,支流属于沟谷型泥石流沟,其特点为平面形态呈喇叭形,剖面形态呈阶梯形。特殊的汛期水动力条件使得多数泥石流沟以冲积为主,淤积次之,沟口扇形地多数完整性较差(部分为后期人为改造)。泥石流规模在0.3万~20万m³之间。物质来源:主要为上游燕山期花岗岩受构造作用影响,断裂破碎剧烈,构造结构面发育,易发生崩塌,产生岩石碎屑。岩石内中长石、石英类矿物颗粒粗大,以中粒、粗粒为主,沿裂隙风化作用十分强烈,具有较强的球状风化特征,风化厚度局部可达10m左右,构成泥石流丰富的物质条件。地形条件:山高坡陡,高差悬殊,切割强烈,沟谷两侧坡度多在40°以上,坡积物多处于临界平衡状态,山麓堆积较厚。在暴雨冲蚀作用下,岩体转化为坡面泥石流。鲁山县尧山镇泥石流地质灾害景观出露自然状态,已建立鲁山尧山省级地质公园并采取保护措施,对泥石流地质灾害形成、预防与治理具有科学研究价值和典型意义,建议保护等级为省级,建议保护出露面积0.9km²。

图4-142 卢氏县黑马渠沟泥石流

图4-143 鲁山县尧山镇泥石流

5. 卢氏县狮子坪滑坡

卢氏县狮子坪滑坡位于河南省卢氏县狮子坪镇下庄村红庙湾(图4-144)。

滑坡基本特征:该处曾发生小距离滑坡,滑坡体长46m,宽67m,现滑坡体后缘分布有数条裂缝,汛期易发生滑坡。1998年8月曾发生滑坡,规模7万m³,毁坏房屋。威胁对象及范围:危及坡脚处7户居民的生命财产安全。

滑坡地质环境:地层时代为加里东期—海西期花岗岩,花岗岩风化壳结构零乱,块状,含碎石土。地质构造:受北西-南东向多层次变质变形改造,地质构造十分复杂,岩体之间存在密度差异,差异风化严重,花岗斑岩密度$(2.22\sim2.63)\times10^3$kg/m³。地貌特征:山势陡峭,切割强烈。

滑坡类型为牵引式滑坡,滑体性质为碎块石;地下水类型为孔隙水和裂隙水。滑坡平面形态为半圆形,剖面形态为阶梯形。影响因素:岩体节理发育、风化破碎严重,存在强弱风化界面,加上坡体陡峭,坡脚开挖,在洪水冲蚀、风化、自身重力的作用下,已发生滑坡。卢氏县狮子坪滑坡地质灾害景观出露自然状态,不在地质公园范围内,也未采取保护措施,对滑坡地质灾害形成、预防与治理具有科学研究价值和典型意义,建议保护等级为省级,建议保护出露面积0.1km²。

第四章 地质遗迹特征

图 4-144　卢氏县狮子坪滑坡

第五章 地质遗迹评价

DIZHI YIJI PINGJIA

第一节　地质遗迹评价原则与评价内容

一、地质遗迹评价原则

1. 分类评价原则

河南省地质遗迹根据《地质遗迹调查规范》(DZ/T 0303—2017)的地质遗迹类型划分方案,划分为3大类9类33亚类。按照地质遗迹分类对应准则进行评价,不同类型地质遗迹评价的侧重点和评价标准不同。基础地质类和地质灾害类地质遗迹侧重评价其科学价值,地貌景观类地质遗迹侧重评价其观赏价值。

2. 相对重要性评价原则

就地质遗迹的科学价值、观赏价值、完整性、稀有性进行同类地质遗迹相对重要性对比,即是根据地质遗迹具有科学价值、观赏价值、完整性、典型性、稀有性等方面的相对重要性进行评价,确定地质遗迹的等级。

二、地质遗迹评价内容

地质遗迹评价内容包括地质遗迹点的科学价值、观赏价值、稀有性、典型性、完整性、历史文化价值、环境优美性、保护程度、执行保护的可能性、通达性、安全性等方面,具体如下。

(1)科学价值:侧重评价地质遗迹对于科学研究、地质工作野外观察、地学教育、科学普及等方面的作用和意义。

(2)观赏价值:侧重评价地质遗迹在旅游开发利用吸引游客方面具有的美学观赏性利用价值。

(3)稀有性:评价地质遗迹在自然属性方面的国际、国内或省内稀有程度。

(4)典型性:评价地质遗迹在同类型地质遗迹方面的代表性。

(5)完整性:评价地质遗迹保存的自然完好程度或揭示某一地质现象的完整程度。

(6)历史文化价值:评价地质遗迹在地质历史或人文历史方面具有的文化内涵。

(7)环境优美性:评价地质遗迹所出露的地貌景观环境具有的优美程度。

(8)保护程度:评价地质遗迹是否受到保护、已经采取的保护措施和手段。

(9)执行保护的可能性:评价地质遗迹在保护方面可采取的措施及达到的效果。

(10)通达性:评价地质遗迹在交通方面人可到达的道路情况。

(11)安全性:评价地质遗迹受到自然或人为造成破坏的威胁因素。

第二节　地质遗迹评价标准

根据《地质遗迹调查规范》(DZ/T 0303—2017)的地质遗迹类型划分方案划分的地质遗迹类型,以

第五章 地质遗迹评价

《地质遗迹保护管理规定》划分地质遗迹分级标准为准则,相应地质遗迹分为Ⅰ级(世界级)、Ⅱ级(国家级)、Ⅲ级(省级)及Ⅳ级(省级以下),分级标准具体如下。

Ⅰ级(世界级):①能为全球演化过程中的某一重大地质历史事件或演化阶段提供重要地质证据的地质遗迹;②具有国际地层(构造)对比意义的典型剖面、化石产地及矿产地;③具有国际典型地学意义的地质地貌景观或现象。

Ⅱ级(国家级):①能为一个大区域演化过程中的某一重大地质历史事件或演化阶段提供重要地质证据的地质遗迹;②具有国内大区域地层(构造)对比意义的典型剖面、化石产地及矿产地;③具有国内典型地学意义的地质地貌景观或现象。

Ⅲ级(省级):①能为区域地质历史演化阶段提供重要地质证据的地质遗迹;②有区域地层(构造)对比意义的典型剖面、化石产地及矿产地;③在地学分区及分类上,具有代表性或较高历史、文化、旅游价值的地质地貌景观。

Ⅳ级(省级以下):指不符合以上标准的地质遗迹点。

本书在基础地质、地貌景观、地质灾害三大类地质遗迹评价标准方面,不再按照类型细化Ⅳ级(省级以下)评价标准,并且不再评价叙述Ⅳ级(省级以下)地质遗迹点。

根据以上地质遗迹分级,编制与世界级、国家级、省级相应的地质遗迹类型评价(鉴评)标准。

1. 基础地质大类地质遗迹评价标准

A. 地层剖面类:A_1为具有全球性对比意义的地层界线层型剖面或界线点,剖面在国内是唯一的并且研究程度很高(世界级);A_2为具有全国性或大区的省际对比意义的层型(典型)剖面或地质事件剖面,被破坏后无法替代并且剖面的研究程度高(国家级);A_3为具有省内区域或相邻省际对比意义的层型(典型)剖面或地质事件剖面并且剖面具有一定的研究程度(省级)。

B. 岩石剖面类:B_1为全球罕见的岩体、岩层露头且具有重要科学研究价值(世界级);B_2为全国或大区内罕见岩体、岩层露头,具有重要科学研究价值(国家级);B_3为具有指示地质演化过程的岩石露头,具有科学研究价值(省级)。

C. 构造剖面类:C_1为具有全球性构造意义的巨型构造、全球性造山带、不整合界面(重大科学研究意义的)关键露头地(点)(世界级);C_2为在全国或大区域范围内区域(大型)构造,如大型断裂(剪切带)、大型褶皱、不整合界面,具有重要科学研究意义的露头地(点)(国家级);C_3为在一定区域内具有科学研究对比意义的典型中小型构造,如断层(剪切带)、褶皱、其他典型构造遗迹(省级)。

D. 重要化石产地类:D_1为具有重大科学意义并且重大研究成果的世界罕见古生物化石产地(世界级);D_2为具有国内外对比意义,研究程度高的稀有的古生物化石产地(国家级);D_3为具有区域对比意义,研究程度较高的少见的古生物化石产地(省级)。

E. 重要岩矿石产地类:E_1为全球性稀有或罕见矿物产地;在国际上独一无二或罕见的矿床(世界级);E_2为在国内或大区域内特殊矿物产地;在规模、成因、经济上的典型矿床;典型矿物或岩石命名地(国家级);E_3为在结晶、颜色、种属或工艺性质上有特殊意义的矿物产地;在类型、成因上有独特性的典型矿床(省级)。

2. 地貌景观大类地质遗迹评价标准

F. 岩土体地貌类、构造地貌类、火山地貌类:F_1为极为罕见的特殊地貌景观且对反映地质作用过程有重要科学意义(世界级);F_2为具观赏价值的地貌景观且具科学研究价值(国家级);F_3为稍具观赏价值的地貌景观,可作为过去地质作用的证据(省级)。

G. 水体地貌类:G_1为观赏价值极高或在成因上有重要科学研究意义(世界级);G_2为观赏价值很高或在成因上有较重要科学研究意义(国家级);G_3为具有观赏价值或在成因上具有科学

研究意义(省级)。

3. 地质灾害大类地质遗迹评价标准

H. 地震遗迹类、地质灾害类地质遗迹：H_1 为罕见地质灾害或地震遗迹且具有特殊科学意义的遗迹(世界级)；H_2 为重大地质灾害或地震遗迹且具有科学意义的遗迹(国家级)；H_3 为典型的地质灾害所形成的遗迹且具有教学实习及科普教育意义的遗迹(省级)。

第三节 地质遗迹评价方法

地质遗迹评价分为定性评价、定量评价两种方法，定性评价采用重要地质遗迹鉴评方法，定量评价采用价值综合评价因子及条件综合评价因子加权赋值的评价方法。

一、定性评价

重要地质遗迹鉴评方法采用分专业组织专家集体座谈的会议鉴评方法和按照专业领域分别找专家送审读地质遗迹鉴评材料的单独咨询鉴评方法，重要地质遗迹鉴评方法详见第九章第二节叙述。

河南省重要地质遗迹鉴评结果：重要地质遗迹地层剖面类156处，其中世界级1处，国家级67处，省级88处；重要岩石剖面类26处，其中世界级3处，国家级8处，省级15处；构造剖面类24处，其中世界级8处，国家级12处，省级4处；重要化石产地类24处，其中世界级5处，国家级9处，省级10处；重要岩矿石产地类30处，其中世界级3处，国家级14处，省级13处；岩土体地貌类37处，其中世界级1处，国家级17处，省级19处；构造地貌类6处，其中国家级5处，省级1处；水体地貌类27处，其中世界级1处，国家级5处，省级21处；地质灾害类5处，其中国家级1处，省级4处，总计335处，详见附件2及表5-1。

表5-1 河南省重要地质遗迹定性评价结果表 单位：处

地质遗迹类型		地质遗迹鉴评级别				备注
大类	类	世界级	国家级	省级	小计	
基础地质	地层剖面	1	67	88	156	地质事件剖面1处
	岩石剖面	3	8	15	26	
	构造剖面	8	12	4	24	
	重要化石产地	5	9	10	24	
	重要岩矿石产地	3	14	13	30	
地貌景观	岩土体地貌	1	17	19	37	
	构造地貌	0	5	1	6	
	水体地貌	1	5	21	27	
地质灾害	地质灾害	0	1	4	5	
合计		22	138	175	335	

二、定量评价

定量评价采用价值综合评价因子及条件综合评价因子加权赋值的评价方法。选取地质遗迹点的科学价值(科学研究、教学实习、科普)、稀有性、典型性、完整性、观赏价值、历史文化价值、环境优美性共6项作为价值综合评价因子和定量指标赋值;保存程度、执行保护的可能性、通达性、安全性共4项作为条件综合评价因子和定量指标赋值,用数学加权的方法对地质遗迹点的价值综合评价因子和条件评价因子做出数值判断,依据数值确定级别。重要地质遗迹定量评价方法详见第十章第四节叙述,结合河南省重要地质遗迹鉴评结果,对河南省重要地质遗迹做出定量评价,其评价结果如表5-2所示。

表 5-2 河南省重要地质遗迹定量评价结果表　　　单位:处

地质遗迹类型		地质遗迹评价级别				评分结果(分)		
大类	类	世界级	国家级	省级	小计	世界级	国家级	省级
基础地质	地层剖面	1	67	88	156	85.2	70.0~78.7	68.5~69.9
	岩石剖面	3	8	15	26	85.5~86.5	72.2~77.8	67~69.9
	构造剖面	8	12	4	24	85.2~85.7	74.7~79.7	69.2~69.7
	重要化石产地	5	9	10	24	85~87.9	73.2~79.1	63.7~69.7
	重要岩矿石产地	3	14	13	30	85.7~86.2	71.9~78.7	66~69.9
地貌景观	岩土体地貌	1	17	19	37	85.5	70.4~77.5	68~69.9
	构造地貌	0	5	1	6	—	75.5~79	69.0
	水体地貌	1	5	21	27	85.1	71.2~74.7	66~69.7
地质灾害	地质灾害	0	1	4	5	—	75.4	65.5~67
合计		22	138	175	335			

第六章 地质遗迹区划

DIZHI YIJI QUHUA

第一节　地质遗迹区划指导思想与原则

河南省地质遗迹区划主要根据调查掌握的河南省地质遗迹分布状况和规律进行。地质遗迹的分布受区域地质背景和地貌类型的影响，在不同的地质背景和地貌类型条件下形成不同的地质遗迹，并且地质遗迹的空间分布也是不均衡的。因此，有必要按照地质遗迹的自然属性和特征进行河南省地质遗迹区划。

1. 区划指导思想

依据在不同的地质背景和地貌类型条件下，形成不同地质遗迹的实际情况，按其自然属性、特征与所在的大地构造单元、地貌单元的地质背景和地貌类型的不同进行地质遗迹区划，为地质遗迹保护规划管理和利用提供分区分类分级指导的科学依据。

2. 区划原则

(1) 层次原则：按地质遗迹出露分布所在的地貌单元和构造单元划分地质遗迹大区、地质遗迹分区、地质遗迹小区 3 个层次。

(2) 空间连续性原则：地质遗迹大区、地质遗迹分区、地质遗迹小区的划分，应当保证其空间区域的连续性和完整性，以利于统筹保护、规划、管理与合理利用。

第二节　河南省地质遗迹区划

根据上述地质遗迹区划指导思想、区划原则和区划方法，将河南省地质遗迹区划分为 3 个层次，即太行山地质遗迹大区（Ⅰ）、崤山-嵩箕山地质遗迹大区（Ⅱ）、秦岭-伏牛山地质遗迹大区（Ⅲ）、桐柏山-大别山地质遗迹大区（Ⅳ）、黄淮海平原地质遗迹大区（Ⅴ）共 5 个地质遗迹大区。每个地质遗迹大区又划分为不同的地质遗迹分区，5 个地质遗迹大区总计划分 18 个地质遗迹分区；有些地质遗迹分区再进一步划分为地质遗迹小区，18 个不同的地质遗迹分区总计划分为 24 个地质遗迹小区。

1. 太行山地质遗迹大区（Ⅰ）

太行山地质遗迹大区（Ⅰ）划分南太行山地质遗迹分区（$Ⅰ_1$）、王屋山地质遗迹分区（$Ⅰ_2$）、汤阴台地地质遗迹分区（$Ⅰ_3$）3 个地质遗迹分区。南太行地质遗迹分区进一步划分为林州地质遗迹小区（$Ⅰ_{1-1}$）、薄壁地质遗迹小区（$Ⅰ_{1-2}$）、云台山地质遗迹小区（$Ⅰ_{1-3}$）3 个地质遗迹小区；王屋山地质遗迹分区划分邵源地质遗迹小区（$Ⅰ_{2-1}$）、承留地质遗迹小区（$Ⅰ_{2-2}$）2 个地质遗迹小区。总计 5 个地质遗迹小区，汤阴台地地质遗迹分区（$Ⅰ_3$）不再划分地质遗迹小区。

2. 崤山-嵩箕山地质遗迹大区（Ⅱ）

崤山-嵩箕山地质遗迹大区（Ⅱ）划分三门峡盆地地质遗迹分区（$Ⅱ_1$）、崤山地质遗迹分区（$Ⅱ_2$）、洛阳盆地地质遗迹分区（$Ⅱ_3$）、嵩箕山地质遗迹分区（$Ⅱ_4$）4 个地质遗迹分区。崤山地质遗迹分区划分上戈地质遗迹小区（$Ⅱ_{2-1}$）、张村地质遗迹小区（$Ⅱ_{2-2}$）2 个地质遗迹小区；洛阳盆地地质遗迹分区划分义马地质遗迹小区(II_{3-1})、偃师地质遗迹小区(II_{3-2})、荥阳地质遗迹小区(II_{3-3})3个地质遗迹小区;嵩箕山地质遗迹分区划分登封地质遗迹小区(II_{4-1})、神垕地质遗迹小区(II_{4-2})、宜阳地质遗迹小区(II_{4-3})3个地质遗迹小区。总计8个地质遗迹小区,三门峡盆地地质遗迹分区(II_1)不再划分地质遗迹小区。

3. 秦岭-伏牛山地质遗迹大区(III)

秦岭-伏牛山地质遗迹大区(III)划分小秦岭地质遗迹分区(III_1)、南部崤山地质遗迹分区(III_2)、熊耳山地质遗迹分区(III_3)、伏牛山地质遗迹分区(III_4)、南阳盆地地质遗迹分区(III_5)、伏牛山余脉地质遗迹分区(III_6)6个地质遗迹分区。伏牛山地质遗迹分区划分汝阳地质遗迹小区(III_{4-1})、付店地质遗迹小区(III_{4-2})、云阳地质遗迹小区(III_{4-3})、板山坪地质遗迹小区(III_{4-4})、夏馆地质遗迹小区(III_{4-5})、淅川地质遗迹小区(III_{4-6})6个地质遗迹小区,小秦岭地质遗迹分区(III_1)、南部崤山地质遗迹分区(III_2)、熊耳山地质遗迹分区(III_3)、南阳盆地地质遗迹分区(III_5)、伏牛山余脉地质遗迹分区(III_6)不再划分地质遗迹小区。

4. 桐柏山-大别山地质遗迹大区(IV)

桐柏山-大别山地质遗迹大区(IV)划分桐柏山地质遗迹分区(IV_1)、大别山地质遗迹分区(IV_2)2个地质遗迹分区。桐柏山地质遗迹分区划分桐柏地质遗迹小区(IV_{1-1})、马谷田地质遗迹小区(IV_{1-2})2个地质遗迹小区;大别山地质遗迹分区划分信阳地质遗迹小区(IV_{2-1})、新县地质遗迹小区(IV_{2-2})、商城地质遗迹小区(IV_{2-3})3个地质遗迹小区。总计5个地质遗迹小区。

5. 黄淮海平原地质遗迹大区(V)

黄淮海平原地质遗迹大区(V)划分海河平原地质遗迹分区(V_1)、黄河冲积平原地质遗迹分区(V_2)、淮河冲积平原地质遗迹分区(V_3)3个地质遗迹分区。由于黄淮海平原地质遗迹很少,3个地质遗迹分区不再划分地质遗迹小区。

第七章 地质遗迹保护规划建议

DIZHI YIJI BAOHU GUIHUA JIANYI

第一节　地质遗迹保护规划编制指导思想

编制地质遗迹保护规划是在绘制河南省重要地质遗迹分布图的基础上，依据《地质遗迹保护管理规定》自然资源部门履行地质遗迹保护管理的职能，按照省辖市、县（区）行政区范围划分地质遗迹保护段、地质遗迹保护点、已建立地质公园3种保护类型，实施地质遗迹保护管理。在未建立及不适宜建立地质公园的地质遗迹集中地带，规划建立地质遗迹保护段；在地质遗迹零星分布地段，规划建立地质遗迹保护点。按照行政区划分进行规划的指导思想，是为了便于省辖市、县（区）自然资源部门落实保护管理地质遗迹的职责。

第二节　地质遗迹保护规划编制

根据地质遗迹保护规划指导思想、规划方法，编制河南省地质遗迹保护规划建议，规划建立卢氏县官道口群地层剖面国家级保护段、卢氏县新生代脊椎动物群国家级保护段、栾川县钼矿产地国家级保护段、汝州市罗圈组古冰川国家级保护段、鲁山县太华（岩）群国家级保护段、淅川县石炭纪无脊椎动物群国家级保护段、淅川县始新世脊椎动物群国家级保护段、淅川县蓝石棉矿产地国家级保护段、淅川县白垩纪地层剖面国家级保护段地质遗迹国家级保护段9处，规划建立淅川县元古宙地层剖面省级保护段、淅川县寒武纪地层剖面省级保护段2处（表7-1）；规划建立鹤壁尚峪苦橄玢岩国家级保护点、青羊口断裂带国家级保护点、辉县百泉国家级保护点等地质遗迹国家级保护点49个（表7-2）；规划建立任村-西罗平断裂省级保护点、东冶闪长岩体安林式铁矿产地省级保护点、安阳珍珠泉省级保护点、彰武组地层剖面省级保护点、鹤壁组地层剖面省级保护点、大乌山-化象金伯利岩体群省级保护点等地质遗迹省级保护点84个（表7-3）。截至2011年底，已建立嵩山、云台山、伏牛山、王屋山-黛眉山世界地质公园4家（包括嵩山、云台山、内乡宝天曼、西峡伏牛山、王屋山、黛眉山6家国家地质公园），已建立国家地质公园或获得国家地质公园建设资格的有林虑山·红旗渠、关山、小秦岭、神灵寨、黄河、嵖岈山、金刚台国家地质公园7家，已建立省级地质公园或获得省级地质公园建设资格的有卫辉跑马岭、渑池韶山、卢氏玉皇山、宜阳花果山、栾川老君山、嵩县白云山、汝阳恐龙化石群、汝州大红寨、鲁山尧山、禹州华夏植物群、邓州杏山、唐河凤山、桐柏山、新县大别山、固始西九华山、永城芒砀山省级地质公园16家（表7-4）。

第七章 地质遗迹保护规划

表7-1 规划地质遗迹保护段说明表

省辖市	规划建立地质遗迹保护段名称（代号）	地质遗迹保护对象（地质遗迹点编号）	规划保护措施	规划保护面积（km²）	规划期限（年份）
三门峡市	卢氏县官道口群地层剖面国家级保护段Ⅰ-1	官道口群巡检司组、杜关组、冯家湾组地层剖面（DC26、DC27、DC28）	明确地质遗迹保护范围，埋设保护界桩，树立保护警示说明牌	29.30	2013—2015
	卢氏县新生代脊椎动物群国家级保护段Ⅰ-2	新生代脊椎动物群；古近系张家村组、卢氏组、大峪组地层剖面、新近系雪家沟组地层剖面、黑马渠泥石流（DC134、DC135、DC136、DC150、HS13、DZ3）	明确地质遗迹保护范围，埋设保护界桩，树立保护警示说明牌	129.70	2013—2015
洛阳市	栾川县钼矿产地国家级保护段Ⅰ-3	栾川钼钨矿产地；栾川群白木沟组、三川组、南泥湖组、大红口组、鱼库组、三岔口组、陶湾组地层剖面；南泥湖花岗闪长岩体岩石剖面等（DC43、DC44、DC45、DC47、DC48、DC53、DC54、YK6、YS15）	明确地质遗迹保护范围，埋设保护界桩，树立保护警示说明牌	184.04	2013—2015
	汝州市罗圈组古冰川国家级保护段Ⅰ-4	震旦系罗圈组古冰川遗迹；罗圈组、东坡组、鳞川组地层剖面等（DC51、DC52、DC156、DC138）	明确地质遗迹保护范围，埋设保护界桩，树立保护警示说明牌	13.02	2013—2015
平顶山市	鲁山县太华（岩）群国家级保护段Ⅰ-5	太华（岩）群耐庄（岩）组、荡泽河（岩）组、铁山岭（岩）组、水底沟（岩）组、雪花沟（岩）组地层剖面等（DC5、DC6、DC7、DC8、DC9）	明确地质遗迹保护范围，埋设保护界桩，树立保护警示说明牌	53.94	2016—2018
	淅川县石炭纪无脊椎动物群国家级保护段Ⅰ-6	石炭纪无脊椎动物化石产地；泥盆系白山沟组、王冠沟组、石炭系下集组、梁沟组地层剖面等（HS8、DC84、DC85、DC87、DC88）	明确地质遗迹保护范围，埋设保护界桩，树立保护警示说明牌	13.71	2016—2018
	淅川县始新世脊椎动物群国家级保护段Ⅰ-7	始新世脊椎动物群；古近系玉皇顶组、大仓房组、核桃园组、上寺组地层剖面等（DC126、DC127、DC128、DC129、HS17、DC89）	明确地质遗迹保护范围，埋设保护界桩，树立保护警示说明牌	21.59	2016—2018
南阳市	淅川县蓝石棉矿产地国家级保护段Ⅰ-8	马头山蓝石棉（虎睛石）矿产地；寒武系水沟口组、岳家坪组、石瓮子组、奥陶系白龙庙组、牛尾巴山组、柞蚰组、灯影组地层剖面等（DC65、DC66、DC67、DC77、DC78、DC79、YK20）	明确地质遗迹保护范围，埋设保护界桩，树立保护警示说明牌	26.87	2016—2018
	淅川县白垩纪地层剖面省级保护段Ⅰ-9	高沟组、马家村组、寺沟组（DC119、DC120、DC121）	明确地质遗迹保护范围，埋设保护界桩，树立保护警示说明牌	5.57	2019—2020
	淅川县元古宙地层剖面省级保护段Ⅱ-1	古近代陡岭杂岩、杨家堡组、岩屋沟组、新元古界陡山沱组、灯影组地层剖面（DC67、DC68、DC69、DC70、DC71、DC72）	明确地质遗迹保护范围，埋设保护界桩，树立保护警示说明牌	14.70	2019—2020
	淅川县寒武纪地层剖面省级保护段Ⅱ-2	寒武系石瓮子组、岩屋凹组、习家店组、秀子沟组地层剖面（DC57、DC58）	明确地质遗迹保护范围，埋设保护界桩，树立保护警示说明牌	17.97	2019—2020

表 7-2 规划地质遗迹保护点说明表（国家级保护点）

省辖市	县（市、区）	规划建立地质遗迹保护点名称（地质遗迹点编号）	规划保护面积（km²）	地点	规划期限（年份）
安阳市	林州市	任村-西罗平断裂国家级地质遗迹保护点（GZ18）	0.07	林州市牧头	2013—2015
鹤壁市	山城区	鹤壁尚峪苔藓岩礁国家级保护点（YS19）	0.10	鹤壁市尚峪	2013—2015
	淇县	青羊口断裂带国家级保护点（GZ19）	0.06	淇县北峪村	2013—2015
新乡市	辉县市	辉县百泉国家级保护点（ST25）	0.07	辉县市百泉	2013—2015
焦作市	中站区	焦作煤田李封国家级保护点（YK2）	0.50	焦作市李封矿	2013—2015
三门峡市	灵宝市	灵宝小秦岭金矿国家级保护点（YK14）	6.00	灵宝市大西沟	2013—2015
	义马市	义马义马组银杏植物群化石产地国家级保护点（HS1）	1.70	义马市北露天矿	2016—2018
	新安县	新安张窑院铝土矿产地国家级保护点（YK8）	0.33	新安县张窑院	2016—2018
	伊川县	兵马沟组地层剖面国家级保护点（DC24）	2.00	伊川县兵马沟	2013—2015
	洛宁县	洛宁沙沟银铅矿产地国家级保护点（YK16）	0.30	洛宁县沙沟	2013—2015
洛阳市	栾川县	马超营断裂带（白土街）国家级保护点（GZ7）	0.06	栾川县白土街	2016—2018
		马超营断裂带（东岭台）国家级保护点（GZ8）	0.15	栾川县东岭台	2016—2018
		秋扒白垩纪晚期恐龙动物群国家级保护点（HS12）	0.80	栾川县秋扒	2016—2018
		高峪沟组地层剖面国家级保护点（DC124）	5.00	栾川县李家庄北	2016—2018
		潭头组地层剖面国家级保护点（DC125）	4.00	栾川县李家庄	2016—2018
		龙王幢花岗岩体国家级保护点（YS6）	21.00	栾川县鸭池沟	2016—2018
		栾川-明港断裂带国家级保护点（GZ9）	0.10	栾川县庙子镇	2013—2015
		栾川鸡冠洞岩溶地貌国家级保护点（YM29）	0.20	栾川县城西	2013—2015
	汝州市	汝州温泉国家级保护点（ST12）	0.25	汝州市温泉街	2013—2015
平顶山市	鲁山县	辛集组地层剖面国家级保护点（DC63）	0.60	鲁山县辛集	2016—2018
	卫东区	平顶山煤矿国家级保护点（YK1）	7.00	平顶山市诸葭台	2016—2018
	叶县	叶县马庄盐矿国家级保护点（YK30）	6.00	叶县马庄	2019—2020
		叶县早寒武世杨寺庄动物群国家级保护点（HS6）	0.95	叶县杨寺庄	2016—2018
舞钢市		舞钢经山寺铁矿产地国家级保护点（YK3）	1.00	舞钢市尚庙铁山	2019—2020

第七章　地质遗迹保护规划

续表 7-2

省辖市	县（市、区）	规划建立地质遗迹保护点名称（地质遗迹点编号）	规划保护面积（km²）	地点	规划期限（年份）
南阳市	西峡县	西峡羊乃沟红柱石矿产地国家级保护点（YK23）	2.20	西峡县羊乃沟	2016—2018
		西官庄-镇平断裂带国家级保护点（GZ12）	0.10	西峡县重阳寺沟口	2013—2015
	南召县	南召马市坪早白垩世热河生物群国家级保护点（HS11）	0.50	南召县马市坪	2016—2018
	淅川县	奥陶纪无脊椎动物群国家级保护点（HS4）	1.10	淅川县石燕河	2016—2018
		张湾组地层剖面国家级保护点（DC81）	2.20	淅川县张湾	2019—2020
		胡芦山组地层剖面国家级保护点（DC86）	2.00	淅川县胡家泉	2019—2020
		早志留世笔石动物群国家级保护点（HS7）	1.90	淅川县张湾后凹	2016—2018
	镇平县	镇平杨沟矽线石矿产地国家级保护点（YK22）	1.40	镇平县杨沟连沟	2016—2018
		朱阳关-夏馆断裂带（金庄河）国家级保护点（GZ11）	0.16	镇平县金庄河	2013—2015
	宛城区	南阳隐山蓝晶石矿产地国家级保护点（YK21）	0.90	宛城区隐山	2013—2015
		南阳独山玉矿产地国家级保护点（YK25）	2.00	南阳市独山	2019—2020
	桐柏县	桐柏麻粒岩国家级保护点（YS9）	0.80	桐柏县罗庄	2016—2018
		围山矿产地国家级保护点（YK9）	0.55	桐柏县围山城	2016—2018
		桐柏矿产地国家级保护点（YK10）	0.95	桐柏县柳树庄	2016—2018
		松扒-龟山断裂带（松扒）国家级保护点（GZ13）	0.10	桐柏县松扒	2016—2018
		吴城天然碱矿产地国家级保护点（YK24）	1.00	桐柏县吴城	2019—2020
信阳市	平桥区	松扒-龟山断裂带（睡仙桥）国家级保护点（GZ14）	0.20	平桥区睡仙桥	2016—2018
		信阳上天梯珍珠岩矿产地国家级保护点（YK18）	2.10	平桥区刘家冲	2013—2015
		信阳鸡公山花岗岩地貌国家级保护点（YM10）	1.20	信阳市鸡公山	2013—2015
	新县	晓天-磨子潭断裂带国家级保护点（GZ16）	0.22	新县浒湾	2016—2018
	商城县	胡油坊组地层剖面国家级保护点（DC93）	4.80	商城县伏岭湾	2019—2020
		杨小庄组地层剖面国家级保护点（DC94）	5.50	商城县卷棚桥	2019—2020
		龟山-梅山断裂带国家级保护点（GZ15）	0.13	商城县鲇鱼山水库	2016—2018
	固始县	朱集组地层剖面国家级保护点（DC111）	6.00	固始县武庙	2016—2018
		段集组地层剖面国家级保护点（DC112）	4.00	固始县下庄子	2016—2018

表 7-3 规划地质遗迹保护点说明表（省级保护点）

省辖市	县（市，区）	规划建立地质遗迹保护点名称（地质遗迹点编号）	规划保护面积（km²）	地点	规划期限（年份）
安阳市	林州市	东冶闪长岩体安林武铁矿产地省级保护点（YK4）	0.45	林州市东冶	2013—2015
安阳市	安阳县	安阳珍珠泉省级保护点（ST6）	0.12	安阳县水冶	2013—2015
安阳市	龙安区	彰武组地层剖面省级保护点（DC144）	4.00	安阳市彰武水库	2016—2018
安阳市	山城区	鹤壁组地层剖面省级保护点（DC145）	14.00	安阳市龙泉东平	2016—2018
鹤壁市	山城区	大乌山—化象金伯利岩体群省级保护点（YS18）	2.10	鹤壁市姬家山西	2013—2015
鹤壁市	淇县	庞村组地层剖面省级保护点（DC147）	0.40	淇县杨庄庄淇河西岸	2016—2018
焦作市	中站区	焦作大涧耐火黏土矿产地省级保护点（YK19）	2.50	焦作市中站区龙洞	2016—2018
焦作市	中站区	焦作朱村煤矿地面塌陷省级保护点（DZ2）	0.60	焦作市中站区朱村	2013—2015
济源市	济源市	盘古寺断裂带省级保护点（GZ20）	0.12	济源市盘古寺	2016—2018
三门峡市	灵宝市	南朝组地层剖面省级保护点（DC123）	5.60	灵宝市东涧沟	2019—2020
三门峡市	陕县	陕县温塘温泉省级保护点（ST13）	0.05	陕县温水沟	2013—2015
三门峡市	湖滨区	棉凹组地层剖面省级保护点（DC151）	2.20	三门峡市棉凹	2016—2018
三门峡市	渑池县	东孟村组地层剖面省级保护点（DC122）	1.50	渑池县东孟村	2019—2020
三门峡市	卢氏县	马超营断裂带（鸡笼山）省级保护点（GZ6）	1.10	卢氏县鸡笼山	2019—2020
三门峡市	卢氏县	卢氏大河沟温泉省级保护点（ST15）	0.70	卢氏县五里川	2019—2020
三门峡市	卢氏县	卢氏汤池省级保护点（YK13）	0.06	卢氏县汤河前边村	2013—2015
三门峡市	卢氏县	卢氏狮子坪渭坡稀有金属省级保护点（DZ5）	0.03	卢氏县狮子坪下庄	2019—2020
三门峡市	卢氏县	卢氏官坡稀有金属矿产地省级保护点（YK17）	25.00	卢氏县官坡	2016—2018
洛阳市	洛阳区	洛阳组地层剖面省级保护点（DC148）	10.00	洛阳市东沙坡	2016—2018
洛阳市	宜阳县	石千峰群孙家沟组地层剖面省级保护点（DC99）	1.10	宜阳县南天门	2016—2018
洛阳市	宜阳县	石千峰群和尚沟组地层剖面省级保护点（DC101）	1.80	宜阳县南天门煤矿	2016—2018
洛阳市	宜阳县	陈宅沟组地层剖面省级保护点（DC137）	9.00	宜阳县陈宅村	2019—2020
洛阳市	洛龙区	洛阳龙门温泉省级保护点（ST20）	1.80	洛阳市龙门石窟	2013—2015

第七章　地质遗迹保护规划

续表7-3

省辖市	县(市,区)	规划建立地质遗迹保护点名称(地质遗迹点编号)	规划保护面积(km²)	地点	规划期限(年份)
洛阳市	栾川县	栾川潭头汤池温泉省级保护点(ST14)	0.06	栾川县汤池寺	2016—2018
		赤土店铅锌矿产地省级保护点(YK12)	0.30	栾川县城西北	2019—2020
		栾川群煤窑沟地层剖面省级保护点(DC46)	2.10	栾川县煤窑沟	2019—2020
		合峪花岗岩体岩石剖面省级保护点(YS14)	1.20	栾川县合峪	2019—2020
		栾川老君山花岗岩地貌省级保护点(YM19)	2.00	栾川县老君山	2013—2015
		栾川龙峪湾花岗岩地貌省级保护点(YM20)	52.00	栾川县龙峪湾	2016—2018
	嵩县	万村花岗岩体省级保护点(YS12)	4.20	嵩县万村	2019—2020
		天池山花岗岩地貌省级保护点(YM23)	15.00	嵩县天池山	2016—2018
		汤池沟温泉省级保护点(ST22)	0.06	嵩县汤池沟	2016—2018
		九店组地层剖面省级保护点(DC117)	7.00	嵩县九店	2019—2020
	汝阳县	大安组地层剖面省级保护点(DC149)	6.40	汝阳县上店西南	2019—2020
		汝阳梅花玉矿产地省级保护点(YK27)	0.75	汝阳县上店西南	2016—2018
郑州市	巩义市	巩义小龙池泉省级保护点(ST26)	0.09	巩义市新中镇小龙池	2013—2015
		巩义雪花洞岩溶地貌省级保护点(YM30)	0.45	巩义市新中镇老庙村	2016—2018
	新密市	新密神仙洞岩溶地貌省级保护点(YM32)	0.25	新密市尖山村	2019—2020
		新密密玉矿产地省级保护点(YK26)	15.00	新密市助泉寺	2019—2020
	二七区	郑州三李峰温泉省级保护点(ST23)	0.04	郑州市侯寨梨园河	2013—2015
	登封市	石千峰刘家沟组面省级保护点(DC100)	0.70	登封市大金	2016—2018
平顶山市	汝州市	石台街组地层剖面省级保护点(DC139)	3.20	汝州市石台街	2019—2020
	鲁山县	尧山组镇泥石流省级保护点(DZ4)	0.55	鲁山县尧山镇	2016—2018
		车村-鲁山断裂带省级保护点(GZ17)	0.03	鲁山县李庄村	2019—2020
	宝丰县	大营组地层剖面省级保护点(DC118)	15.00	宝丰县大营	2019—2020
	卫东区	石盒子组平顶山段地层剖面省级保护点(DC98)	2.00	平顶山市小寨村	2016—2018
南阳市	西峡县	二郎坪群小寨组地层剖面省级保护点(DC62)	6.00	西峡县小寨村	2019—2020
		抱树坪组地层剖面省级保护点(DC74)	3.10	西峡县抱树坪	2019—2020
		秦岭(岩)群石槽沟(岩)组地层剖面省级保护点(DC20)	2.20	西峡县石槽沟	2019—2020
		周进沟组地层剖面省级保护点(DC76)	2.10	西峡县周进沟	2019—2020
		姚营寨组地层剖面省级保护点(DC37)	2.00	西峡县大岭沟	2019—2020
		德河片麻状花岗岩体岩石剖面省级保护点(YS8)	1.60	西峡县德河	2016—2018
		界牌(岩)组地层剖面省级保护点(DC59)	1.50	西峡县界牌庙岭	2019—2020

续表 7-3

省辖市	县(市、区)	规划建立地质遗迹保护点名称(地质遗迹点编号)	规划保护面积 (km²)	地点	规划期限(年份)
南阳市	内乡县	内乡大桥温泉省级保护点(ST24)	0.05	内乡县灵山头	2016—2018
		耀岭河组地层剖面省级保护点(DC56)	7.50	内乡县唐子沟	2019—2020
	南召县	南召组地层剖面省级保护点(DC110)	2.80	南召县黄土岭	2019—2020
		马市坪组地层剖面省级保护点(DC116)	10.10	南召县黄土岭	2019—2020
		柿树园组地层剖面省级保护点(DC82)	1.90	南召县二道河	2019—2020
		南召猿人遗址省级保护点(HS20)	1.00	南召县云阳杏花山	2016—2018
		太山庙组地层剖面省级保护点(DC105)	2.00	南召县太山庙	2019—2020
		南召龙潭沟瀑布省级保护点(ST4)	0.20	南召县马市坪河北村	2016—2018
	镇平县	小岔沟石墨矿产地省级保护点(YK29)	10.00	镇平县二龙乡	2016—2018
	淅川县	凤凰镇组地层剖面省级保护点(DC153)	7.00	淅川县凤凰镇	2019—2010
		三坪沟石英闪长岩体省级保护点(YS3)	3.10	淅川县三坪沟	2016—2018
		尹庄组地层剖面省级保护点(DC152)	2.00	桐柏县尹庄	2019—2020
		柳树庄超基性岩体省级保护点(YS7)	2.10	桐柏县柳树庄	2019—2020
	桐柏县	桐柏老湾花岗岩体省级保护点(YS10)	0.85	桐柏县老湾	2019—2020
		大河铜锌矿矿产地省级保护点(YK11)	0.20	桐柏县大河	2019—2020
		银洞坡金矿产地省级保护点(YK15)	0.95	桐柏县银洞坡	2016—2018
		五里墩组地层剖面省级保护点(DC133)	2.00	桐柏县五里墩	2019—2020
		毛家坡组地层剖面省级保护点(DC131)	1.10	桐柏县李土沟	2019—2020
		李土沟组地层剖面省级保护点(DC132)	1.00	桐柏县李土沟村南	2019—2020
		桐柏吴城始新世脊椎动物群省级保护点(HS18)	0.20	桐柏县李土沟村北	2016—2018
驻马店市	泌阳县	泌阳水晶矿产地省级保护点(YK28)	0.40	泌阳县铜山	2016—2018
	新蔡县	新蔡第四纪哺乳动物群省级保护点(HS21)	6.00	新蔡县黑龙潭	2019—2020
	平桥区	李庄组地层剖面省级保护点(DC130)	1.00	平桥区尹庄村	2019—2020
信阳市		龟山(岩)组地层剖面省级保护点(DC55)	3.80	平桥区辛店	2019—2020
	罗山县	定远(岩)组地层剖面省级保护点(DC30)	1.20	罗山县定远店	2019—2020
	光山县	南湾组地层剖面省级保护点(DC83)	10.00	光山县钱大湾	2019—2020
		陈棚组地层剖面省级保护点(DC114)	2.90	光山县石窝岗	2016—2018
	新县	浒湾(岩)组地层剖面省级保护点(DC29)	4.30	新县细吴湾	2016—2018
	商城县	歪庙组地层剖面省级保护点(DC60)	2.0	商城县歪庙	2019—2020
		石门冲(岩)组地层剖面省级保护点(DC75)	11.0	商城县石门冲	2019—2020
		双石头组地层剖面省级保护点(DC95)	3.5	商城县王坳村	2019—2020

第七章 地质遗迹保护规划

表 7-4 规划地质遗迹保护说明表（已建立地质公园）

省辖市	县（市、区）	已建立地质公园名称	公园面积（km²）	地点	建立公园时间（年份）
安阳市	林州市	林虑山·红旗渠国家地质公园	319.14	林州市红旗渠	2010
新乡市	辉县市	关山国家地质公园	172.60	辉县市关山	2005
	卫辉市	卫辉跑马岭省级地质公园	119.73	卫辉市跑马岭	2007
焦作市	修武县	云台山世界地质公园	278.00	修武县云台山	2004
	博爱县	云台山世界地质公园	116.76	博爱县青天河	2004
	沁阳县	云台山世界地质公园	105.64	沁阳县神农山	2004
济源市	济源市	王屋山-黛眉山世界地质公园	648.00	济源市王屋山	2006
三门峡市	灵宝县	小秦岭国家地质公园	123.31	灵宝市娘娘山	2010
	渑池县	韶山省级地质公园	135.76	渑池县仰韶大峡谷	2008
	卢氏县	玉皇山省级地质公园	73.75	卢氏县玉皇尖	2007
洛阳市	新安县	王屋山-黛眉山世界地质公园	338.00	新安县黛眉山	2006
	宜阳县	花果山省级地质公园	98.20	宜阳县花果山	2009
	偃师市	嵩山世界地质公园	56.00	偃师市佛光乡	2004
	洛宁县	神灵寨国家地质公园	175.39	洛宁县神灵寨	2005
	栾川县	老君山省级地质公园	156.21	栾川县老君山	2005
	嵩县	白云山省级地质公园	529.97	嵩县白云山	2007
	汝阳县	恐龙化石群省级地质公园	158.20	汝阳县刘店	2009
郑州市	登封市	嵩山世界地质公园	230.51	登封市嵩山	2004
	惠济区	黄河国家地质公园	198.70	郑州市邙山	2005
平顶山市	汝州市	大红寨省级地质公园	95.57	汝州市石梯沟	2007
	鲁山县	尧山省级地质公园	155.07	鲁山县尧山	2009

续表 7-4

省辖市	县(市、区)	已建立地质公园名称	公园面积（km²）	地点	建立公园时间（年份）
许昌市	禹州市	华夏植物群省级地质公园	115.00	禹州市磨街	2011
南阳市	西峡县	伏牛山世界地质公园	954.35	西峡县三里庙	2006
	内乡县	伏牛山世界地质公园	120.26	内乡县宝天曼	2006
	南召县	伏牛山世界地质公园	256.37	淅川县黑豆崖	2006
	镇平县	伏牛山世界地质公园	66.81	镇平县白湾	2006
	邓州市	杏山省级地质公园	36.50	邓州市杏山	2005
	唐河县	凤山省级地质公园	0.36	唐河县西大岗	2009
	桐柏县	桐柏山省级地质公园	165.23	桐柏县桐柏山	2009
驻马店市	遂平县	嵖岈山国家地质公园	4.19	遂平县嵖岈山	2004
信阳市	新县	大别山省级地质公园	348.89	新县大别山	2009
	商城县	金刚台国家地质公园	274.24	商城县金刚台	2005
	固始县	西九华山省级地质公园	90.94	固始县西九华山	2011
商丘市	永城县	永城芒砀山省级地质公园	21.84	永城市芒砀山	2009

第二篇

地质遗迹调查方法

DIZHI YIJI DIAOCHA FANGFA

第八章 地质遗迹调查方法论述

DIZHI YIJI DIAOCHA FANGFA LUNSHU

第一节　地质遗迹调查方法概述

一、项目基本工作方法概述

河南省地质遗迹调查与区划及示范研究项目是中国地质调查局下达的省级地质遗迹调查方法示范研究项目，由河南省地质调查院承担，其地质遗迹调查方法为全国地质遗迹调查提供示范。根据项目实践，总结编写本章地质遗迹调查方法。

省级地质遗迹调查既不同于区域地质调查，也不同于水工环地质调查，因为工作涉及地层、构造、古生物化石、岩石、矿物、矿产、地貌、水文地质、旅游地质、地质灾害等诸多专业领域，内容宽泛、复杂。地质调查是调查地质现象，地质遗迹调查是调查研究过的地质现象、具有观赏价值的地貌景观和具科普教育意义的地质景观。因此，地质遗迹调查方法与区域地质调查方法和水工环地质调查方法不同，具有相应的内容、思路和要求。根据河南省地质遗迹调查与区划及示范研究项目实施的工作经验，调查方法归纳为：①资料收集与重要地质遗迹点的筛选方法；②重要地质遗迹鉴评方法；③重要地质遗迹保护名录确定方法；④地质遗迹调查方法；⑤地质遗迹图编图方法；⑥地质遗迹定量评价方法；⑦地质遗迹区划方法；⑧地质遗迹保护规划方法；⑨地质遗迹信息管理数据库建库方法。其中，资料收集与重要地质遗迹点的筛选方法、重要地质遗迹鉴评方法、重要地质遗迹保护名录确定方法、地质遗迹调查方法为地质遗迹调查工作方法；地质遗迹图编图方法、地质遗迹定量评价方法、地质遗迹区划方法、地质遗迹保护规划方法、地质遗迹信息管理数据库建库方法为地质遗迹调查成果编制方法。

二、项目工作流程

项目工作流程：项目任务书下达，前期资料收集→设计编写评审→设计书批准后收集地质遗迹相关资料→分类筛选重要地质遗迹点→筛选后地质遗迹点按照对应准则和相对重要性原则的分类鉴评标准组织专家鉴评→鉴评后确定重要地质遗迹保护名录→根据重要地质遗迹保护名录填写地质遗迹登记表→进行地质遗迹野外补充调查→编绘地质遗迹资源图、地质遗迹区划图、地质遗迹保护规划图，地质遗迹定量评价、地质遗迹区划、地质遗迹保护规划、建立地质遗迹数据库（信息管理数据库、空间数据库）→提交项目成果报告（图8-1）。

三、地质遗迹调查的有关概念

1. 省级（自治区级、直辖市级）地质遗迹调查

基本查明省级（自治区级、直辖市级）区域内地质遗迹类型、分布规律、出露位置及概略范围、地质遗迹点的数量及鉴评等级、地质遗迹保护现状及利用价值，确定重要地质遗迹保护名录，了解区域地质背景、自然地理、社会经济概况，开展省（自治区、直辖市）辖区内地质遗迹区划和保护规划，提出地质遗迹资源与保护规划建议。省级地质遗迹调查成图比例尺1∶50万。

第八章　地质遗迹调查方法论述

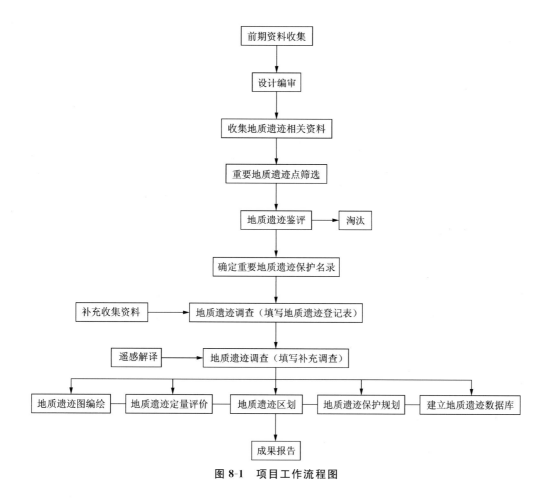

图 8-1　项目工作流程图

2. 重要地质遗迹命名原则

在地质遗迹调查工作中，确定重要地质遗迹名称至关重要，准确确定被调查的重要遗迹名称方便于查找及对比，可以帮助人们清晰易懂地了解、掌握重要地质遗迹，减少人们对重要地质遗迹的误解。因此，重要地质遗迹命名要避免标新立异，简明扼要的命名更具有实际意义。

重要地质遗迹命名采用学科分类、尊重现实、简明扼要、科学定位的原则，既按照地质遗迹的分类，又充分采用现已使用的名称。命名应简单明确，字数不宜过长，一般不宜超过 13 个汉字，名称前尽量使用地质遗迹所在地的地名冠名，具体要求如下。

(1)地层剖面类命名：根据《中国地层典》《河南省岩石地层》收录的已有典型地层剖面名称，采用地名＋地层剖面形式，如辛集组地层剖面、熊耳群大古石组地层剖面。

(2)岩石剖面类命名：根据《河南省区域地质志》收录的已有岩体名称，采用地名＋岩石名称形式，如石牌河闪长岩体、洋淇沟超基性岩体、鹤壁尚峪苦橄玢岩。

(3)构造剖面类命名：根据《河南省区域地质志》收录的已有地质构造名称，采用地名＋地质构造名称形式，如嵩阳运动、朱阳关-夏馆断裂带。

(4)重要化石产地类命名：根据公开发表的研究成果已有名称，采用地名＋地层或时代＋古生物名称形式，如义马义马组银杏植物群、栾川秋扒晚白垩世晚期恐龙动物群。

(5)重要岩矿石产地类命名：根据已有或现在使用的矿产名称，采用地名＋矿种或命名矿物名称形式,如平顶山煤矿产地、桐柏矿产地。

(6)岩土体(构造)地貌类命名:根据现在使用的岩土体地貌名称,采用地名+岩土体类型的地貌名称形式,如修武云台山红石峡谷地貌、遂平嵖岈山花岗岩地貌、栾川鸡冠洞岩溶地貌。

(7)水体地貌类命名:根据现在使用的水体地貌名称,采用地名+水体地貌景观类型的水体名称形式,如修武云台天瀑、商城汤泉池温泉、豫北黄河故道湿地、博爱鲸鱼湾风景河段。

(8)地质灾害类命名:根据现在使用的地质灾害名称,采用地名+地质灾害类型的地质灾害名称形式,如辉县崩塌、卢氏县黑马渠沟泥石流、卢氏县狮子坪滑坡。

第二节 国内外地质遗迹调查研究现状

一、国外地质遗迹调查研究现状

在地质遗迹调查、分类评价、登录工作方面,先进的国家有英国、德国、澳大利亚、瑞士等,这些国家制定有适合各自国情的地质遗迹分类系统、地质遗迹调查分类选取及相对重要性的准则,进行地质遗迹鉴评和登录,对全国的地质遗迹进行过系统的调查,建立有地质遗迹分类分级保护名录。英国自1977年开始建立系统的地质景点检查计划,其目的在于鉴定出足以彰显英国地球科学遗产内涵的关键景点。在学术界、政府单位、工业界与民间团体数以千计的科学家及相关人员热心参与下,于1990年完成了地质景点的检查工作,并将最后选出的景点称为地质保育检查景点(GCR sites)。地质保育检查景点分成7个主要类目(categories),100个类型(block)(Ellis ed.,1996),地质遗迹点登录迄今已逾2 200个。德国各联邦地质调查单位负责对Geotope(自然环境中的地质特征、地质遗迹)的调查与评估,依据地质遗迹具有的特殊地质意义、稀少性、独特性与美学性及地质遗迹在学术、研究、教学或当地历史与地理环境上具有的特殊价值,决定是否保护及后续的保护方法。德国地质遗迹的保护和管理工作由政府自然保护机构负责。

二、国内地质遗迹调查研究现状

自20世纪90年代,国内地质矿产部门的地勘单位围绕建立自然保护区的地质遗产工作,进行过零星的地质遗迹方面的调查,没有开展专门、全面、系统的调查研究工作。地质遗迹调查方面的主要研究成果为2002年南京地质矿产所完成的国家科技部基础专项"华东地区重要地质遗迹登录、鉴评与保护研究"项目,该项目取得主要成果:①完成华东地区重要地质遗迹登录,编制地质遗迹分布图及建立相应的信息库;②建立地质遗迹登录规范和评定标准及分类、分级鉴评体系;③阐明重要的具有中国特色的地质遗迹环境及其历史文化价值。国内在地质遗迹调查与保护方面,主要是创建了地质公园。目前,已批准或获得建设资格的国家地质公园有209家(截至2018年6月),其中37家为世界地质公园,各省在围绕申报世界级、国家级、省级地质公园编写综合考察报告方面,开展了地质公园地带的地质遗迹调查工作。

第八章 地质遗迹调查方法论述

自1994年，我国台湾地区在地质遗迹调查研究方面，参考英国的做法开始实施保育统筹计划，将台湾分成北、中、南、东4区，由4组专家学者进行分区景点的登录工作，登录表格参考英国国家地质景点登录计划(National Scheme for Geological Site Documentation, NSGSD)。然后由地景保育组的委员们依据地景保育景点内容、分类选取准则及其相对重要性进行评鉴工作，决定最后的地景保育景点。地景保育景点内容、分类选取准则及其相对重要性是统一整理征求专家学者的意见后会议商讨决定的，景点的内容分成地层、化石、构造、矿物、岩石、地形、文化地景、地质灾害遗迹8类，每一类中有其选取准则，并依照相对重要性排列。根据委员们的评鉴结果，再依景点的重要性将景点分为三级，并进行管理保护分级，分别满足研究、教学及观光游憩的需求。我国台湾地区历时4年时间登录了全岛地质遗迹景点320个。

第三节 现有地质遗迹调查方法评述

一、现有地质遗迹调查方法概述

地质遗迹调查是地质行业新的工作领域，不同于以往区域地质调查、水工环地质调查，没有成熟的工作理论和方法。在地质遗迹调查方面，英国处于领先地位。英国在20世纪70—90年代，对全国地质遗迹进行了全面系统的调查，编著有《地质遗迹评价丛书》，记载了英国典型地质遗迹及相应调查、保护方法，国内未见中文版对英国地质遗迹调查方法全面介绍的书籍。我国台湾地区20世纪90年代对做过地景保育景点的全面调查，但未见到全面系统介绍地质遗迹调查方法的书籍。大陆自20世纪80年代旅游地学创立以来，在历年出版的旅游地学年会论文集中，记载有关地质遗迹调查方法的论文，但多是零散的文章，其中夹杂着旅游地质资源调查方法介绍。自2000年以来发表的有关地质公园地质遗迹调查方法的文章，多数是从旅游地质学的角度、为了旅游开发及建立地质公园采用的地质遗迹调查方法。

二、现有地质遗迹调查方法存在的问题

1. 缺乏全面系统成熟的调查理论和方法

地质遗迹调查工作方法的特点在于地质遗迹调查涉及地质科学领域宽泛、内容复杂，要求调查工作者具有地质行业各专业领域的知识，同时具有综合驾驭各专业领域知识的能力。已有的区域地质调查、水工环地质调查方法不适于地质遗迹调查，现有发表在各类期刊杂志、会议论文集上的地质遗迹调查、评价方法零乱，夹杂着旅游地质调查方法，有些方法处于理论空谈，不实用且可操作性欠佳。现有的地质遗迹调查理论和方法不全面、不系统，探索一套为自然资源部门保护管理地质遗迹提供技术支撑服务的全面、系统、完整、实用的地质遗迹调查方法是地质遗迹工作领域迫切需要解决的问题。

2.《地质遗迹调查规范》(DZ/T 0303—2017)亟待编写实施细则

自2009年中国地质调查局安排河南、四川两省开展省级地质遗迹调查与区划及示范研究项目以来,多次讨论了《地质遗迹调查技术要求(暂行)》,现已公开发布为自然资源部地质行业标准——《地质遗迹调查规范》(DZ/T 0303—2017)。由于该规范有些条文规定不能细化编写,在实际工作中存在可操作性问题,亟待编写实施细化补充说明,即配套的《地质遗迹调查规范实施细则》。

3. 厘清地质遗迹调查思路是迫切需要解决的问题

根据地质遗迹调查为自然资源管理部门保护管理地质遗迹提供基础资料和科学依据的目的,按照自然资源管理部门管辖权限划分为省级地质遗迹调查、县级地质遗迹调查。省级地质遗迹调查范围大,涉及地质遗迹类型多、数量多、分布范围广,按照自然资源部地质环境司的要求,省级地质遗迹调查的目的主要是从宏观管理的角度,查明省辖范围内重要地质遗迹名称、类型、数量、位置、分布规律,编制地质遗迹保护规划,为合理保护与开发利用地质遗迹资源提供基础资料和科学依据。县级地质遗迹调查范围相对较小,涉及地质遗迹类型相对少、数量少、分布范围小,按照县级自然资源部门为基层政府部门保护管理地质遗迹的职责,县级地质遗迹调查目的主要是从局部地段实际管理的角度,查清县辖范围内地质遗迹名称、类型、数量、具体位置、地质遗迹点应当保护范围,编制地质遗迹保护规划,落实地质遗迹保护责任,为保护与利用地质遗迹资源提供基础资料和科学依据。

省级地质遗迹调查依据调查的目的,主要工作方法为收集各类重要地质遗迹的有关成果资料,包括各种比例尺的区域地质调查报告,地质科学研究正式出版的专著、论文及其他基础地质资料等。在查阅工作区有关地质遗迹资料的基础上,根据重要地质遗迹的鉴评标准组织专家鉴评重要地质遗迹,选取重要地质遗迹点,确定重要地质遗迹保护名录。在选定的重要地质遗迹点地段采用1∶5万地形图作为野外工作手图,针对重要地质遗迹点进行野外补充调查,调查重要地质遗迹出露性质、特征、完整程度、是否面临被破坏的威胁,以及进行保护和利用情况,确定重要地质遗迹点的位置及概略划定出露的重要地质遗迹点应当保护范围。

县级地质遗迹调查的目的主要是为县级自然资源管理部门保护管理地质遗迹提供基础资料和科学依据,主要工作方法是在收集省级及相关地质遗迹调查成果资料的基础上,查明县辖区域内地质遗迹名称、类型、分布状态、出露位置及范围、数量及鉴评等级。采用1∶1万~1∶5万比例尺地形图作为野外工作手图,详细调查重要地质遗迹点的出露范围、性质、完整性、保存状态、保护和利用条件,重要地质遗迹现象的位置、分布、数量、物质组成等,产出的地质背景、成因、演化及科学内涵,并组织专家进行地质遗迹鉴评,在野外现场划定重要地质遗迹点的保护和利用范围,提出重要地质遗迹点的保护和利用措施与方式。

第九章 地质遗迹调查工作方法

第一节　资料收集与重要地质遗迹点筛选方法

一、重要地质遗迹调查资料收集方法

按照《地质遗迹调查规范》(DZ/T 0303—2017)的地质遗迹类型划分方案,河南省地质遗迹类型有地层剖面类、岩石剖面类、构造剖面类、重要化石产地类、重要岩矿石产地类、岩土体地貌类、构造地貌类、水体地貌类、地质灾害类共9类。根据这9类地质遗迹涉及的专业领域,要收集的成果资料(表9-1)按照专业划分:①地层剖面类主要收集《河南省岩石地层》《中国地层典》《河南省区域地质志》,不同比例尺(1∶5万~1∶25万)区域地质调查报告,地层剖面类涉及的地层研究专著、论文的成果资料等;②岩石剖面类主要收集《河南省区域地质志》,河南省地质图及说明书,不同比例尺(1∶5万~1∶25万)区域地质调查报告,岩石剖面类涉及的岩浆岩、变质岩、沉积岩研究专著及论文的成果资料等;③构造剖面类主要收集《河南省区域地质志》《河南省秦岭-大别造山带地质构造与成矿规律》,不同比例尺(1∶5万~1∶25万)区域地质调查报告,构造剖面类涉及的地质构造研究专著、论文的成果资料等;④重要化石产地类主要收集《河南省古生物地质遗迹资源》《河南省地层古生物研究》《河南省区域地质志》,不同比例尺(1∶5万~1∶25万)区域地质调查报告,重要化石产地类涉及的研究专著、论文的成果资料等,如《中国河南恐龙蛋和恐龙化石》《河南石炭纪和早二叠世早期地层与古生物》;⑤重要岩矿石产地类主要收集《中国矿床发现史(河南卷)》《河南省地质矿产志》《河南省矿业概要》,河南省矿产地质图及说明书,《河南省秦岭-大别造山带地质构造与成矿规律》,不同比例尺(1∶5万~1∶25万)区域地质调查报告,重要岩矿石产地类涉及的矿物、矿产研究专著、论文的成果资料等;⑥岩土体地貌类及构造地貌类主要收集《河南省旅游资源调查研究报告》,河南省世界级、国家级、省级地质公园申报材料等,不同比例尺(1∶5万~1∶25万)区域地质调查报告,岩土体地貌类涉及地貌景观方面的研究专著、论文的成果资料等;⑦水体地貌类主要收集《河南省地热资源调查研究报告》《河南省温泉》《河南省旅游资源调查研究报告》,不同比例尺(1∶10万~1∶20万)区域水文地质普查报告,水体地貌类涉及的水文地质、风景河段及瀑布景观方面的研究专著、论文的成果资料等;⑧地质灾害类主要收集《河南省环境地质基本问题研究》,河南省各县地质灾害调查报告,地质灾害类涉及的地质灾害方面的研究专著、论文的成果资料等。

表9-1　收集主要资料清单表

序号	收集资料名称	使用说明
1	《河南省岩石地层》[M]	地层剖面
2	《中国地层典(太古宇)》[M]	地层剖面
3	《中国地层典(古元古界)》[M]	地层剖面
4	《中国地层典(中元古界)》[M]	地层剖面

第九章 地质遗迹调查工作方法

续表 9-1

序号	收集资料名称	使用说明
5	《中国地层典(新元古界)》[M]	地层剖面
6	《中国地层典(寒武系)》[M]	地层剖面
7	《中国地层典(奥陶系)》[M]	地层剖面
8	《中国地层典(志留系)》[M]	地层剖面
9	《中国地层典(泥盆系)》[M]	地层剖面
10	《中国地层典(石炭系)》[M]	地层剖面
11	《中国地层典(二叠系)》[M]	地层剖面
12	《中国地层典(三叠系)》[M]	地层剖面
14	《中国地层典(侏罗系)》[M]	地层剖面
15	《中国地层典(白垩系)》[M]	地层剖面
16	《中国地层典(第三系)》[M]	地层剖面
17	《中国地层典(第四系)》[M]	地层剖面
18	《河南省区域地质志》[M]	岩石剖面、构造剖面
19	《河南省古生物地质遗迹资源》[M]	重要化石产地
20	《河南省地层古生物研究》[M]	重要化石产地
21	《河南石炭纪和早二叠世早期地层与古生物》[M]	重要化石产地
22	《中国矿床发现史(河南卷)》[M]	重要岩矿石产地
23	《河南省地质矿产志》[M]	重要岩矿石产地
24	《河南省矿业概要》[M]	重要岩矿石产地
25	《河南省秦岭-大别造山带地质构造与成矿规律》[M]	构造剖面
26	《华北与华南古板块拼合带地质和成矿》[M]	构造剖面
27	《阶段性板块运动与板内增生—河南省1:50万地质图说明书》[M]	构造剖面
28	《河南省旅游资源调查研究报告》[R]	岩土体地貌、构造地貌
29	《河南省地质遗迹调查与保护利用规划建议》[R]	保护规划
30	《河南省地热资源调查研究报告》[R]	水体地貌

续表 9-1

序号	搜集资料名称	使用说明
31	《河南省温泉》[R]	水体地貌
32	《河南省环境地质基本问题研究》[M]	其他地质灾害
33	《中国嵩山前寒武纪地质》[M]	岩石剖面
34	《1:25万平顶山市幅区域地质调查报告》[R]	野外调查
35	《1:25万内乡县幅区域地质调查报告》[R]	野外调查
36	《1:20万鹤壁幅区域地质调查报告》[R]	野外调查
37	《1:20万晋城幅、陵川幅区域地质调查报告》[R]	野外调查
38	《1:5万寨根幅地质图及说明书》[R]	野外调查
39	《1:5万西坪幅地质图及说明书》[R]	野外调查
40	《1:5万丁河幅地质图及说明书》[R]	野外调查
41	《1:5万朱阳关幅地质图及说明书》[R]	野外调查
42	《1:5万米坪幅地质图及说明书》[R]	野外调查
43	《1:5万鲁山县幅地质图及说明书》[R]	野外调查
44	《1:5万桐柏县幅地质图及说明书》[R]	野外调查
45	《1:5万毛集幅、固县镇幅、平昌关幅区域地质调查报告》[R]	野外调查
46	《1:5万洛宁幅、赵村幅、卢氏县幅、官道口幅区域地质调查报告》[R]	野外调查
47	《1:5万岳渡幅地质图及说明书》[R]	野外调查
48	《1:5万巴楼幅地质图及说明书》[R]	野外调查
49	《1:5万马山口幅地质图及说明书》[R]	野外调查
50	《1:5万邵原镇幅地质图及说明书》[R]	野外调查
51	《1:5万新县幅地质图及说明书》[R]	野外调查
52	《1:5万密县幅、登封县幅、大隗镇幅区域地质调查报告》[R]	野外调查
53	《1:5万浉河港幅地质图及说明书》[R]	野外调查
54	《1:5万泼陂河镇幅地质图及说明书》[R]	野外调查

资料收集顺序应从宏观到微观,首先从总体掌握全省各类重要地质遗迹的记录,再到需要查询细节的各重要地质遗迹点的描述记录,如从查阅《河南省区域地质志》记载的岩石剖面、大断裂带构造遗迹等,再到需要查询某个地质遗迹点的1:5万区域地质调查报告的记录描述或研究专著、论文等成果资料。

第九章 地质遗迹调查工作方法

二、重要地质遗迹点筛选方法

河南省重要地质遗迹点的筛选,建立在对河南省地质遗迹调查收集的各种成果资料的综合分析研究的基础上,按照《地质遗迹调查规范》(DZ/T 0303—2017)的地质遗迹类型划分方案分地层剖面类、岩石剖面类、构造剖面类、重要化石产地类、重要岩矿石产地类、岩土体地貌类、构造地貌类、水体地貌类、地质灾害类共9类进行筛选,依据各类地质遗迹对应准则和相对重要性原则,把具有一定研究程度、代表一定的地质遗迹类型、典型稀有的地质遗迹选取为重要地质遗迹调查对象。

1. 地层剖面类筛选方法

河南省地层剖面类重要地质遗迹点根据《中国地层典》及《河南省岩石地层》收录的河南省内各个时代的岩石地层单位选取。因为《中国地层典》收录编典制定有筛选录用原则,选用地层单位具有有效性、典型性、代表性、严谨性和实用性,所选取的地层剖面体现了科学性,具有重要的科学意义,也就是地层剖面类地质遗迹所要调查的对象;《河南省岩石地层》收录编制是根据"河南省地层多重划分对比研究"项目成果,即原地质矿产部"八五"期间"全国地层多重划分对比研究"项目的子项目,制定有采用的岩石地层单位的定义、层型、划分对比标准等,所选的地层剖面是业界公认的、客观的、稳定适用的地层剖面。本书对《河南省岩石地层》收录的在河南省内的正层型剖面全部选录,对正层型剖面在外省、次层型剖面在河南省的予以选录。

2. 岩石剖面类筛选方法

河南省岩石剖面类重要地质遗迹点根据《河南省区域地质志》记载的129个侵入岩体进行选取。该地质志岩石类型齐全,其中酸性岩最发育,占侵入岩总面积的88%,中性岩约占10%,基性岩、超基性岩及碱性岩约占2%,岩体侵入时期从老到新都有。侵入岩剖面地质遗迹选取嵩阳期、王屋山期、晋宁期、加里东期、海西期、燕山期、喜马拉雅期各个时期具有代表性的岩体。在岩石类型方面,选取有代表性的酸性岩、中性岩、基性岩、超基性岩等,以及相同时代相同岩石类型的岩体,选取的岩体研究程度应较高。火山岩剖面、变质岩剖面、沉积岩剖面主要根据世界级、国家级、省级地质公园申报材料、嵩山新太古代TTG片麻岩及《中国嵩山前寒武纪地质》研究专著选取。

3. 构造剖面类筛选方法

河南省构造剖面类重要地质遗迹点根据《河南省区域地质志》记载,选取深大断裂带出露的反映断裂带地质现象的地质遗迹点。根据河南省世界级、国家级地质公园申报材料反映的典型地质构造,选取不整合界面、断层、褶皱作为构造剖面类地质遗迹的调查对象。

4. 重要化石产地类筛选方法

河南省重要化石产地类重要地质遗迹点根据《河南省古生物地质遗迹资源》记载的河南省主要古生物化石群、化石点选取。《河南省古生物地质遗迹资源》是河南省地质博物馆2010年12月承担完成的"河南省古生物化石地质遗迹资源调查评价"项目的研究成果,该研究成果系统总结了近百年来河南省地层古生物研究成果,以及同期开展的其他古生物化石发掘研究项目的最新成果。济源硅化木及两栖犀化石产地的选取依据王屋山-黛眉山世界地质公园申报材料。

5. 重要岩矿石产地类筛选方法

河南省重要岩矿石产地类重要地质遗迹点根据《中国矿床发现史（河南卷）》《河南省地质矿产志》《河南省矿业概要》与河南省矿产地质图及说明书，记载的河南省919处矿产地进行选取，其中能源矿产地217处，金属矿产地370处，非金属矿产地332处。能源矿产地选取河南省在全国排列前几位的煤炭产地；金属矿产地选取钼矿、铝土矿、金矿等河南省优势矿产地，铁矿、铜矿、稀有金属矿、铅锌矿产地选取河南省具有悠久开采历史的采矿遗址中典型的矿床露头；非金属矿产地选取河南省特大型、大型矿产地及具有悠久开采历史采矿遗址中典型的矿床露头；围山矿、桐柏矿典型矿物命名地选自《河南省区域地质志》及相关新矿物发现的研究论文。

6. 岩土体地貌类及构造地貌类筛选方法

河南省岩土体地貌类重要地质遗迹点根据《河南省旅游资源调查研究报告》与河南省世界级、国家级、省级地质公园申报材料记载的具有重要观赏价值的碎屑岩、花岗岩、变质岩、火山岩、岩溶、黄土地貌景观选取。这些文献资料反映的岩土体地貌景观的观赏价值，都是在成果验收时经过了或世界级或国家级或省级地质公园评审时专家的审议，观赏价值的可信度高。因此，可选取作为河南省岩土体地貌类及构造地貌类重要地质遗迹调查对象。

7. 水体地貌类筛选方法

河南省水体地貌类重要地质遗迹点根据《河南省旅游资源调查研究报告》，河南省世界级、国家级、省级地质公园申报材料记载的具有重要观赏价值的瀑布、风景河段、漂流河段、冷水泉、潭与《河南省温泉》《河南省地热资源调查研究报告》收录的水温大于30℃的地热温泉以及国家级湿地自然保护区文献资料选取。

8. 地质灾害类筛选方法

河南省地质灾害主要为泥石流、滑坡、崩塌、地面塌陷等，地质灾害类重要地质遗迹点根据《河南省环境地质基本问题研究》及河南省国家级地质公园申报材料记载的地质灾害地质遗迹选取，其记载均为河南省地质灾害类典型的地质遗迹，且具有一定的研究程度。因此，可选作地质灾害类重要地质遗迹调查对象。

第二节　重要地质遗迹鉴评方法

一、重要地质遗迹鉴评必要性及意义

河南省重要地质遗迹分为地层剖面类、岩石剖面类、构造剖面类、重要化石产地类、重要岩矿石产地类、岩土体地貌类、构造地貌类、水体地貌类、地质灾害类9类，地质遗迹鉴评工作涉及地层、岩石、构造、古生物化石、矿物、矿产、地貌、水文地质、旅游地质、地质灾害等诸多专业领域，工作内容宽泛，而鉴评工作要求鉴评专家在各自的专业领域全面掌握专业知识，具有很高的造诣，且是技术权威专

第九章　地质遗迹调查工作方法

家。地质遗迹鉴评就是由各专业领域权威专家根据编制的重要地质遗迹鉴评标准、对应准则和相对重要性原则，对所熟知的专业领域的重要地质遗迹准确地确定鉴评等级，避免选择错误的和不正确的等级划分。没有经过专家鉴评的重要地质遗迹，难免会出现选择和等级划分的误差，重要地质遗迹鉴评的意义是请专家把关，鉴定出真正具有重要科学价值、观赏价值和科普教育意义的地质遗迹。

二、重要地质遗迹鉴评标准

根据《地质遗迹调查规范》(DZ/T 0303—2017)的地质遗迹类型划分方案划分的地质遗迹类型，以《地质遗迹保护管理规定》划分地质遗迹分级标准为准则依据，编制了世界级、国家级、省级的不同等级相应地质遗迹类型鉴评标准，与第一篇第五章第二节地质遗迹评价标准相同。

三、重要地质遗迹鉴评准备工作

1. 重要地质遗迹鉴评材料的准备

根据编制的重要地质遗迹鉴评标准，按照地质遗迹鉴评的对应准则和相对重要性原则，筛选出了地层剖面类、岩石剖面类、构造剖面类、重要化石产地类、重要岩矿石产地类、岩土体地貌类、构造地貌类、水体地貌类、地质灾害类（崩塌、滑坡、泥石流、地面塌陷）等河南省具有的重要地质遗迹，分类列出河南省重要地质遗迹保护名录候选的重要地质遗迹点，并且初步划分了各类地质遗迹点所属级别（世界级、国家级、省级），作为重要地质遗迹鉴评材料送给专家审阅，征求专家意见。

2. 重要地质遗迹鉴评专家的选定要求

地质遗迹鉴评工作涉及地层、岩石、构造、古生物化石、矿物、矿产、地貌、水文地质、旅游、地质灾害等诸多专业领域，工作内容宽泛，故鉴评工作要求鉴评专家在各自的专业领域全面掌握专业知识，具有很高的造诣，且是知名度高的技术权威专家，对重要地质遗迹鉴评具有高度负责的责任心。

3. 重要地质遗迹鉴评的其他准备工作

重要地质遗迹鉴评的其他准备工作包括地质遗迹鉴评会议的照相、录像、录音设备的准备，会议场所的安排等。

四、重要地质遗迹鉴评方法组织方式

重要地质遗迹鉴评方法包括分专业组织专家集体座谈的会议鉴评方法和按照专业领域分别找专家送审阅读重要地质遗迹鉴评材料的单独咨询鉴评方法。

1. 会议鉴评方法

项目组根据编制的地质遗迹鉴评等级标准，筛选出了河南省地层剖面类、岩石剖面类、构造剖面类、重要化石产地类、重要岩矿石产地类等基础地质大类地质遗迹，于2010年4月16日、19日、20日及2011年7月3日在河南省地质调查院分重要化石产地类、地层剖面类、构造剖面类、岩石剖面类及重要岩矿石产地类4次以专家座谈会议形式，组织在河南省地层方面研究有造诣的专家进行咨询鉴评（图9-1～图9-4）。

图 9-1　重要化石产地类地质遗迹鉴评会

图 9-2　地层剖面类地质遗迹鉴评会

图 9-3　构造剖面类地质遗迹鉴评会

图 9-4　岩石剖面类及重要岩矿石产地类地质遗迹鉴评会

2．单独咨询鉴评方法

项目组根据编制的地质遗迹鉴评等级标准,筛选出了河南省岩土体地貌类、构造地貌类、水体地貌类、地质灾害类(崩塌、滑坡、泥石流、地面塌陷)等地貌景观大类和地质灾害大类地质遗迹,于2010年4月—2011年7月3日在郑州市分别单独咨询河南省在旅游地质、水文地质、地质灾害调查研究方面有造诣的专家进行咨询鉴评。

由于是第一次组织专家对河南省重要地质遗迹进行咨询鉴评活动,地质遗迹的专家咨询鉴评还很不成熟,存在许多可以探讨的问题,在各专业领域有造诣的专家对河南省应当保护的各类地质遗迹提出了很多好的建议。地质遗迹的专家咨询鉴评可以避免调查的盲目性,减少不必要的调查对象选取,鉴评出真正需要保护的具有重要科学价值、观赏价值及科普教育意义的河南省重要的地质遗迹。

五、重要地质遗迹鉴评结果

河南省重要地质遗迹共鉴评地层剖面类156处,其中世界级1处、国家级67处、省级88处;重要化石产地类24处,其中世界级5处、国家级9处、省级10处;构造剖面类24处,其中世界级8处、国家级12处、省级4处;岩石剖面类26处,其中世界级3处、国家级8处、省级15处;重要岩矿石产地类30处,其中世界级3处、国家级14处、省级13处;岩土体地貌类37处,其中世界级1处、国家级17处、省级19处;构造地貌类6处,其中国家级5处、省级1处;水体地貌类27处,其中世界级1处、国家级5处、省级21处;地质灾害类5处,其中国家级1处、省级4处。总计335处,详见附件2、表5-1。

第三节　重要地质遗迹保护名录确定方法

一、确定重要地质遗迹保护名录的意义

河南省重要地质遗迹调查的目的是为政府部门地质遗迹保护管理与利用提供基础资料和科学依据，现在各级政府自然资源管理部门急需掌握了解其行政管辖范围内重要地质遗迹保护对象，确定河南省重要地质遗迹保护名录是当务之急。其意在于使得国家、省、市、县各级自然资源管理部门履行地质遗迹管理职责，明确保护哪些重要地质遗迹，使得社会公众和地质行业各专业领域人士知道河南省重要地质遗迹的名称、类型、等级、分布位置、保护范围及面积等信息，扩大对重要地质遗迹保护的影响，提高整个社会对重要地质遗迹的保护意识。

二、重要地质遗迹保护名录的确定程序

1. 重要地质遗迹保护名录（草案）

首先根据收集的资料筛选出重要地质遗迹点，依据各类地质遗迹不同等级（世界级、国家级、省级）鉴评标准，按照对应准则和相对重要性原则，分类组织专家进行鉴评。经过鉴评的重要地质遗迹分地层剖面类、岩石剖面类、构造剖面类、重要化石产地类、重要岩矿石产地类、岩土体地貌类、水体地貌类、构造地貌类、地质灾害等，各类又列出相应的等级，并列出相应位置、经纬度坐标、保护范围及面积。这种分类确定重要地质遗迹等级、位置、经纬度坐标、保护范围及面积的地质遗迹保护名录，即为河南省重要地质遗迹保护名录。

2. 重要地质遗迹保护名录（征求意见稿）

确定的河南省重要地质遗迹保护名录（草案），要在自然资源行业内广泛征求各专业领域专家意见，形成征求意见稿，在此基础上修改完善报省自然资源厅批准发布。

3. 重要地质遗迹保护名录（社会发布）

经过专家鉴评后并征求业内人士意见，且经省自然资源厅批准的河南省重要地质遗迹保护名录，建议及时向社会公布，使得社会公众了解重要地质遗迹有关情况，达到政府和社会公众共同保护重要地质遗迹的目的。

第四节 地质遗迹调查对象

河南省地质遗迹调查对象根据《地质遗迹调查规范》(DZ/T 0303—2017)的地质遗迹类型划分方案,划分为3大类9类33亚类地质遗迹(表3-1)。将科学价值、观赏价值、典型性、稀有性等方面的相对重要性作为准则,选取具有科学价值、美学观赏价值、科普教育价值、典型、稀有的地质遗迹点作为重要地质遗迹调查对象。

第五节 地质遗迹登记表填写方法

根据收集资料与重要地质遗迹点的筛选及鉴评确定的重要地质遗迹点,要填写地质遗迹登记表。本项目鉴评确定河南省重要地质遗迹点335处,填写地质遗迹登记表335份。地质遗迹登记表的内容包括地质遗迹名称、类型、描述及照片(图片)、所属行政区域位置及地理坐标(经纬度)、评价(评定等级)、建议保护等级、科学价值(科学研究、地质工作野外观察、教学实习、科普)、观赏价值、环境优美性、稀有性、自然完整性、历史文化价值、安全性、观赏的通达性以及执行保护的可能性等信息。地质遗迹登记表填表说明如表9-2所示。

表9-2 地质遗迹登记表

图幅名称:1:5万上庄幅　　　　野外编号:GPS111　　　　室内编号:GZ1

所属行政区域位置	河南省登封市老母洞北	地理坐标	经度:113°02′08″E 纬度:34°30′14″N 高程:963m
地质遗迹名称	嵩阳运动	地质遗迹类型	构造剖面
所在地质公园名称	嵩山世界地质公园	照片号	收集/S1052651

地质遗迹描述:
　　"嵩阳运动"为张伯声院士命名(1951),是指发生在新太古界登封(岩)群沉积以后,古元古界嵩山群沉积以前的一次剧烈的地壳运动。嵩山群底砾岩呈角度不整合覆盖在新太古界登封(岩)群和变质变形侵入体的不同层位。嵩阳运动角度不整合界面出露部位处于太室山近山顶陡崖处,地势西高为崖壁,东低为山谷。上覆地层嵩山群罗汉洞组,岩性为变质砾岩、石英岩,产状:倾向305°~340°,倾角28°~32°;下伏地层登封(岩)群郭家窑(岩)组,岩性为白云石英片岩,产状:倾向285°,倾角50°。

嵩阳运动野外露头

第九章 地质遗迹调查工作方法

续表 9-2

地质遗迹评价(初拟评定等级)		国家级	建议保护等级	国家级
科学价值	对研究新太古代与古元古代之间的地壳运动具有重要的科学意义,具有地质工作野外观察及教学实习的科学价值		自然完整性	自然出露完整,没有遭受到人为破坏
稀有性	典型的嵩阳运动角度不整合界面,极其珍贵稀有		历史文化价值	具有很高的地质历史文化价值
美学观赏价值	具有一定的观赏价值		保护程度	为公园地质遗迹,保护程度良好
环境优美性	生态环境良好,环境优美		执行保护的可能性	设置保护区界线桩及保护警示牌,可保护
安全性	不存在开山采石对遗迹的威胁破坏因素		观赏的通达性	旅游步道可通达
调查人	李琛	审查人	方建华	时间	2009年7月22日

(1)图幅名称:填写地质遗迹所在1∶5万区域地质图国际分幅的图幅名称,如上庄幅。

(2)野外编号:填写野外调查地质遗迹的编号。

(3)室内编号:填写地质遗迹录入时的室内编号。

(4)所属行政区域位置:填写地质遗迹所在行政管辖区域的位置,如××省××县(市、区)××乡(镇)××村北××km。

(5)地理坐标:填写地质遗迹所在之处的经纬度,人可通达的地质遗迹点,以手持GPS定位仪确定经纬度,若人不便通达的地质遗迹点,以1∶5万国际分幅的地形图确定。

(6)高斯坐标:填写公里网查询的坐标。

(7)地质遗迹名称:填写准确的反映地质遗迹特征的名称,并注意不与录入地质遗迹数据库的其他地质遗迹同名。

(8)地质遗迹类型:按照《地质遗迹调查规范》(DZ/T 0303—2017)的地质遗迹类型划分方案划分的地质遗迹类型填写。

(9)所在的地质公园名称:填写地质遗迹点所在的地质公园全称,不在地质公园范围内的地质遗迹点,填写"不在地质公园内"。

(10)照片号:填写地质遗迹点照片在文件夹内的编号。

(11)地质遗迹描述:根据地质遗迹的类型不同,填写反映地质遗迹特征的内容,具体如下。

地层剖面类:填写地层单位名称、地层单位符号、地层单位时代、岩石组合名称、地层厚度、产状、上覆地层及接触关系、下伏地层及接触关系。

岩石剖面类:岩浆岩填写岩体单位名称、岩体单位符号、岩体形成时代、岩石名称(岩性)、岩相、含矿性与围岩接触关系、围岩时代;变质岩填写变质岩岩石名称、变质相带类型、变质程度、变质作用类型、变质温压条件、含矿性。

构造剖面类:断层填写断层名称、性质、上盘地质体岩性及代号、下盘地质体岩性及代号、形成时代、活动期次、走向、倾角、动力变质岩分带、断层破碎带宽度;褶皱填写褶皱名称、基本类型、核部地层及代号、翼部地层及代号;不整合界面填写不整合界面名称、界面、上覆地层单位、岩性、产状,下伏地层单位、岩性、产状。

重要化石产地类:古生物群化石产地、古动物化石产地、古植物化石产地、古生物遗迹化石产地调查,填写古生物化石或古生物遗迹化石名称、所属生物门类、化石种属名称、古生物化石或古生物遗迹保存特征(化石层产出层位、化石层或遗迹层的厚度、出露面积、化石数量、密度、个体大小、组合特征)、化石地层特征(地层单位名称、时代、厚度、岩石名称、岩性特征),古人类化石产地调查,填写古人类化石名称、化石产出地层层位、地层单位代号、化石保存特征与化石相关的古生物特征、古人类活动遗迹。

重要岩矿石产地类:矿床露头填写矿床名称、矿种名称、矿种代码、共生矿、伴生矿、含矿岩系、矿石品位、围岩蚀变、矿床规模、成因类型、成矿时代、开发现状、工业类型;矿物填写矿物名称、类型、形态特征、形成特征、围岩时代、矿物组合、开发现状、成因类型。

岩土体(构造)地貌类:地貌景观形成的地质背景包括地层、岩石、构造、成因分析,地貌形态特征包括单体形态描述、单体形态要素、单体形态完整程度、地貌形态组合、最佳观察位置、地貌景观的影响因素等。

水体地貌类:瀑布景观填写瀑布类型、所处河流名称、地质特征、瀑布的成因分析、瀑布水流状态、瀑布水流动态变化、水体污染状况、瀑布地貌描述、瀑布地质遗迹完整程度等;河流景观填写景观河段名称、河谷形态、河床比降、水流状态、河段的主要用途、河段两岸地质特征、河段的成因分析、水体污染状况、河流地貌描述、河段景观地质遗迹完整程度等;泉水景观填写泉的类型、泉水温度、泉产出的含水层岩性、泉产出的含水地层时代、泉水流量、地下水性质、地下水补给来源、泉水物理性质、泉水污染程度、泉水动态变化特征、泉水用途、泉出露地貌描述等。

地质灾害类:泥石流地质遗迹调查填写泥石流类型、所在的主河流名称、泥石流规模、泥石流发生时间、形成泥石流的降雨特征值、水动力类型、泥沙补给途径、沟口扇形地特征、沟口至主河道距离、不良地质情况、地貌描述、主沟纵坡度、相对高差、山坡坡度、流域面积、成因分析、危害程度、防治措施现状等;滑坡地质遗迹调查填写滑坡类型、性质、发生时间、面积、体积、平面形态、剖面形态、滑距、滑坡轴方位、滑动面特征、滑体特征、滑坡地层岩性、前缘高程、后缘高程、滑舌底高程、滑坡壁高度、水文地质特征、滑坡特点及成因分析、危害程度、稳定程度等;崩塌地质遗迹调查填写崩塌类型、长度、宽度、高度、坡度、面积、体积、崩塌堆积体形状、长轴方向、崩塌地质体岩性特征、地质时代、诱发崩塌的原因、危害程度等;地面塌陷地质遗迹填写地面塌陷类型、平面形状、长度、宽度、面积、深度、地层岩性、发生时间、诱发塌陷的原因、塌陷危害程度、稳定程度等。

(12)录像(录音):放置反映地质遗迹特征的野外实景录像或录音。

(13)地质遗迹评价(评定等级):根据地质遗迹的科学价值、稀有性、观赏价值和自然完整性,填写世界级或国家级或省级(评定后填写)。

(14)建议保护等级:根据地质遗迹的评价等级,填写地质遗迹应当受到保护的相应保护等级(评定后填写)。

(15)科学价值:根据地质遗迹在地质科学方面具有的科学研究意义、地质工作野外观察的地质现象的重要性、地质科普教育意义,填写地质遗迹的科学价值(评定后填写)。

(16)稀有性:根据地质遗迹在国内外或省内外的稀有程度,填写相应的地质遗迹的稀有性评价(评定后填写)。

(17)自然完整性:根据地质遗迹是自然出露还是人工揭露、是否遭受破坏、保存是否完整等情况填写。

(18)美学观赏价值:填写被调查地质遗迹在旅游开发利用吸引游客方面具有的美学观赏性,如猴石,具有极高的观赏性。

(19)历史文化价值:根据地质遗迹在地质历史或人文历史方面具有的文化价值,填写相应的评价。

(20)保护程度:填写地质遗迹是否受到保护,已经采取的保护措施和手段。如神灵寨中华大石瀑采取树立地质遗迹保护标示牌的措施,保护程度良好。

(21)环境优美性:根据地质遗迹所出露的地貌景观环境是否优美,填写相应的评价。

(22)执行保护的可能性:指被调查地质遗迹在保护方面可采取的措施及达到的效果,如猴石,设置保护围栏及地质遗迹保护警示牌,可保护。

(23)安全性:填写地质遗迹是否存在自然或人为的对地质遗迹造成破坏的威胁因素。

(24)观赏的通达性:指被调查地质遗迹在交通方面人可到达的条件,如五女峰,旅游步道可达山脚下;再如猴石,旅游步道可通达。

(25)登录人:填写地质遗迹登记表的责任人。

(26)审核人:填写审核地质遗迹登记表的责任人。

(27)时间:地质遗迹登记表填写的时间。

第六节　地质遗迹野外调查方法

一、一般要求

(1)在充分收集利用已有资料填写地质遗迹登记表的基础上,对城市周边、交通干线、采矿等工程经济活动可能造成破坏的重要地质遗迹点进行野外补充调查,调查重要地质遗迹是否被破坏,保存状态如何。

(2)自然地理状况、地质环境背景、地质遗迹基础资料等以利用现有资料为主,实物工作量主要用于典型地质遗迹点及保护现状方面的调查。

(3)地质遗迹调查分为区域地质遗迹调查、重要地质遗迹点调查,区域地质遗迹主要采用收集资料填写地质遗迹登记表的调查方式,重要地质遗迹点采用野外实地查看调查的方式。

(4)地质遗迹调查对象是按照地质遗迹分类表确定的3大类9类33亚类地质遗迹。调查路线按照收集的地质遗迹点出露分布的位置布设,一般要求贯穿调查区内主要典型地质遗迹点。

(5)对调查地质遗迹点填写地质遗迹调查表,调查表内容详见地质遗迹调查内容。地质遗迹调查采用分区调查的方式,调查区按照地质遗迹出露的地貌单元划分。

二、野外调查方法

(1)在对收集的地质遗迹资料分析研究的基础上,筛选出省级以上的各种地质遗迹点进行野外补充实地验证调查,现场获取资料,包括GPS定位、照相或摄像和野外记录等。

(2)地质遗迹调查主要采用验证调查路线方法。调查路线按照地质遗迹点通达路线布置,调查点的布置根据收集资料掌握的已知典型、稀有并具有科学价值、观赏价值的地质遗迹点确定。

(3)野外手图采用1:5万地形图或1:10万地形图,所有调查的地质遗迹点均应准确标绘到野外手图上。野外调查工作中的地质遗迹调查观测点在野外手图上标定的点位与实地位置误差,一般不得大于50m。

(4)地质遗迹调查点验证观察与记录的重点是地质遗迹的特征描述、物质组成、出露(自然出露、人工开挖)分布状态、保护现状等,对重要地质现象应作详细观测,并配以照相、摄像或素描。

(5)对地质遗迹调查路线线距和点距不作机械的规定,但要求点、线应能有效控制各类地质遗迹分布。

三、野外资料的整理

（1）日常性整理：野外工作期间要及时进行资料整理。整理内容包括调查表、手图等，并按有关要求进行自检、互检，项目技术负责人抽检，要妥善保管质量检查卡片。

（2）阶段整理：项目技术负责人安排作业人员采取相关的统计方法对阶段性成果进行整理和研究（包括调查表、手图），编制各种图件、表格及文字小结，对发现的问题应及时纠正和补救。

（3）项目资料整理：项目野外工作结束后，对获取的各种类型地质遗迹点的野外调查表、地质遗迹登记表、野外工作手图和野外照片进行相应的整理，为项目成果报告编写及图件编绘提供基础资料依据。

第七节　各类地质遗迹调查方法

一、地层剖面类地质遗迹调查方法

1. 地层剖面类地质遗迹点的选取依据

地层剖面类调查正层型剖面（创名人在建立地层单位或界线层型时指定的原始层型）、层型剖面（原创名人使用原定义解释正层型时所采用的补充层型）特点：具备较大的厚度、地层出露齐全、化石比较丰富、顶底界线清楚、与上覆和下伏地层单位关系明确等，可作为区域剖面对比的依据。如：河南省寒武系辛集组、朱砂洞组地层剖面，发育完好，化石丰富，并作过深入研究，可以作为华北区寒武系对比依据的辛集组、朱砂洞组正层型剖面。

《中国地层典（太古宇、古元古界、中元古界、新元古界、寒武系、奥陶系、志留系、泥盆系、石炭系、二叠系、三叠系、侏罗系、白垩系、第三系、第四系）》收录的层型剖面作为国家级选取依据，《河南省岩石地层》收录的层型剖面作为省级选取依据。

2. 地层剖面类地质遗迹野外调查内容

地质遗迹调查表的填写是在收集资料综合分析和填写地质遗迹登记表的基础上，室内填写部分内容与野外填写部分内容相结合完成的。室内填写主要内容：遗迹名称、类型、亚类、地层单位名称、地层单位符号、地层单位时代、岩石组合名称、地层厚度、产状、上覆地层及接触关系、下伏地层及接触关系、含矿性、科学价值、稀有性等；野外调查填写主要内容：地质遗迹所在地理位置、经纬度坐标、剖面起始点坐标、露头所处地貌描述、出露的完整程度、保护情况、通达条件等。

3. 地层剖面类地质遗迹点圈定范围方法

对地层剖面类地质遗迹点出露范围边界控制点划定主要采用室内与野外观察相结合的方法，在

第九章 地质遗迹调查工作方法

室内根据收集的地层剖面类地质遗迹点所处的1∶5万地质图、地形图及地层剖面文献记录所处的地理位置、地层剖面起点至终点、地层剖面线方向、剖面线长度、地层剖面的岩性特征、地层厚度、产状、所含古生物化石属种和丰度等,将地层剖面所处位置、长度、走向标注在1∶5万地形图上,并且初步圈定应当保护的范围边界。在野外手持GPS定位仪及标注地层剖面的1∶5万地形图上,根据掌握的地层剖面相关信息在野外观察验证核对,并根据实地地形地貌对地层剖面出露边界范围进行调整,圈定地层剖面出露应当保护范围边界,并且确定范围边界拐点坐标。范围边界的划定不宜过大或过小,应当以保护地层剖面的完整性为原则,包含地层剖面起点至终点,剖面线两侧以保护出露地层的岩性界线内完整的地层单元为好,如果地层出露沿着地层走向连续延伸很远,要在适当位置沿着地形界线明显处划定边界线。

4. 辛集组地层剖面地质遗迹野外调查实例

辛集组地层剖面为《中国地层典(寒武系)》收录的层型剖面,可作为国家级选取依据,综合分析填写的地质遗迹登记表如表9-3所示,室内填写部分内容与野外调查填写部分内容结合填写的地质遗迹调查表如表9-4所示,野外拍摄的照片、视频记录在数据库中,野外工作手图圈定地质遗迹点保护范围如图9-5所示。

表9-3 地质遗迹登记表

图幅名称:1∶5万×××幅　　　　野外编号:GPS571　　　　室内编号:DC63

所属行政区域位置	河南省鲁山县辛集镇龙鼻村东南1 000m	地理坐标	经度:112°59′05″E
			纬度:33°48′25″N
			高程:165m
地质遗迹名称	辛集组地层剖面	地质遗迹类型	地层剖面
所在地质公园名称	不在地质公园范围之内	照片号	IMG-3183

地质遗迹描述: 　河南省地质科学研究所(1962)在鲁山县辛集创立"辛集含磷组",时代归早寒武世。 　上覆地层:朱砂洞组红色、淡黄色膏溶灰岩角砾岩,溶洞发育。 　下伏地层:东坡组紫红色及黄绿色片理化泥质粉砂岩,夹薄层石英岩。 　岩性为含磷砂砾岩、磷质含海绿石长石石英砂岩、紫红色砂岩,其下与东坡组平行不整合接触,其上以石英砂岩消失、厚层角砾状白云质灰岩出现与朱砂洞组分界。 　剖面厚度14.85m。	 辛集组地层剖面野外保存自然状态

	地质遗迹评价(初拟评定等级)	国家级	建议保护等级	国家级
科学价值	对华北地区早寒武世早期地层对比,三叶虫化石产出地层研究,具有野外观察的科学价值	自然完整性		正层型剖面出露自然完整,未遭受到人为破坏

续表9-3

稀有性	正层型地层剖面在河南、山西、山东等省十分稀有	历史文化价值	具有早寒武世地质历史演化的文化价值
美学观赏价值	不具有观赏性	保护程度	未采取任何保护措施
环境优美性	不具有优美性	执行保护的可能性	设置保护警示牌,可保护
安全性	存在修路或采石破坏的可能性	观赏的通达性	乡村水泥路可通达
调查人	杜开元 方建华	审查人 张忠慧	时间	2011年4月15日

表9-4 地层剖面类沉积(火山)地层地质遗迹调查表

野外编号	GPS571	室内编号	DC63	观测坐标	X:3744085 Y:19683789 H:165m(1:5万×××幅)
遗迹名称	辛集组地层剖面			亚类	区域层型(典型)剖面
地质遗迹地理位置	所属行政区			河南省鲁山县辛集镇龙鼻村东南1000m	
	地质遗迹点			地理坐标:33°48′25″N,112°59′05″E;H:165m	
	遗迹出露形态要素			长:900m,宽:800m	
地层单位名称	辛集组		上覆地层及接触关系	朱砂洞组红色、淡黄色膏溶灰岩角砾岩,整合接触	
地层单位符号	$\in_1 x$		下伏地层及接触关系	东坡组紫红色、黄绿色片理化泥质粉砂岩,夹薄层石英岩,平行不整合接触	
地层单位时代	寒武系		上接触面产状	355°∠30°	
岩石组合名称	含磷砂砾岩,长石石英砂岩,砂岩		下接触面产状	240°∠15°	
岩石组合主体颜色	灰绿色,深灰色,紫红色		地层产状	10°∠43°	
岩层主要沉积构造	—		剖面起点坐标	112°59′08″E,33°48′17″N;H:161m	
生物化石带或生物组合	Hsnaspis及多门类小壳动物化石		剖面方向	350°	
地层厚度	14.85m		剖面长度	800m	
含矿性	含磷矿		遗迹地貌描述	地貌位于山岗地东侧,地势西高较高,东北地势较低,发育季节性小河道	
科学价值	对华北地区早寒武世早期地层对比,三叶虫化石产出地层研究,具有野外观察的科学价值		遗迹完整程度	正层型剖面出露自然完整,未遭受到人为破坏	

第九章 地质遗迹调查工作方法

续表 9-4

稀有性	正层型地层剖面在河南、山西、山东等省十分稀有	保护的情况	未采取任何保护措施
观赏价值	不具有观赏价值	通达条件	乡间水泥路可通达
保护建议	国家级保护,树立保护警示牌,划定保护范围	安全性	存在修路或采石破坏的可能性
照片编号	IMG-3183	摄像编号	MVI-3181	镜头指向	160°,350°
调查人	方建华 杜开元	审查人	章秉辰	调查时间	2011年10月18日

野外手图圈定保护范围

保存自然状态

图 9-5　辛集组地层剖面地质遗迹点

二、岩石剖面类地质遗迹调查方法

1. 岩石剖面类地质遗迹的选取依据

岩石剖面类地质遗迹调查依据重要地质遗迹鉴评标准,应当选取全球罕见、稀有的岩体和岩层露头,具有重大科学研究价值;全国或大区罕见、稀有的岩体和岩层露头,具有重要科学研究价值;河南省内罕见、稀有的岩体和岩层露头,具有指示地质演化过程的科学研究价值的侵入岩、火山岩、变质岩体或沉积岩层露头剖面。如:高压—超高压榴辉岩反映了华北板块与扬子板块碰撞深俯冲折返造山过程,对研究中国中央造山带具有重要的地质科学意义,在国际上具有一定的影响,属于世界级地质遗迹;洋淇沟的古秦岭洋有限扩张小洋盆洋壳超镁铁质蛇绿岩具有重大科学研究价值和典型意义,属于国家级的地质遗迹。

《河南省区域地质志》全面系统地记载了不同时期和不同类型的侵入岩、火山岩以及不同变质成因的变质岩。侵入岩从嵩阳期、王屋山期、晋宁期、加里东期、海西期、燕山期到喜马拉雅期各个时期,有代表性地选取酸性岩、中性岩、基性岩、超基性岩各类岩体,相同时代的相同岩石类型则应选取研究程度较高的岩体。火山岩剖面、变质岩剖面、沉积岩剖面主要根据世界级、国家级、省级地质公园申报材料、嵩山新太古代 TTG 片麻岩及《中国嵩山前寒武纪地质》研究专著选取。

2. 岩石剖面类地质遗迹野外调查内容

地质遗迹调查表是在收集资料综合分析及填写地质遗迹登记表的基础上,室内填写部分内容与野外填写部分内容相结合完成的。室内填写主要内容:遗迹名称、类型、亚类;岩浆岩填写岩体单位名称、岩体单位符号、岩体形成时代、岩石名称(岩性)、岩相、含矿性与围岩接触关系、围岩时代;变质岩填写变质岩岩石名称、变质相带类型、变质程度、变质作用类型、变质温压条件、含矿性、科学价值、稀有性等。野外调查填写主要内容:地质遗迹所在地理位置、经纬度坐标、剖面起始点坐标、露头所处地貌描述、出露的完整程度、岩石露头是否遭受到破坏、保存状态如何等情况、是否存在被破坏的安全威胁、通达条件等。

3. 岩石剖面类地质遗迹点圈定范围方法

对岩石剖面类地质遗迹点出露范围边界控制点划定主要采用室内与野外观察相结合的方法,在室内根据收集到的岩石剖面类地质遗迹点所处的1:5万地质图、地形图及文献记录岩石剖面所处的地理位置、穿越岩体岩石剖面起点至终点、岩石剖面线方向、剖面线长度、穿越岩体剖面的岩性特征、岩体规模以及岩体接触界线等,将岩石剖面所处位置、长度、走向标注在1:5万地形图上,并且初步圈定岩体分布范围、应当保护的范围边界及面积。在野外手持GPS定位仪与标注岩石剖面及岩体边界的1:5万地形图上,根据掌握的岩体相关信息在野外观察验证核对,并根据实地地形地貌对岩石剖面出露边界范围作出调整,圈定岩石剖面出露应当保护范围边界,并且确定范围边界拐点坐标。范围边界的划定不宜过大或过小,应当以保护岩体及穿越岩体的岩石剖面的完整性为原则,穿越岩体的岩石剖面地质遗迹点范围边界的划定应当包含岩石剖面起点至终点,剖面线两侧以保护出露地层的岩性界线内完整的岩体单元为好。如果岩体出露范围面积很大,应当沿着穿越岩体剖面走向左、右两侧,在适当位置地形界线明显处划定边界线。

4. 洋淇沟超基性岩体地质遗迹野外调查实例

洋淇沟超基性岩体为《河南省区域地质志》所记载,可作为国家级岩石剖面地质遗迹选取依据,综合分析填写的地质遗迹登记表如表9-5所示,室内填写部分内容与野外调查填写的部分内容结合填写的地质遗迹调查表如表9-6所示,野外拍摄的照片、视频记录在数据库中;野外工作手图圈定地质遗迹保护范围如图9-6所示。

表9-5 地质遗迹登记表

图幅名称:1:5万××幅　　　　野外编号:GPS563　　　　室内编号:YS4

所属行政区域位置	河南省西峡县西坪镇洋淇沟	地理坐标	经度:111°01′02″E
			纬度:33°32′14″N
			高程:685m
地质遗迹名称	洋淇沟超基性岩体	地质遗迹类型	岩石剖面
所在地质公园名称	伏牛山世界地质公园	照片号	IMG-3060

续表 9-5

地质遗迹描述：			
西峡洋淇沟蛇绿岩是从原秦岭（岩）群中解体出来的，主要由超镁铁质岩和镁铁质岩以构造关系叠置并已强烈变形变质异地无根的构造蛇绿岩片。该岩体东西长22km,最宽处2.2km,向西延入陕西省称为松树沟岩体,河南省内面积8km²,平面形态呈长纺锤形。它是在深部地幔动力学演化背景下所产生的一套中新元古代有限扩张小洋盆性质的蛇绿岩,其洋壳残片性质代表了东秦岭商南—西峡区间曾存在着中新元古代有限扩张小洋盆,并经历了中新元古代晋宁期洋-陆相互作用的汇聚拼合。洋淇沟的古秦岭洋有限扩张小洋盆洋壳超镁铁质蛇绿岩属于国家级的地质遗迹,具有重大科学研究价值和典型意义。		 洋淇沟超基性岩体存在采矿问题	

地质遗迹评价（初拟评定等级）		国家级	建议保护等级	国家级
科学价值	与全球的罗迪尼亚（Rodinian）超大陆事件相对应,为古秦岭洋壳的研究提供了科学依据		自然完整性	遭受到乱采滥挖,保存不完整
稀有性	超基性岩体反映洋壳残片十分罕见		历史文化价值	具有中新元古代的古秦岭洋演化的地质历史价值
美学观赏价值	不具旅游开发利用的美学观赏价值		保护程度	未采取地质遗迹保护措施
环境优美性	环境不优美		执行保护的可能性	设置保护宣传牌,可保护
安全性	面临被破坏的威胁		观赏的通达性	公路可达
调查人	杜开元　方建华	审查人	章秉辰	调查时间	2010年9月5日

表 9-6　岩石剖面类侵入岩（火山岩）剖面地质遗迹调查表

野外编号	GPS563	室内编号	YS4	观测坐标	X:3712397　Y:19501600 H:685m(1:5万××幅)
遗迹名称	洋淇沟超基性岩体		亚类		侵入岩剖面（晋宁期）
地质遗迹地理位置	所属行政区		河南省西峡县西坪镇洋淇沟		
	地质遗迹点		地理坐标:33°32′14″N,111°01′02″E;H:685m		
	遗迹出露形态要素		长:1 000m,宽:900m		
岩体单位名称	洋淇沟超基性岩体		与围岩接触面走向		岩体呈无根的"向形"北西向楔状就位于峡河岩群中
岩体单位符号	Σ_2^3		与围岩接触面倾向		—
岩体形成时代（同位素年龄）	983Ma		与围岩接触面倾角		—

续表 9-6

岩石名称（岩性）	纯橄岩、橄榄岩	围岩时代	—
岩石颜色	暗绿色、黄绿色	流面产状	—
岩石结构	蚀变结构、交代残留结构	流线产状	—
岩石构造	块状构造	剖面起点坐标	111°00′01″E,33°32′01″N
火山岩相类型	—	剖面方向	20°
主要矿物及含量	镁橄榄石 25%～60% 斜方辉石 4%～30%	剖面长度	2 200m
次要矿物及含量	铬铁矿＜10%	包体成分及特征	—
含矿性	铬铁矿层	岩脉名称及特征	—
节理	—	遗迹地貌描述	地貌处于北西-南东向峡谷内，峡谷两侧地势高，中间低
与围岩接触关系	构造就位		
科学价值	与全球的罗迪尼亚（Rodinian）超大陆事件相对应，为古秦岭洋壳的研究提供了科学依据	遗迹完整程度	沿峡谷岩壁出露，大部分地段出露原始自然状态，未遭受到人为破坏，局部遭受到橄榄砂矿的开采破坏威胁
稀有性	在我国中央造山带中十分稀有	保护的情况	未采取任何保护措施
观赏价值	不具有观赏价值	通达条件	简易砂石汽车道可通达
保护建议	国家级保护，设置地质遗迹保护警示说明牌	安全性	存在开采橄榄砂矿破坏的威胁
照片编号	IMG-3060	摄像编号	MVI-3057	镜头指向	150°
调查人	方建华　杜开元	审查人	章秉辰	调查时间	2011 年 10 月 30 日

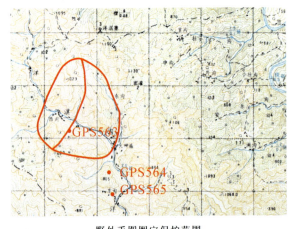

野外手图圈定保护范围

保存自然状态

图 9-6　洋淇沟超基性岩体地质遗迹点

5. 高压—超高压榴辉岩地质遗迹野外调查实例

根据《河南省区域地质志》记载，大别山高压—超高压榴辉岩反映了华北板块与扬子板块碰撞深俯冲折返造山过程，对研究中国中央造山带具有重要的地质科学意义，在国际上具有一定的影响，作为世界级岩石剖面地质遗迹选取依据，综合分析填写的地质遗迹登记表如表9-7所示，室内填写部分内容与野外调查填写的部分内容结合填写的地质遗迹调查表如表9-8所示，野外拍摄的照片、视频记录在数据库中，野外工作手图圈定地质遗迹点保护范围如图9-7所示。

表9-7 地质遗迹登记表

图幅名称：1∶5万××幅　　　　野外编号：GPS403　　　　室内编号：YS22

所属行政区域位置	河南省新县泗店乡腊树塘村	地理坐标	经度：114°54′21″E 纬度：31°31′17″N 高程：140m
地质遗迹名称	高压—超高压榴辉岩	地质遗迹类型	岩石剖面
所在地质公园名称	在新县大别山省级地质公园范围内	照片号	S1059417 S1059419

地质遗迹描述：
　　高压—超高压榴辉岩是主要由红棕色石榴子石和草绿色绿辉石组成的基性变质岩。新鲜岩石呈灰绿色，风化较强者颜色变浅，片麻理发育。镜下观察为鳞片粒状变晶结构、柱粒状变晶结构，片麻状构造、条带状构造、斑杂状构造和块状构造。主要矿物成分：石榴子石5%～40%，绿辉石10%～30%，角闪石5%～40%，绿帘石0～30%，石英0～10%，副矿物有金红石、磷灰石。榴辉岩呈包体或透镜体状分布于变质表壳岩及大别片麻杂岩中。榴辉岩的形成充分说明新县大别山地质公园内的变质表壳岩及大别片麻杂岩经历了在地壳深部高压—超高压的变质过程。

高压—超高压榴辉岩体出露状态

地质遗迹评价（初拟评定等级）		世界级	建议保护等级	世界级保护
科学价值	反映华北板块与扬子板块碰撞深俯冲折返造山过程的地质遗迹，对研究中国中央造山带具有重要的地质科学意义		自然完整性	自然出露完整，没有遭受到人为破坏
稀有性	此高压—超高压榴辉在我国稀有		历史文化价值	具有中国中央造山带地质演化历史价值
美学观赏价值	不具有观赏价值		保护程度	原始自然状态，保护程度良好
环境优美性	不具有环境优美性		执行保护的可能性	设置保护警示牌，可保护
安全性	存在道路拓宽的潜在破坏因素		观赏的通达性	柏油公路可通达
调查人	毛瑞芬	审查人	方建华	调查时间	2009年11月12日

表 9-8 岩石剖面类变质岩相剖面地质遗迹调查表

野外编号	GPS403	室内编号	YS22	观测坐标	$X:3490750,Y:20301050,H:140m(1:5万××幅)$
遗迹名称	高压—超高压榴辉岩			亚类	变质岩剖面
地质遗迹地理位置	所属行政区		河南省新县泗店乡腊树塘村北西		
	地质遗迹点		地理坐标:31°31′17″N,114°54′21″E;H:140m		
	遗迹出露形态要素		长:300m,宽:100m,高:20m		
变质相带类型	榴辉岩相		变质作用类型		超高压区域变质作用 深部动力变质作用
变质程度	高级		变质温压条件		700~900℃;5~7GPa
变质相带岩石名称	榴辉岩		变质相带岩石颜色		灰色
变质相带岩石结构	变质岩岩石结构		变质相带岩石构造		变质岩岩石构造
变质相带矿物组合及含量	石榴石 5%~40%、绿辉石 10%~30%、角闪石 5%~40%、绿帘石 0~30%、石英 0~10%		遗迹地貌描述		地貌位于北东-南西向丘陵岗东侧,西部、北部地势高,东部、南部地势低,为河道
含矿性	—				
科学价值	反映华北板块与扬子板块碰撞深俯冲折返造山过程的地质遗迹,对研究中国中央造山带具有重要的地质科学意义		遗迹完整程度		修公路人工开挖揭露,出露完整
稀有性	此高压—超高压榴辉在我国稀有		保护的情况		未保护,可采取树立警示牌措施
观赏价值	不具有观赏价值		通达条件		柏油公路可通达
保护建议	世界级		安全性		存在公路拓宽改造挖出地质遗迹的可能性
照片编号	S1059417 S1059419	摄像编号	S1059418	拍摄方位	北
调查人	方建华 毛瑞芬	审查人	章秉辰	调查时间	2010年9月18日

第九章 地质遗迹调查工作方法

野外手图圈定保护范围　　　　　　　　保存自然状态

图 9-7　高压—超高压榴辉岩体地质遗迹点

三、构造剖面类地质遗迹调查方法

1. 构造剖面类地质遗迹的选取依据

《河南省区域地质志》记载的区域性深大断裂带、断层,《阶段性板块运动与板内增生——河南省1∶50万地质图说明书》等地质构造专著收录的河南省内华北板块与扬子板块碰撞缝合带、区域性断裂带露头等,河南省世界地质公园申报材料反映的嵩阳运动、中岳运动、少林运动、王屋山运动等构造运动命名地的角度不整合界面以及典型直观便于保护的平卧褶皱、天坛山倒转背斜等构造剖面类地质遗迹,典型、稀有并具有重要的科学意义和研究价值。按照《地质遗迹调查规范》(DZ/T 0303—2017)地质遗迹类型划分方案,河南省构造剖面类地质遗迹分为断层、褶皱、不整合界面3个亚类。调查断层应该从地质遗迹保护管理出发,省级重要地质遗迹调查应调查河南省内地质界公认的区域性大断裂及这些大断裂出露的断层现象,对那些隐伏的、没有良好露头的大断裂不予调查。因为调查的目的是掌握这些区域性大断裂出露的地质现象,不被人为活动破坏,以便于今后地质科研或地质工作观察。褶皱地质遗迹调查是调查典型直观的便于保护的褶皱地质现象。不整合界面地质遗迹调查是调查不整合界面命名地的不整合界面地质现象。

2. 构造剖面类地质遗迹野外调查内容

地质遗迹调查表是在收集资料综合分析和填写地质遗迹登记表的基础上,室内填写部分内容与野外填写部分内容相结合完成的。室内填写主要内容:遗迹名称、类型、亚类;断层填写断层名称、断层性质、断层上盘地质体岩性及代号、断层下盘地质体岩性及代号、断层形成时代、活动期次、断层走向、倾角、断层动力变质岩分带、断层破碎带宽度;褶皱填写褶皱名称、褶皱基本类型、褶皱核部地层及代号、褶皱翼部地层及代号;不整合界面填写不整合界面名称、类型、上覆地层单位、岩性、产状,下伏地层单位、岩性、产状,科学价值、稀有性等。野外调查填写主要内容:地质遗迹所在地理位置、经纬度坐标、剖面起始点坐标、露头所处地貌描述、出露的完整程度、露头是否遭受到破坏、保存状态如何等情况,以及是否存在被破坏的安全威胁、通达条件等。

3. 断裂带（断层）地质遗迹调查方法

断裂带（断层）地质遗迹主要调查出露的反映断裂带（断层）地质现象的观察点，每个断裂带（断层）调查1～2个反映断裂带（断层）地质现象的、典型且具有代表性的地质遗迹点。如：西官庄-镇平断裂带、松扒-龟山断裂带（松扒）、松扒-龟山断裂带（睡仙桥）、龟山-梅山断裂带（图9-8），每个点应当圈定保护的露头范围。

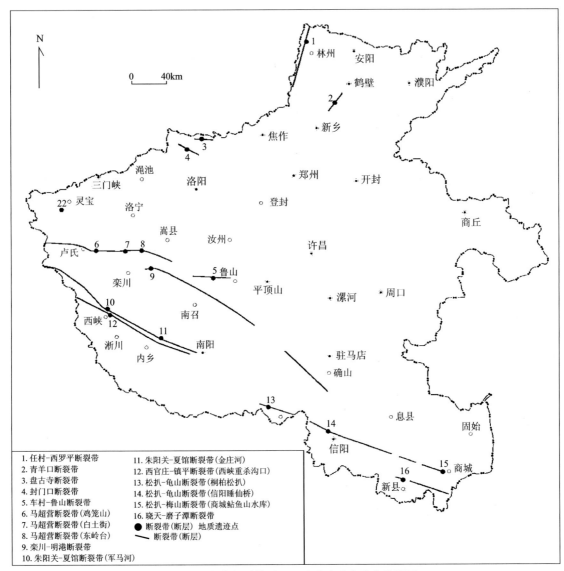

图 9-8　河南省断裂带（断层）地质遗迹点分布位置图

4. 构造剖面类地质遗迹点圈定范围方法

对构造剖面类地质遗迹点出露范围边界控制点划定主要采用室内与野外观察相结合的方法，在室内根据收集到的构造剖面类断裂带（断层）、不整合界面、褶皱地质遗迹相关资料，筛选出反映断裂带（断层）、不整合界面、褶皱典型构造地质现象的地段作为断裂带（断层）地质遗迹点，把构造剖面类地质遗迹点所处的1∶5万地质图及地形图、遥感影像图进行对比分析，并且标注在1∶5万地形图上，再根据相关文献记录所处地理位置、穿越断裂带（断层）、不整合界面、褶皱的构造剖面起点至终点、构造剖面线方向、剖面线长度及穿越构造剖面的岩性特征、产状、岩层接触界线等，将构造剖面所处位置、长度、走向标注在1∶5万地形图上,并且初步圈定构造剖面地质遗迹点分布范围应当保护的范围边界及面积。在野外手持GPS定位仪及标注构造剖面类典型地质遗迹出露范围边界的1∶5万地形图上,根据掌握的相关信息在野外观察验证核对,并根据实地地形地貌对构造剖面出露边界范围做出调整,圈定构造剖面出露应当保护范围边界,并且确定范围边界拐点坐标。范围边界的划定不宜过大或过小,应当以保护构造剖面类典型地质遗迹所反映的构造地质现象的完整性为原则,包含构造剖面起点至终点,剖面线两侧以保护出露断裂带(断层)、不整合界面、褶皱地质遗迹的构造现象的完整为好。如果断裂带(断层)出露范围延续长度很长,应沿着断裂带(断层)走向在出露点左、右两侧适当位置地形界线明显处划定范围边界线。

5. 西官庄-镇平断裂带地质遗迹野外调查实例

根据《河南省区域地质志》记载,西官庄-镇平断裂带反映了华北板块与扬子板块碰撞的缝合带,对研究中国中央造山带具有重要的地质科学意义,在国际上具有一定的影响,可作为世界级构造剖面地质遗迹选取依据。综合分析填写的地质遗迹登记表如表9-9所示,室内填写部分与野外调查填写的部分内容结合填写的地质遗迹调查表如表9-10所示,野外拍摄的照片记录在数据库中,野外工作手图圈定地质遗迹点保护范围如图9-9所示。

表 9-9　地质遗迹登记表

图幅名称:1∶5万××幅　　　　　野外编号:GPS171　　　　　室内编号:GZ12

所属行政区域位置	河南省西峡县重杀沟口	地理坐标	经度:111°29′54″E
			纬度:33°21′23″N
			高程:295m
地质遗迹名称	西官庄-镇平断裂带	地质遗迹类型	构造剖面
所在地质公园名称	伏牛山世界地质公园	照片号	S1056589

地质遗迹描述:

区域上称为商县-丹凤-镇平-龟山-梅山断裂带,由多条不同时期形成的韧性及脆性断裂构造带共同组成,总体走向290°,形成于中元古代末期—新元古代早期,出露于西峡县西官庄、石龙堰、内乡县夫子岭、马山口一带,马山口以东被覆盖,过南阳盆地后在桐柏县南部及大别山北麓又出露,向西延入陕西。在西峡县重杀沟口沿断裂带主界面及其两侧分布,主韧性剪切带由各种(变晶)糜棱岩、(变晶)超糜棱岩、构造片岩及糜棱岩化岩石构成,宽数百米至千余米,构造岩多具不同程度的后期静态恢复,形成大量变晶构造如石英多晶条带、矩形边构造等。糜棱面理因受后期变形改造而变化较大,但以北东倾向为主,倾角50°~80°。糜棱面理上可见两组矿物拉伸线理:一组呈近水平状,大多略向西缓倾,倾角多小于20°,"σ"形旋转碎斑、片理、不对称褶皱、S-C组构等不对称组构一致指示为右行剪切;另一组与糜棱面理倾向近于一致。两组线理及不对称组构总体上反映了一期由右行走滑递进变形至自北向南推覆的韧性剪切活动。

西官庄-镇平断裂带保存自然状态

续表9-9

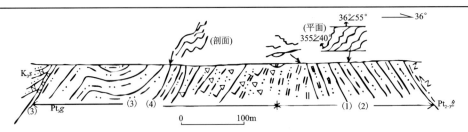

西峡重杀沟口西官庄-镇平断裂带构造剖面图

1.寺沟组;2.龟山(岩)组;3.寨根(岩)组;4.砂岩;5.斜长角闪岩;6.钙硅质岩;7.大理岩;8.碎裂岩;
9.糜棱岩;10.超糜棱岩;11.变晶糜棱岩;12.变晶超糜棱岩;13.糜棱岩化;14.断裂分带号

地质遗迹评价(初拟评定等级)		世界级	建议保护等级	世界级
科学价值	华北板块与扬子板块缝合带地质遗迹,对研究中国中央造山带具有重要的地质科学意义		自然完整性	自然出露完整,没有遭受到人为破坏
稀有性	此断裂构造现象在我国稀有		历史文化价值	具有中央造山带构造演化的地质历史价值
美学观赏价值	不具有观赏价值		保护程度	为公园地质遗迹,保护程度良好
环境优美性	不具有环境优美性		执行保护的可能性	设置保护警示牌,可保护
安全性	不存在开山采石的威胁破坏因素		观赏的通达性	柏油公路可通达
调查人	杜凤军 李琛	审查人	方建华	调查时间	2009年9月22日

表9-10 构造剖面类断层地质遗迹调查表

野外编号	GPS171	室内编号	GZ12	观测坐标	X:3692447,Y:19546373,H:295m(1:5万××幅)
遗迹名称	西官庄-镇平断裂带			亚类	断层
地质遗迹地理位置	所属行政区		河南省西峡县重杀沟口镇		
	地质遗迹点		地理坐标:33°21′23″N,111°29′54″E;H:295m		
	遗迹出露形态要素		长:200m,宽:20m		
断层名称	西官庄-镇平断裂带		动力变质岩分带	自北向南划分为糜棱岩化带、变晶超糜棱岩带	
断层性质	韧性剪切带		动力变质岩成分	糜棱岩化斜长角闪岩	
断层北盘地质体代号	$Pt_{2-3}z$		断层走向	120°	
断层北盘地质体岩性	中—新元古界峡河(岩)群寨根(岩)组斜长角闪岩		断层倾向	30°	

第九章 地质遗迹调查工作方法

续表 9-10

断层南盘地质体代号	Pt$_{2-3}$g	断层面倾角	72°
断层南盘地质体岩性	中—新元古界龟山(岩)组变晶超糜棱岩	断层破碎带宽度	150m
断层形成时代	早古生代	次级构造特征	—
活动期次	加里东期、燕山期、喜马拉雅期	遗迹地貌描述	东侧为低山坡地势高、西侧为峡谷冲沟地势低,地质遗迹出露于东侧公路旁
科学价值	华北板块与扬子板块缝合带地质遗迹,对研究中国中央造山带具有重要的地质科学意义	遗迹完整程度	地质遗迹自然及修公路开挖出露
稀有性	此断裂带构造现象在我国北方稀有	保护的情况	没有采取任何保护措施
观赏价值	不具有观赏价值	通达条件	柏油公路可通达
保护建议	国家级	安全性	不存在开山采石破坏的威胁
照片编号	S1056589	摄像编号	—	镜头指向	北西
调查人	方建华　李琛	审查人	章秉辰	调查时间	2009 年 9 月 27 日

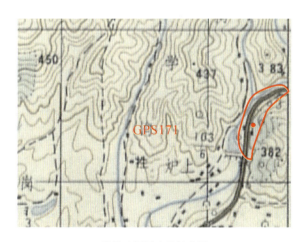
野外手图圈定保护范围

保存自然状态

图 9-9　西官庄-镇平断裂带地质遗迹点

6. 松扒-龟山断裂带(松扒)地质遗迹野外调查实例

根据《河南省区域地质志》记载,区域上称为商县-丹凤-镇平-龟山-梅山断裂带,为华北板块与扬子板块的缝合线,是秦岭造山带内规模最大、最为瞩目的一条在很长的地质历史时期内多期次活动的深断裂带,对研究中国中央造山带具有重要的地质科学意义,在国际上具有一定的影响。可作为世界级构造剖面地质遗迹选取依据。综合分析填写的地质遗迹登记表如表 9-11 所示,室内填写部分内容与野外调查填写的部分内容结合填写的地质遗迹调查表如表 9-12 所示,野外工作手图圈定地质遗迹点保护范围如图 9-10 所示。

表 9-11 地质遗迹登记表

图幅名称:1∶5万×××幅　　　　　野外编号:GPS401　　　　　室内编号:GZ13

所属行政区域位置	河南省桐柏县大河乡松扒村南400m	地理坐标	经度:113°19′25″E 纬度:32°28′12″N 高程:285m
地质遗迹名称	松扒-龟山断裂带(松扒)	地质遗迹类型	构造剖面
所在地质公园名称	不在地质公园范围内	照片号	S1059382/收集

地质遗迹描述:

区域上称为商县-丹凤-镇平-龟山-梅山断裂带,为华北板块与扬子板块的缝合线,是秦岭造山带内规模最大、最为瞩目的一条在很长的地质历史时期内多期次活动的深断裂带,它不仅使得断裂带内岩石发生强烈变形,而且造成沿断裂带展布的地层大量消减。在桐柏一信阳一带断续出露长度约94km。

断裂带北侧出露的为秦岭(岩)群陆源碎屑岩-碳酸盐岩夹基性火山岩建造;南侧出露的为龟山(岩)组泥砂质碎屑岩-基性火山岩建造。沿断裂带发育0.2～2km宽的构造片岩、变晶糜棱岩带。在松扒角闪质糜棱岩亚带变形岩石主要为郭庄(岩)组的斜长角闪片麻岩和龟山(岩)组的斜长角闪片岩。在露头上清晰地显示出强变形带与夹持其间弱应变域规律组合的网结状剪切系统,糜棱岩中糜棱面理、拉伸线理和剪切褶皱发育。糜棱面理总体产状10°～45°∠60°～70°;拉伸线理向西倾伏,倾伏角10°～25°;剪切褶皱主要由长英质条带显示,多为褶皱枢纽与拉伸线理一致的"A"形褶皱。

松扒-龟山断裂带(松扒)保存自然状态　　　　松扒-龟山断裂带角闪质糜棱岩中的剪切褶皱

地质遗迹评价(初拟评定等级)		世界级	建议保护等级	世界级
科学价值	华北板块与扬子板块缝合带地质遗迹,对研究中国中央造山带具有重要的地质科学意义		自然完整性	自然出露完整,没有遭受到人为破坏
稀有性	此断裂构造现象在我国中央造山带稀有		历史文化价值	具有中央造山带构造演化的地质历史价值
美学观赏价值	不具有观赏价值		保护程度	原始自然状态,保护程度良好
环境优美性	不具有环境优美性		执行保护的可能性	设置保护警示牌,可保护
安全性	不存在开山采石的威胁破坏因素		观赏的通达性	山间人行道可通达
调查人	李琛	审查人 方建华	调查时间	2009年11月12日

第九章 地质遗迹调查工作方法

表 9-12　构造剖面类断层地质遗迹调查表

野外编号	GPS401	室内编号	GZ13	观测坐标	X:19718467,Y:3596414,H:285m(1∶5万×××幅)
遗迹名称	松扒-龟山断裂带(松扒)			亚类	断裂(层)
地质遗迹地理位置	所属行政区		河南省桐柏县大河乡松扒村南400m		
	地质遗迹点		地理坐标:32°28′12″N,113°19′25″E;H:285m		
	遗迹出露形态要素		长:400m,宽:150m		
断层名称	松扒韧性剪切带		动力变质岩分带	角闪质糜棱岩亚带	
断层性质	韧性剪切带		动力变质岩成分	糜棱岩	
断层北盘地质体代号	Pt_1g^{ph}		断层走向	北西西	
断层北盘地质体岩性	郭庄(岩)组斜长角闪片麻岩、花岗质片麻岩		断层倾向	北东东	
断层南盘地质体代号	Pt_2g^{ph}		断层面倾角	70°	
断层南盘地质体岩性	龟山(岩)组斜长角闪片岩		断层破碎带宽度	400m	
断层形成时代	早古生代		次级构造特征	—	
活动期次	加里东期、燕山期、喜马拉雅期		遗迹地貌描述	地貌处于低山南坡,地形坡度较缓,植被发育,部分遗迹被第四系覆盖	
科学价值	华北板块与扬子板块缝合带,对研究中国中央造山带具有重要的地质科学意义		遗迹完整程度	遗迹自然出露完整,未有人为破坏现象	
稀有性	此断裂构造现象在我国中央造山带稀有		保护的情况	未保护,可采取树立保护警示牌措施	
观赏价值	无观赏性		通达条件	乡间土路可通达	
保护建议	世界级		安全性	存在采矿乱挖的潜在影响	
照片编号	S1059382	摄像编号	S1059383	拍摄方位	北
调查人	方建华　毛瑞芬	审查人	章秉辰	调查时间	2010年9月18日

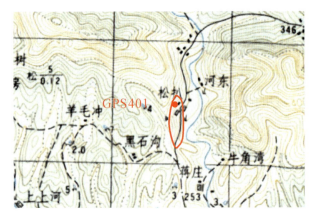 

| 野外手图圈定保护范围 | 保存自然状态 |

图 9-10　松扒-龟山断裂带(松扒)地质遗迹点

7. 松扒-龟山断裂带(睡仙桥)地质遗迹野外调查实例

根据《河南省区域地质志》记载,区域上称为商县-丹凤-镇平-龟山-梅山断裂带,为华北板块与扬子板块的缝合线,是秦岭造山带内规模最大、最为瞩目的一条在很长的地质历史时期内多期次活动的深断裂带,在桐柏—信阳一带断续出露长度约94km,对研究中国中央造山带具有重要的地质科学意义,在国际上具有一定的影响,可作为世界级构造剖面地质遗迹选取依据。综合分析填写的地质遗迹登记表如表9-13所示,室内填写部分内容与野外调查填写的部分内容结合填写的地质遗迹调查表如表9-14所示,野外工作手图圈定的地质遗迹点保护范围如图9-11所示。

表 9-13　地质遗迹登记表

图幅名称:1:5万×××幅　　　野外编号:GPS402　　　室内编号:GZ14

所属行政区域位置	河南省平桥区董家河乡睡仙桥村南	地理坐标	经度:113°56′33″E
			纬度:32°09′23″N
			高程:150m
地质遗迹名称	松扒-龟山断裂带(睡仙桥)	地质遗迹类型	构造剖面
所在地质公园名称	不在地质公园范围内	照片号	S1059406
地质遗迹描述: 　　区域上称为商县-丹凤-镇平-龟山-梅山断裂带,为华北板块与扬子板块的缝合线,是秦岭造山带内规模最大、最为瞩目的一条在很长的地质历史时期内多期次活动的深断裂带,它不仅使得断裂带内岩石发生强烈变形,而且造成沿断裂展布的地层大量消减。在桐柏—信阳一带断续出露长度约94km。 　　断裂带北侧出露的为秦岭(岩)群陆源碎屑岩-碳酸盐岩夹基性火山岩建造;南侧出露的为龟山(岩)组泥砂质碎屑岩-基性火山岩建造。沿断裂带发育0.2～2 km宽的构造片岩、变晶糜棱岩带。在信阳睡仙桥一带沿断裂带见有上古生界蔡家凹组大理岩、下石炭统花园墙组构造岩块混入;紧依断裂带北侧有柳树庄、卧虎基性—超基性岩,即"蛇绿岩"残片断续分布。沿断裂带两侧分布的秦岭(岩)群长英质岩石和龟山(岩)组云英片岩中分别发育上千米的长英质变晶糜棱岩带(北亚带)、云英质构造片岩带(南亚带)。另外,沿断裂带并见有小型走滑糜棱岩带叠加。其内糜棱面理、拉伸线理、长英质脉体布丁化和剪切褶皱发育。后期脆性-脆韧性断裂产状变化较大,断面主体南倾,倾角一般大于75°,影响宽度较小,断续出露,构造岩主要表现为早期糜棱岩的构造角砾岩化,沿带发育的牵引褶曲及挤压构造透镜体指示由南向北逆冲断层性质。			

第九章 地质遗迹调查工作方法

续表 9-13

地质遗迹点野外自然保存状态

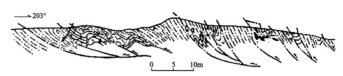

信阳睡仙桥南秦岭(岩)群内部发育的小型逆冲剪切带及褶皱
1.长英质变糜棱岩；2.含碳质白云母片岩；3.大理岩；4.斜长角闪岩
5.透闪石岩块、碳质片岩岩块；6.糜棱岩带；7.脆性断层

地质遗迹评价（初拟评定等级）		世界级	建议保护等级	世界级
科学价值	华北板块与扬子板块缝合带地质遗迹，对研究中国中央造山带具有重要的地质科学意义		自然完整性	自然出露完整，没有遭受到人为破坏
稀有性	此断裂构造现象在中国中央造山带稀有		历史文化价值	具有中央造山带构造演化的地质历史价值
美学观赏价值	不具有观赏价值		保护程度	原始自然状态，保护程度良好
环境优美性	不具有环境优美性		执行保护的可能性	设置保护警示牌，可保护
安全性	不存在开山采石的威胁破坏因素		观赏的通达性	山间人行道可通达
调查人	李琛	审查人	方建华	调查时间	2009年11月12日

表 9-14 构造剖面类断层地质遗迹调查表

野外编号	GPS402	室内编号	GZ14	观测坐标	X:3563053, Y:19777631, H:150m (1:5万×××幅)
遗迹名称	松扒-龟山断裂带（睡仙桥）		亚类		断裂（层）
地质遗迹地理位置	所属行政区		河南省信阳市平桥区董家河乡睡仙桥村南		
	地质遗迹点		地理坐标:32°09′23″N,113°56′33″E; H:150m		
	遗迹出露形态要素		长:800m,宽:100m		
断层名称	凉亭韧性剪切带		动力变质岩分带		长英质糜棱岩带
断层性质	韧性剪切带		动力变质岩成分		糜棱岩
断层北盘地质体代号	Pt_1Q		断层走向		北西西
断层北盘地质体岩性	秦岭（岩）群长英质糜棱岩、蔡家凹组大理岩岩块		断层倾向		南西西
断层南盘地质体代号	Pt_2g^1		断层面倾角		70°
断层南盘地质体岩性	龟山（岩）组绢云石英片岩、含榴二云片岩		断层破碎带宽度		1 000m

续表 9-14

断层形成时代	早古生代	次级构造特征	—
活动期次	加里东期、燕山期、喜马拉雅期	遗迹地貌描述	地貌处于北西向丘陵山岗西北侧,地形坡度较缓,东南地势高,北西地势低
科学价值	华北板块与扬子板块缝合带地质遗迹,对研究中国中央造山带具有重要的地质科学意义	遗迹完整程度	开挖公路人为揭露遗迹露头,出露完整
稀有性	此断裂构造现象在中国中央造山带稀有	保护的情况	未保护,可采取树立保护警示牌措施
观赏价值	无观赏性	通达条件	柏油公路可通达
保护建议	世界级	安全性	存在公路拓宽改造挖出地质遗迹的可能性
照片编号	S1059406	摄像编号	S1059408	拍摄方位	北东
调查人	方建华 毛瑞芬	审查人	章秉辰	调查时间	2010 年 9 月 18 日

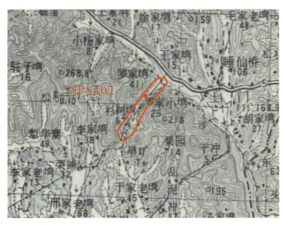

野外手图圈定保护范围　　　　　　保存自然状态

图 9-11　松扒-龟山断裂带(睡仙桥)地质遗迹点

8. 龟山-梅山断裂带地质遗迹野外调查实例

根据《河南省区域地质志》记载,区域上称为商县-丹凤-镇平-龟山-梅山断裂带,为华北板块与扬子板块的缝合线,是秦岭造山带内规模最大,最为瞩目的一条在很长的地质历史时期内多期次活动的深断裂带,反映了华北板块与扬子板块碰撞深俯冲折返造山过程,对研究中国中央造山带具有重要的地质科学意义,在国际上具有一定的影响,可作为世界级构造剖面地质遗迹选取依据。综合分析填写的地质遗迹登记表如表 9-15 所示,室内填写部分内容与野外调查填写的部分内容结合填写的地质遗迹调查表如表 9-16 所示,野外工作手图圈定的地质遗迹点保护范围如图 9-12 所示。

第九章 地质遗迹调查工作方法

表 9-15 地质遗迹登记表

图幅名称:1∶5万×××幅　　　　　　野外编号:GPS292　　　　　　室内编号:GZ15

所属行政区域位置	河南省商城县鲇鱼山乡周后塆村西南800m	地理坐标	经度:115°21′38″E 纬度:31°46′46″N 高程:130m
地质遗迹名称	龟山-梅山断裂带	地质遗迹类型	构造剖面
所在地质公园名称	在金刚台国家地质公园范围内	照片号	S1058770、S1058781

地质遗迹描述:
　　位于商城县凉亭—杨家寨—红盆窑一带,区域上相当于龟山-梅山断裂带,是信阳(岩)群龟山(岩)组与上石炭统分界的韧性剪切带,出露可见长度15km,宽50～300m不等,中段出露大部分被鲇鱼山水库淹没,总体走向280°～300°,构造岩石由花岗质糜棱岩、糜棱岩化长石石英砂岩及构造片岩组成。花岗质糜棱岩主要出露于剪切带中部和南侧,鲇鱼山水库大坝东端罗家湾一带糜棱岩出露较宽,达200余米,具典型S-C组构特征,岩石为糜棱结构,眼球状纹理构造。碎斑由斜长石、钾长石组成。在周后塆村西南鲇鱼山水库东岸边出露断裂带主断面,构造碎裂岩发育,碎裂岩中夹大理岩透镜体,劈理发育,剪切带形成时代应为海西晚期。

龟山-梅山断裂带野外露头

龟山-梅山断裂带挤压大理岩透境体

地质遗迹评价(初拟评定等级)		世界级	建议保护等级	世界级
科学价值	反映华北板块与扬子板块碰撞深俯冲折返造山过程的地质遗迹,对研究中国中央造山带具有重要的地质科学意义		自然完整性	自然出露完整,没有遭受到人为破坏
稀有性	此断裂带出露现象在我国稀有		历史文化价值	具有中央造山带构造演化的地质历史价值
美学观赏价值	不具有观赏价值		保护程度	原始自然状态,保护程度良好
环境优美性	不具有环境优美性		执行保护的可能性	设置保护警示牌,可保护
安全性	不存在开山采石的威胁破坏因素		观赏的通达性	简易公路可通达
调查人	方建华　李琛	审查人　张忠慧	调查时间	2010年6月12日

表 9-16 构造剖面类断层地质遗迹调查表

野外编号	GPS292	室内编号	GZ15	观测坐标	X:3518600,Y:20344750,H:130m(1:5万×××幅)
遗迹名称	龟山-梅山断裂带		亚类		断层
地质遗迹地理位置	所属行政区		河南省商城县鲇鱼乡周后塆村西南800m		
	地质遗迹点		地理坐标:31°46′46″N,115°21′38″E;H:130m		
	遗迹出露形态要素		长:60m,宽:25m		
断层名称	凉亭-红盆窑韧性剪切带		动力变质岩分带		花岗质糜棱岩、糜棱岩化长石石英砂岩
断层性质	韧性剪切带		动力变质岩成分		糜棱岩、构造片岩
断层上盘地质体代号	Dg		断层走向		290°～310°
断层上盘地质体岩性	泥盆系信阳岩群龟山(岩)组黑云斜长变粒岩、大理岩		断层倾向		20°
断层下盘地质体代号	C_2y		断层面倾角		75°
断层下盘地质体岩性	上石炭统杨小庄组中—细粒长石砂岩、碳质绢云石英片岩		断层破碎带宽度		出露宽度60m
断层形成时代	海西晚期		次级构造特征		大理岩透镜体、劈理发育
活动期次	海西期、印支期—燕山期		遗迹地貌描述		地貌位于鲇鱼山水库大坝南,水库东岸,形成岗丘
科学价值	反映华北板块与扬子板块碰撞深俯冲折返造山过程的地质遗迹,对研究中国中央造山带具有重要的地质科学意义		遗迹完整程度		自然出露,南、西、北三面出露被鲇鱼山水库淹没,东路边有人工揭露现象
稀有性	此断裂构造现象在我国稀有		保护的情况		未保护,可采取树立保护警示牌措施
观赏价值	不具有观赏性		通达条件		简易水泥公路可通达距遗迹点30m处
保护建议	国家级		安全性		不存在采石挖出遗迹的威胁
照片编号	S1058770、S1058781	摄像编号	—	拍摄方位	北东
调查人	方建华 李琛	审查人	张忠慧	调查时间	2010年6月10日

野外手图圈定保护范围

保存自然状态

图 9-12 龟山-梅山断裂带地质遗迹点

第九章　地质遗迹调查工作方法

9. 嵩阳运动地质遗迹野外调查实例

根据《河南省区域地质志》记载，嵩阳运动角度不整合界面最早由张伯声(1959)命名，代表太古宙末的一次造山运动，是新太古代晚期到古元古代早期多期(幕)构造运动的综合反映，对华北古陆南缘大地构造环境发生重大变化的研究具有重要的地质科学意义，在国际上具有一定的影响，可作为世界级构造剖面地质遗迹选取依据。综合分析填写的地质遗迹登记表如表9-2所示，室内填写部分内容与野外调查填写的部分内容结合填写的地质遗迹调查表如表9-17所示，野外工作手图圈定的地质遗迹点保护范围如图9-13所示。

表9-17　构造剖面类不整合界面地质遗迹调查表

野外编号	GPS111	室内编号	GZ1	观测坐标	X:3821433,Y:19687000,H:967m(1:5万××幅)
遗迹名称	嵩阳运动		亚类		不整合面
地质遗迹地理位置	所属行政区		河南省登封市老母洞北		
	地质遗迹点		地理坐标:34°30′14″N,113°02′08″E;H:963m		
	遗迹出露形态要素		长:260m,宽:20m,高:20m		
不整合界面名称	嵩阳运动		上覆地层产状		320°∠65°
不整合界面类型	角度不整合		下伏地层产状		285°∠40°
上覆地层单位	古元古界嵩山群罗汉洞组(Pt_1l)		接触面产状		310°∠55°
下伏地层单位	太古宇登封(岩)群($ArDn$)		不整合界面特征		底砾岩,古风化壳清晰
上覆地层岩性	砾岩、石英岩		遗迹地貌描述		地貌位于太室山近山顶陡崖处,地势西高为崖壁,东低为山谷
下伏地层岩性	斜长角闪岩、绢云石英片岩				
科学价值	对研究新太古代与古元古代之间的地壳运动具有重要的科学意义,具有地质工作野外观察及教学实习的科学价值		遗迹完整程度		遗迹自然出露完整,没有遭受到开山采石等破坏
稀有性	代表太古宙末期一次全球性的构造运动,国内独有,世界罕见		保护的情况		位于嵩山世界地质公园内,设置有保护警示说明牌
观赏价值	具有一定的观赏价值		通达条件		地质公园内旅游步道可通达
保护建议	世界级		安全性		不存在开山采石的破坏威胁
照片编号	S1052651	摄像编号	—	镜头指向	180°
调查人	方建华	审查人	章秉辰	调查时间	2009年2月25日

| 野外手图圈定保护范围 | 保存自然状态 |

图 9-13 嵩阳运动地质遗迹点

10. 平卧褶皱地质遗迹野外调查实例

根据中国嵩山世界地质公园申报材料记载，平卧褶皱地层时代及岩性为古元古界嵩山群石英岩，是典型直观完整的平卧褶皱，十分稀有，具有构造地质学教学实习及地质工作野外观察等科学意义，可作为国家级构造剖面地质遗迹选取依据。综合分析填写的地质遗迹登记表如表 9-18 所示，室内填写部分内容与野外调查填写的部分内容结合填写的地质遗迹调查表如表 9-19 所示，野外工作手图圈定的地质遗迹点保护范围如图 9-14 所示。

表 9-18 地质遗迹登记表

图幅名称：1∶5万×××幅　　　　野外编号：GPS210　　　　室内编号：GZ23

所属行政区域位置	河南省登封市十里铺西	地理坐标	经度：112°57′54″E 纬度：34°29′36″N 高程：613m
地质遗迹名称	平卧褶皱	地质遗迹类型	构造剖面
所在地质公园名称	嵩山世界地质公园	照片号	S1057082

地质遗迹描述：
　　平卧褶皱是两翼产状近于水平的一种褶皱，它的特点是褶皱的轴面和两翼产状近于水平，少室山东坡的平卧褶皱在中岳运动东西向强大挤压力作用下，嵩山群的石英岩形成平卧褶皱构造，它的一翼地层层序是倒转的。平卧褶皱地层时代及岩性为古元古界嵩山群石英岩。

少室山平卧褶皱保存自然状态

第九章 地质遗迹调查工作方法

续表 9-18

地质遗迹评价(初拟评定等级)		国家级	建议保护等级	国家级
科学价值	具有构造地质学教学实习及地质工作野外观察等科学意义		自然完整性	自然出露完整,没有遭受到人为破坏
稀有性	典型直观完整的平卧褶皱十分稀有		历史文化价值	具有古构造形成的地质历史价值
美学观赏价值	具有观赏价值		保护程度	为公园地质遗迹,保护程度良好
环境优美性	生态环境良好,环境优美		执行保护的可能性	设置保护区界线桩及保护警示牌,可保护
安全性	不存在开山采石的威胁破坏因素		观赏的通达性	山间人行道可通达
调查人	姚瑞增　李琛	审查人	方建华	调查时间	2009 年 7 月 26 日

表 9-19　构造剖面类褶皱地质遗迹调查表

野外编号	GPS210	室内编号	GZ23	观测坐标	X:3820200,Y:19680500,H:613m(1:5 万×××幅)
遗迹名称	平卧褶皱		亚类		褶皱
地质遗迹地理位置	所属行政区		河南省登封市十里铺西		
	地质遗迹点		地理坐标:34°29′36″N,112°57′54″E;H:613m		
	遗迹出露形态要素		长:200m,宽:200m		
褶皱名称	平卧褶皱		褶皱长度		200m
褶皱基本类型	背斜		褶皱宽度		100m
褶皱核部地层及代号	古元古界嵩山群(Pt_1Sn)石英岩		褶皱枢纽倾伏向		330°
褶皱翼部地层及代号	古元古界嵩山群(Pt_1Sn)石英岩		褶皱轴面倾向		240°
褶皱组合	—		褶皱轴面倾角		9°
多期叠加特征	中岳运动形成嵩山群石英岩平卧褶皱		褶皱形成时代		中元古代(Pt_2)
伴生构造	伴生劈理发育		遗迹地貌描述		地貌处于九杂莲花山北段东山坡中上部位,植被稀少,褶皱出露清晰
科学价值	对研究中元古代早期地壳运动的挤压应力方向具有重要的科学意义,具有地质工作野外观察及教学实习的科学价值		遗迹完整程度		遗迹自然出露,完整,没有遭到人为开山采石破坏

续表9-19

稀有性	典型的平卧褶皱,极其珍惜稀有	保护的情况	在嵩山地质公园范围内,未设置保护警示说明牌
观赏价值	具有观赏价值	通达条件	乡村小路可通达
保护建议	国家级	安全性	遗迹周围没有开山采石等人为工程活动
照片编号	S1057082	摄像编号		镜头指向	290°
调查人	方建华 姚瑞增	审查人	章秉辰	调查时间	2009年11月5日

野外手图圈定保护范围

保存自然状态

图9-14 平卧褶皱地质遗迹点

四、重要化石产地类地质遗迹调查方法

1. 重要化石产地类地质遗迹的选取依据

按照《地质遗迹调查规范》(DZ/T 0303—2017)的地质遗迹类型划分方案,河南省重要化石产地类地质遗迹分为古植物、古脊椎动物、古无脊椎动物、古人类化石产地4个亚类,调查重要化石产地类地质遗迹应从地质遗迹保护管理出发,省级重要地质遗迹调查根据《河南省古生物地质遗迹资源》《河南省地层古生物研究》及相关研究论文记载的河南省重要古生物化石产地,选取义马义马组银杏植物群、禹州华夏植物群、固始杨山早石炭世植物群、济源二叠纪硅化木4处古植物化石产地;西峡恐龙蛋化石产地、汝阳刘店组恐龙动物群、卢氏新生代脊椎动物群等10处古脊椎动物化石产地;叶县早寒武世杨寺庄动物群、鲁山辛集寒武纪三叶虫动物群、淅川奥陶纪无脊椎动物群、淅川早志留世笔石动物群、淅川石炭纪无脊椎动物群、固始庙冲晚石炭世化石群、济源承留中侏罗世双壳动物群等9处古无脊椎动物化石产地;南召猿人遗址1处古人类化石产地作为调查对象,选取的重要化石产地具有古生物地质科学的研究价值和重要意义。

2. 重要化石产地地质遗迹野外调查内容

地质遗迹调查表是在收集资料综合分析和填写地质遗迹登记表的基础上,室内填写部分内容与野外填写部分内容相结合完成的。室内填写主要内容:遗迹名称、类型、亚类、古生物化石、所属生物门类、化石种属名称、古生物化石保存特征(化石层产出层位、化石层的厚度、挖掘出露面积、化石数量、密度、个体大小、组合特征)、化石地层特征(地层单位名称、时代、厚度、岩石名称、岩性特征);古人类化石产地调查填写古人类化石名称、古人类化石产出地层层位、地层单位代号、古人类化石保存特征、与古人类化石相关的古生物特征、古人类活动遗迹、科学价值、稀有性等。野外调查填写主要内容:重要化石产地地质遗迹所在地理位置、经纬度坐标、露头所处地貌描述、出露的完整程度、露头是否遭受到破坏、保存状态如何,以及是否存在被破坏的安全威胁、通达条件等。

3. 重要化石产地类地质遗迹点圈定范围方法

重要化石产地类地质遗迹点出露范围边界控制点划定主要采用室内与野外观察相结合的方法,在室内根据收集到的重要化石产地类地质遗迹点所处的1:5万地质图、地形图与相关文献记录重要化石产地所处地理位置、出露地层分布范围、地层剖面岩性、起点至终点、地层剖面线方向、剖面线长度、赋存化石地层剖面产出化石的层位、岩性特征、地层厚度、地层时代、产状及所含古生物化石属种、丰度等,将化石产地地层剖面所处位置、含化石层位地段标注在1:5万地形图上,并且初步圈定重要化石产地地质遗迹点应当保护的范围边界。在野外手持GPS定位仪及标注重要化石产地位置的1:5万地形图上,根据掌握的相关信息在野外观察验证核对,并根据实地地形地貌对化石产地出露范围边界做出调整,圈定重要化石产地出露应当保护范围边界,并且确定范围边界拐点坐标。范围边界的划定不宜过大或过小,应当以保护重要化石产地的完整性为原则,包含含化石层位的地层剖面起点至终点,剖面线两侧以保护出露化石产地化石层位地层剖面的完整性为好。如果化石产地出露地层沿着走向连续延伸很远,要在适当位置地形界线明显处划定边界线。

4. 禹州华夏植物群化石产地地质遗迹野外调查实例

根据《中国豫西二叠纪华夏植物群——禹州植物群》记载,禹州植物群化石产地大风口剖面含植物化石34层,古植物共鉴定112属306种,分属于12个植物类别。禹州植物群绝大多数是华夏植物群的特有属种,几乎占总数的2/3,被第十一届国际石炭纪—二叠纪地层和地质大会选定为野外参观考察地,1989年被列为中国煤田地质总局"华北晚古生代聚煤规律与找煤"国家研究项目的"铁柱子",研究程度极高,具有研究全球四大植物群对比,华北晚古生代聚煤规律,石炭纪—二叠纪古植物、古地理环境的重大科学意义,教学实习价值极高,在国内外具有一定的影响,可作为世界级重要化石产地地质遗迹选取依据。综合分析填写的地质遗迹登记表如表9-20所示,室内填写部分内容与野外调查填写的部分内容结合填写的地质遗迹调查表如表9-21所示,野外工作手图圈定地质遗迹点保护范围如图9-15所示。

表 9-20 地质遗迹登记表

图幅名称:1:5万××幅　　　野外编号:GPS301　　　室内编号:HS5

所属行政区域位置	河南省禹州市磨街花园至大风口	地理坐标	经度:113°11′16″E
			纬度:34°08′41″N
			高程:525m
地质遗迹名称	禹州华夏植物群	地质遗迹类型	重要化石产地
所在地质公园名称	禹州华夏植物群省级地质公园	照片号	DSC-0454

续表 9-20

地质遗迹描述：

禹州植物群是典型的二叠纪华夏植物群，禹州植物群化石产地大风口剖面含植物化石 34 层，古植物共鉴定 112 属 306 种，分属于 12 个植物类别。禹州植物群绝大多数是华夏植物群的特有属种，几乎占总数的 2/3。华夏区特有属 *Lobatannularia*，*Fasipteris*，*Tingia*，*Yuania*，*Emplectopteris*，*Emplectopteridium*，大羽羊齿目各科和盾籽目的 *Psygmophllam*，*Shenzhouphyllum* 是只见于华夏植物区二叠纪的珍奇植物(Enigmati. plants)。该化石产地剖面地层为朱屯组、神垕组、小风口组、云盖山组，出露良好，层序连续，石炭系—二叠系剖面总厚近千米，其中含煤地层厚达 720m。各组间标志层特征明显，地层界线清楚，古生物化石丰富，沉积环境典型，被第十一届国际石炭纪—二叠纪地层和地质大会选定为野外参观考察地。1989 年被列为中国煤田地质总局"华北晚古生代聚煤规律与找煤"国家研究项目的"铁柱子"，研究程度极高。

禹州华夏植物群化石产地保存自然状态

地质遗迹评价(初拟评定等级)		世界级	建议保护等级	世界级
科学价值	具有研究全球四大植物群对比，华北晚古生代聚煤规律，石炭纪—二叠纪古植物、古地理环境的重大科学意义，教学实习价值极高		自然完整性	自然出露完整，个别地带遭受到人为破坏
稀有性	该化石产地在中国极为罕见		历史文化价值	具有二叠纪古植物演化地质历史价值
美学观赏价值	具有科普旅游观赏价值		保护程度	原始自然状态，未保护
环境优美性	不具有环境优美性		执行保护的可能性	设置保护警示碑、标桩、围栏，可保护
安全性	存在开山挖掘的威胁破坏因素		观赏的通达性	盘山简易公路可通达
调查人	毛瑞芬	审查人	方建华	调查时间	2010 年 5 月 26 日

第九章 地质遗迹调查工作方法

表 9-21 重要化石产地类古植物化石地质遗迹调查表

野外编号	GPS301	室内编号	HS5	观测坐标	X:3781945,Y:19701796,H:525m(1:5万××幅)
遗迹名称	禹州华夏植物群			亚类	古植物
地质遗迹地理位置	所属行政区		河南省禹州市磨街花园至大风口		
	地质遗迹点		地理坐标:34°08′41″N,113°11′16″E;H:525m		
	遗迹出露形态要素		长:2 300m,宽:500m,高:180m		
古植物化石名称	禹州华夏植物群		古植物化石保存特征		划分5个植物化石组合带,33个化石层,原地埋藏
古植物所属生物门类	石松植物门、节蕨植物门、真蕨植物门、前裸子植物门、种子蕨植物门、苏铁植物门、银杏植物门、松柏植物门		古植物化石组合特征		二叠纪不同时期化石组合带特征不同,早二叠世植物类群较单调,中二叠世大羽羊齿目和瓣轮叶始现分化、繁荣,晚二叠世蕨类植物衰落
古植物化石属或种名	*Cathaysiodendron henanense* Yang sp. nov.、*Lepidodendron yuzhouense* Yang sp. nov.等112属306种,其中包括新属25个,新种137个,修订种10个		古植物化石丰度特征		小风口组化石丰度最高,神垕组、云盖山组化石丰度较高,朱屯组化石丰度较低
古植物化石产出层位	下二叠统朱屯组、中统神垕组、小风口组,上统云盖山组		古植物化石时代		早二叠世中晚期,中二叠世早期、晚期,晚二叠世早期
古植物化石地层单位代号	P_1、P_2^1、P_2^2、P_3^1		古植物地貌描述		出露地貌为低山丘陵,地势东南高西北低,最高处为牛头山垭口,最低处为龙华山坡
科学价值	对二叠纪华夏植物群、煤系地层的研究具有典型重要的科学意义,已成为大专院校、煤炭科学研究机构的研究基地		遗迹完整程度		化石的自然出露点已被采掘,需人工揭露
稀有性	层位连续、保存完好、含化石门类多,在世界上十分稀有		保护的情况		没有采取任何保护措施,应设置保护围栏、警示牌,可保护
观赏价值	建立人工揭露的古植物化石原地观赏景点,具科普旅游观赏价值		通达条件		简易公路可通达至大风口剖面的终点
保护建议	建立禹州植物群化石产地保护带		安全性		未采取保护措施,植物化石面临被盗挖的威胁
照片编号	DSC-0454	摄像编号	—	拍摄方位	北西
调查人	方建华	审查人	张忠慧	调查时间	2010年5月21日

野外手图圈定保护范围　　　　　　　保存自然状态

图 9-15　禹州华夏植物群化石产地地质遗迹点

5. 唐河西大岗脊椎动物群化石产地地质遗迹野外调查实例

根据唐河县凤山省级地质公园申报材料记载，西大岗基岩出露区为古近系始新统核桃园组中段，产有中国厚龟（未定种）(Sinohadrianus sp.)，碱层上下的砂泥岩中含鱼化石，有双棱鲱（Diplomystus sp.）及短首鲃（Barbus brevicephalus）等脊椎动物化石，特别是短首鲃等鱼类的发现，对环太平洋淡水鱼类的演化和分布研究有重要意义，教学实习价值极高，在省内外具有一定的影响，可作为省级重要化石产地地质遗迹选取依据。综合分析填写的地质遗迹登记表如表 9-22 所示，室内填写部分内容与野外调查填写的部分内容结合填写的地质遗迹调查表如表 9-23 所示，野外工作手图圈定地质遗迹点保护范围如图 9-16 所示。

表 9-22　地质遗迹登记表

图幅名称：1∶5 万×××幅　　　　野外编号：GPS566　　　　室内编号：HS22

所属行政区域位置	河南省唐河县城关镇西大岗龙山路北段	地理坐标	经度：112°48′39″E
			纬度：32°41′20″N
			高程：98m
地质遗迹名称	唐河西大岗脊椎动物群	地质遗迹类型	重要化石产地
所在地质公园名称	唐河县凤山省级地质公园	照片号	IMG-3121
地质遗迹描述： 　　西大岗基岩出露区为古近系始新统核桃园组中段，产有中国厚龟（未定种）(Sinohadrianus sp.)，碱层上下的砂泥岩中含鱼化石，有双棱鲱（Diplomystus sp.）及短首鲃（Barbus brevicephalus）等脊椎动物化石，特别是短首鲃等鱼类的发现，对环太平洋淡水鱼类的演化和分布研究有重要意义。 　　共生的无脊椎动物有双壳类：Sphaerium cf. rivicolum Leach 河球蚬（近似种），S. subsolidam Clessin 近坚固球蚬等；另有介形、轮藻和孢粉等微型化石（详见唐河西大岗脊椎动物群化石名单）。		 唐河西大岗脊椎动物化石产地保存状态	

第九章 地质遗迹调查工作方法

续表9-22

地质遗迹评价（初拟评定等级）		省级	建议保护等级	省级
科学价值	对环太平洋淡水鱼类演化分布研究有重要意义，是华北南部古近系含有层位的稀有露头教学、科研基地		自然完整性	核桃园组中段出露完整
稀有性	国内稀有		历史文化价值	古近纪淡水鱼及地质演化历史价值
美学观赏价值	可供游客旅游观赏		保护程度	为省级地质公园内的保护剖面
环境优美性	环境优美		执行保护的可能性	设置标桩、围栏，可保护
安全性	A—A′、B—B′剖面划定保护地段，其他未在地质公园范围内		观赏的通达性	唐河县城内城区及郊区公路通达
调查人	席运宏　杜开元	审查人	方建华	调查时间	2011年7月12日
唐河西大岗无脊椎动物群化石名单				
介形虫		轮藻		
呆板美星介：*Cyprinotus nefandus* Bodina		潜江扁球轮藻：*Gyrogona qianjiangica* Wang		
江口美星介：*Cyprinotus jiangkouensis* Chang		中华梅球轮藻：*Maedlerisphaera chinensis* Wang		
彭镇真星介：*Eucypris pengzhenensis*		公安厚球轮藻：*Grovesichara gonganensis* Wupu		
浪游土星介：*Hyocypris erraundis* Mandelstam		邓县哈氏轮藻：*Harrisichara deng dianensis*		
玛纳斯土星介：*Hyocypris manasensia* Mandelstam		球状冠轮藻：*Stephanochara sphaerica* Wang		
张潜柔星介：*Cyprois zhanggangensis* Wuci		孢粉：孢粉组合以被子类、裸子类植物为主，蕨类含量其少（<10%）。被子类占50%~70%，裸子类占30%~40%。被子类花粉中Ulmaceae（榆科）、*Quercus* sp.（栎属）、Fagaceae（山毛榉科）较大量出现，一般在15%以上。裸子植物以松科、杉科、麻黄属较多		
德卡里金星介：*Cyproisdecaryi* Gautheir				
南阳真星介：*Paraeucypris nanyangensis*				
荆河斗星介：*Cypridopsis jingheensis*				

表9-23　重要化石产地类古动物化石地质遗迹调查表

野外编号	GPS566	室内编号	HS22	观测坐标	X:3619759,Y:19669834,H:98m(1:5万×××幅)
遗迹名称	唐河西大岗脊椎动物群		亚类		脊椎动物
地质遗迹地理位置	所属行政区		河南省唐河县城关镇西大岗村龙山路北段		
	地质遗迹点		地理坐标：32°41′20″N,112°48′39″E;H:98m		
	遗迹出露形态要素		长:200m,宽:60m,高:15m		
古动物化石名称	龟类、鱼类及无脊椎动物双壳类、介形虫、轮藻和孢粉		古动物化石保存特征		在碱层上下有鱼类化石、无脊椎动物多层
古动物所属生物门类	鱼纲、鱼鳖纲和腹足纲、介形纲等		古动物化石组合特征		脊椎动物以爬行类和鱼类为主，含无脊椎双壳和介形、轮藻等

续表 9-23

古动物属或种名	详见唐河西大岗地质遗迹描述及无脊椎动物群化石名单	古动物化石丰度特征	鱼化石局部层状出现，其他化石丰度高
古动物化石产出层位	古近系始新统核桃园组	古动物时代	始新世中期（垣曲期）
古动物化石地层单位代号	E_2h	遗迹地貌描述	处于岗丘地貌、地层出露形成陡坡，沿坡分布埋藏化石
科学价值	对环太平洋淡水鱼类研究及地层对比研究科学价值高	遗迹完整程度	含化石地层剖面自然出露完整
稀有性	国内稀有	保护的情况	为唐河凤山省级地质公园的剖面保护区段
观赏价值	可供科普、科研及旅游观光	通达条件	唐河县城内城区及郊区公路通达
保护建议	对剖面古生物应深入研究，科学发掘，剖面保护	安全性	存在城市建设的破坏威胁
照片编号	IMG-3121	摄像编号	MVI-3133	拍摄方位	240°
调查人	方建华　杜开元	审查人	章秉辰	调查时间	2011 年 10 月 21 日

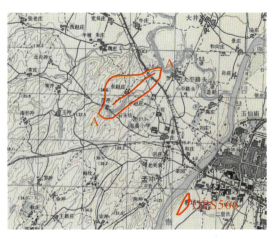

野外手图圈定保护范围

保存自然状态

图 9-16　唐河西大岗脊椎动物群化石产地地质遗迹点

五、重要岩矿石产地类地质遗迹调查方法

1. 重要岩矿石产地类地质遗迹的选取依据

按照《地质遗迹调查规范》(DZ/T 0303—2017)的地质遗迹类型划分方案，河南省重要岩矿石产地类地质遗迹分为典型矿床类露头、典型矿物命名地、采矿遗址 3 个亚类，调查重要岩矿石产地类地质遗迹应从地质遗迹保护管理出发，省级重要地质遗迹调查根据《中国矿床发现史（河南卷）》《河南省地

第九章 地质遗迹调查工作方法

质矿产志》《河南省矿业概要》与河南省矿产地质图、说明书及相关研究专著和论文记载,选取河南省重要矿产地平顶山煤矿产地、新安黛眉寨铁矿产地等9处典型矿床类露头地质遗迹;焦作煤矿产地、舞钢经山寺铁矿产地、安林式铁矿产地、栾川钼钨矿产地、巩义小关铝土矿产地等19处采矿遗址地质遗迹;围山矿产地、桐柏矿产地2处典型矿物命名地(新矿物命名)作为调查对象,选取的重要岩矿石产地均具有矿床与矿物学的科学研究价值和重要意义。

2. 重要岩矿石产地类地质遗迹野外调查内容

地质遗迹调查表是在收集资料综合分析和填写地质遗迹登记表的基础上,室内填写部分内容与野外填写部分内容相结合完成的。室内填写主要内容:遗迹名称、类型、亚类;矿床露头填写矿床名称、矿种名称、矿种代码、共生矿、伴生矿、含矿岩系、矿石品位、围岩蚀变、矿床规模、成因类型、成矿时代、开发现状、工业类型;矿物填写矿物名称、矿物类型、矿物形态特征、形成特征、围岩时代、矿物组合、开发现状、成因类型;科学价值、稀有性、观赏价值等。野外调查填写主要内容:重要岩矿石产地类地质遗迹所在地理位置、经纬度坐标、露头所处地貌描述、出露的完整程度、露头是否遭受到破坏、保存状态如何,以及是否存在被破坏的安全威胁、通达条件等。

3. 重要岩矿石产地类地质遗迹点圈定范围方法

重要岩矿石产地类地质遗迹点出露范围边界控制点划定,主要采用室内与野外观察相结合的方法,在室内根据收集到的重要岩矿石产地类地质遗迹点所处的1:5万地质图、地形图与相关文献记录重要岩矿石产地地质遗迹所处地理位置、矿床露头出露岩体部位、地质构造部位或地层层位、含矿岩体出露的岩性特征、岩体规模,岩体接触界线或含矿地质构造出露的构造岩性特征、构造现象、构造产状等或含矿层位的岩性特征、地层时代、地层分布、地层界线等。将重要岩矿石产地所处位置、范围边界标注在1:5万地形图上,并且初步圈定重要岩矿石产地出露地段、应当保护的范围边界及面积。在野外手持GPS定位仪及标注重要岩矿石产地范围边界的1:5万地形图上,根据掌握的相关信息在野外观察验证核对,并根据实地地形地貌对重要岩矿石产地出露边界范围做出调整,圈定重要岩矿石产地出露应当保护范围边界,并且确定范围边界拐点坐标。范围边界的划定不宜过大或过小,应当以保护重要岩矿石产地类地质遗迹完整性为原则,包括岩矿石产地出露含矿岩体,或含矿地质构造、或含矿地层剖面的所有地质现象,以保护出露重要岩矿石产地类地质遗迹完整性为好。如果重要岩矿石产地地质遗迹出露范围面积很大,应当选择在重要岩矿石产地出露典型地质遗迹的地段的适当位置沿着地形界线明显处划定范围边界线。

4. 新安张窑院铝土矿产地地质遗迹野外调查实例

新安张窑院铝土矿为大型铝土矿,它是我国发现的第一个富铝矿床(A/S>7),已成为我国极为重要的铝土矿山,在世界铝土矿床中较为罕见。矿床类型属一水沉积型铝土矿床,截至2009年底,累计查明铝土矿资源储量1.11亿t,是我国著名的铝土矿田,对研究我国一水沉积型铝土矿床的成因和矿化富集规律具有十分重要的科学价值。它是被收录矿床学教科书的典型沉积成因类型矿床,教学实习价值极高,在国内外具有一定的影响,可作为国家级重要岩矿石产地类地质遗迹选取依据。综合分析填写的地质遗迹登记表如表9-24所示,室内填写部分内容与野外调查填写的部分内容结合填写的地质遗迹调查表如表9-25所示,野外工作手图圈定的地质遗迹点保护范围如图9-17所示。

表 9-24 地质遗迹登记表

图幅名称:1∶5万×××幅　　　野外编号:GPS702　　　室内编号:YK8

所属行政区域位置	河南省新安县石寺镇张窑院村东1 400m	地理坐标	经度:112°03′20″E 纬度:34°48′23″N 高程:375m
地质遗迹名称	新安张窑院铝土矿产地	地质遗迹类型	重要岩矿石产地
所在地质公园名称	不在地质公园范围内	照片号	IMG-2492

地质遗迹描述:

位于华北地台豫西铝土矿成矿区新安铝土矿带,出露地层主要为寒武纪—奥陶纪碳酸盐岩和石炭纪—二叠纪煤系地层。铝土矿赋存在上石炭统本溪组含矿岩系的中上部,矿床类型属于一水沉积型铝土矿床。在沿北北东走向长达25km的铝土矿带内,自南向北连续排列有张窑院、贾沟、石寺、马行沟和竹园-狂口5个大中型铝土矿床。截至2009年底,累计查明铝土矿资源储量1.11亿t,是我国著名的铝土矿田。

该铝土矿田内的张窑院-贾沟矿区已开发成为中国铝业公司洛阳铝矿,区内已查明似层状铝土矿体11个,长500～1 800m,宽100～1 400m,平均厚4～7.5m。截至2009年底,累计查明铝土矿资源储量3 111万t,矿石平均品位:Al_2O_3 62.82%～70.79%,SiO_2 7.55%～8.68%,Fe_2O_3 6.95%～9.27%,A/S 7.2～9.4。该矿床共伴生有耐火黏土、镓等矿产,该矿山为中国铝业公司河南分公司(原郑州铝厂)的主要矿山,设计年产60万t矿石。自1966年开办以来,累计生产富铝矿石1 000万t以上,为中国铝工业发展做出了突出贡献。

地质遗迹评价(初拟评定等级)		国家级	建议保护等级	国家级
科学价值	对研究我国一水沉积型铝土矿床的成因和矿化富集规律具有十分重要的科学价值		自然完整性	矿区已经大规模开采,但露天采坑及巷道保存完好
稀有性	是我国发现的第一个富铝矿床(A/S>7),已成为我国极为重要的铝土矿矿山,在世界铝土矿矿床中较为罕见		历史文化价值	是中华人民共和国成立后较早勘查开发的大型铝土矿田之一,为建成我国规模最大的郑州铝工业基地做出了重要贡献
美学观赏价值	可观赏到溶斗、溶洼型容矿构造,科普观赏性较好		保护程度	尚未采取保护措施
环境优美性	位于小浪底水库以南,环境较为优美		执行保护的可能性	在大型露天采坑等典型地质遗迹处可设置保护宣传牌
安全性	该矿山已进入开发后期,存在对遗迹破坏的威胁因素		观赏的通达性	有公路可通达矿区,交通十分便利
调查人	王志光　杜开元	审查人　方建华	调查时间	2011年8月26日

第九章 地质遗迹调查工作方法

表 9-25 重要岩矿石产地类矿床地质遗迹调查表

野外编号	GPS702	室内编号	YK8	观测坐标	X:3853691,Y:19596666,H:375m(1:5万×××幅)
遗迹名称	新安张窑院铝土矿产地		亚类		典型矿床类露头
地质遗迹地理位置	所属行政区		河南省新安县石寺镇张窑院村东1 400m		
	地质遗迹点		地理坐标:34°48′23″N,112°03′20″E;H:375m		
	遗迹出露形态要素		长:300m,宽:300m,坑深:50m		
矿床名称	新安张窑院铝土矿		矿种代码		2009
矿种名称	铝		矿石品位		Ag 696×10⁻⁶ Pb 15.01% Zn 5.82%
共生矿	耐火粉土		含矿岩系		上石炭统本溪组
伴生矿	镓		围岩蚀变		硅化、绿泥石化、黄铁绢英岩化等
规模	大型		成矿时代		古生代晚石炭世
成因类型	上石炭统本溪组沉积矿床		工业类型		一水沉积型铝土矿床
开发现状	年产60万t矿石,开采年限为35年		遗迹地貌描述		近东西向丘陵中部已经开挖,大露天采坑,地势北高南低
科学价值	对研究我国一水沉积型铝土矿床的成因和矿化富集规律,具有十分重要的科学价值		遗迹完整程度		矿区已经大规模开采,原露天1号、2号采坑已填埋,现调查为3号采坑,保存完好
稀有性	它是我国发现的第一个富铝矿床(ALS27),已成为我国极为重要的铝矿山,在世界铝土矿床中较为罕见		保护的情况		尚未采取任何保护措施
观赏价值	可观赏到薄而稳定的金属硫化物富矿体、结晶极好的方铅矿集合体和自然银,科普观赏价值极大		通达条件		有公路可通达矿区,交通十分便利
保护建议	设置保护警示说明牌		安全性		该矿山已进入开发后期,存在对矿山遗迹破坏的威胁因素
照片编号	IMG-2492	摄像编号	—	拍摄方位	NE340°
调查人	杜开元 方建华	审查人	章秉辰	调查时间	2011年10月17日

野外手图圈定保护范围　　　　　　　　　　保存自然状态

图 9-17　新安张窑院铝土矿产地地质遗迹点

六、岩土体（构造）地貌类地质遗迹调查方法

1. 岩土体（构造）地貌类地质遗迹的选取依据

按照《地质遗迹调查规范》（DZ/T 0303—2017）的地质遗迹类型划分方案，河南省岩土体（构造）地貌类地质遗迹分为碎屑岩地貌、花岗岩地貌、变质岩地貌、火山岩地貌、岩溶地貌、黄土地貌6个亚类，调查岩土体地貌类地质遗迹应从地质遗迹保护管理出发，省级重要地质遗迹调查根据《河南省旅游资源调查研究报告》，河南省世界级、国家级、省级地质公园申报材料，相关岩土体地貌研究专著及论文记载，选取具有重要观赏价值的修武云台山红石峡谷地貌、林州嶂石岩地貌、新安龙潭峡谷地貌、新安天碑石碎屑岩地貌等5处碎屑岩地貌，遂平嵖岈山花岗岩地貌、鲁山尧山花岗岩地貌、洛宁中华大石瀑花岗岩地貌、洛宁五女峰花岗岩地貌等18处花岗岩地貌，登封少室山石英岩地貌、桐柏鞘褶皱洞穴-桃花洞、桐柏山元古宙花岗岩地貌3处变质岩地貌，修武龙凤壁岩溶地貌、栾川鸡冠洞岩溶地貌、巩义雪花洞岩溶地貌等9处岩溶地貌以及商城猫耳石火山岩地貌，郑州邙山塬黄土地貌作为调查对象。选取的岩土体（构造）地貌景观均具有观赏价值和科学研究价值。

岩土体（构造）地貌类调查极为罕见特殊地貌景观且对反映地质作用过程有重要科学意义并具有重要观赏价值地貌景观，可作为旅游地质景观开发利用的地质遗迹。从地质遗迹保护管理和合理利用的观点出发，省级重要地质遗迹调查对一般不具有观赏价值的地貌景观不予调查，因为调查的目的是掌握这些重要的岩土体（构造）地貌景观不被人为活动破坏，以便于作为旅游地质资源和地学科普资源合理的开发利用。

2. 岩土体（构造）地貌类地质遗迹野外调查内容

地质遗迹调查表是在收集资料综合分析和填写地质遗迹登记表的基础上，室内填写部分内容与野外填写部分内容相结合完成的。室内填写主要内容：遗迹名称、类型、亚类，地貌景观形成的地质背景包括地层、岩石、构造、成因分析、科学价值、观赏价值等。野外调查填写主要内容：岩土体（构造）地貌类地质遗迹所在地理位置、经纬度坐标、露头所处地貌描述、地貌形态特征包括单体形态描述、单体形态要素、单体形态完整程度、地貌形态组合、最佳观察位置，地貌景观的影响因素、植被及土壤覆盖状况、保护程度及保护的可能性、保护建议，露头是否遭受到破坏、保存状态如何等保护情况，是否存在被破坏的安全威胁、通达条件等。

第九章 地质遗迹调查工作方法

3. 岩土体（构造）地貌类地质遗迹点圈定范围方法

岩土体（构造）地貌类地质遗迹点出露范围边界控制点划定主要采用室内与野外观察相结合的方法，在室内根据收集到的岩土体（构造）地貌地质遗迹点所处的1:5万地质图、地形图、遥感影像图及相关文献记录岩土体（构造）地貌地质遗迹所处地理位置、岩土体（构造）地貌露头出露岩体部位、地质构造部位或地层岩性分布范围、出露的岩性特征、岩体规模、岩体接触界线、遥感影像特征或构造岩性特征、构造现象、构造产状、遥感影像特征等，将岩土体（构造）地貌所处位置、分布范围边界标注在1:5万地形图上，并且初步圈定岩土体（构造）地貌出露地段、应当保护的分布范围边界及面积。在野外手持GPS定位仪及标注岩土体地貌分布范围边界的1:5万地形图上，根据掌握的相关信息在野外观察验证核对，并根据实地地形地貌对岩土体（构造）地貌出露边界范围做出调整，圈定岩土体（构造）地貌出露应当保护范围边界，并且确定范围边界拐点坐标。分布范围边界的划定不宜过大或过小，应当以保护岩土体（构造）地貌地质遗迹完整性为原则，包括岩土体（构造）地貌出露地貌景观在岩土体分布范围内或地质构造控制地貌景观分布范围内的所有地质地貌现象，以保护出露岩土体（构造）地貌地质遗迹完整性为好。如果出露分布范围面积很大，应当选择在岩土体（构造）地貌出露典型地貌景观地质遗迹的地段的适当位置沿着地形界线明显处划定范围边界线。

4. 遂平嵖岈山花岗岩地貌地质遗迹野外调查实例

嵖岈山花岗岩地貌景观象形石千姿百态、丰富多彩，整体花岗岩地貌景观精巧典雅，看似"天然盆景"，被批准为花岗岩地貌景观类型的国家地质公园。花岗岩地貌景观主要划分为花岗岩象形石景观、花岗岩奇峰景观、花岗岩洞穴（石棚）景观3种类型。花岗岩象形石景观独特，主要有猴石、母子石、剑鱼石、蜗牛石等，花岗岩峰有蜜蜡峰、凤凰台等，花岗岩洞穴有舞阳洞、桃花洞等。嵖岈山花岗岩地貌景观具有华北板块南部板内燕山晚期花岗岩侵入体及地貌景观形成科学研究价值和典型意义，花岗岩象形石地貌景观形象逼真，十分罕见，具有极高的美学观赏价值，可作为国家级岩土体地貌地质遗迹选取依据。综合分析填写的地质遗迹登记表如表9-26所示，室内填写部分内容与野外调查填写的部分内容结合填写的地质遗迹调查表如表9-27所示，野外工作手图圈定的地质遗迹点保护范围如图9-18所示。

表 9-26 地质遗迹登记表

图幅名称：1:5万××幅　　　野外编号：GPS303　　　室内编号：YM6

所属行政区域位置	河南省遂平县嵖岈山风景区	地理坐标	经度：113°43′44″E 纬度：33°08′03″N 高程：425m
地质遗迹名称	遂平嵖岈山花岗岩地貌	地质遗迹类型	岩土体地貌
所在地质公园名称	嵖岈山国家地质公园	照片号	S1059260、S1059281

地质遗迹描述：
　　嵖岈山位于伏牛山余脉东端，又名玲珑山，山势嵯峨，怪石林立。嵖岈山花岗岩地貌景观千姿百态、丰富多彩，花岗岩体整体地貌景观精巧典雅，看似"天然盆景"。根据嵖岈山花岗岩地貌景观的形态特征及成因，将嵖岈山花岗岩地貌景观的形态类型主要划分为花岗岩象形石景观、花岗岩奇峰景观、花岗岩洞穴（石棚）景观3种类型，主要为燕山期花岗岩经风化剥蚀形成的花岗岩象形石地貌景观，形成地貌景观的岩性为中粗粒正长花岗岩，主要花岗岩象形石景观有猴石、母子石、剑鱼石、蜗牛石等，花岗岩峰有蜜蜡峰、凤凰台等，花岗岩洞穴有舞阳洞、桃花洞等，花岗岩地貌景观分为南山、北山、六峰山景区，分布面积约7km²，花岗岩形成于中生代燕山晚期，时间距今1.13Ma。

续表 9-26

嵖岈山花岗岩地貌			嵖岈山	
地质遗迹评价（初拟评定等级）		国家级	建议保护等级	国家级
科学价值	具有华北板块南部板内燕山晚期花岗岩侵入体及地貌景观形成的科学研究价值和典型意义		自然完整性	没有遭受到乱采滥挖，保存自然完整
稀有性	花岗岩象形石地貌景观形象逼真，十分罕见		历史文化价值	具有白垩纪花岗岩地貌形成的地质历史价值
美学观赏价值	具有极高旅游开发利用的美学观赏价值		保护程度	采取保护措施，保护良好
环境优美性	环境优美		执行保护的可能性	设置保护宣传牌，可保护
安全性	已建立国家地质公园，花岗岩地貌景观不会受到被破坏的威胁		观赏的通达性	公路可达花岗岩地貌景区山门
调查人	方建华	审查人	张忠慧	调查时间	2010 年 9 月 9 日

表 9-27 岩土体（构造）地貌类地质遗迹调查表

野外编号	GPS303	室内编号	YM6	观测坐标	X:3671000,Y:19754680,H:425m(1:5 万××幅)
遗迹名称	遂平嵖岈山花岗岩地貌		类	岩土体地貌	亚类	花岗岩地貌
地质遗迹地理位置	所属行政区		河南省遂平县嵖岈山风景区			
	地质遗迹点		地理坐标:33°08′03″N,113°43′44″E;H:425m			
	遗迹出露面积		长:3 000m,宽:2 000m,面积约:5 200 000m²			

第九章 地质遗迹调查工作方法

续表 9-27

地貌形态特征	单体形态描述	猴石:花岗岩象形石,形态像一只坐立的猴子		
	单体形态要素	长:40m,宽:30m,高:20m,坡度:90°		
	单体形态完整程度	花岗岩地貌景观自然完整		
	最佳观察位置	站在花岗岩地貌景观南山区向东观赏		
	地貌形态组合	花岗岩地貌景观精巧典雅,看似"天然盆景"		
地质背景	地层、岩石	燕山期中粗粒正长花岗岩		
	构造	①百丈崖-天磨峰断裂南北向穿过嵖岈山岩体中部;②嵖岈山断裂北东-南西向穿过蜜蜡峰东侧,为控制花岗岩地貌景观形成的主要断裂		
	成因分析	沿嵖岈山岩体中的断裂、3组节理风化剥蚀形成花岗岩峰和象形石景观,特别是球状风化剥蚀形成猴石、蜗牛石等形象逼真的象形石景观		
影响因素	不存在开山采石等破坏花岗岩地貌景观的人为因素	植被、土壤状况	花岗岩地貌景观岩石裸露,植被不发育	
科学价值	具有华北板块南部板内燕山晚期花岗岩侵入体及地貌景观形成的科学研究价值和典型意义	保护的可能性	设置保护围栏及地质遗迹保护警示牌,可保护	
观赏价值	具有极高的观赏性	通达条件	旅游步道可通达	
保护建议	国家级地质遗迹保护,采取必要的保护措施	保护程度	采取树立地质遗迹保护警示牌、设置保护范围等措施,保护程度良好	
照片编号	S1059260、SANY0046	摄像编号	VCLP0026	拍摄方位	北、东
调查人	方建华	审查人	张忠慧	调查时间	2010 年 9 月 9 日

野外手图圈定保护范围

保存自然状态

图 9-18 遂平嵖岈山花岗岩地貌地质遗迹点

5. 桐柏鞘褶皱洞穴群——桃花洞地貌地质遗迹野外调查实例

桐柏鞘褶皱洞穴群——桃花洞单个洞体岩性主要为片麻岩,从外观形态看鞘褶皱呈"A"形构成洞穴的轮廓形态,鞘褶皱中心部位黑云母、角闪石等矿物遭受风化剥蚀,大的鞘褶皱洞穴中层状岩石被人为剥落,大大小小洞穴中的软弱岩石被风化剥蚀,形成鞘褶皱洞穴群,为新类型的片麻岩洞穴群。这种片麻岩洞穴成因既不同于石灰岩岩溶洞穴,也不同于崩塌洞穴,是一种新的成因类型洞穴,十分稀有,对桐柏-大别造山带韧性剪切带中鞘褶皱洞穴地貌景观形成机制研究具有重要的科学意义,并具有很高的旅游开发利用的美学观赏价值。作为国家级岩土体地貌地质遗迹,综合分析填写的地质遗迹登记表如表 9-28 所示,室内填写部分内容与野外调查填写的部分内容结合填写的地质遗迹调查表如表 9-29 所示,野外工作手图圈定的地质遗迹保护范围如图 9-19 所示。

表 9-29　地质遗迹登记表

图幅名称:1:5万×××幅　　　　野外编号:GPS502　　　　室内编号:YM25

所属行政区域位置	河南省桐柏县固庙镇南	地理坐标	经度:113°16′12″E
			纬度:32°23′55″N
			高程:640m
地质遗迹名称	桐柏鞘褶皱洞穴群——桃花洞	地质遗迹类型	岩土体地貌
所在地质公园名称	桐柏山省级地质公园	照片号	SI060003

地质遗迹描述:
　　桐柏鞘褶皱洞穴群——桃花洞,处于小寨片麻岩体固庙韧性剪切带中,洞体岩性主要为片麻岩,沿着韧性剪切带平行方向鞘褶皱或"A"形褶皱发育。这些片麻岩洞穴群分布于韧性剪切带通过的地段,其洞穴的成因从外观形态看鞘褶皱或"A"形褶皱,构成洞穴的轮廓形态,黑云母、角闪石等暗色矿物富集在鞘褶皱中心部位,岩性抗风化能力较弱。两条北北东向相距80m的平行变形节理形成峡谷两侧岩壁,鞘褶皱中心黑云母、角闪石等风化剥蚀及大洞穴中人为对洞穴层状岩石的剥落作用,使组成洞穴的软弱岩石风化剥蚀,形成新类型的片麻岩洞穴群。这种片麻岩洞穴成因既不同于石灰岩岩溶洞穴,也不同于崩塌洞穴,是一种新的成因类型洞穴。桃花洞的形成时间距今约100Ma。

第九章 地质遗迹调查工作方法

续表9-28

地质遗迹评价（初拟评定等级）		国家级	建议保护等级	国家级
科学价值	对桐柏-大别造山带韧性剪切带中鞘褶皱洞穴地貌景观形成具有重要的科学研究意义		自然完整性	没有遭受到乱采滥挖，保存自然完整
稀有性	鞘褶皱洞穴既不同于岩溶洞穴，也不同于崩塌成因洞穴，十分稀有		历史文化价值	具有桐柏-大别造山带地貌景观形成地质历史价值
美学观赏价值	具有很高的旅游开发利用的美学观赏价值		保护程度	划定地质遗迹保护范围，保护良好
环境优美性	环境较优美		执行保护的可能性	设置保护宣传牌，可保护
安全性	已建立省级地质公园，鞘褶皱洞穴地貌景观不会受到采石破坏威胁		观赏的通达性	旅游步道可达鞘褶皱洞穴群——桃花洞景观点
调查人	任利平　方建华	审查人	张忠慧	调查时间	2011年5月18日

表9-29　岩土体地貌类地质遗迹调查表

野外编号	GPS502	室内编号	YM25	观测坐标	X:3588400,Y:19713600,H:640m(1:5万×××幅)
遗迹名称	桐柏鞘褶皱洞穴群——桃花洞		类	岩土体地貌	亚类	变质岩地貌
地质遗迹地理位置	所属行政区	河南省桐柏县固庙镇南			
	地质遗迹点	地理坐标:32°23′55″N,113°16′12″E;H:640m			
	遗迹出露面积	长:300m,宽:80m,面积约:24 000m²			
地貌形态特征	单体形态描述	鞘褶皱洞穴:洞穴出露在片麻岩崖壁上,洞壁直线状水平方向展布与出露洞穴崖壁垂直			
	单体形态要素	长:50m,宽:30m,高:3m			
	单体形态完整程度	鞘褶皱洞穴地貌景观自然完整			
	最佳观察位置	站在洞穴出露东侧下方向西观赏			
	地貌形态组合	鞘褶皱大小洞穴呈群如蜂窝状出露于崖壁上,景观奇特			
地质背景	地层、岩石	中新元古代桐柏山片麻杂岩小寨片麻岩			
	构造	固庙韧性剪切带控制鞘褶皱洞穴群的形成和分布			
	成因分析	鞘褶皱或"A"形褶皱构成洞穴的轮廓形态,黑云母、角闪石等暗色矿物富集在鞘褶皱中心部位,抗风化能力较弱,平行变形节理形成峡谷两侧岩壁,黑云母、角闪石等风化剥蚀形成洞穴			
影响因素	不存在开山采石等破坏鞘褶皱洞穴群景观的人为因素		植被、土壤状况	鞘褶皱洞穴群出露的崖壁岩石裸露,植被不发育,山坡植被发育	
科学价值	对桐柏-大别造山带韧性剪切带中鞘褶皱洞穴地貌景观形成具有重要的科学研究意义		保护的可能性	设置保护围栏及地质遗迹保护警示牌,可保护	
观赏价值	具有很高的旅游开发观赏性		通达条件	旅游公路通达景区入口广场,旅游步道可通达洞穴群景点	
保护建议	国家级地质遗迹保护,采取必要的保护措施		保护程度	划定地质遗迹保护区范围,保护程度良好	
照片编号	S1060003	摄像编号	—	拍摄方位	西
调查人	方建华　任利平	审查人	张忠慧	调查时间	2011年5月19日

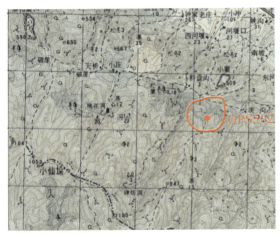

野外手图圈定保护范围　　　　　　保存自然状态

图 9-19　桐柏鞘褶皱洞穴群——桃花洞地貌地质遗迹点

七、水体地貌类地质遗迹调查方法

1. 水体地貌类地质遗迹的选取依据

按照《地质遗迹调查规范》(DZ/T 0303—2017)的地质遗迹类型划分方案，河南省水体地貌类地质遗迹分为瀑布、泉、河流、湖泊及潭、湿地 5 个亚类，调查水体地貌类地质遗迹应从地质遗迹保护管理出发，省级重要地质遗迹调查根据《河南省旅游资源调查研究报告》，河南省世界级、国家级、省级地质公园申报材料，相关水体地貌研究专著及论文记载，选取具有重要观赏价值的修武云台山天瀑、桐柏水帘洞瀑布、西峡龙潭沟瀑布群等 6 处瀑布地质遗迹，博爱鲸鱼湾风景河段、西峡鹳河漂流段 2 处风景河段地质遗迹，安阳珍珠泉、辉县百泉、巩义小龙池泉、修武三姑泉 4 处泉(冷水泉)地质遗迹，修武幽潭 1 处潭地质遗迹作为调查对象。根据《河南省温泉》《河南省地热资源调查研究报告》记载，选取汝州温泉街温泉、陕县温塘温泉、栾川潭头汤池温泉、卢氏汤池温泉、鲁山上汤温泉、鲁山中汤温泉、鲁山下汤温泉、鲁山温汤温泉、洛阳龙门温泉、商城汤泉池温泉、嵩县汤池沟温泉等 13 处泉(热水泉)地质遗迹作为调查对象。根据国家级湿地自然保护区文献资料记载，选取豫北黄河故道湿地 1 处湿地地质遗迹作为调查对象。

水体地貌类调查具有观赏价值、旅游开发利用经济价值或在成因上有重要科学研究意义的水体地貌景观，从地质遗迹保护管理和合理开发利用的观点出发，省级重要地质遗迹调查对一般水体地貌不予调查，因为调查的目的是保证这些重要的水体地貌景观不被人为活动破坏，以便于作为旅游地质资源和地学科普资源合理地开发利用。

2. 水体地貌类地质遗迹野外调查内容

地质遗迹调查表是在收集资料综合分析和填写地质遗迹登记表的基础上，室内填写部分内容与野外填写部分内容相结合完成的。填写调查主要内容：遗迹名称、类型、亚类，水体地貌类瀑布景观填写瀑布类型、所处河流名称、地质特征、瀑布成因分析、瀑布水流状态、瀑布水流动态变化、水体污染状况、瀑布地貌描述、瀑布地质遗迹完整程度等；水体地貌类河流景观填写景观河段名称、河谷形态、河床比降、水流状态、河段的主要用途、河段两岸地质特征、河段成因分析、水体污染状况、河流地貌描述、河段景观地质遗迹完整程度等；水体地貌类泉水景观填写泉的类型、泉水温度、泉产出的含水层岩性、泉产出的含水地层时代、泉水流量、地下水性质、地下水补给来源、泉水物理性质、泉水污染程度、泉水动态变化特征、泉水用途、泉出露地貌描述等；除此之外，瀑布景观、河流景观、泉水景观、潭、湿地等亚类地质遗迹都要填写科学价值、稀有性、观赏价值、保护的情况、是否存在被破坏的安全性、地质遗迹所在地理位置、经纬度坐标、分布范围、交通方面人可通达的条件等内容。

3. 水体地貌类地质遗迹点圈定范围方法

水体地貌地质遗迹点出露范围边界控制点划定主要采用室内与野外观察相结合的方法，在室内根据收集到的水体地貌地质遗迹点所处的1∶5万地质图、地形图、遥感影像图与相关文献记录水体地貌地质遗迹所处地理位置、水体地貌泉水（冷泉、温泉）出露地貌部位，瀑布、风景河段所处地貌部位及分布范围，水体地貌泉水（冷泉、温泉）出露的地貌部位，地层或岩体岩性特征或地质构造岩性特征，瀑布、风景（漂流）河段所处地貌部位及分布范围、遥感影像特征等，将水体地貌所处位置、分布范围边界标注在1∶5万地形图上，并且初步圈定水体地貌出露或分布地段、应当保护的分布范围边界及面积。在野外手持GPS定位仪及标注水体地貌分布范围边界的1∶5万地形图上，根据掌握的相关信息在野外观察验证核对，并根据实地地形地貌对水体地貌出露或分布的边界范围做出调整，圈定水体地貌出露或分布应当保护范围边界，并且确定范围边界拐点坐标。分布范围边界的划定不宜过大或过小，应当以保护水体地貌地质遗迹完整性为原则，包括水体地貌出露或分布地段应当受到保护的范围内所有水体地貌景观现象，以保护出露或分布的水体地貌地质遗迹完整性为好。如果水体地貌风景（漂流）河段地质遗迹分布范围很大，应当选择在水体地貌（漂流）风景河段起点至终点的出露分布典型水体地貌景观地质遗迹地带的适当位置沿着地形界线明显处划定范围边界线。

4. 西峡龙潭沟瀑布群地质遗迹野外调查实例

西峡龙潭沟瀑布群为伏牛山世界地质公园内水体地貌景观，为阶梯式瀑布群，位于龙潭沟景区，它源于二郎坪乡蒿坪村老龙垛通天壕的西庄河，长约17.5km。瀑布共计19级，大小潭穴72处，而落差则由海拔1 300m降至410m，总落差890m。龙潭沟段长约3km的河段地形相对高差500多米，瀑布落差最高的约35m，最低的也有15m。水流为面状流，流量随季节变化，夏秋季水量大，冬春季水量小。瀑布分布于中低山地貌的河谷中，岩性为燕山晚期的二长花岗岩和加里东期的奥长花岗岩。瀑布是因为花岗岩冷凝收缩裂隙与构造裂隙组合，经风化剥蚀与侵蚀形成了阶梯地形地貌，在河谷中则形成阶梯式瀑布群。西峡龙潭沟瀑布群是河南省少有的水体地貌瀑布景观，具有研究花岗岩地区河流侵蚀作用的科学意义，并具有极高的美学观赏价值，可作为省级水体地貌地质遗迹选取依据。综合分析填写的地质遗迹登记表如表9-30所示，室内填写部分内容与野外调查填写的部分内容结合填写的地质遗迹调查表如表9-31所示，野外工作手图圈定的地质遗迹点保护范围如图9-20所示。

表9-30 地质遗迹登记表

图幅名称：1∶5万×××幅　　　　野外编号：GPS612　　　　室内编号：ST7

所属行政区域位置	河南省西峡县龙潭沟景区	地理坐标	经度：111°36′41″E
			纬度：33°30′51″N
			高程：410m
地质遗迹名称	西峡龙潭沟瀑布群	地质遗迹类型	水体地貌
所在地质公园名称	伏牛山世界地质公园	照片号	S1070003、S1070004

续表 9-30

地质遗迹描述：

龙潭沟阶梯式瀑布群：分布于龙潭沟景区蛇尾河上游的西庄河，河流犹如一条巨龙盘旋，故称龙潭沟。它源于二郎坪乡蒿坪村老龙垛通天壕的西庄河，长约 17.5km，瀑布共计 19 级，大小潭穴 72 处，而落差则由海拔 1 300m 降至 410m，总落差 890m。龙潭沟段长约 3km 的河段，地形相对高差 500 多米，瀑布落差最高的约 35m，最低的也有 15m。龙潭沟景区服务中心北侧瀑布宽约 100m，落差 18m；潭水面 400～800m^2，水深 2～4m。水流为面状流，流量随季节变化，夏秋季水量大，冬春季水量小。瀑布分布于中低山地貌的河谷中，地层岩性为燕山晚期的二长花岗岩和加里东期的奥长花岗岩。成因分析：属构造与综合成因型瀑布；花岗岩冷凝收缩裂隙与构造裂隙组合，经风化剥蚀与侵蚀形成了阶梯式地形地貌，在河谷中则形成阶梯式瀑布群。

龙潭沟景区景点集中，瀑布密集，融山秀、石奇、水澈、林茂、潭幽于一体，被誉为"中原一绝，人间仙境"。龙潭沟两岸石壁陡峭、林木丛生，溪水从悬崖倾泻而下、急流如泻，浪花飞舞，瀑水长啸、落入龙潭，登高瞭望，瀑布密集、明珠成串，最为著名的为"四连瀑"。

西峡龙潭沟瀑布群

地质遗迹评价（初拟评定等级）	省级	建议保护等级	省级
科学价值	具有研究花岗岩地区河流侵蚀作用的科学意义	自然完整性	天然，完整
稀有性	河南省少有的水体景观	历史文化价值	具有研究古近纪—第四纪伏牛山花岗岩地貌河流侵蚀作用的历史价值
美学观赏价值	具有极高的美学观赏价值	保护程度	保护程度良好
环境优美性	植被茂盛，生态环境良好，环境优美	执行保护的可能性	设置保护区界线桩及保护警示牌，可保护
安全性	不存在潜在破坏瀑布的威胁因素	观赏的通达性	公路与旅游步道可通达
调查人	苗晋祥	审查人	方建华	调查时间	2011 年 6 月 8 日

第九章 地质遗迹调查工作方法

表 9-31　水体地貌类瀑布景观地质遗迹调查表

野外编号	GPS612	室内编号	ST7	观测坐标	X:3709932,Y:19556800,H:410m(1:5万×××幅)
遗迹名称	西峡龙潭沟瀑布群			亚类	水体地貌类瀑布景观
地质遗迹地理位置	所属行政区			河南省西峡县二郎坪乡苇园沟村与北坡村之间的龙潭沟景区服务中心北侧	
	地质遗迹点			地理坐标:33°30′51″N,111°36′41″E;H:410m	
	遗迹出露形态要素			宽:约100m,落差:18m(服务中心北侧)	
瀑布类型	属构造与综合成因型瀑布			瀑布级数	19
所处河流名称	蛇尾河上游的西庄河			地质特征	岩性为燕山晚期的二长花岗岩和加里东期的奥长花岗岩
瀑布水流状态	面状流			成因分析	构造型瀑布:花岗岩冷凝收缩裂隙与构造裂隙组合,经风化剥蚀与侵蚀形成了阶梯式地形地貌,在河谷中则形成阶梯式瀑布群
瀑布水流动态变化	水流流量随季节变化,夏秋季水量大,冬春季水量小			瀑布地貌描述	瀑布属中低山地貌的河谷
水体污染状况	未污染				
科学价值	具有研究花岗岩地区河流侵蚀作用的科学意义			遗迹完整程度	出露自然完整,未受破坏
稀有性	河南省稀有			保护的情况	已建立保护围栏设施
观赏价值	具有极高的美学观赏价值			通达条件	旅游步道可通达
保护建议	防止水体污染			安全性	不存在潜在破坏瀑布的威胁因素
照片编号	S1070003 S1070004	摄像编号	—	拍摄方位	N
调查人	苗晋祥	审查人	方建华	调查时间	2011年7月6日

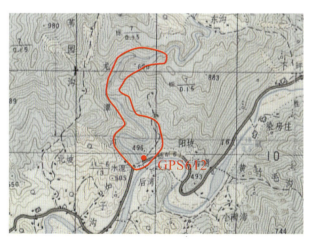

野外手图圈定保护范围　　　　　保存自然状态

图 9-20　西峡龙潭沟瀑布群地质遗迹点

5. 西峡鹳河漂流河段地质遗迹野外调查实例

西峡鹳河漂流河段为伏牛山世界地质公园内水体地貌景观，鹳河漂流是中原地带开发最早、漂流距离最长、最刺激的漂流河段，称为"中原第一漂"。鹳河漂流段全程12km，河道时宽时窄，最宽处达30m，最窄处只有5m，河水平均流量20m³/s，漂流段落差48m。漂流过程中沿途佳景颇多，有"鹳河第一滩""九龙滩""卧龙滩""龙椅滩""跳舞滩"等大小十八滩。鹳河漂流段地貌处于伏牛山中低山的河谷部位，为V型河谷，河段出露的地层岩性为早古生代（Pz_1）二云石英片岩与石墨大理岩夹斜长角闪岩，河段形成的主要原因是沿裂隙断裂带溯源侵蚀，河段河水未受到污染。西峡灌河漂流河段地质遗迹为河南省少有的水体地貌漂流河段景观，具有河流峡谷地貌成景机制的科学研究意义，并且漂流河段具有很高的观赏价值，可作为省级水体地貌地质遗迹的选取依据。综合分析填写的地质遗迹登记表如表9-32所示，室内填写部分内容与野外调查填写的部分内容结合填写的地质遗迹调查表如表9-33所示，野外工作手图圈定地质遗迹点保护范围如图9-21所示。

表9-32　地质遗迹登记表

图幅名称：1∶5万××幅，××幅　　　　　野外编号：GPS168　　　　　室内编号：ST9

所属行政区域位置	河南省西峡县军马河乡夫子垭起至双龙镇寨岗	地理坐标	起点坐标：111°28′21″E，33°30′43″N；H：398m 终点坐标：111°27′44″E，33°28′11″N；H：310m
地质遗迹名称	西峡鹳河漂流河段	地质遗迹类型	水体地貌
所在地质公园名称	伏牛山世界地质公园	照片号	收集

地质遗迹描述：
　　鹳河漂流是中原地带开发最早、漂流距离最长、最刺激、规模最大的项目，被人们称为"中原第一漂'。鹳河位于西峡境内老鹳河上游，主要干流长254km，流域面积4 219km²，上游落差1 340m。鹳河漂流段全程12km，河道时宽时窄，最宽处达30m，最窄处只有5m，河水平均流量20m³/s，漂流段落差48m。漂流过程中沿途佳景颇多，既有急流险滩，又有平湖深潭，有"鹳河第一滩""九龙滩"，形象逼真的"卧龙""龙椅"，惊心动魄的"跳舞滩"等大小十八滩。顺流而下，一波三折，浪遏飞舟，惊心动魄，有惊无险，在蜿蜒、曲折的河流中，游客或博浪闯滩，或戏水嬉闹，可纵情放怀，回归自然。
　　鹳河漂流段地貌处于伏牛山中低山的河谷部位，为V型河谷，河段出露的地层岩性为早古生代（Pz_1）二云石英片岩与石墨大理岩夹斜长角闪岩，河段形成的主要原因是沿裂隙断裂带溯源侵蚀。河段未受到工业与生活污水污染，但已出现旅游垃圾。整个河流内山势起伏，植被及地貌组合类型丰富，其中有被称为"活化石"的银杏树、桫椤树等珍稀植物。

西峡鹳河漂流

第九章 地质遗迹调查工作方法

续表9-32

地质遗迹评价(初拟评定等级)		省级	建议保护等级	省级
科学价值	具有研究新构造抬升的科学价值	自然完整性	河段沿岸自然完整	
稀有性	河南省少有的水体景观	历史文化价值	具有古近纪—第四纪伏牛山河流侵蚀作用的历史价值	
美学观赏价值	具有极高的美学观赏价值	保护程度	保护程度良好	
环境优美性	植被茂盛,生态环境良好,环境优美	执行保护的可能性	设置保护区及保护警示牌,可保护	
安全性	没有修建桥梁、水坝及开山采石等人为活动威胁	观赏的通达性	公路与旅游步道可通达	
调查人	苗晋祥	审查人	方建华	调查时间	2011年7月21日

表9-33 水体地貌类河流景观地质遗迹调查表

野外编号	GPS168	室内编号	ST9	观测坐标	X:709680,Y:19543906,H:398m(1:5万××幅)
遗迹名称	西峡灌河漂流河段		亚类		河流
地质遗迹地理位置	所属行政区		河南省西峡县军马河镇		
	地质遗迹点		地理坐标:33°30′43″N,111°28′21″E;H 398m		
	遗迹出露形态要素		长:3 000m,宽:5~30m,水深:1.5m		
河段的主要景观名称	灌河漂流河段		两岸地质特征	河流两岸为新元古代二长花岗岩	
河谷形态	U型河谷		成因分析	沿岩石裂隙溯源侵蚀而成	
河床比降	1:750		水体污染状况	无工业及生活污水污染	
水流状态	缓流		河流地貌描述	漂流河段河谷呈U型,河段宽度、深度变化不大	
河段的主要用途	漂流				
科学价值	河流峡谷地貌成景机制的科学研究价值		遗迹完整程度	河道两侧河谷坡保存天然状态,完整	
稀有性	漂流河段既有急流险滩又有平湖深潭,是河南省稀有的漂流河段		保护的情况	漂流河段两岸原始自然保护良好	
观赏价值	漂流河段具有很高的观赏价值		通达条件	柏油公路可通达漂流的起点	
保护建议	建议省级地质遗迹保护		安全性	没有修建桥梁、水坝及开山采石等人为活动威胁	
照片编号	—	摄像编号	—	镜头指向	
调查人	方建华 李琛	审查人	章秉辰	调查时间	2009年9月26日

野外手图圈定保护范围　　　　　　　　　　　　保存自然状态

图 9-21　西峡鹳河漂流河段地质遗迹点

6. 卢氏汤池温泉地质遗迹野外调查实例

卢氏汤池温泉为《河南省温泉》《河南省地热资源调查研究报告》记载的地热温泉,温泉所处的地貌部位为伏牛山低山区老鹳河西岸,出露在 γ_5 花岗质碎斑岩中,受瓦穴子断裂控制,属承压水,水温为 54℃,流量 2.22L/s,矿化度 0.56g/L,水化学类型 $HCO_3·SO_4-Na$。地下水来源为大气降水,地热来源的通道为瓦穴子断裂带,现在开发利用程度不高,泉水未受到污染。卢氏汤池温泉主要用于沐浴,该温泉以裸浴闻名。卢氏汤池温泉地质遗迹在河南省自然出露的天然温泉方面比较稀有,具有地热温泉及构造断裂活动的地质科学研究意义,地热温泉位于陡崖与河道岸边,风景较独特,具有一定的美学观赏价值和温泉洗浴旅游开发价值,可作为省级水体地貌地质遗迹选取依据。综合分析填写的地质遗迹登记表如表 9-34 所示,室内填写部分内容与野外调查填写的部分内容结合填写的地质遗迹调查表如表 9-35 所示,野外工作手图圈定的地质遗迹保护范围如图 9-22 所示。

表 9-34　地质遗迹登记表

图幅名称:1:5万××幅　　　　野外编号:GPS606　　　　室内编号:ST15

所属行政区域位置	河南省卢氏县汤河乡汤前边村	地理坐标	经度:111°06′57″E
			纬度:33°50′17″N
			高程:749m
地质遗迹名称	卢氏汤池温泉	地质遗迹类型	水体地貌
所在地质公园名称	不在地质公园范围内	照片号	IMG-3678

续表 9-34

地质遗迹描述：
温泉所处的地貌部位为伏牛山低山区老鹳河西岸，温泉出露在 γ_5 花岗质碎斑岩中，受瓦穴子断裂控制，属承压水，水温为 54℃，流量 2.22L/s，矿化度 0.56g/L，水化学类型 $HCO_3 \cdot SO_4$-Na。地下水来源为大气降水，地热来源的通道为秦岭-大别造山带的深大断裂与新构造活动的复合部位。现在开发利用程度不高，泉水未受到污染。卢氏汤池温泉现建有沐浴的小池子等，主要用于沐浴，该温泉以裸浴闻名。  卢氏汤池温泉

地质遗迹评价（初拟评定等级）		省级	建议保护等级	省级
科学价值	具有研究地热温泉及构造活动的地质科学意义		自然完整性	自然完整
稀有性	在河南省自然出露的天然温泉方面比较稀有		历史文化价值	地热温泉利用历史文化价值
美学观赏价值	地热温泉位于陡崖与河道岸边，风景较独特，具有一定的美学观赏价值和温泉洗浴旅游开发价值		保护程度	已建有人工抽取温泉水泵房，地热温泉水天然露头已被掩盖
环境优美性	环境较优美		执行保护的可能性	设置保护警示牌，可保护
安全性	存在过度抽取地热水的潜在破坏地热温泉的影响因素		观赏的通达性	县乡水泥公路通达温泉点
调查人	苗晋祥	审查人	方建华	调查日期	2011 年 7 月 25 日

表 9-35 水体地貌类泉水景观地质遗迹调查表

野外编号	GPS606	室内编号	ST15	观测坐标	X:3745771,Y:19510773,H:749m(1:5万××幅)
遗迹名称	卢氏汤池温泉			亚类	温(热)泉景观
地质遗迹地理位置	所属行政区		河南省卢氏县汤河乡前边村		
	地质遗迹点		地理坐标:33°50′17″N,111°06′57″E;H749m		
	遗迹出露形态要素		地热温泉出露区长100m,宽50m,高2m		
泉的类型	温泉		泉水流量	31.97m³/d(2.22L/s)	
泉水温度	54°		地下水性质	承压水	
泉产出的含水层岩性	花岗质碎斑岩		地下水补给来源	大气降水	
泉产出的含水地层时代	白垩系(Kγ_5)		泉水物理性质	清澈透明,有硫磺气味	
泉水动态变化特征	流量、水温常年稳定,不受季节、气候影响		泉水污染程度	无污染	
泉水用途	洗浴疗养、旅游观光		泉出露地貌描述	温泉位于南北向陡崖下河道西侧,出露在瓦穴子断裂带γ_5花岗质碎斑岩裂隙中	
科学价值	地热温泉热水的医疗矿泉的科学研究价值				
稀有性	在河南省自然出露的天然温泉方面比较稀有		保护情况	已建有人工抽取温泉水泵房,地热温泉水天然露头已被掩盖	
观赏价值	地热温泉位于陡崖与河道岸边,风景较独特,具有一定的美学观赏价值		通达条件	县乡水泥公路通达温泉点	
保护建议	划定温泉保护范围,省级地质遗迹保护		安全性	存在过度抽取地热水的潜在破坏地热温泉的影响因素	
照片编号	IMG-3678	摄像编号	MVI-3675	镜头指向	290°、北西—南西向
调查人	杜开元 于雪鸥	审查人	方建华	调查时间	2011年3月7日

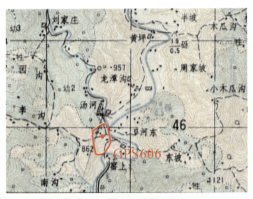

野外手图圈定保护范围

保存自然状态

图 9-22 卢氏汤池温泉地质遗迹点

八、地质灾害类地质遗迹调查方法

1. 地质灾害类地质遗迹的选取依据

按照《地质遗迹调查规范》(DZ/T 0303—2017)的地质遗迹类型划分方案,河南省地质灾害类地质遗迹分为崩塌、滑坡、泥石流、地面塌陷4个亚类,调查地质灾害类地质遗迹应从地质遗迹保护管理出发,省级重要地质遗迹调查根据《河南省环境地质基本问题研究》,河南省国家级、省级地质公园申报材料,相关地质灾害研究专著及论文记载,选取具有重要科普警示教育意义的辉县崩塌、焦作朱村煤矿地面塌陷、卢氏县黑马渠沟泥石流、鲁山县尧山镇泥石流、卢氏县狮子坪滑坡等作为地质灾害类重要地质遗迹调查对象。

地质灾害类地质遗迹调查具有科普教育意义或在成因上有重要科学研究意义,从地质遗迹保护管理和合理开发利用的观点出发,省级重要地质遗迹调查对一般其他地质灾害类地质遗迹不予调查,因为调查的目的是掌握重要的具有科普示教育意义的地质灾害地质遗迹,使其不被人为活动所破坏,以便于地质灾害防治的科普教育利用。

2. 地质灾害类地质遗迹野外调查内容

地质遗迹调查表是在收集资料综合分析和填写地质遗迹登记表的基础上,室内填写部分内容与野外填写部分内容相结合完成的。填写主要内容:遗迹名称、类型、亚类,泥石流地质遗迹调查填写泥石流类型、泥石流所在的主河流名称、泥石流规模、泥石流发生时间、形成泥石流的降雨特征值、水动力类型、泥砂补给途径、沟口扇形地特征、沟口至主河道距离、不良地质情况、地貌描述、主沟纵坡度、相对高差、山坡坡度、流域面积、成因分析、危害程度、防治措施现状等;滑坡地质遗迹调查填写滑坡类型、滑坡性质、滑坡发生时间、滑坡面积、滑坡体积、滑坡平面形态、滑坡剖面形态、滑距、滑坡轴方位、滑动面特征、滑体特征、滑坡体地层岩性、前缘高程、后缘高程、滑舌底高程、滑坡壁高度、水文地质特征、滑坡特点及成因分析、危害程度、稳定程度等;崩塌地质遗迹调查填写崩塌类型、崩塌堆积体形状、长轴方向、崩塌长度、宽度、高度、坡度、面积、体积、崩塌地质体岩性特征、地质时代、诱发崩塌的原因、危害程度等;地面塌陷地质遗迹填写地面塌陷类型、平面形状、长度、宽度、面积、深度、地层岩性、发生时间、诱发塌陷的原因、危害程度、稳定程度等;除此之外,泥石流、滑坡、崩塌、地面塌陷地质灾害地质遗迹都要填写地貌描述、地质遗迹完整程度、科学价值、稀有性、观赏价值、保护的情况、是否存在被破坏的安全性、地质遗迹所在地理位置、经纬度坐标、分布范围、交通方面可通达的条件等内容。

3. 地质灾害类地质遗迹点圈定范围方法

地质灾害类地质遗迹点出露范围边界控制点划定主要采用室内与野外观察相结合的方法,在室内根据收集到的地质灾害类地质遗迹点所处的1∶5万地质图、地形图、遥感影像图与相关文献记录地质灾害类地质遗迹所处地理位置,崩塌或滑坡地质灾害地质遗迹所处地貌部位、地层岩性特征或崩塌体或滑坡体崩塌面或滑坡面的结构特征、泥石流地质灾害所处地貌部位及分布范围、遥感影像特征等,将地质灾害地质遗迹所处位置、分布范围边界标注在1∶5万地形图上,并且初步圈定地质灾害类地质遗迹所处地貌部位或分布地段、应当保护的分布范围边界及面积。在野外手持GPS定位仪及标注地质灾害类地质遗迹分布范围边界的1∶5万地形图上,根据掌握的地质灾害类地质遗迹相关信息在野外观察验证核对,并根据实地地形地貌对地质灾害类地质遗迹所处地貌部位或分布的边界范围做出调整,圈定地质灾害类地质遗迹所处地貌部位或分布范围应当保护的范围边界,并且确定范围边界拐点坐标。分布范围边界的划定不宜过大或过小,应当以保护地质灾害类地质遗迹完整性为原则,包括地质灾害类地质遗迹所处地貌部位或分布地段及保护范围内所有地质灾害地质遗迹的现象,以保护地质灾害所处地貌部位或分布范围内所有地质灾害现象的完整性为好。如果泥石流地质灾害地质遗迹分布范围很长,应当选择上游物源区至堆积区分布典型泥石流地质灾害现象的地带,在适当位置沿着地形界线明显处划定范围边界线。

4. 卢氏县黑马渠沟泥石流地质遗迹野外调查实例

卢氏县黑马渠沟泥石流地质遗迹为《河南省环境地质基本问题研究》记载的典型泥石流地质遗迹,位于卢氏县城西侧,河流属于洛河一级支流,流域面积 $6.79km^2$,流域内最高海拔 926.1m,最低海拔 560.0m,相对高差 366.1m,沟口以上主沟长 4.39km,平均纵比降 37.94‰。黑马河主沟及 14 条支沟属沟谷型泥石流,流体属于黏性泥石流,容重值在 $1.6\sim2.06t/m^3$ 之间,规模在 2 万~20 万 m^3 之间。堆积区地势比较平坦,平均坡降 17.4‰。泥石流物质来源于流域上游覆盖较厚的砂砾石、黄土等坡积物,由于植被稀少,沟谷切割深,地面坡度大,在强暴雨的冲刷作用下,分布在山坡上的坡积物易形成泥石流,向沟床汇集流动。流通区的沟谷形态为"V"字形,沟谷纵坡降大,便于泥石流向下游流动,出沟口形成泥石流堆积区。根据以往资料分析,黑马渠沟泥石流暴发的前期降雨量和当日降雨量之和在50mm以上,激发泥石流1h降雨量大于20mm,威胁卢氏县城及居民的生命和财产安全,是河南省典型的泥石流地质灾害地质遗迹,对泥石流地质灾害形成、预防与治理具有科学研究价值和典型意义,在河南省较为少见。作为省级泥石流地质灾害地质遗迹,其综合分析填写的地质遗迹登记表如表9-36所示,室内填写部分内容与野外调查填写的部分内容结合填写的地质遗迹调查表如表9-37所示,野外工作手图圈定的地质遗迹点保护范围如图9-23所示。

表 9-36　地质遗迹登记表

图幅名称:1∶5万××幅　　　　　野外编号:GPS593　　　　　室内编号:DZ3

所属行政区域位置	河南省卢氏县城关镇西黑马渠	地理坐标	经度:111°01′42″E
			纬度:34°03′34″N
			高程:606m
地质遗迹名称	卢氏县黑马渠沟泥石流	地质遗迹类型	其他地质灾害类
所在地质公园名称	不在地质公园内	照片号	IMG-3530
地质遗迹描述: 　　该地质遗迹位于卢氏县城西侧,河流属于洛河一级支流,流域面积 $6.79km^2$,流域内最高海拔 926.1m,最低海拔 560.0m,相对高差 366.1m,沟口以上主沟长 4.39km,平均纵比降 37.94‰。黑马河主沟及 14 条支沟属沟谷型泥石流,流体属于黏性泥石流,容重值在 $1.6\sim2.06t/m^3$ 之间,规模在 2 万~20 万 m^3 之间。堆积区地势比较平坦,平均坡降 17.4‰。物质来源:该区上游覆较厚砂砾石黄土等坡积物,植被稀少,沟谷切割深,岩层倾角大,因重力侵蚀形成的崩塌、滑坡、碎屑溜补给和沟床侵蚀补给。流通区的形态为"V"字形,地形陡峭,堆积区呈羽毛形。根据以往资料分析,黑马沟泥石流暴发的前期降雨量和当日降雨量之和在50mm以上,激发泥石流1h降雨量大于20mm。威胁对象及范围:威胁卢氏县城居民的生命和财产安全。			

第九章　地质遗迹调查工作方法

续表 9-36

卢氏县黑马渠沟泥石流

地质遗迹评价（初拟评定等级）		省级	建议保护等级	省级
科学价值	对泥石流地质灾害形成、预防与治理具有科学研究价值和典型意义		自然完整性	已经受到人为恢复治理，保存自然状态不完整
稀有性	此类地质灾害规模较大，在河南省较为少见		历史文化价值	无
美学观赏价值	不具有美学观赏价值		保护程度	未保护
环境优美性	周围环境受到严重破坏		执行保护的可能性	设置保护警示牌，可保护
安全性	不存在对地质灾害遗迹破坏的威胁因素		观赏的通达性	公路可达沟口
调查人	梁会娟	审查人	张忠慧	调查时间	2010 年 7 月 2 日

表 9-37　地质灾害类泥石流地质遗迹调查表

野外编号	GPS593	室内编号	DZ3	观测坐标	$X:3770322,Y:19502616,H:606m（1:5 万 \times\times 幅）$
遗迹名称	卢氏县黑马渠沟泥石流			亚类	泥石流
地质遗迹地理位置	所属行政区		河南省卢氏县城关镇西黑马渠		
	地质遗迹点		地理坐标：$34°03'34''N,111°01'42''E;H:606m$		
	遗迹出露形态要素		长：600m，宽：450m，扩散角：12°		
泥石流类型	泥石流		不良地质体情况		滑坡、崩塌、自然堆积
主河流名称	洛河		主沟纵坡度		37.94‰
泥石流规模	2 万～20 万 m³		相对高差		366.1m

续表 9-38

泥石流发生时间	1958年、1985年、2007年	山坡坡度	35°以上
形成泥石流的降雨特征值	日最大降雨 368.8mm	流域面积	6.79km²
水动力类型	暴雨	成因分析	暴雨、丰富的物质来源、陡峭地形
泥砂补给途径	沟岸崩塌、沟底再搬运	危害程度	村寨、公路、农田
沟口扇形地特征	喇叭形	防治措施现状	植树、避让
沟口至主河道距离	200～300m	地貌描述	山高坡陡,高差悬殊,切割强烈,沟谷两侧坡度多在35°以上,坡积物多处在临界平衡状态,山麓堆积较厚
新构造影响	断层、地壳抬升		
科学价值	对泥石流地质灾害形成、预防与治理具有科学研究价值和典型意义	遗迹完整程度	已经受到人为恢复治理,保存自然状态不完整
稀有性	此类泥石流较典型,在河南省较为少见	保护的情况	未采取地质遗迹保护措施
观赏价值	具有地质灾害警示教育的科普观赏价值	通达条件	公路可达沟口堆积区
保护建议	省级地质遗迹保护,保护泥石流灾害各种典型特征	安全性	存在对地质灾害遗迹破坏的威胁因素
照片编号	IMG-3530	摄像编号	MVI-3537	拍摄方位	325°、北西—东向
调查人	杜开元 于雪鸥	审查人	方建华	调查时间	2011年3月5日

野外手图圈定保护范围

保存自然状态

图 9-23 卢氏县黑马渠沟泥石流地质遗迹点

第八节 地质遗迹对比研究方法

一、地质遗迹对比研究选择依据

地质遗迹对比研究的选择要求是相同类型的地质遗迹进行对比，不同类型地质遗迹之间无法对比，即便对比也没有实际意义。地质遗迹对比的是特征与要素（属性），是其具有的重要特征、科学价值、观赏价值、科普价值。对比相同类型地质遗迹具有的特征、科学价值、观赏价值、科普价值，从而选择更重要的地质遗迹予以保护是对比研究的目的所在，对比的地质遗迹对象尽量选择有代表性的典型地质遗迹为好，一般要选择2处以上相同类型的典型地质遗迹进行对比分析研究。

二、地质遗迹对比研究特征与要素

不同类型地质遗迹对比的特征、要素不尽相同，地层剖面类地质遗迹对比的特征是地层剖面顶底板界线、地层厚度的完整性，地层剖面的研究程度及地层学科学研究价值、科普价值；岩石剖面类地质遗迹对比的特征是侵入岩体、火山岩、变质岩、沉积岩典型的岩石学特征，岩石界线清晰完整程度，岩石剖面的研究程度及岩石学科学研究价值、科普价值；构造剖面类地质遗迹对比的特征是构造剖面反映的各种典型地质构造现象，各种地质构造现象出露完整程度，地质构造现象具有的构造地质学科学研究价值、科普价值；重要化石产地类地质遗迹对比的特征是重要化石产地产出古生物化石的相同地层时代、相同地层层位含有的重要古生物化石保护名录保护的古生物化石属种，产出古生物化石的研究程度，重要古生物化石产地的研究程度及具有的重要的古生物学科学研究价值、科普价值；重要岩矿石产地类地质遗迹对比的特征是重要岩矿石产地类地质遗迹典型矿床或与成矿作用相关的地层剖面及古生物遗迹、含矿构造和矿化岩体、重要矿物与岩石学等，在地质成矿作用、地质科学价值等方面具有的典型的矿床学意义和科学研究价值、科普价值；岩土体（构造）地貌类地质遗迹对比的特征是岩土体（构造）地貌地质遗迹在岩土体（构造）地貌类景观形态特征、岩土体岩性形成地貌景观作用或构造形成地貌景观作用、岩土体（构造）地貌景观规模方面，具有的更重要的观赏价值和科学研究价值、科普价值；水体地貌类地质遗迹对比的特征中，瀑布、风景河段等水体地貌景观对比的是水体地貌景观规模、观赏价值，地热温泉对比的是地热水温度、泉的热水流量、泉的热水所含医疗矿泉水质微量元素含量及医疗价值，冷泉对比的是泉水流量、泉眼出露的规模、泉水含有的有益于人体健康的微量元素含量等，具有的重要水文地质学科学研究价值、科普价值；地质灾害类地质遗迹对比的特征是地质灾害地质遗迹具有的各类地质灾害现象的典型性、规模，具有的地质灾害治理的科学研究价值、科普价值。

三、遂平嵖岈山花岗岩地貌景观地质遗迹对比研究实例

遂平嵖岈山花岗岩地貌景观地质遗迹以其具有的独特性、观赏价值、科学研究价值被批准为国家地质公园。依据嵖岈山花岗岩地貌景观的类型、花岗岩地貌景观特征,对嵖岈山花岗岩地貌景观特征与国内外典型花岗岩地貌景观进行对比分析,嵖岈山花岗岩地貌景观特征:①嵖岈山花岗岩地貌景观主要是花岗岩象形石地貌景观,各种形态的花岗岩象形石有100多个。受中粗粒正长花岗岩矿物成分、结晶程度、球状风化的影响,大多数花岗岩象形石表面圆滑,棱角很少,看起来不抽象,更形象逼真;②嵖岈山花岗岩体呈岩株状,分布面积不大,使花岗岩体整体地貌景观精巧典雅,看似"天然盆景";③嵖岈山拔地而起的山与平原接壤的独特地形地貌让嵖岈山花岗岩地貌景观看起来非常雄伟壮观;④嵖岈山花岗岩洞穴(石棚)地貌景观众多,洞套洞、洞连洞,洞长达几十米甚至上百米。嵖岈山花岗岩地貌景观美学观赏价值极高,其美学观赏价值体现在美、奇、雄、险、幻。

嵖岈山花岗岩地貌景观形成的主要影响因素有:构造因素、岩石因素、气候因素、地貌因素、时间因素等。构造因素是控制嵖岈山花岗岩地貌景观外表形态的基本因素;岩石因素是决定嵖岈山花岗岩地貌景观的物质基础;气候因素是影响嵖岈山花岗岩地貌景观形成的风化剥蚀作用的主导因素;地貌因素是决定嵖岈山花岗岩地貌景观形成分布的控制因素;时间因素是影响嵖岈山花岗岩地貌景观形成的必然条件。嵖岈山花岗岩节理裂隙发育程度疏密适中,花岗岩矿物颗粒结晶比较粗,岩性较均一,含有包体,气候寒暑交替、四季分明,地处山前独特地貌,沿着花岗岩3组原生节理及断裂长期风化剥蚀等综合因素,造就了嵖岈山花岗岩地貌景观。

嵖岈山花岗岩地貌景观是因嵖岈山花岗岩为中粗粒正长花岗岩,颗粒比较粗、岩体内节理裂隙发育程度疏密适中、独特的地貌部位和北亚热带向暖温带过渡地带的气候条件形成的,是花岗岩地貌显著地带性有力的见证。为了嵖岈山花岗岩地貌景观与典型花岗岩地貌景观的特征对比分析研究,从140家世界地质公园[其中,中国37家,欧洲、亚洲、非洲、拉丁美洲等其他国家94家(截至2018年6月)]及209家国家地质公园(具有国家地质公园资格)中,选出有代表性的花岗岩地貌景观2个(中国的黄山、克什克腾,欧洲地质公园缺少典型的花岗岩地貌景观类型),从国内100多家国家级风景名胜区选出典型的花岗岩地貌景观1个(华山国家级重点风景名胜区),从亚洲典型的花岗岩地貌景观中选出1个(朝鲜的金刚山),进行花岗岩地貌景观特征的对比分析(表9-38)。花岗岩地貌景观的形成是大自然风化剥蚀作用的产物,而风化剥蚀作用在不同的气候带有明显的地带性差异。在不同的地理纬度区气候条件下,花岗岩石表面的地貌形态往往有显著的差异,即花岗岩地貌景观的地带性。嵖岈山、黄山、华山、克什克腾、金刚山,这些具有美学观赏价值的典型花岗岩地貌景观均位于北纬28°~44°之间,处于北亚热带、温带气候条件。在全球范围内由于亚洲、非洲、大洋洲、拉丁美洲大多数处于20°以下低纬度地带的热带雨林气候条件下,花岗岩风化剥蚀作用强烈,往往形成浑圆低矮的花岗岩丘陵岗地,不具备形成高耸陡峻的花岗岩地貌景观的气候条件;50°以上的高纬度地区气候寒冷,由于寒冻作用强烈,也不具备形成具有观赏价值的典型花岗岩地貌景观的气候条件,在这些地区很难形成具有美学观赏价值的典型花岗岩地貌景观。

表 9-38　嵖岈山花岗岩地貌景观与典型花岗岩地貌景观特征对比分析

名称	嵖岈山国家地质公园	黄山世界地质公园	华山国家风景名胜区	克什克腾世界地质公园	金刚山（朝鲜）
花岗岩地貌景观特征	花岗岩象形石（俗称"怪石"）景观，位于伏牛山余脉东端。千姿百态、栩栩如生的花岗岩象形石景观众多，多数象形石外形圆滑、棱角少且形象逼真，有些象形石从不同的方向观看呈现不同的形象，即一石多景。岩株状的花岗岩整体地貌景观精巧典雅，看似"天然盆景"。拔地而起的低山与平原接壤的独特花岗岩地貌景观，虽然是海拔只有514m的低山，但看起来却非常雄伟壮观。花岗岩洞众多，洞套洞、洞连洞，洞长达几十米甚至上百米	花岗岩峰林景观，位于天目山西，奇峰耸立，有36大峰，36小峰，主峰莲花峰海拔1 860m。花岗岩峰高，峰顶尖陡，峰脚直落谷底，为群峰峭拔的中高山地形。峰的主要类型有穹状峰、锥状峰、脊状峰、柱状峰、箱状峰等，山顶、山腰和山谷等处分布有花岗岩石林石柱。自中心部位向四周呈放射状地展布着众多的"U"形谷和"V"形谷。花岗岩地貌景观主要为花岗岩峰林景观、花岗岩象形石（俗称"怪石"）外形多为棱角状，往往与花岗岩峰林结合呈现似人似物景观	花岗岩悬崖峭壁景观，位于秦岭北侧，海拔2 160m。华山由东、西、南、北、中5座主峰及环围四周的70多座峰岭、3条峡谷组成，远眺似一朵盛开的莲花，由产状呈花岗岩基的岩体构成。花岗岩地貌景观苍龙岭险峻奇特，是典型的冰川刃脊；东峰绝壁黄白相间的花岗岩石纹形如巨掌。高角度的秦岭山前大断裂，近于直立的节理裂隙，致密坚硬抗风化能力强的闪长花岗岩，造就花岗岩悬崖峭壁景观	花岗岩石林景观，位于大兴安岭北大山上，北大山势雄浑、山坡平缓，海拔1 700m。远观花岗岩石林如远古先人建造的城堡平地突起，沧桑破败；近看石林如塔、如墙，一般高5～20m，底部相连，形成方形或条形。石塔的塔座、塔身分明，巍然兀立；石墙的墙面平直，砌块参差叠起。冰川作用、寒冻风化、风蚀作用形成花岗岩石林景观	花岗岩山岳景观，位于朝鲜半岛中部太白山脉北部，主峰毗卢峰，海拔1 639m。以花岗岩山主脊线的分水岭为界，东部的山势雄壮、奇特、耸立，划定为外金刚区域；西部的山势温柔、秀丽、优雅；海边绝景为海金刚区域。沿着主脊线向南北伸展的大断层线东部是达数百米的陡坡。沿着花岗岩表面纵横交错的节理，形成千姿百态的岩柱、岩壁、岩台、岩峰等花岗岩地貌景观
景观面积	7km^2	154km^2	148km^2	5km^2	530km^2

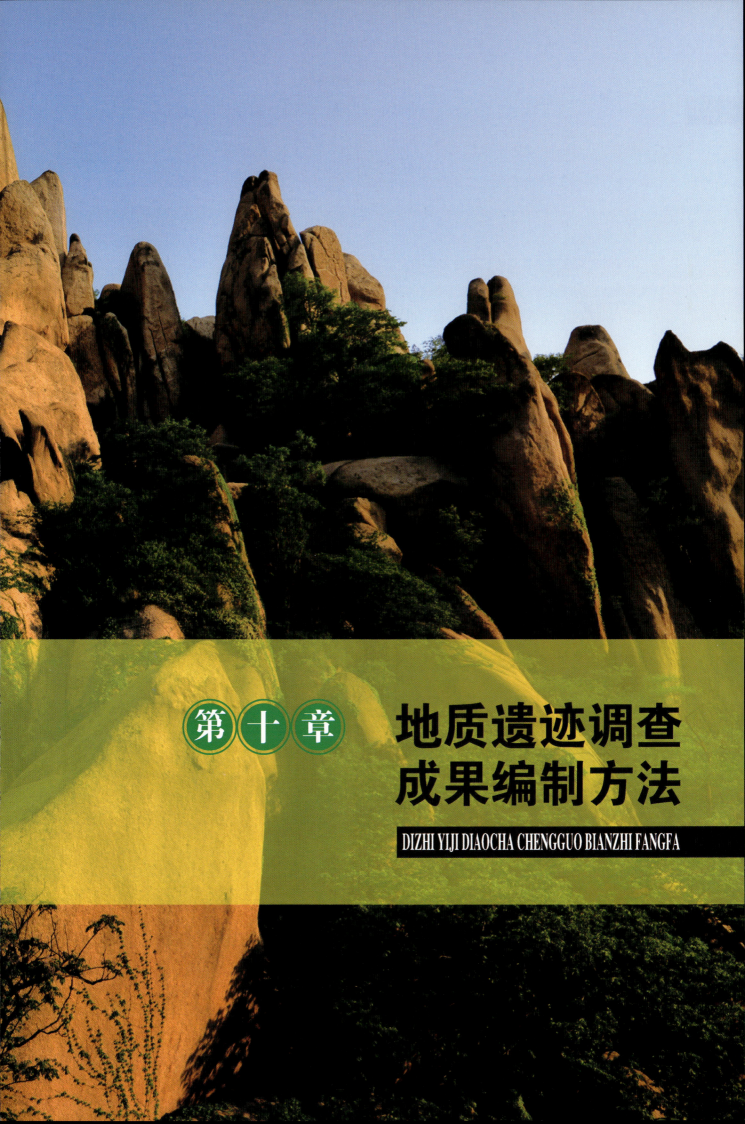

第十章 地质遗迹调查成果编制方法

DIZHI YIJI DIAOCHA CHENGGUO BIANZHI FANGFA

第一节　河南省地质遗迹区划方法

河南省地质遗迹区划方法研究是中国地质调查局2010年下达的项目工作任务，目的是为"全国重要地质遗迹调查"计划项目提供地质遗迹区划方法的先行示范，为编写《地质遗迹调查规范》（DZ/T 0303—2017）提供理论依据和实践经验。根据项目2010年度工作设计安排，开展了河南省地质遗迹区划方法研究，研究内容主要是根据调查的河南省地质遗迹分布规律，地质遗迹的分布受区域大地构造地质背景和地貌类型的影响，在不同的大地构造地质背景和地貌类型条件下，形成不同的地质遗迹区，地质遗迹的空间分布是不均衡的。因此，按照地质遗迹的自然属性和特征进行河南省地质遗迹区划。

一、区划指导思想

依据在不同的大地构造地质背景和地貌类型条件下，形成不同的地质遗迹的实际情况，按照地质遗迹的自然属性、特征，所在的大地构造单元、地貌单元的地质背景和地貌类型的不同，进行地质遗迹区划，为地质遗迹保护规划管理和利用提供分区分类分级指导的科学依据。

二、区划原则

1. 层次原则

按地质遗迹出露分布所在的地貌单元和构造单元，为地质遗迹大区、地质遗迹分区、地质遗迹小区3个层次。

2. 空间连续性原则

地质遗迹大区、分区、小区的划分应当保证地质遗迹分布的空间区域连续性和完整性，以利于统筹保护规划、管理与合理利用。

三、地质遗迹区划方法

河南省地质遗迹区划属于自然区划，是在全面开展地质遗迹调查的基础上，根据地质遗迹出露分布位置、地貌单元及构造单元区划分界线进行划分。按照层次原则根据地貌单元及构造单元地域性，分为地质遗迹大区、地质遗迹分区、地质遗迹小区等不同层次的地质遗迹区，即根据河南一级地貌单

第十章 地质遗迹调查成果编制方法

元及构造单元地域性划分地质遗迹大区,二级地貌单元及构造单元地域性划分地质遗迹分区,三级地貌单元及构造单元地域性划分地质遗迹小区;按照空间连续性原则,以地质遗迹的分布特征、地貌类型和构造单元地质背景为依据,保证地质遗迹空间区域连续性和完整性。

1. 地质遗迹大区的划分

根据全省地质遗迹分布规律,按照区域地貌单元及构造单元,从宏观的尺度划分全省地质遗迹分布为几个地质遗迹大区,地质遗迹大区划分要突出全省地质遗迹的分布规律及其形成地质遗迹的构造地质背景和地貌类型的差异,地质遗迹大区大致与地貌区划或大地构造分区的一级区划相当。

2. 地质遗迹分区的划分

地质遗迹分区是在地质遗迹大区的基础上作进一步的划分,划分依据主要是地貌单元及构造单元的地域性,其划分大致与地貌区划或大地构造分区的二级区划相当。

3. 地质遗迹小区的划分

地质遗迹小区是在地质遗迹分区的基础上,依据地质遗迹类型、特征的不同,将类型相同或地域相近的地质遗迹点划入相同的地质遗迹小区。

4. 地质遗迹区划命名原则

在地质遗迹自然区划中确定地质遗迹大区、分区、小区的名称至关重要,准确命名方便查找及对比,可以帮助读者清晰易懂地了解掌握名区的重要地质遗迹。因此,地质遗迹大区、分区、小区命名要避免标新立异,简明扼要具有更实际的意义。

地质遗迹大区、分区、小区命名采用地貌学科分类、现实地名、简明扼要、科学定位的原则。地质遗迹大区按照所在大地貌单元名称+地质遗迹大区命名;地质遗迹分区按照所在地貌单元名称+地质遗迹分区命名;地质遗迹小区充分采用现已使用的县、乡镇地名名称+地质遗迹小区命名。名称要简单明确,字数不宜过长,一般不宜超过15个汉字,地质遗迹大区、分区名称前尽量使用山地、盆地、平原等现用名称,地质遗迹小区名称前尽量使用区内具有代表性的地名冠名。

(1)地质遗迹大区命名:

地质遗迹大区名称前尽量使用山地、盆地、平原等现用名称,如小秦岭-伏牛山地质遗迹大区、桐柏山-大别山地质遗迹大区、黄淮海平原地质遗迹大区等。

(2)地质遗迹分区命名:

地质遗迹分区名称前尽量使用山地、盆地、平原等现用名称,如伏牛山地质遗迹分区、大别山地质遗迹分区、淮河冲积平原地质遗迹分区等。

(3)地质遗迹小区命名:

地质遗迹小区名称前尽量使用区内具有代表性的地名冠名,如汝阳镇地质遗迹小区、新县地质遗迹小区等。

上述地质遗迹大区、分区、小区连贯起来的名称如下:如小秦岭-伏牛山地质遗迹大区伏牛山地质遗迹分区汝阳镇地质遗迹小区;桐柏山-大别山地质遗迹大区大别山地质遗迹分区新县地质遗迹小区;黄淮海平原地质遗迹大区淮河冲积平原地质遗迹分区(因淮河冲积平原地质遗迹分区很少有地质遗迹出露,故不再划分地质遗迹小区)。

四、地质遗迹区划结果

根据上述地质遗迹区划指导思想、原则和方法,将河南省地质遗迹区划分为 3 个层次等级,即河南省划分为南太行山地质遗迹大区(Ⅰ)、崤山-嵩箕山地质遗迹大区(Ⅱ)、秦岭-伏牛山地质遗迹大区(Ⅲ)、桐柏山-大别山地质遗迹大区(Ⅳ)、黄淮海平原地质遗迹大区(Ⅴ)5 个地质遗迹大区;每个地质遗迹大区又划分为不同的地质遗迹分区,即南太行山地质遗迹大区(Ⅰ)划分南太行地质遗迹分区($Ⅰ_1$)、王屋山地质遗迹分区($Ⅰ_2$)、汤阴台地地质遗迹分区($Ⅰ_3$);崤山-嵩箕山地质遗迹大区(Ⅱ)划分三门峡盆地地质遗迹分区($Ⅱ_1$)、崤山地质遗迹分区($Ⅱ_2$)、洛阳盆地地质遗迹分区($Ⅱ_3$)、嵩箕山地质遗迹分区($Ⅱ_4$);秦岭-伏牛山地质遗迹大区(Ⅲ)划分小秦岭地质遗迹分区($Ⅲ_1$)、南部崤山地质遗迹分区($Ⅲ_2$)、熊耳山地质遗迹分区($Ⅲ_3$)、伏牛山地质遗迹分区($Ⅲ_4$)、南阳盆地地质遗迹分区($Ⅲ_5$)、伏牛山余脉地质遗迹分区($Ⅲ_6$);桐柏山-大别山地质遗迹大区(Ⅳ)划分桐柏山地质遗迹分区($Ⅳ_1$)、大别山地质遗迹分区($Ⅳ_2$);黄淮海平原地质遗迹大区(Ⅴ)划分海河平原地质遗迹分区($Ⅴ_1$)、黄河冲积平原地质遗迹分区($Ⅴ_2$)、淮河冲积平原地质遗迹分区($Ⅴ_3$)。5 个地质遗迹大区总计划分 18 个地质遗迹分区,有些地质遗迹分区再进一步划分为地质遗迹小区。南太行地质遗迹分区($Ⅰ_1$)划分林州地质遗迹小区($Ⅰ_{1-1}$)、薄壁地质遗迹小区($Ⅰ_{1-2}$)、云台山地质遗迹小区($Ⅰ_{1-3}$);王屋山地质遗迹分区($Ⅰ_2$)划分邵源地质遗迹小区($Ⅰ_{2-1}$)、承留地质遗迹小区($Ⅰ_{2-2}$);崤山地质遗迹分区($Ⅱ_2$)划分上戈地质遗迹小区($Ⅱ_{2-1}$)、张村地质遗迹小区($Ⅱ_{2-2}$);洛阳盆地地质遗迹分区($Ⅱ_3$)划分义马地质遗迹小区($Ⅱ_{3-1}$)、偃师地质遗迹小区($Ⅱ_{3-2}$)、荥阳地质遗迹小区($Ⅱ_{3-3}$);嵩箕山地质遗迹分区($Ⅱ_4$)划分登封地质遗迹小区($Ⅱ_{4-1}$)、神垕地质遗迹小区($Ⅱ_{4-2}$)、宜阳地质遗迹小区($Ⅱ_{4-3}$);伏牛山地质遗迹分区($Ⅲ_4$)划分汝阳地质遗迹小区($Ⅲ_{4-1}$)、付店地质遗迹小区($Ⅲ_{4-2}$)、云阳地质遗迹小区($Ⅲ_{4-3}$)、板山坪地质遗迹小区($Ⅲ_{4-4}$)、夏馆地质遗迹小区($Ⅲ_{4-5}$)、淅川地质遗迹小区($Ⅲ_{4-6}$);桐柏山地质遗迹分区($Ⅳ_1$)划分桐柏地质遗迹小区($Ⅳ_{1-1}$)、马谷田地质遗迹小区($Ⅳ_{1-2}$);大别山地质遗迹分区($Ⅳ_2$)划分信阳地质遗迹小区($Ⅳ_{2-1}$)、新县地质遗迹小区($Ⅳ_{2-2}$)、商城地质遗迹小区($Ⅳ_{2-3}$)。18 个不同的地质遗迹分区总计划分为 24 个地质遗迹小区(表 10-1)。

第十章 地质遗迹调查成果编制方法

表 10-1 河南省地质遗迹区划说明表

大区	分区	小区	规划地质遗迹保护段或保护点	已建立地质公园（保护地质遗迹点）
太行山地质遗迹（Ⅰ）	南太行地质遗迹（Ⅰ₁）	林州地质遗迹（Ⅰ₁₋₁）	保护点（GZ18，YK4，YS18，YS19，GZ19，ST25，ST2，YS11，DC146，HS19）	林虑山·红旗渠国家地质公园（YM2，GM2）
		薄壁地质遗迹（Ⅰ₁₋₂）		王辉跑马岭省级地质公园（GM6）
		云台山地质遗迹（Ⅰ₁₋₃）	保护点（YK2，YK19，DZ2）	关山国家地质公园（ST3，DZ1，GM4）
	王屋山地质遗迹（Ⅰ₂）	邵源地质遗迹（Ⅰ₂₋₁）	保护点（GZ20）	云台山世界地质公园（ST1，ST10，YM1，YM28，YS23，ST27，GM3，ST8，GM1）
		承留地质遗迹（Ⅰ₂₋₂）		王屋山世界地质公园（DC10，DC11，DC22，DC12，GZ4，GZ24，YS25，DC102，DC103，DC104，DC106，DC107，DC108，DC140，DC141，DC142，DC143，HS10，YS24，HS24，GZ21，HS23，DC13，DC23，YS21）
	汤阴台地地质遗迹（Ⅰ₃）		保护点（ST6，DC144，DC145，DC147）	
崤山-嵩箕山地质遗迹（Ⅱ）	三门峡盆地地质遗迹（Ⅱ₁）		保护点（DC123，ST13，DC151，DC154）	
	崤山地质遗迹（Ⅱ₂）	上戈地质遗迹（Ⅱ₂₋₁）		韶山省级地质公园（YM5）
		张村地质遗迹（Ⅱ₂₋₂）	保护点（YK8）	黛眉山世界地质公园（YK5，YM3，YM4）
	洛阳盆地地质遗迹（Ⅱ₃）	义马地质遗迹（Ⅱ₃₋₁）	保护点（DC122，DC109，HS1，DC148）	
		偃师地质遗迹（Ⅱ₃₋₂）		
		荥阳地质遗迹（Ⅱ₃₋₃）		黄河国家地质公园（DC155，YM37）
	嵩箕山地质遗迹（Ⅱ₄）	登封地质遗迹（Ⅱ₄₋₁）	保护点（ST26，YM30，YM32，ST23，DC24，YK7，YK26）	嵩山世界地质公园（DC1，DC2，DC38，DC39，DC40，DC41，DC42，GZ5，DC14，DC15，DC16，DC17，YS1，YS2，YS26，GZ1，GZ2，GZ3，GZ23，YM24，GM5）
		神垕镇地质遗迹（Ⅱ₄₋₂）	保护点（DC149，DC100）	大红寨省级地质公园（DC3，DC4）
		宜阳地质遗迹（Ⅱ₄₋₃）	保护点（ST20，DC99，DC101，DC137）	华夏植物群省级地质公园（HS5，DC96，DC97）

续表 10-1

大区	分区	小区	规划地质遗迹保护段或保护点	已建立地质公园（保护地质遗迹点）
小秦岭-伏牛山地质遗迹（Ⅲ）	小秦岭地质遗迹（Ⅲ₁）			小秦岭国家地质公园（GZ 22，YK14，YM14）
	南部崤山地质遗迹（Ⅲ₂）		保护段Ⅰ-1(DC26,DC27,DC28),保护点(DC25)	
	熊耳山地质遗迹（Ⅲ₃）		保护段Ⅰ-2（HS13, DC134, DC135, DC136, DC150, DZ3），保护点（YK16, DC124, DC125, GZ6, GZ7, GZ8, ST14, HS12, YS12, YM23）	神灵寨国家地质公园（YM8，YM9，YS13）花果山省级地质公园（YM15）
		汝阳地质遗迹（Ⅲ₄₋₁）	保护段Ⅰ-4(DC156, DC51, DC52, DC138),保护段（DC63, DC64, DC98, DC139, DC117, DC118, YK1, HS14, ST12）	恐龙化石群省级地质公园（DC31,DC32,DC33, DC34,DC35,DC36,YS20,HS2）
		付店地质遗迹（Ⅲ₄₋₂）	保护段Ⅰ-5(DC5, DC6, DC7, DC8, DC9),保护点（ST22, YK27）	恐龙化石群省级地质公园（YM12）
		云阳地质遗迹（Ⅲ₄₋₃）	保护段Ⅰ-3(YK6,DC43,DC44,DC45,DC47,DC48, DC53, DC54, YS15),保护点（DC105, DC110, DC116, YK12, HS20, ST4, YS6, YS14, GZ9, DZ4,GZ17, DC46）	尧山省级地质公园（YM7，ST16，ST17，ST18, ST19,DC49, DC50）白云山省级地质公园（YM22）
	伏牛山地质遗迹（Ⅲ₄）	板山坪地质遗迹（Ⅲ₄₋₄）	保护点(ST15, DC62,DC74, HS11, DC82, YK29, YK22, YM29)	白云山省级地质公园（YM21）.玉皇山省级地质公园（YM31）.老君山省级地质公园（YM19, YM20）.伏牛山世界地质公园（YM17, YM18, DC61,DC73,ST7 YM13）
		夏馆地质遗迹（Ⅲ₄₋₅）	保护点(DZ5, YK13, YK17, YK23, GZ11, DC59, HS16, DC115, YS4, YS8)	玉皇山省级地质公园（YM16），伏牛山世界地质公园（GZ10，ST9，YM33，YM34，DC18, DC19, DC20）
		淅川地质遗迹（Ⅲ₄₋₆）	保护段Ⅰ-6(HS8,DC84,DC85,DC87,DC88),保护段Ⅰ-7（HS17, DC89, DC126, DC127, DC128, DC129),保护段Ⅰ-8(YK20, DC65,DC66,DC67, DC77,DC78,DC79),保护段Ⅰ-9（DC119, DC120, DC121),保护段Ⅱ-1(DC21,DC57,DC58),保护段Ⅱ-2（DC68, DC69, DC70, DC71, DC72),保护点（HS3, HS4, HS8, DC80, DC81, DC86, GZ12, YS3, DC76, DC37, DC56）	杏山省级地质公（YM35）
	南阳盆地质遗迹（Ⅲ₅）		保护点(YK21, YS5, ST24, DC153)	伏牛山世界地质公园（YK25，凤山省级地质公园）（HS22）
	伏牛山余脉地质遗迹（Ⅲ₆）		保护点(HS6, YK3)	嵖岈山国家地质公园（YS16，YM6）

第十章 地质遗迹调查成果编制方法

续表 10-1

大区	分区	小区	规划地质遗迹保护段保护或保护点	已建立地质公园（保护地质遗迹点）
桐柏山—大别山地质遗迹（Ⅳ）	桐柏山地质遗迹（Ⅳ$_1$）	桐柏地质遗迹（Ⅳ$_{1-1}$）	保护点（DC152，YS7，YK10，YS9，YS10，YK9，YK11，YK15，GZ13，DC131，DC132，HS18，DC133，YK24）	桐柏山省级地质公园（YM25，YM26，ST5）
		马谷田地质遗迹（Ⅳ$_{1-2}$）	保护点（YK28，DC130）	
	大别山地质遗迹（Ⅳ$_2$）	信阳地质遗迹（Ⅳ$_{2-1}$）	保护点（DC55，GZ14，YK18，YM10）	
		新县地质遗迹（Ⅳ$_{2-2}$）	保护点（DC30，DC83，DC114，DC29，GZ16）	大别山省级地质公园（YM11，YS17，YS22）
		商城地质遗迹（Ⅳ$_{2-3}$）	保护点（DC60，DC75，DC93，DC94，DC95，GZ15）	金刚台国家地质公园（DC113，YM27，ST21），西九华山省级地质公园（DC90，DC91，DC92，DC111，DC112，HS9，HS15）
黄淮海平原地质遗迹（Ⅴ）	海河平原地质遗迹（Ⅴ$_1$）			
	黄河冲积平原地质遗迹（Ⅴ$_2$）			芒砀山省级地质公园（YM36）
	淮河冲积平原地质遗迹（Ⅴ$_3$）		保护点（YK30，HS21）	

第二节　河南省地质遗迹保护规划方法

一、保护规划指导思想及规划依据

编制地质遗迹保护规划是在绘制河南省重要地质遗迹分布图的基础上，根据地质遗迹的分布和《地质遗迹保护管理规定》自然资源部门履行地质遗迹保护管理的职能，按照省辖市、县（区）行政区划范围，划分地质遗迹保护段、地质遗迹保护点、已建立（规划建立）地质公园3种保护类型，实施地质遗迹保护管理。在未建立及不适宜建立地质公园的地质遗迹集中地带，规划建立地质遗迹保护段；在地质遗迹零星分布地段，规划建立地质遗迹保护点。按照行政管辖区划分进行规划的指导思想，是为了便于省辖市、县（区）自然资源部门落实负责保护管理地质遗迹的职责。

二、地质遗迹保护规划方法

河南省地质遗迹保护规划在查明河南省地质遗迹分布规律的基础上，根据地质遗迹出露分布位置及隶属的省辖市、县（区、市）行政管辖区，按照《地质遗迹保护管理规定》划分地质遗迹保护段、地质遗迹保护点、地质公园。

1. 规划建立地质遗迹保护段

在未建立及不适宜建立地质公园的地质遗迹集中地带，一般包括2个及以上地质遗迹点的地段，规划建立地质遗迹保护段。地质遗迹保护段分为国家级保护段、省级保护段。具有一个以上世界级或国家级地质遗迹点组成的地质遗迹保护段规划为国家级保护段，具有多个省级地质遗迹点组成的地质遗迹保护段规划为省级保护段。

2. 规划建立地质遗迹保护点

在地质遗迹零星分布地段，单个的地质遗迹点规划建立地质遗迹保护点，地质遗迹保护点分为国家级保护点、省级保护点，具有世界级或国家级地质遗迹点的地质遗迹保护点规划为国家级保护点，具有省级地质遗迹点的地质遗迹保护点规划为省级保护点。

3. 已经建立地质公园

河南省具有世界级、国家级、省级地质公园较多，遍布全省主要地质遗迹分布区域。因此，不再规划建立新的地质公园，只在规划中反映已经建立的地质公园保护地质遗迹的情况。

4. 地质遗迹保护段（点）命名原则

在地质遗迹保护规划中，确定地质遗迹保护段、地质遗迹保护点的名称至关重要，准确命名可以方便查找，帮助人们清晰易懂地了解掌握地质遗迹保护段、保护点的保护情况。因此，命名要避免标新立异，尽量使用已有名称，简明扼要具有更实际的意义。地质遗迹保护段、保护点名称要简单明确，字数不宜过长,一般不宜超过15个汉字。

(1)地质遗迹保护段命名原则:采用县级行政地名、简明扼要、科学定位的原则,即按照"县(区、市)名称+地质遗迹名称+国家级或省级保护段"形式命名,如卢氏县官道口群地层剖面国家级保护段、淅川县元古宙地层剖面省级保护段。

(2)地质遗迹保护点命名原则:采用代表性行政地名、简明扼要、科学定位的原则,即按照"代表性地名名称+地质遗迹名称+国家级或省级保护点"形式命名,如鹤壁尚峪苦橄玢岩国家级保护点、盘古寺断裂带省级保护点。

(3)已建立(或规划建立)地质公园的名称:采用已经批准或获得地质公园建设资格的世界级、国家级、省级地质公园名称,不再另起名称;规划建立地质公园名称采用"代表性行政地名+地质公园所处代表性地点名称或地质公园主要地质遗迹类型名称+地质公园"的原则命名。

三、地质遗迹保护规划期限

河南省地质遗迹保护规划编制时间为2012年,地质遗迹保护规划期限划分近期(2013—2015年)、中期(2016—2018年)、远期(2019—2020年)3个阶段。

2013—2015年为近期,主要对城市周边、公路铁路交通干线、重要化石产地、重要岩矿石产地等社会经济活动频繁发生地带的重要地质遗迹实施保护规划,建立国家级地质遗迹保护段、保护点。

2016—2018年为中期,主要对乡镇周边、一般公路交通干线、典型化石产地、典型岩矿石产地等较易遭受人为活动破坏的地质遗迹地带实施地质遗迹保护规划,建立省级地质遗迹保护段、保护点。

2019—2020年为远期,主要对边远山区人类工程经济活动相对较少的地质遗迹零星分布地带实施地质遗迹保护规划,建立国家级、省级地质遗迹保护段、保护点。

四、地质遗迹保护规划结果

根据地质遗迹保护规划指导思想、规划方法,编制河南省地质遗迹保护规划。规划建立卢氏县官道口群地层剖面国家级保护段、卢氏县新生代脊椎动物群国家级保护段、栾川县钼矿产地国家级保护段、汝州市罗圈组古冰川国家级保护段、鲁山县太华(岩)群国家级保护段、淅川县石炭纪无脊椎动物群国家级保护段、淅川县始新世脊椎动物群国家级保护段、淅川县蓝石棉矿产地国家级保护段、淅川县白垩纪地层剖面国家级保护段9处(表7-1),规划建立淅川县元古宙地层剖面省级保护段、淅川县寒武纪地层剖面省级保护段2处(表7-1);规划建立鹤壁尚峪苦橄玢岩国家级保护点、青羊口断裂带国家级保护点、辉县百泉国家级保护点等地质遗迹国家级保护点49个(表7-2),规划建立任村-西罗平断裂省级保护点、东冶闪长岩体安林式铁矿产地省级保护点、安阳珍珠泉省级保护点、彰武组地层剖面省级保护点、鹤壁组地层剖面省级保护点、大乌山-化象金伯利岩体群省级保护点等地质遗迹省级保护点84个(表7-3);已建立嵩山、云台山、伏牛山、王屋山-黛眉山世界地质公园4家(包括嵩山、云台山、西峡伏牛山、宝天曼、王屋山、黛眉山国家地质公园6家),已建立国家地质公园或获得国家地质公园建设资格的有林虑山·红旗渠、关山、小秦岭、神灵寨、黄河、嵖岈山、金刚台国家地质公园7家,已建立省级地质公园或获得省级地质公园建设资格的有卫辉跑马岭、渑池韶山、卢氏玉皇山、宜阳花果山、栾川老君山、嵩县白云山、汝阳恐龙化石群、汝州大红寨、鲁山尧山、禹州华夏植物群、邓州杏山、唐河凤山、桐柏山、新县大别山、固始西九华山、永城芒砀山省级地质公园16家(表7-4)。

第三节 河南省地质遗迹图编图方法

一、河南省重要地质遗迹分布图编图方法

1. 河南省1∶50万地质地理底图编绘

1∶50万地质地理底图地质内容及界线采用河南省1∶50万地质图（最新版）作底图进行简化编绘，编图范围为河南省行政管辖区域。为突出表示地质遗迹内容，减少图面负荷，根据地质内容与地质遗迹内容相关联情况作适当精简、归并，原地质图上与地质遗迹无关的内容将被删除。底图的色调要浅且和谐，图面要清晰、简洁、美观。

地质要素包括1∶50万地质地理底图编绘，按已有的1∶50万地质图转绘。

地层划分：根据全省地层划分为华北地层区、秦岭地层区的特点，本次工作将地层划分为太古宇（Ar）、古元古界（Pt_1）、中元古界（Pt_2）、新元古界（Pt_3）、古生界未分（Pz）、寒武系（∈）、奥陶系（O）、志留系（S）、泥盆系（D）、石炭系（C）、二叠系（P）、三叠系（T）、侏罗系（J）、白垩系（K）、古近系（E）、新近系（N）、第四系（Q）。

岩浆岩划分：根据全省岩浆岩分类，本次工作将岩浆岩划分为酸性岩、中性岩、基性岩、超基性岩、碱性岩，时代不再划分。

地质构造划分：根据全省主要构造形迹，将地质构造划分为断裂、褶皱、不整合地质界线。

地理要素包括经纬度网线、抽稀的地形等高线、河流水系、铁路、公路（高速公路、国道、省道）、机场、县城以上城镇（市）居民地等。

2. 河南省1∶50万重要地质遗迹分布图编绘内容

将河南省典型、稀有且具有科学价值、观赏价值并经过组织专家鉴评过确定为世界级、国家级、省级地质遗迹，按照地质遗迹类型划分为基础地质大类（地层剖面类、岩石剖面类、构造剖面类、重要化石产地类、重要岩矿石产地类）、地貌景观大类（岩土体地貌类、水体地貌类、构造地貌类、火山地貌类）、地质灾害大类（其他地质灾害类）三大类地质遗迹表示在图面上。同时，将河南省已建立的世界级、国家级、省级地质公园的位置、范围、面积表示在图面上，可清晰地反映河南省重要地质遗迹及地质公园的分布情况。

3. 河南省1∶50万重要地质遗迹分布图编绘内容图式图例

图式中图框内图面左上方为图名，正中为图，图框外左侧为图面地质遗迹的说明内容，图框内图面左下方为地质图例，图框内右下方为地质遗迹图例，右下角为责任表。底图的等高线、地质界线、构造要素等以淡色调表示为宜，而各类各级地质遗迹点以鲜明的色调表示，使图面重点突出，主次有序，繁而不乱，合编统一图例。

图例符号力求简明、直观、悦目、形象。用方形符号表示基础地质大类地质遗迹，用圆形符号表示

地貌景观大类地质遗迹,用菱形符号表示地质灾害大类地质遗迹。同一类的地质遗迹用相同的图案符号表示,用大、中、小符号表示世界级、国家级、省级地质遗迹。地质遗迹出露分布位置采用代表性坐标点的表示方法。对较大范围分布的地质公园,采用不同颜色图斑区块表示地质公园分布范围。在 MapGIS 图面上采用点显示属性的表示方法显示地质遗迹点属性。

二、河南省地质遗迹保护规划建议图编图方法

1. 河南省 1∶50 万地质遗迹保护规划建议图编图内容

编绘的河南省地质遗迹保护规划建议图表示的主要内容是规划建立的地质遗迹保护段,分为国家级保护段、省级保护段;规划建立的地质遗迹保护点,分为国家级保护点、省级保护点;河南省已经批准建立或获得建设资格的世界级、国家级、省级地质公园。规划图建议中编制的规划说明表分为规划地质遗迹保护段说明表、规划地质遗迹保护点说明表、已建立地质公园说明表 3 种,主要说明规划建立地质遗迹保护段、保护点和已建立地质公园所属的省辖市、县(区)隶属关系;规划建立地质遗迹保护段、保护点、已建立地质公园的名称;规划建立地质遗迹保护段、保护点、已建立(或规划建立)地质公园的地质遗迹保护对象;规划保护措施;规划期限等内容。

2. 河南省 1∶50 万地质遗迹保护规划建议图图式图例

图式中图框内图面左上方为图名,正中为图,图框外右侧为规划内容说明表,图框内右下方为图例说明,图框外右下方为责任表。底图的等高线、地质界线、构造要素等以淡色调表示为宜,使图面重点突出,主次有序,繁而不乱,合编统一图例,图例符号力求简明、直观、悦目。

规划保护段以颜色表示区段,规划国家级保护段用同一种颜色表示,规划省级保护段用同一种颜色表示;规划保护点以统一的圆点表示,规划国家级保护点用同一种颜色的圆点表示,规划省级保护点用同一种颜色的圆点表示;规划保护段、保护点以鲜明的色调表示。已建立的世界级、国家级、省级地质公园采用不同颜色图斑色块表示,已建立地质公园世界级用同一种颜色表示,国家级用同一种颜色表示,省级用同一种颜色表示。

第四节　河南省地质遗迹定量评价方法

一、定量评价方法

选取地质遗迹点的科学价值(科学研究、教学实习、科普)、稀有性、典型性、完整性、观赏价值、历史文化价值、环境优美性 6 项作为价值综合评价因子和定量指标赋值;选取保存程度、执行保护的可能性、通达性、安全性 4 项作为条件综合评价因子和定量指标赋值,用数学加权的方法对地质遗迹点的价值综合评价因子和条件评价因子做出数值判断,依据数值确定级别。地质遗迹点评价满分 100 分,其中价值综合评价因子权重占 80%,满分 80 分;条件综合评价因子权重占 20%,满分 20 分。价值

综合评价因子中基础地质大类及地质灾害大类地质遗迹点科学价值评价权重占30分,满分30分,观赏价值评价权重占10分,满分10分;地貌景观大类地质遗迹点科学价值评价权重占10分,满分10分,观赏价值评价权重占30分,满分30分。定量评价各项评价因子赋值见表10-6,基础地质大类(地层剖面、岩石剖面、构造剖面、重要化石产地、重要岩矿石产地)及地质灾害大类(其他地质灾害)科学价值评价等级标准见表10-7,地貌景观大类(岩土体地貌、构造地貌、水体地貌)观赏价值评价等级标准见表10-8,其他评价因子(稀有性、典型性、完整性、历史文化价值、环境优美性、保存程度、执行保护的可能性、通达性、安全性)评价等级标准见表10-9。表10-6中10项评价因子分为4级,即Ⅰ、Ⅱ、Ⅲ、Ⅳ为各价值综合评价因子和条件综合评价因子分级,其权重值均列于表内,根据2个综合评价得分合计分数得出地质遗迹定量评价等级。

Ⅰ级:地质遗迹价值极为突出,具有全球性的意义,可列入世界级地质遗迹,综合得分85～100。

Ⅱ级:地质遗迹价值突出,具有全国性或大区域性(跨省区)意义,可列入国家级地质遗迹,综合得分70～85。

Ⅲ级:地质遗迹价值比较突出,具有省区域性意义,可列入省级地质遗迹,综合得分55～70。

Ⅳ级:地质遗迹价值一般,具有市(县)区域性意义,可列入市(县)级地质遗迹,综合得分小于55。

表10-6 地质遗迹定量评价赋值表

综合评价	权重(得分)	评价因子	满分得分	等级赋分值及分级权重			
				Ⅰ	Ⅱ	Ⅲ	Ⅳ
价值综合评价	80	科学价值(科学研究,教学实习,科普)	30(10)	30.00～25.5(10.0～8.5)	25.5～21.0(8.5～7.0)	21.0～16.5(7.0～5.5)	<16.5(<5.5)
		稀有性,典型性	10	10.0～8.5	8.5～7.0	7.0～5.5	<5.5
		完整性	10	10.0～8.5	8.5～7.0	7.0～5.5	<5.5
		观赏价值	10(30)	10.0～8.5(30.00～25.5)	8.5～7.0(25.5～21.0)	7.0～5.5(21.0～16.5)	<5.5(<16.5)
		历史文化价值	10	10.0～8.5	8.5～7.0	7.0～5.5	<5.5
		环境优美性	10	10.0～8.5	8.5～7.0	7.0～5.5	<5.5
		小计	80	80～68	68～56	56～44	<44
条件综合评价	20	保存程度	5	5.0～4.25	4.25～3.5	3.5～2.75	<2.75
		执行保护的可能性	5	5.0～4.25	4.25～3.5	3.5～2.75	<2.75
		通达性	5	5.0～4.25	4.25～3.5	3.5～2.75	<2.75
		安全性	5	5.0～4.25	4.25～3.5	3.5～2.75	<2.75
		小计	20	20～17	17～14	14～11	<11

第十章 地质遗迹调查成果编制方法

表 10-7 科学价值评价等级标准

遗迹类型	评价标准	级别
地层剖面	具有全球性对比性意义的地层界线层型剖面或界线点,剖面在国内是唯一的并且研究程度很高	Ⅰ
地层剖面	具有全国性对比性意义的典型层型剖面,具有重要科学研究价值	Ⅱ
地层剖面	具有区域性对比性意义的典型层型剖面,具有科学研究价值	Ⅲ
地层剖面	具有地方性对比性意义的典型层型剖面	Ⅳ
岩石剖面	全球罕见的岩体、岩层露头,具有重大科学研究价值	Ⅰ
岩石剖面	全国或大区内稀有岩体、岩层露头,具有重要科学研究价值	Ⅱ
岩石剖面	具有指示地质演化过程的岩石露头,具有科学研究价值	Ⅲ
岩石剖面	出露良好,岩石结构、构造典型的岩石露头,可供教学实习意义	Ⅳ
构造剖面	具有全球性构造意义的巨型构造、全球性造山带、不整合界面(重大科学研究意义的)关键露头	Ⅰ
构造剖面	在全国或大区域范围内区域(大型)构造,如大型断裂(剪切带)、大型褶皱、不整合界面,具有重要科学研究意义的露头	Ⅱ
构造剖面	在一定区域内具科学研究对比意义的典型中小型构造,如断层(剪切带)、褶皱、其他典型构造遗迹	Ⅲ
构造剖面	典型中小型构造,具有教学实习及科普意义	Ⅳ
重要化石产地	对生物进化史及地质学发展具有重大科学意义,研究程度很高的国内外罕见古生物化石产地或古人类化石产地	Ⅰ
重要化石产地	具有国内外对比意义,研究程度高的稀有的古生物化石产地	Ⅱ
重要化石产地	具有区域对比意义,研究程度较高的少见的古生物化石产地	Ⅲ
重要化石产地	具有观赏或科普价值的化石埋藏地	Ⅳ
重要岩矿石产地	全球性稀有或罕见矿物产地(命名地);在国际上独一无二或罕见矿床	Ⅰ
重要岩矿石产地	在国内或大区域内特殊矿物产地(命名地);在规模、成因、类型上具典型意义	Ⅱ
重要岩矿石产地	典型、罕见,或具工艺、观赏价值的岩矿物产地	Ⅲ
重要岩矿石产地	矿物形态等方面具有典型性,且具教学或观赏价值;典型矿床,且具有教学意义	Ⅳ
地质灾害	全球罕见崩塌、滑坡、泥石流、地面塌陷地质灾害现象,保存完整,具有极高的警示教育的科普意义	Ⅰ
地质灾害	在国内重大的崩塌、滑坡、泥石流、地面塌陷地质灾害现象,保存完整,具有较高的警示教育的科普意义	Ⅱ
地质灾害	省内典型稀有的崩塌、滑坡、泥石流、地面塌陷地质灾害现象,保存较完整,具有一定的警示教育的科普意义	Ⅲ
地质灾害	地市县少见的崩塌、滑坡、泥石流、地面塌陷地质灾害现象,保存不完整,具有警示教育的科普意义	Ⅳ

表 10-8 观赏价值评价等级标准

遗迹类型	评价标准	级别
岩土体地貌	极为罕见的特殊地貌类型,且在反映地质作用过程有重要科学意义	Ⅰ
	具观赏价值的地貌类型,且具科学研究意义	Ⅱ
	稍具观赏性地貌类型,可作为过去地质作用的证据	Ⅲ
	保存状况良好地貌景观,可供教学实习	Ⅳ
构造地貌	地貌类型保存完整且明显,具有一定规模,其地质意义在全球具有代表性	Ⅰ
	地貌类型保存较完整,具有一定规模,其地质意义在全国具有代表性	Ⅱ
	地貌类型保存,在一定区域内具有代表性	Ⅲ
	保存状况良好地貌景观,可供教学实习	Ⅳ
水体地貌	观赏价值极高或成因上其水文地质科学意义在全球具有代表性	Ⅰ
	观赏价值很高或成因上其水文地质科学意义在全国具有代表性	Ⅱ
	观赏价值高或成因上其水文地质科学意义在省内具有代表性	Ⅲ
	具有观赏价值或科普价值的水体地貌景观	Ⅳ

表 10-9 其他评价因子评价等级标准

评价因子	评价标准	级别
稀有性	属国际罕见或特殊的遗迹点	Ⅰ
	属国内少有或唯一的遗迹点	Ⅱ
	属省内少有或唯一的遗迹点	Ⅲ
	市县内少有或唯一的遗迹点	Ⅳ
完整性	地质遗迹自然出露,且保存系统完整	Ⅰ
	地质遗迹自然出露或人为揭露,保存较系统完整	Ⅱ
	地质遗迹自然出露或人为揭露,已被人为破坏,不够系统完整	Ⅲ
	自然出露或人为揭露的地质遗迹已被破坏	Ⅳ
历史文化价值	具有重大历史文化价值	Ⅰ
	具有较高历史文化价值	Ⅱ
	具有一般历史文化价值	Ⅲ
	不具有历史文化价值	Ⅳ
环境优美性	地质遗迹所处地貌生态环境非常优美,极具有旅游利用价值	Ⅰ
	地质遗迹所处地貌生态环境十分美观,具有旅游利用价值	Ⅱ
	地质遗迹所处地貌环境良好,较具有旅游利用价值	Ⅲ
	地质遗迹所处地貌环境一般,不具有旅游利用价值	Ⅳ

续表 10-9

评价因子	评价标准	级别
保护程度	地质遗迹保存原始自然状态,未受到人为破坏	Ⅰ
	地质遗迹基本保持自然状态,极少受到人为破坏	Ⅱ
	地质遗迹受到一定程度的人为破坏	Ⅲ
	地质遗迹已被人为破坏,不复存在	Ⅳ
执行保护的可能性	采取有效保护措施,极易受到保护	Ⅰ
	采取有效保护措施,能够受到保护	Ⅱ
	不宜采取有效保护措施,保护难度大	Ⅲ
	无法采取有效保护措施,不宜受到保护	Ⅳ
通达性	距离高速公路出口较近,省道公路可通达,交通极为方便	Ⅰ
	省道、县道公路可通达,交通方便	Ⅱ
	乡间土路可通达,交通不方便	Ⅲ
	山间人行小路通达,交通极为不方便	Ⅳ
安全性	地质遗迹点周围不存在破坏地质遗迹的威胁	Ⅰ
	地质遗迹点周围在一定范围内存在对地质遗迹破坏的威胁	Ⅱ
	地质遗迹面临着被挖除或覆盖的破坏威胁	Ⅲ
	地质遗迹正在遭受到被挖除或覆盖的破坏威胁	Ⅳ

二、定量评价结果

结合河南省重要地质遗迹鉴评结果,对河南省重要地质遗迹做出定量评价(表 10-10)。

表 10-10　河南省重要地质遗迹定性、定量评价结果

地质遗迹类型		地质遗迹评价级别				评分结果		
大类	类	世界级	国家级	省级	小计	世界级	国家级	省级
基础地质	地层剖面	1	67	88	156	85.2	70.0~78.7	68.5~69.9
	岩石剖面	3	8	15	26	85.5~86.5	72.2~77.8	67~69.9
	构造剖面	8	12	4	24	85.2~85.7	74.7~79.7	69.2~69.7
	重要化石产地	5	9	10	24	85~87.9	73.2~79.1	63.7~69.7
	重要岩矿石产地	3	14	13	30	85.7~86.2	71.9~78.7	66~69.9
地貌景观	岩土体地貌	1	17	19	37	85.5	70.4~77.5	68~69.9
	构造地貌	0	5	1	6	—	75.5~79	69.0
	水体地貌	1	5	21	27	85.1	71.2~74.7	66~69.7
地质灾害	地质灾害	0	1	4	5	—	75.4	65.5~67
合计		22	138	175	335			

第五节　河南省地质遗迹数据库建库方法

一、地质遗迹信息管理建库方法

根据中国地质调查局的要求，河南省地质遗迹信息管理数据库建设要为所属计划项目"全国重要地质遗迹调查"提供地质遗迹数据库建设的先行示范研究，也是建立全国地质遗迹数据库的一个基本子库，同时又是一个独立、完整的省级地质遗迹数据库。省级地质遗迹数据库应当制定统一的要求，以计划项目实施单位中国地质环境监测院提供的地质遗迹数据采集系统软件为平台，以地质遗迹点为基本建库单元，以本工作项目在野外地质遗迹调查和资料综合整理研究基础上填制的地质遗迹登记表、地质遗迹调查表为数据采集源，科学设计数据库的结构，制定合理的建库流程。建立地质遗迹数据库的目的是为全国地质遗迹保护管理工作服务，为自然资源管理部门行使管理地质遗迹的职能及其他有关单位提供方便快捷的查询、更改、补充、完善等信息化服务。

地质遗迹数据库录入选取的标准是按照地质遗迹分类选取相对准则与相对重要性原则，即按照各类地质遗迹的科学价值（科学研究、地质工作野外观察、教学实习、科普）、美学观赏价值、典型性、稀有性等确定为世界级、国家级、省级地质遗迹点进行建库录入。

1. 地质遗迹数据库录入内容

项目设计地质遗迹点的数据库录入内容，对录入地质遗迹数据库的地质遗迹填写地质遗迹登记表，表的内容包括地质遗迹名称、地质遗迹类型、地质遗迹描述及照片（图片）、地质遗迹所属行政区域位置及地理坐标（经纬度）、地质遗迹评价（评定等级）、建议保护等级、地质遗迹的科学价值（科学研究、地质工作野外观察、教学实习、科普）、观赏价值、环境优美性、稀有性、自然完整性、历史文化价值、安全性、观赏的通达性以及执行保护的可能性等信息。

地质遗迹登记表填表（表9-2）说明详见地质遗迹登记表填写方法。

2. 地质遗迹登记表数据库格式

表10-11为地质遗迹登记表数据库格式，省级地质遗迹数据库采用Access录入，全国地质遗迹数据库建议采用SQLserver作为建库平台。

第十章 地质遗迹调查成果编制方法

表 10-11 地质遗迹登记表数据库格式

数据项名称	标准编码	数据类型	数据存储长度	数据显示长度	约束条件	默认值/初始值	值域范围	数据项描述
图幅名称	Map_Name	C	10		NOT NULL			图幅中文名称
图幅编号	Map_Number	C	10		M			
野外编号	Field_Number	N	8		M			
室内编号	House_Number	N	8					
行政区域位置	Area_Location	C	60		M			
经度	Lonhtitude	N	9.1		M			用度、分、秒表示，秒保留1位小数；数据格式：DDD.MMSS.
纬度	Latitude	N	8.1		M			用度、分、秒表示，秒保留1位小数；数据格式：DDD.MMSS.
高程	Level	N	7.2		M			用m表示，保留1位小数
高斯X坐标	XX	N	13.2		O			
高斯Y坐标	YY	N	13.2		O			
地质遗迹名称	Geoheritage_Name	C	40		M			
地质遗迹类型	Geoheritage_Type	C	20		M			
所在地质公园名称	Geopark_Name	C	50		O			
照片号	Photograph_Number	C	10		O			照片编号，多张照片以"，"隔开；照片文件夹统一命名为Photograph，格式为.JPG
录像	Video	C	15		O			
录音	Recording	C	15		O			

续表 10-11

数据项名称	标准编码	数据类型	数据存储长度	数据显示长度	约束条件	默认值/初始值	值域范围	数据项描述
地质遗迹描述	Geoheritage_Describe	C	400		M			
地质遗迹评价评定等级	Geoheritage_Grade	C	10		M			
建议保护等级	Protect_Grade	C	10		M			
科学价值	Science_Value	C	40		O			
自然完整性	Integrality	C	30		O			
稀有性	Rarity	C	20		O			
历史文化价值	History_Culture_Value	C	30		O			
观赏价值	View_Admire_Value	C	20		O			
环境优美性	Environment_Elegancy	C	20		O			
保护程度	Protect_Degree	C	40		M			
执行保护的可能性	Protect_Probability	C	40		O			
安全性	Security	C	20		M			
观赏的通达性	Accessible	C	20		M			
登录人	Survey_People	C	8		M			
审核人	Censor_People	C	8		M			
时间	Time	Date	10		M			调查工作时间，按 YYY-MM-DD 格式，如 2009-02-18

注："M"为必选项；"O"为可选项。

3. 地质遗迹数据库入库数据实例

中国地质环境监测院提供的地质遗迹数据采集系统软件是基于地理信息系统二次开发的。每个地质遗迹点为基本建库单元，河南省地质遗迹信息管理数据库主要入库录入的资料有地质遗迹登记表的所有内容，其中遗迹类型、建议保护等级等做有数据字典(图 10-1)，多媒体入库(图 10-2)资料主要为 1∶5 万地形图圈定的地质遗迹点保护范围图片(图 10-3)和 1∶20 万地质图片(图 10-4)，野外调查的地质遗迹点还有地质遗迹调查表入库，野外现场照片(图 10-5)、实地录像视频等，还有收集到的反映地质遗迹点的文献记载的专著(图 10-6)、论文、图片(图 10-7)等资料；在地形图与地质图上标注地质遗迹点编号及名称，并划定了保护范围；通过选择地质遗迹点的省、市、县及地质遗迹点的类型自动生成地质遗迹编号；如果某遗迹点属于多种遗迹类型则可以通过点击“遗迹类型”后面的复选框，选择多种遗迹类型，填表日期如果不修改，则系统自动生成输入数据库的时间。本软件还作了条件约束，如果是不填写“标高”“面积”则无法保存，在保存完基本信息后才可以添加多媒体资料。经度与纬度的填写有两种形式，一种是度、分、秒，另一种是度。软件还提供了数据检查功能，检查统一编号、坐标范围、必填信息，如有编号不对或范围不对，必填信息未填的都会有提示信息。软件生成地图功能可以在矢量地图上显示地质遗迹点所在的位置，使之更明了直观，因地图是矢量地图可无限放大或者缩小，如图 10-8 所示。

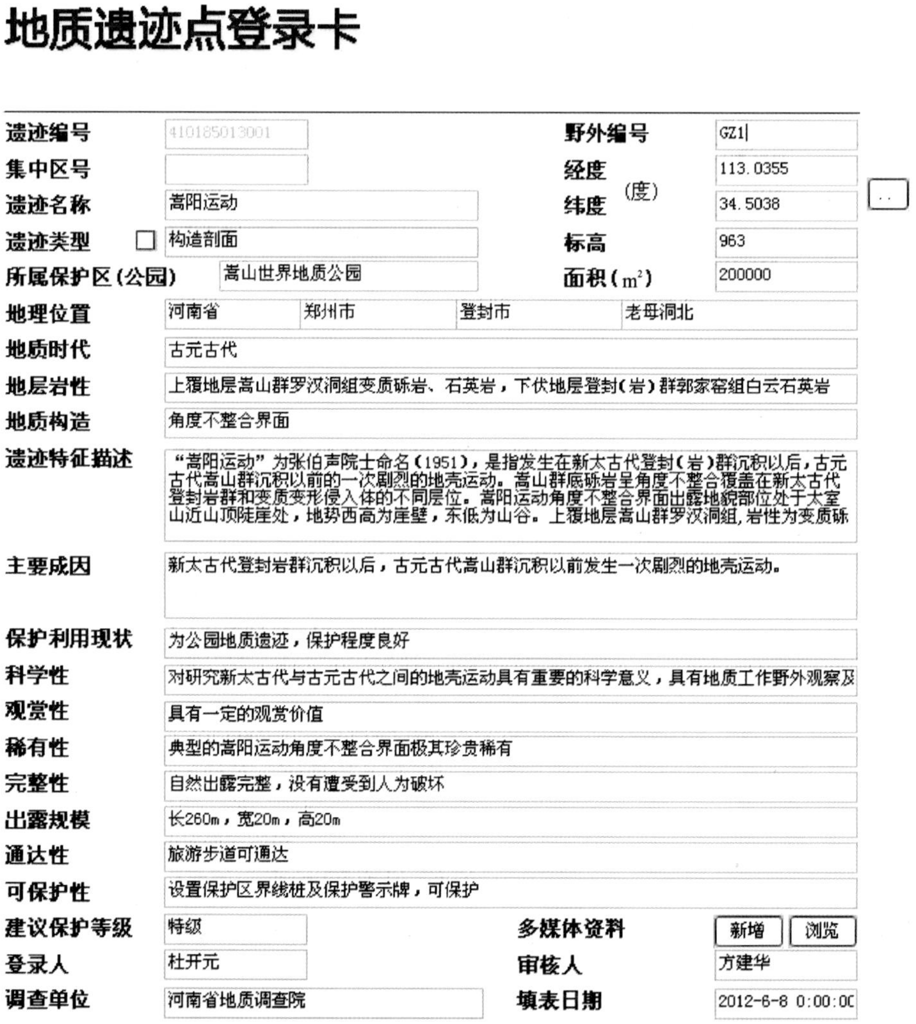
地质遗迹点登录卡

遗迹编号 410185013001　　野外编号 GZ1
集中区号　　经度 (度) 113.0355
遗迹名称 嵩阳运动　　纬度 34.5038
遗迹类型 构造剖面　　标高 963
所属保护区(公园) 嵩山世界地质公园　　面积(m²) 200000
地理位置 河南省　郑州市　登封市　老母洞北
地质时代 古元古代
地层岩性 上覆地层嵩山群罗汉洞组变质砾岩、石英岩，下伏地层登封(岩)群郭家窑组白云石英岩
地质构造 角度不整合界面
遗迹特征描述 “嵩阳运动”为张伯声院士命名(1951)，是指发生在新太古代登封(岩)群沉积以后，古元古代嵩山群沉积以前的一次剧烈的地壳运动。嵩山群底砾岩呈角度不整合覆盖在新太古代登封岩群和变质变形侵入体的不同层位。嵩阳运动角度不整合界面出露地貌部位处于太室山近山顶陡崖处，地势西高为崖壁，东低为山谷。上覆地层嵩山群罗汉洞组，岩性为变质砾
主要成因 新太古代登封岩群沉积以后，古元古代嵩山群沉积以前发生一次剧烈的地壳运动。
保护利用现状 为公园地质遗迹，保护程度良好
科学性 对研究新太古代与古元古代之间的地壳运动具有重要的科学意义，具有地质工作野外观察及
观赏性 具有一定的观赏价值
稀有性 典型的嵩阳运动角度不整合界面极其珍贵稀有
完整性 自然出露完整，没有遭受到人为破坏
出露规模 长260m，宽20m，高20m
通达性 旅游步道可通达
可保护性 设置保护区界线桩及保护警示牌，可保护
建议保护等级 特级　　多媒体资料 新增 浏览
登录人 杜开元　　审核人 方建华
调查单位 河南省地质调查院　　填表日期 2012-6-8 0:00:0C

图 10-1　地质遗迹点数据入库登录卡

图 10-2　地质遗迹点数据入库多媒体选项

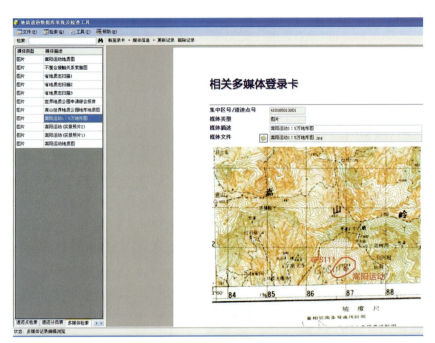

图 10-3　入库地质遗迹点 1∶5 万地形图

二、地质遗迹空间数据库建库方法

河南省地质遗迹空间数据库建设内容主要根据地质遗迹调查、地质遗迹保护、地质遗迹区划等方面空间数据库建设的需要,参照《数字地质图空间数据库标准》《地质图空间数据库建设工作指南2.0》《地质遗迹调查规范》《1∶5 万区域地质图空间数据库(分省)建设实施细则》《1∶25 万区域地质图空间数据库建设技术流程及实施细则》《矿产资源潜力评价数据模型》等规范和技术要求,进行地质遗迹图件的空间数据库建设工作。

河南省地质遗迹空间数据库建库地质遗迹系列图件(河南省重要地质遗迹分布图、河南省地质遗迹保护规划建议图、河南省地质遗迹区划图等)的图层划分、数据文件格式、属性格式、数据内容、工作流程等,以规范地质遗迹系列图件空间数据库建设全过程,从而提高成果数据的质量、精度,最大限度地减少错误、减小误差,满足河南省地质遗迹空间分布范围及位置,进行拓扑分析、空间查询的需要。但是由于时间仓促、编写人缺乏地质遗迹图类建库经验,疏漏不当之处在所难免,有待于今后修改完善。

第十章 地质遗迹调查成果编制方法

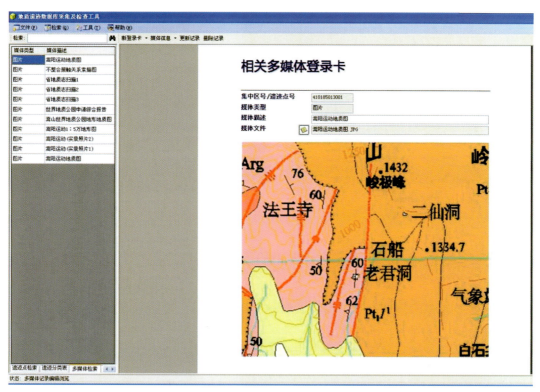

图 10-4　入库地质遗迹点 1∶20 万地质图

图 10-5　入库地质遗迹点野外拍摄的照片资料

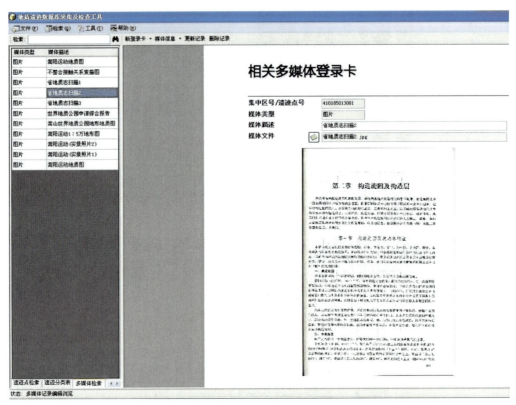

图 10-6　入库搜集专著记载的地质遗迹文字资料

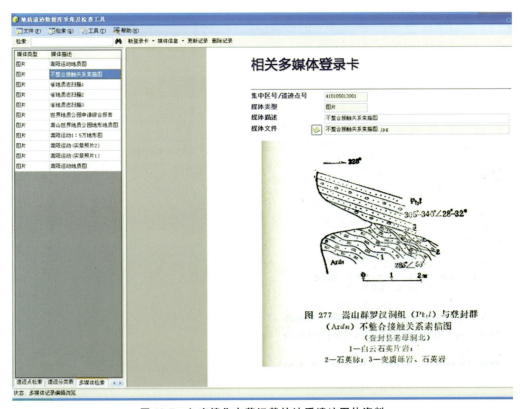

图 10-7　入库搜集专著记载的地质遗迹图片资料

第十章　地质遗迹调查成果编制方法

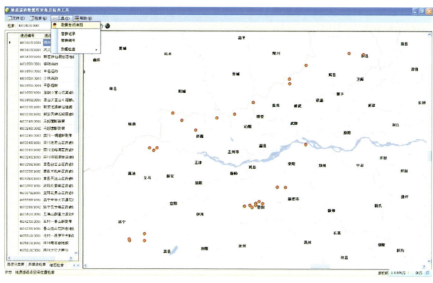

图 10-8　反映地质遗迹点的矢量地图

1. 图元编号、图层及属性表命名规则

（1）图元编号规则：图元编号规则分两种情况，一种是以图幅为单位的地质遗迹点图元的编号，是根据"全国重要地质遗迹调查"计划项目组制定的编号规则对各类地质遗迹点的统一编号，采用 12 位整型数字，前面 6 位是省、地级市、县（级市）的三级行政区划代码，行政区划代码后面 4 位是遗迹类型代码，取亚类代码，最后两位是遗迹序号，为 01～99；另一种是除地质遗迹点图元之外的其他图元的编号，是以图幅为单位各图层的图元（点、弧段、多边形）自然顺序编号，采用 5 位整型数字。要确保各图层的图元编码唯一。

（2）图层命名规则：图层命名规则参照《数字化地质图图层及属性文件格式》（DZ/T 0197—1997）国家行业标准和自然资源部地质行业标准《地质遗迹调查规范》，图层名编码结构如下。

```
△△ ×　 ×× 　×× 　△△
│  │   │    │    │
│  │   │    │    └──图层的识别码，取图层名主要含义的 2 个汉语拼音的首字
│  │   │    │         母，如地层剖面类地质遗迹点图层名为 YZB4101DC
│  │   │    │
│  │   │    └──某一图类中划分的两位图层数字编号
│  │   └──省级行政区划代码
│  │
│  └──比例尺代码（A-1∶1 000 000,B-1∶500 000,C-1∶250 000,D-1∶100 000
│        E-1∶50 000,F-1∶25 000,G-1∶10 000,R-1∶200 000）
│
└──图类代码［如 DZ:地质类,DL:地理类,YZ:地质遗迹（地质公园）资源类,YB:地质遗迹（地质公园）保护类,
     YQ:地质遗迹区划类,YD:野外地质遗迹调查类,ZS:整饰类］
```

(3)属性表命名规则:每个图层(点、弧段、多边形)有不同的属性表,每个属性表的命名同图层命名规则。

2. 图层划分

地质遗迹系列图内容包括地理要素、地质要素、地质遗迹资源要素、地质遗迹保护要素、地质遗迹区划要素、地质遗迹野外调查要素和图面整饰7部分,根据需要将其分别划分为地理图层(基本信息图层、水系图层、交通图层、居民地图层、境界图层、地形图层),地质图层(地层图层、侵入岩图层、断层图层、矿产图层、产状图层),地质遗迹资源图层(地质遗迹点、地质公园),地质遗迹保护规划建议图层(规划地质遗迹保护段、保护点、地质公园保护区),地质遗迹区划图层(地质遗迹区划),地质遗迹调查图层(野外地质遗迹调查内容),整饰图层(图内整饰图层、图外整饰图层)。

3. 属性表格式与说明

地质遗迹空间数据库属性表格式与说明包括图幅基本信息属性表、数据项定义与说明,水系图层属性表、数据项定义与说明,交通图层属性表、数据项定义与说明,居民地图层属性表、数据项定义与说明,境界图层属性表、数据项定义与说明,地形图层属性表、数据项定义与说明,地层图层属性表、数据项定义与说明,侵入岩(包括变质变形侵入体)图层属性表、数据项定义与说明,断层图层属性表、数据项定义与说明,产状符号图层属性表、数据项定义与说明,地层剖面图层属性表、数据项定义与说明,岩石剖面图层属性表、数据项定义与说明,构造剖面图层属性表、数据项定义与说明,重要化石产地图层属性表、数据项定义与说明,重要岩矿石产地图层属性表、数据项定义与说明,岩土体地貌图层属性表、数据项定义与说明,构造地貌图层属性表、数据项定义与说明,水体地貌图层属性表、数据项定义与说明,地质灾害遗迹图层属性表、数据项定义与说明,规划保护地质遗迹图层属性表、数据项定义与说明,地质公园保护区图层属性表、数据项定义与说明,地质遗迹区划图层属性表、数据项定义与说明。

4. 工作流程和技术要求

地质遗迹空间数据库建库工作流程:资料收集与整理→图面数据编辑→屏幕检查与图件输出检查→建立拓扑→建立分层文件→再次进行拓扑检查和修改→属性编辑→图面整饰→投影参数检查和投影变换。

5. 元数据采集和编写成果报告

1)元数据采集

元数据采集按中国地质调查局发布的《地质信息元数据标准》(DD 2000—05)执行,主要包括:元数据信息、标识信息、数据集质量信息、空间参照系信息、内容信息、引用和负责单位信息6个方面的内容。

2)编写成果报告

成果报告的格式与内容应符合"全国重要地质遗迹调查"计划项目组的要求,主要内容如下。

第十章 地质遗迹调查成果编制方法

（1）资料概况：收集地质（矿产）图及其他地质资料的来源、质量、整理情况等。

（2）使用标准：数据建设参照和依据的标准。

（3）工作方法及流程：详细描述建库工作的方法和流程，包括图层划分、拓扑处理、数据库结构设计、数据采集的流程与方法等。

（4）数据质量评述：包括图形质量、属性卡片质量、属性数据库质量等。

（5）补充说明：对图层划分、属性结构、系统库所作的修改或补充内容须列表说明。

（6）主要成绩、存在的问题及原因和解决方法、建议。

结 束 语

河南省地质遗迹调查工作涉及地层、构造、古生物化石、岩石、矿物、矿产、地貌、水文地质、旅游、地质灾害等诸多专业领域，工作内容宽泛、复杂。地质遗迹调查项目是地质行业新的工作领域，项目实施过程中没有成熟的经验可以借鉴，也没有成熟的技术标准作指导。中国地质调查局安排通过河南省地质遗迹调查与区划及示范研究项目，探索一套适合省级地质遗迹调查实际情况的工作方法，为制定《地质遗迹调查规范》（DZ/T 0303—2017）行业标准提供技术依据和实践经验。根据河南省地质遗迹调查项目实施的工作经验，对河南省地质遗迹调查项目工作涉及的主要工作内容、工作方法及技术要求，归纳提出如下 5 个主要方面。

一、资料收集与重要地质遗迹点的筛选方法

系统收集地质遗迹调查项目工作区已有的与地质遗迹调查相关工作的成果资料，资料收集顺序从宏观到微观，也就是从总体掌握全省各类重要地质遗迹的记录到需要查询细节的各重要地质遗迹点的描述记录。资料的收集工作要围绕调查的各类地质遗迹，有针对性、目的性，避免盲目性。

在系统收集各类地质遗迹资料和综合分析研究的基础上，按照《地质遗迹调查规范》（DZ/T 0303—2017）地质遗迹类型划分方案进行重要地质遗迹分类筛选，筛选依据各类地质遗迹对应准则和相对重要性原则，把具有一定研究程度、代表一定的地质遗迹类型、典型稀有的地质遗迹选取为重要地质遗迹调查对象。

二、地质遗迹鉴评方法

地质遗迹鉴评首先根据《地质遗迹调查规范》（DZ/T 0303—2017）地质遗迹类型划分方案，然后以《地质遗迹保护管理规定》为依据，根据不同的地质遗迹类型，编制了与不同等级（世界级、国家级、省级）地质遗迹类型相应的鉴评标准，根据各类地质遗迹不同等级的鉴评标准及地质遗迹对应准则和相对重要性原则，进行地质遗迹鉴评。地质遗迹鉴评工作建立在地质遗迹筛选的基础上，对筛选出的各类重要地质遗迹，聘请在省内基础地质、地层、构造、岩浆岩、变质岩、古生物、矿产地质、水工环等方面的技术专家，根据专家的专业特长分类型对重要地质遗迹进行专家鉴评，鉴评出真正需要保护的有重要科学价值和观赏价值、科普教育意义的省内重要地质遗迹。

三、重要地质遗迹保护名录确定方法

收集资料筛选出的重要地质遗迹点依据世界级、国家级、省级的不同等级鉴评标准，经过专家鉴评后划分地层剖面类、岩石剖面类、构造剖面类、重要化石产地类、重要岩矿石产地类、岩土体地貌类、水体地貌类、构造地貌类、地质灾害类等，各类又列出相应的等级，并列出位置、经纬度坐标，即为河南省重要地质遗迹保护名录。

四、各类地质遗迹调查方法

地质遗迹野外调查工作主要是在收集地质遗迹资料分析研究的基础上，对筛选出的重要地质遗迹点开展野外调查实地核实验证工作，到现场获取野外实际资料，包括野外记录、GPS定位、照相或拍摄视频等。

地质遗迹调查的内容按照地质遗迹分类划分为基础地质大类（地层剖面类、岩石剖面类、构造剖面类、重要化石产地类、重要岩矿石产地类）、地貌景观大类（岩土体地貌类、水体地貌类、构造地貌类等）、地质灾害大类（地质灾害类）3大类9类33亚类，具体调查内容主要根据地质遗迹类型不同而确定。河南省地质遗迹调查所获取的内容，按照地质遗迹调查表分为基础地质大类地层剖面类地质遗迹调查表1种、岩石剖面类3种、构造剖面类3种、重要化石产地类3种、重要岩矿石产地类1种；地貌景观大类岩石土体地貌类1种、水体地貌类3种；地质灾害大类2种。总计17种地质遗迹调查表。

五、地质遗迹调查成果编制方法

1. 河南省地质遗迹区划方法

根据调查掌握的河南省地质遗迹分布状况和规律，地质遗迹的分布受地貌类型和区域地质背景的影响，在不同的地貌类型和地质背景条件下形成不同的地质遗迹，并且地质遗迹的空间分布也是不均衡的。按照层次原则、空间连续性原则进行地质遗迹区划，根据河南一级地貌单元及构造单元地域性划分地质遗迹大区，二级地貌单元及构造单元地域性划分地质遗迹分区，依据地质遗迹类型、特征的不同，划分地质遗迹小区，即河南省划分为南太行山地质遗迹大区（Ⅰ）、崤山-嵩箕山地质遗迹大区（Ⅱ）、秦岭-伏牛山地质遗迹大区（Ⅲ）、桐柏山-大别山地质遗迹大区（Ⅳ）、黄淮海平原地质遗迹大区（Ⅴ）五个地质遗迹大区；每个地质遗迹大区又划分为不同的地质遗迹分区，5个地质遗迹大区总计划分18个地质遗迹分区；有些地质遗迹分区再进一步划分为地质遗迹小区，18个不同的地质遗迹分区总计划分为24个地质遗迹小区。

2. 河南省地质遗迹保护规划方法

根据河南省地质遗迹的分布与《地质遗迹保护管理规定》地质遗迹保护区类型划分和自然资源部门履行地质遗迹保护管理的职能，按照省辖市、县（区）行政区划范围，河南省地质遗迹可划分为地质遗迹保护段、地质遗迹保护点、已建立地质公园3种保护区类型。

根据地质遗迹保护规划指导思想、规划方法，编制河南省地质遗迹保护规划。规划建立卢氏县官道口群地层剖面国家级保护段、卢氏县新生代脊椎动物群国家级保护段、栾川县钼矿产地国家级保护段、汝州市罗圈组古冰川国家级保护段、鲁山县太华（岩）群国家级保护段、淅川县石炭纪无脊椎动物群国家级保护段、淅川县始新世脊椎动物群国家级保护段、淅川县蓝石棉矿产地国家级保护段、淅川县白垩系地层剖面国家级保护段9处，规划建立淅川县元古宙地层剖面省级保护段、淅川县寒武纪地层剖面省级保护段2处；规划建立鹤壁尚峪苦橄玢岩国家级保护点、青羊口断裂带国家级保护点、辉县百泉国家级保护点等49个，规划建立任村-西罗平断裂带省级保护点、东冶闪长岩体安林式铁矿产地省级保护点、安阳珍珠泉省级保护点、彰武组地层剖面省级保护点、鹤壁组地层剖面省级保护点等84个；已建立嵩山、云台山、伏牛山、王屋山-黛眉山世界地质公园4家（包括嵩山、云台山、西峡伏牛山、宝天曼、王屋山、黛眉山国家地质公园6家),已建立国家地质公园或获得国家地质公园建设资格的有林虑山·红旗渠、关山、小秦岭、神灵寨、黄河、嵖岈山、金刚台国家地质公园7家,已建立省级地质公园或获得省级地质公园建设资格的有卫辉跑马岭、渑池韶山、卢氏玉皇山、宜阳花果山、栾川老君山、嵩县白云山、汝阳恐龙化石群、汝州大红寨、鲁山尧山、禹州华夏植物群、邓州杏山、唐河凤山、桐柏山、新县大别山、固始西九华山、永城芒砀山省级地质公园16家。

3. 河南省地质遗迹图编绘方法

(1)河南省重要地质遗迹分布图编绘:地质地理底图编绘内容与地质遗迹内容相关部分适当精简、归并,删除原地质图上与地质遗迹无关的内容,图面内容应反映全省典型、稀有且具有科学价值、观赏价值并经过组织专家鉴评过的确定为世界级、国家级、省级地质遗迹。按照地质遗迹类型划分,可分为地层剖面类、岩石剖面类、构造剖面类、重要化石产地类、重要岩矿石产地类、岩土体地貌类、水体地貌类、构造地貌类、地质灾害类等类型表示在图面上,同时,把全省已建立的世界级、国家级、省级地质公园的分布、范围、面积表示在图面上,可清晰地反映全省重要地质遗迹及地质公园的分布情况。同类地质遗迹用相同的符号表示,用大、中、小符号表示世界级、国家级、省级地质遗迹。

(2)河南省地质遗迹保护规划建议图编绘:图面主要表示的内容为规划建立的地质遗迹保护段,分为国家级保护段、省级保护段;规划建立的地质遗迹保护点,分为国家级保护点、省级保护点;河南省已经批准建立或获得建设资格的世界级、国家级、省级地质公园。规划建议图中编制的规划说明表分为规划地质遗迹保护段说明表、规划地质遗迹保护点说明表、已建立地质公园说明表,主要说明规划建立地质遗迹保护段、保护点、已建立地质公园所属的省辖市、县(区)隶属关系,规划建立地质遗迹保护段、保护点、已建立地质公园的名称,规划建立地质遗迹保护段、保护点、已建立地质公园的地质遗迹保护对象,规划保护措施;规划期限等内容。规划保护段按照国家级、省级分别用两种不同颜色的图斑色块表示;规划保护点国家级、省级分别用两种不同颜色的圆点表示;已建立地质公园世界级用同一种颜色表示,国家级用同一种颜色表示,省级用同一种颜色表示。

5. 地质遗迹定量评价方法

选取地质遗迹点的科学价值(科学研究、教学实习、科普)、稀有性和典型性、完整性、观赏价值、历史文化价值、环境优美性6项,作为价值综合评价因子和定量指标赋值;选取保存程度、执行保护的可能性、通达性、安全性4项,作为条件综合评价因子和定量指标赋值,用数学加权的方法对地质遗迹的价值做出数值判断,依据数值确定级别。地质遗迹点评价满分100分,其中价值综合评价因子权重占80%,满分80分;条件综合评价因子权重占20%,满分20分。价值综合评价因子中对基础地质大类及地质灾害大类地质遗迹点科学价值评价的评价权重占30%,满分30分,观赏价值评价权重占10%,满分10分;对地貌景观大类地质遗迹点科学价值评价的评价权重占10%,满分10分,观赏价值评价权重占30%,满分30分。定量评价各项评价因子赋值中,基础地质大类(地层剖面、岩石剖面、构造剖面、重要化石产地、重要岩矿石产地)及地质灾害大类(地质灾害类)科学价值评价等级标准,地貌景观大类(岩土体地貌、构造地貌、水体地貌)观赏价值评价等级标准,其他评价因子(稀有性、典型性、完整性,历史文化价值,环境优美性,保存程度,执行保护的可能性,通达性,安全性)评价等级标准的10项评价因子分为4级,即Ⅰ、Ⅱ、Ⅲ、Ⅳ为各价值综合评价因子和条件综合评价因子分级,其权重值均列于表内,根据2个综合评价得分合计分数得出地质遗迹定量评价等级。

6. 河南省地质遗迹数据库建库方法

(1)地质遗迹信息管理数据库建库方法:根据中国地质调查局的要求,河南省地质遗迹信息管理

结 束 语

数据库建设为所属计划项目"全国重要地质遗迹调查"提供先行示范研究,项目研究提出了建立地质遗迹信息管理数据库建库结构思路和数据采集内容格式,计划项目实施单位中国地质环境监测院根据河南省地质调查院提供的建库结构思路和数据采集内容格式,开发研制了地质遗迹数据采集系统软件。以该系统软件为平台,把地质遗迹点作为基本建库单元,在收集资料与重要地质遗迹点的筛选和野外地质遗迹调查资料综合整理研究的基础上,以填制的地质遗迹登记表、地质遗迹调查表为数据采集源,作为地质遗迹点的数据库录入内容,完成河南省地质遗迹信息管理数据库建设,入库重要地质遗迹点335个。

(2)地质遗迹空间数据库建库方法:河南省地质遗迹空间数据库建设内容主要根据《地质遗迹调查规范》(DZ/T 0303—2017)的要求,参照《数字地质图空间数据库标准》等规范和技术要求,进行地质遗迹图件的空间数据库建设工作。河南省地质遗迹空间数据库建库地质遗迹系列图件(河南省重要地质遗迹分布图、河南省地质遗迹保护规划建议图、河南省地质遗迹区划图等)的图层划分、数据文件格式、属性格式、数据内容、工作流程等工作方法编制,规范了地质遗迹系列图件空间数据库建设全过程,从而提高了成果数据的质量、精度,最大限度地减少了错误、减小误差,满足了河南省地质遗迹空间分布范围及位置、进行拓扑分析和空间查询的需要。

主要参考文献

席文祥,裴放. 河南省岩石地层[M]. 武汉:中国地质大学出版社,1997.
《中国地层典·总论》编委会. 中国地层典·总论[M]. 北京:地质出版社,2009.
《中国地层典》编委会. 中国地层典(太古宇)[M]. 北京:地质出版社,1996.
《中国地层典》编委会. 中国地层典(古元古界)[M]. 北京:地质出版社,1996.
《中国地层典》编委会. 中国地层典(中元古界)[M]. 北京:地质出版社,1999.
《中国地层典》编委会. 中国地层典(新元古界)[M]. 北京:地质出版社,1996.
《中国地层典》编委会. 中国地层典(寒武系)[M]. 北京:地质出版社,1999.
《中国地层典》编委会. 中国地层典(奥陶系)[M]. 北京:地质出版社,1996.
《中国地层典》编委会. 中国地层典(志留系)[M]. 北京:地质出版社,1998.
《中国地层典》编委会. 中国地层典(泥盆系)[M]. 北京:地质出版社,2000.
《中国地层典》编委会. 中国地层典(石炭系)[M]. 北京:地质出版社,2000.
《中国地层典》编委会. 中国地层典(二叠系)[M]. 北京:地质出版社,2000.
《中国地层典》编委会. 中国地层典(三叠系)[M]. 北京:地质出版社,2000.
《中国地层典》编委会. 中国地层典(侏罗系)[M]. 北京:地质出版社,2000.
《中国地层典》编委会. 中国地层典(白垩系)[M]. 北京:地质出版社,2000.
《中国地层典》编委会. 中国地层典(第三系)[M]. 北京:地质出版社,1999.
《中国地层典》编委会. 中国地层典(第四系)[M]. 北京:地质出版社,2000.
河南省地质矿产局. 河南省区域地质志[M]. 北京:地质出版社,1989.
张兴辽. 河南省古生物地质遗迹资源[M]. 北京:地质出版社,2011.
王志宏. 河南省地层古生物研究[M]. 郑州:黄河水利出版社,2008.
王德有. 中国河南恐龙蛋和恐龙化石[M]. 北京:地质出版社,2008.
王德有. 河南石炭纪和早二叠世早期地层与古生物[M]. 北京:中国展望出版社,1987.
《中国矿床发现史·河南卷》编委会. 中国矿床发现史(河南卷)[M]. 北京:地质出版社,1996.
河南省地质矿产厅地质矿产志编委会. 河南省地质矿产志[M]. 北京:中国展望出版社,1992.
孙志顺. 河南省矿业概要[M]. 郑州:河南人民出版社,2009.
符光宏,等. 河南省秦岭-大别造山带地质构造与成矿规律[M]. 河南科学技术出版社,1994.
胡受奚,林潜龙,等. 华北与华南古板块拼合带地质和成矿[M]. 南京大学出版社,1988.
王志宏,等. 阶段性板块运动与板内增生——河南省1:50万地质图说明书[M]. 北京:中国环境科学出版社,2000.
赵云章,朱中道,刘玉梓,等. 河南省环境地质基本问题研究[M]. 北京:中国大地出版社,2003.
赵太平,张忠慧. 中国嵩山前寒武纪地质[M]. 北京:地质出版社,2012.
司荣军. 嵩山世界地质公园[M]. 徐州:中国矿业大学出版社,2010.
程胜利,等. 嵩山地质实习指南[M]. 北京:地质出版社,2008.
杜远生,童金南. 古生物地史学概论(第二版)[M]. 武汉:中国地质大学出版社,2009.
张天义,李江风,冯进城. 地质公园导游必读[M]. 武汉:中国地质大学出版社,2006.

主要参考文献

《地球科学大辞典》编委会.地球科学大辞典[M].北京:地质出版社,2006.

内部参考资料

姚瑞增,等.河南省旅游资源调查研究报告[R].郑州:河南省地质科学研究所,1999.

符光宏,等.河南省地质遗迹调查与保护利用规划建议[R].郑州:河南省地质科学研究所,2002.

白明晖,等.河南省地热资源调查研究报告[R].郑州:河南省地质局水文地质管理处,1981.

河南省地质局水文地质管理处.河南省温泉[R].郑州:河南省地质局水文地质管理处,1983.

张良,等.1∶50 000丹霞寺幅地质图及说明书[R].郑州:河南省地质矿产厅区域地质调查队二分队,1993.

张良,等.1∶50 000神林幅地质图及说明书[R].郑州:河南省地质矿产厅区域地质调查队二分队,1993.

赵建敏,等.1∶50 000下汤幅地质图及说明书[R].郑州:河南省地质矿产厅区域地质调查队二分队,1995.

赵建敏,等.1∶50 000鲁山县幅地质图及说明书[R].郑州:河南省地质矿产厅区域地质调查队二分队,1995.

杨长秀,等.1∶50 000张官营幅地质图及说明书[R].郑州:河南省地质矿产厅区域地质调查队七分队,1995.

李采一,等.1∶50 000区域地质调查报告(下罗坪幅、南召县幅)[R].郑州:河南省地矿产局区域地质调查队一分队,1988.

王世炎,等.1∶25万内乡县幅区域地质调查—片区修测[R].郑州:河南省地质调查院.2002.

杨长秀,刘振宏,等.河南1∶25万平顶山市幅区域地质调查修测[R].郑州:河南省地质调查院.2003.

附 件

FUJIAN

附件 河南省重要地质遗迹保护名录（建议稿）

附表1 河南省（层型）地层剖面类地质遗迹名录

编号	遗迹名称	地层时代	类型	建议等级	位置	坐标（经纬度）
DC1	登封（岩）群石牌河（岩）组	太古宇	地层剖面	国家级	河南省登封市君召乡石牌河村	112°51′47″，34°27′41″
DC2	登封（岩）群郭家窑（岩）组	太古宇	地层剖面	国家级	河南省登封市君召乡郭家窑村	112°53′00″，34°27′30″
DC3	登封（岩）群常窑（岩）组	太古宇	地层剖面	国家级	河南省汝州市常窑村	112°59′32″，34°12′39″
DC4	登封（岩）群石梯沟（岩）组	太古宇	地层剖面	国家级	河南省汝州市石梯沟	113°01′36″，34°12′07″
DC5	太华（岩）群耐庄（岩）组	太古宇	地层剖面	国家级	河南省鲁山县耐庄	112°41′10″，33°54′35″
DC6	太华（岩）群荡泽河（岩）组	太古宇	地层剖面	国家级	河南省鲁山县荡泽河	112°41′30″，33°53′40″
DC7	太华（岩）群铁山岭（岩）组	太古宇	地层剖面	国家级	河南省鲁山县铁山岭	112°44′30″，33°51′00″
DC8	太华（岩）群水底沟（岩）组	太古宇	地层剖面	国家级	河南省鲁山县水底沟	112°40′10″，33°52′20″
DC9	太华（岩）群雪花沟（岩）组	太古宇	地层剖面	国家级	河南省鲁山县雪花沟	112°39′45″，33°51′50″
DC10	银鱼沟群幸福园组地层剖面	古元古界	地层剖面	国家级	河南省济源市王屋乡林山—银鱼沟	112°19′00″，35°11′00″
DC11	银鱼沟群赤山沟组地层剖面	古元古界	地层剖面	国家级	河南省济源市王屋乡赤山顶—银鱼沟村	112°18′00″，35°12′00″
DC12	银鱼沟群北崖山组地层剖面	古元古界	地层剖面	国家级	河南省济源市王屋乡和平—老庄	112°13′30″，35°13′00″
DC13	双房岩组地层剖面	古元古界	地层剖面	省级	河南省济源市王屋乡铁山河白龙沟—冷沟庄南	112°12′20″，35°11′30″
DC14	嵩山群罗汉洞组地层剖面	古元古界	地层剖面	国家级	河南省登封市北西嵩岳寺塔北罗汉洞—金沟	113°01′00″，34°31′20″
DC15	嵩山群五指岭组地层剖面	古元古界	地层剖面	国家级	河南省登封市中岳庙寺里沟	113°04′00″，34°29′00″
DC16	嵩山群庙坡山组地层剖面	古元古界	地层剖面	国家级	河南省登封市唐庄镇井湾村庙坡东	113°10′00″，34°33′00″
DC17	嵩山群花峪组地层剖面	古元古界	地层剖面	国家级	河南省登封市唐庄镇井湾村花峪	113°10′30″，34°32′30″
DC18	秦岭（岩）群郭庄（岩）组地层剖面	古元古界	地层剖面	省级	河南省内乡县马山口郭庄南	111°57′00″，33°15′00″
DC19	秦岭（岩）群雁岭沟（岩）组地层剖面	古元古界	地层剖面	省级	河南省内乡县余关—麦子山	111°55′00″，33°15′00″
DC20	秦岭（岩）群石槽沟（岩）组地层剖面	古元古界	地层剖面	省级	河南省西峡县石槽沟东	111°33′00″，33°25′00″

续附表1

编号	遗迹名称	地层	类型	建议等级	位置	坐标（经纬度）
DC21	陡岭杂岩地层剖面	古元古界	地层剖面	省级	河南省淅川县荆紫关镇小陡岭	111°02′00″,33°19′00″
DC22	熊耳群大古石组地层剖面	中元古界	地层剖面	国家级	河南省济源市部原乡黄背大敦石村	112°06′40″,35°15′20″
DC23	熊耳群许山组地层剖面	中元古界	地层剖面	国家级	河南省济源市部原乡北寨村三担河—建虎门	112°08′00″,35°11′00″
DC24	兵马沟组地层剖面	中元古界	地层剖面	国家级	河南省伊川县吕店乡兵马沟	112°37′00″,34°30′20″
DC25	官道口群龙家园组地层剖面	中元古界	地层剖面	省级	河南省卢氏县官道口乡龙台西村	111°03′00″,34°17′00″
DC26	官道口群巡检司组地层剖面	中元古界	地层剖面	省级	河南省卢氏县杜关乡前院—苏家沟	110°59′55″,34°16′30″
DC27	官道口群杜关组地层剖面	中元古界	地层剖面	国家级	河南省卢氏县杜关乡步沟—石板村	110°59′53″,34°15′20″
DC28	官道口群冯家湾组地层剖面	中元古界	地层剖面	省级	河南省卢氏县杜关乡步沟—石板村	110°59′00″,34°14′30″
DC29	浙湾（岩）组地层剖面	中元古界	地层剖面	省级	河南省新县细吴湾—沙口垴	114°43′25″,31°44′40″
DC30	定远（岩）组地层剖面	中元古界	地层剖面	省级	河南省罗山县定远店西	114°30′00″,31°48′00″
DC31	汝阳群云梦山组地层剖面	中元古界	地层剖面	国家级	河南省汝阳县寺沟石门根—白堂根	112°30′00″,34°13′00″
DC32	汝阳群白草坪组地层剖面	中元古界	地层剖面	国家级	河南省汝阳县寺沟白堂白草坪	112°30′00″,34°12′00″
DC33	汝阳群北大尖组地层剖面	中元古界	地层剖面	国家级	河南省汝阳县洛峪下河西—崔庄	112°29′00″,34°12′00″
DC34	汝阳群崔庄组地层剖面	中元古界	地层剖面	国家级	河南省汝阳县洛峪崔庄—龙保	112°29′00″,34°11′00″
DC35	汝阳群三教堂组地层剖面	中元古界	地层剖面	国家级	河南省汝阳县上洪涧—下洪涧	112°29′00″,34°10′30″
DC36	汝阳群洛峪口组地层剖面	中元古界	地层剖面	国家级	河南省汝阳县洛峪镇韭菜回村	112°25′00″,34°12′00″
DC37	姚营寨组地层剖面	中元古界	地层剖面	省级	河南省西峡县田关大岭沟西庄村	111°38′00″,33°09′00″
DC38	五佛山群马鞍山组地层剖面	新元古界	地层剖面	省级	河南省偃师市佛光峪镇马鞍山	112°50′30″,34°29′10″
DC39	五佛山群葡萄岭组地层剖面	新元古界	地层剖面	国家级	河南省偃师市佛光峪镇葡萄岭村	112°51′00″,34°29′38″
DC40	五佛山群骆驼岭组地层剖面	新元古界	地层剖面	国家级	河南省偃师市佛光峪镇西骆驼畔村	112°51′00″,34°29′20″
DC41	五佛山群何家寨组地层剖面	新元古界	地层剖面	国家级	河南省偃师市佛光峪镇何家寨	112°52′00″,34°29′40″
DC42	红岭组地层剖面	新元古界	地层剖面	国家级	河南省偃师市佛光峪镇东红岭	112°54′00″,34°30′00″
DC43	栾川群白术沟组地层剖面	新元古界	地层剖面	省级	河南省栾川县三川乡白术沟村	111°23′00″,33°59′10″

续附表 1

编号	遗迹名称	地层	类型	建议等级	位置	坐标（经纬度）
DC44	栾川群三川组地层剖面	新元古界	地层剖面	省级	河南省栾川县三川乡祖师庙村	111°22′00″,33°59′00″
DC45	栾川群南泥湖组地层剖面	新元古界	地层剖面	省级	河南省栾川县冷水乡北沟村	111°28′00″,33°55′20″
DC46	栾川群煤窑沟组地层剖面	新元古界	地层剖面	省级	河南省栾川县城东煤窑沟	111°38′00″,33°48′00″
DC47	栾川群大红口组地层剖面	新元古界	地层剖面	省级	河南省栾川县三川乡九间房同四棵树大红口村	111°21′30″,33°54′45″
DC48	栾川群鱼库组地层剖面	新元古界	地层剖面	国家级	河南省栾川县中鱼库沟村	111°28′00″,33°52′30″
DC49	黄连垛组地层剖面	新元古界	地层剖面	国家级	河南省鲁山县下汤镇九女洞黄连垛	112°40′00″,33°44′50″
DC50	董家组地层剖面	新元古界	地层剖面	国家级	河南省鲁山县下汤镇九女洞董家村	112°40′15″,33°44′50″
DC51	罗圈组地层剖面	新元古界	地层剖面	国家级	河南省汝州市骑岭镇罗圈村	112°45′00″,34°01′00″
DC52	东坡组地层剖面	新元古界	地层剖面	国家级	河南省汝州市骑岭镇罗圈村	112°45′00″,34°01′00″
DC53	三岔口组地层剖面	新元古界	地层剖面	省级	河南省栾川县陶湾镇北沟三岔口村	111°27′00″,33°52′00″
DC54	陶湾组地层剖面	新元古界	地层剖面	国家级	河南省栾川县陶湾镇菁岗坪一磨坪	111°22′00″,33°51′00″
DC55	龟山（岩）组地层剖面	新元古界	地层剖面	省级	河南省信阳市平桥区辛店一左店	114°10′00″,32°01′00″
DC56	耀岭河组地层剖面	新元古界	地层剖面	省级	河南省内乡县庙岗乡唐子沟	111°35′00″,33°07′00″
DC57	陡山沱组地层剖面	新元古界	地层剖面	省级	河南省淅川县荆紫关镇陕田沟	111°01′00″,33°17′00″
DC58	灯影组地层剖面	新元古界	地层剖面	省级	河南省淅川县荆紫关镇菩萨堂	111°02′00″,33°17′00″
DC59	界牌（岩）组地层剖面	新元古界	地层剖面	省级	河南省西峡县西坪乡界牌岭村	111°08′00″,33°29′30″
DC60	歪庙组地层剖面	上古生界	地层剖面	省级	河南省商城县城一龙王堂	115°20′30″,31°54′10″
DC61	二郎坪群大庙组地层剖面	下古生界	地层剖面	省级	河南省西峡县二郎坪乡大庙村	111°40′00″,33°33′00″
DC62	二郎坪群小寨组地层剖面	下古生界	地层剖面	省级	河南省淅川县石界河乡小寨村北头	111°20′00″,33°38′00″
DC63	辛集组地层剖面	寒武系	地层剖面	国家级	河南省鲁山县辛集乡龙鼻村东南1000m	112°58′55″,33°48′32″
DC64	朱砂洞组地层剖面	寒武系	地层剖面	国家级	河南省平顶山市姚孟村东南1400m	113°14′33″,33°43′28″
DC65	水沟口组地层剖面	寒武系	地层剖面	省级	河南省淅川县脑子寨	111°31′30″,33°08′00″
DC66	岳家坪组地层剖面	寒武系	地层剖面	省级	河南省淅川县脑子寨	111°31′00″,33°09′00″

续附表1

编号	遗迹名称	地层时代	类型	建议等级	位置	坐标（经纬度）
DC67	石瓮子组地层剖面	寒武系	地层剖面	省级	河南省淅川县脑子寨	111°31′00″,33°07′30″
DC68	杨家堡组地层剖面	寒武系	地层剖面	省级	河南省淅川县秀子沟	111°18′00″,32°53′00″
DC69	岩屋沟组地层剖面	寒武系	地层剖面	省级	河南省淅川县秀子沟	111°18′00″,32°53′30″
DC70	冯家凹组地层剖面	寒武系	地层剖面	省级	河南省淅川县秀子沟	111°18′00″,32°53′50″
DC71	习家店组地层剖面	寒武系	地层剖面	省级	河南省淅川县秀子沟	111°19′00″,32°54′00″
DC72	秀子沟组地层剖面	寒武系	地层剖面	省级	河南省淅川县秀子沟	111°21′00″,32°54′00″
DC73	火神庙组地层剖面	下古生界	地层剖面	省级	河南省西峡县二郎坪乡火神庙村	111°39′00″,33°33′20″
DC74	抱树坪组地层剖面	下古生界	地层剖面	省级	河南省西峡县石界河乡抱树坪村	111°21′00″,33°38′00″
DC75	石门冲（岩）组地层剖面	下古生界	地层剖面	省级	河南省商城县三里坪乡石门冲村	115°18′00″,31°53′00″
DC76	周进沟（岩）组地层剖面	下古生界	地层剖面	省级	河南省西峡县重阳乡周进沟村	111°14′00″,33°22′00″
DC77	白龙庙组地层剖面	奥陶系	地层剖面	国家级	河南省淅川县脑子寨	111°31′30″,33°07′00″
DC78	牛尾巴山组地层剖面	奥陶系	地层剖面	省级	河南省淅川县牛尾巴山	111°31′00″,33°09′00″
DC79	柞蚌组地层剖面	奥陶系	地层剖面	省级	河南省淅川县王冠沟	111°31′00″,33°06′40″
DC80	蚕子营组地层剖面	奥陶系	地层剖面	省级	河南省淅川县石燕河	111°18′00″,33°06′50″
DC81	张湾组地层剖面	志留系	地层剖面	国家级	河南省淅川县张湾乡后凹村	111°27′00″,33°05′00″
DC82	柿树园组地层剖面	上古生界	地层剖面	省级	河南省淅川县学院一二道河	112°14′00″,33°32′00″
DC83	南湾组地层剖面	上古生界	地层剖面	省级	河南省光山县牢山钱大湾一五岳水库	114°35′35″,31°50′40″
DC84	白山沟组地层剖面	泥盆系	地层剖面	国家级	河南省淅川县魏营白山沟	111°31′30″,33°02′00″
DC85	王冠沟组地层剖面	泥盆系	地层剖面	国家级	河南省淅川县魏营东北王冠沟	111°31′30″,33°02′40″
DC86	葫芦山组地层剖面	泥盆系	地层剖面	国家级	河南省淅川县胡家泉一付家营	111°24′00″,33°05′00″
DC87	下集组地层剖面	石炭系	地层剖面	省级	河南省淅川县候家坡村	111°31′00″,33°03′00″
DC88	梁沟组地层剖面	石炭系	地层剖面	省级	河南省淅川县石咀丫一梁沟	111°31′30″,33°03′00″
DC89	三关垭组地层剖面	石炭系	地层剖面	省级	河南省淅川县三关垭	111°33′00″,33°03′00″

续附表 1

编号	遗迹名称	地层时代	类型	建议等级	位置	坐标（经纬度）
DC90	花园墙组地层剖面	石炭系	地层剖面	省级	河南省固始县花园墙-刘林	115°40′00″,31°49′40″
DC91	杨山组地层剖面	石炭系	地层剖面	国家级	河南省固始县杨山煤矿-小杨山	115°38′30″,31°49′40″
DC92	道人冲组地层剖面	石炭系	地层剖面	国家级	河南省固始县管家店-杨山煤矿	115°35′20″,31°51′30″
DC93	胡油坊组地层剖面	石炭系	地层剖面	国家级	河南省商城县伏岭湾-固始县李家牌坊	115°34′40″,31°48′00″
DC94	杨小庄组地层剖面	石炭系	地层剖面	国家级	河南省商城县卷棚桥-伏岭湾	115°33′00″,31°49′00″
DC95	双石头组地层剖面	石炭系	地层剖面	省级	河南省商城县王坳村	115°32′00″,31°49′00″
DC96	石盒子组小风口段地层剖面	二叠系	地层剖面	省级	河南省登封市大风口	113°10′00″,34°09′00″
DC97	石盒子组云盖山段地层剖面	二叠系	地层剖面	省级	河南省禹州市大风口	113°13′00″,34°09′59″
DC98	石盒子组平顶山段地层剖面	二叠系	地层剖面	省级	河南省平顶山市八矿	113°25′30″,33°46′00″
DC99	石千峰群孙家沟组地层剖面	二叠系	地层剖面	省级	河南省宜阳县南天门	112°09′30″,34°29′20″
DC100	石千峰群刘家沟组地层剖面	三叠系	地层剖面	省级	河南省登封市大金店乡王堂水库	112°59′00″,34°20′07″
DC101	石千峰群和尚沟组地层剖面	三叠系	地层剖面	省级	河南省宜阳县南天门煤矿	112°09′30″,34°30′00″
DC102	延长群油房庄组地层剖面	三叠系	地层剖面	国家级	河南省济源县油房庄-谭庄	112°26′00″,35°02′00″
DC103	延长群椿树腰组地层剖面	三叠系	地层剖面	国家级	河南省济源县西承留乡椿树腰	112°27′00″,35°03′00″
DC104	延长群谭庄组地层剖面	三叠系	地层剖面	国家级	河南省济源县西承留乡谭庄村	112°27′00″,35°04′00″
DC105	太山庙组地层剖面	三叠系	地层剖面	省级	河南省南召县太山庙鸭河东岸	112°40′00″,33°23′40″
DC106	鞍腰组地层剖面	侏罗系	地层剖面	省级	河南省济源县鞍腰村	112°28′00″,35°04′00″
DC107	马凹组地层剖面	侏罗系	地层剖面	省级	河南省济源县西承留乡谭庄东山	112°28′30″,35°04′00″
DC108	韩庄组地层剖面	侏罗系	地层剖面	省级	河南省济源县西承留乡马凹-韩庄	112°26′30″,35°04′40″
DC109	义马组地层剖面	侏罗系	地层剖面	省级	河南省义马县北露天矿西部	111°54′00″,34°43′00″
DC110	南召组地层剖面	侏罗系	地层剖面	省级	河南省南召县马市坪乡黄土岭	112°13′00″,33°34′00″
DC111	朱集组地层剖面	侏罗系	地层剖面	国家级	河南省固始县下河湾水库-武庙	115°44′00″,31°52′00″
DC112	段集组地层剖面	侏罗系	地层剖面	国家级	河南省固始县武庙-下庄子	115°44′03″,31°53′00″

续附表 1

编号	遗迹名称	地层时代	类型	建议等级	位置	坐标（经纬度）
DC113	金刚台组地层剖面	侏罗系	地层剖面	省级	河南省商城县安家楼—金寨郑世坳	115°30′00″,31°44′00″
DC114	陈棚组地层剖面	白垩系	地层剖面	省级	河南省光山县石窝岗—孙洼	114°49′00″,31°57′00″
DC115	白湾组地层剖面	白垩系	地层剖面	国家级	河南省镇平县赵湾水库白湾村东	112°10′00″,33°09′00″
DC116	马市坪组地层剖面	白垩系	地层剖面	省级	河南省南召县马市坪镇黄土岭村	112°13′00″,33°35′00″
DC117	九店组地层剖面	白垩系	地层剖面	省级	河南省汝阳县裴家湾—嵩县九店	112°18′00″,34°10′00″
DC118	大营组地层剖面	白垩系	地层剖面	省级	河南省宝丰县大营—韩庄	112°52′00″,33°56′00″
DC119	高沟组地层剖面	白垩系	地层剖面	国家级	河南省淅川县滔河镇黑豆崖—东西寺	111°20′00″,33°01′30″
DC120	马家村组地层剖面	白垩系	地层剖面	国家级	河南省淅川县滔河镇黑豆崖—东西寺马家村	111°16′00″,33°02′00″
DC121	寺沟组地层剖面	白垩系	地层剖面	国家级	河南省淅川县滔河镇黑豆崖—东西寺寺沟组	111°15′30″,32°59′45″
DC122	东孟村组地层剖面	白垩系	地层剖面	省级	河南省渑池县东孟村	111°48′30″,34°43′40″
DC123	南朝组地层剖面	白垩系	地层剖面	省级	河南省灵宝县川口镇东涧沟村	110°59′00″,34°29′00″
DC124	高峪沟组地层剖面	古近系	地层剖面	国家级	河南省栾川县潭头乡李家庄北	111°46′00″,34°02′00″
DC125	潭头组地层剖面	古近系	地层剖面	国家级	河南省栾川县潭头乡李家庄	111°47′00″,34°01′00″
DC126	玉皇顶组地层剖面	古近系	地层剖面	国家级	河南省淅川县仓房镇石庙村	111°26′00″,32°47′00″
DC127	大仓房组地层剖面	古近系	地层剖面	国家级	河南省淅川县仓房镇石庙村	111°28′00″,32°47′00″
DC128	核桃园组地层剖面	古近系	地层剖面	国家级	河南省淅川县仓房镇石庙村	111°29′10″,32°47′00″
DC129	上寺组地层剖面	古近系	地层剖面	省级	河南省淅川县仓房镇石庙村	111°26′10″,32°47′40″
DC130	李庄组地层剖面	古近系	地层剖面	省级	河南省信阳市平桥区明港镇西畜牧场—尹庄村	114°02′00″,32°26′30″
DC131	毛家坡组地层剖面	古近系	地层剖面	省级	河南省桐柏县固县镇李土沟村北	113°35′00″,32°27′00″
DC132	李土沟组地层剖面	古近系	地层剖面	省级	河南省桐柏县固县镇李土沟村南—余庄村北	113°35′00″,32°26′30″
DC133	五里墩组地层剖面	古近系	地层剖面	省级	河南省桐柏县吴城乡五里墩村	113°29′10″,32°24′40″
DC134	张家村组地层剖面	古近系	地层剖面	省级	河南省卢氏县张麻龙潭—坡根	110°59′00″,34°05′00″
DC135	卢氏组地层剖面	古近系	地层剖面	国家级	河南省卢氏县城南 3km 红崖村南	111°03′00″,34°01′00″

续附表 1

编号	遗迹名称	地层时代	类型	建议等级	位置	坐标（经纬度）
DC136	大峪组地层剖面	古近系	地层剖面	国家级	河南省卢氏县南苏村东南三角沟	111°10′00″,34°04′00″
DC137	陈宅沟组地层剖面	古近系	地层剖面	省级	河南省宜阳县城关镇陈宅村南	112°05′00″,34°29′40″
DC138	蟒川组地层剖面	古近系	地层剖面	省级	河南省汝州市蟒川西村南 4km	112°44′00″,34°02′00″
DC139	石台街组地层剖面	古近系	地层剖面	省级	河南省汝州市杨楼乡石台街西南	112°36′00″,34°07′00″
DC140	聂庄组地层剖面	古近系	地层剖面	国家级	河南省济源县轵城乡张庄村	112°31′00″,35°01′30″
DC141	余庄组地层剖面	古近系	地层剖面	省级	河南省济源县轵城乡余庄村	112°31′00″,35°02′40″
DC142	泽峪组地层剖面	古近系	地层剖面	省级	河南省济源县承留乡泽峪村	112°31′00″,35°03′00″
DC143	南姚组地层剖面	古近系	地层剖面	省级	河南省济源县承留乡南姚村	112°30′50″,35°03′30″
DC144	彰武组地层剖面	新近系	地层剖面	省级	河南省安阳市水冶镇彰武水库东侧庙子岭南东 1km	114°09′00″,36°04′30″
DC145	鹤壁组地层剖面	新近系	地层剖面	省级	河南省安阳市龙泉东平一干串	114°11′00″,36°02′00″
DC146	潞王坟组地层剖面	新近系	地层剖面	国家级	河南省新乡市潞王坟采石场	113°55′49″,35°25′08″
DC147	庞村组地层剖面	新近系	地层剖面	省级	河南省淇县高村乡杨庄东淇河西岸	114°14′30″,35°45′12″
DC148	洛阳组地层剖面	新近系	地层剖面	省级	河南省洛阳市西郊孙旗屯镇东沙坡村	112°20′00″,34°38′00″
DC149	大安组地层剖面	新近系	地层剖面	省级	河南省汝阳县内埠镇马坡村	112°33′00″,34°19′00″
DC150	雪家沟组地层剖面	新近系	地层剖面	省级	河南省卢氏县文峪乡雪家沟	111°05′00″,34°02′00″
DC151	棉凹组地层剖面	新近系	地层剖面	省级	河南省三门峡市高庙镇棉凹村	111°17′00″,34°47′00″
DC152	尹庄组地层剖面	新近系	地层剖面	省级	河南省桐柏县平氏乡尹庄	113°09′00″,32°33′00″
DC153	凤凰镇组地层剖面	新近系	地层剖面	省级	河南省淅川县凤凰镇	111°40′00″,32°50′00″
DC154	三门组地层剖面	第四系	地层剖面	国家级	河南省三门峡市	111°10′00″,34°45′00″
DC155	赵下峪黄土剖面	第四系	地层剖面	国家级	河南省郑州市荥阳市北邙乡刘沟村北	113°22′20″,34°57′50″
DC156	汝州晚前寒武纪罗圈古冰川遗迹	震旦系	地质事件剖面	世界级	河南省汝州市蟒川镇罗圈村	112°45′00″,34°01′00″

附 件

附表2 河南省岩石剖面类地质遗迹保护名录

编号	遗迹名称	类	亚类	建议等级	位置	坐标（经纬度）
YS1	石牌河闪长岩体	岩石剖面	侵入岩剖面（嵩阳期）	国家级	河南省登封市君召北东青羊沟	112°51′52″，34°27′54″
YS2	石秤花岗岩岩体	岩石剖面	侵入岩剖面（王屋山期）	国家级	河南省登封县君召乡水磨湾	112°52′10″，34°26′10″
YS3	三坪沟石英闪长岩体	岩石剖面	侵入岩剖面（晋宁期）	省级	河南省淅川县三坪沟	111°10′00″，33°22′00″
YS4	洋淇沟超基性岩体	岩石剖面	侵入岩剖面（晋宁期）	国家级	河南省西峡县西坪镇洋淇沟	111°01′02″，33°32′14″
YS5	吐雾山花岗斑岩体	岩石剖面	侵入岩剖面（加里东晚期）	省级	河南省邓州市罗庄东吐雾山	111°58′00″，32°58′00″
YS6	龙王潼花岗岩体	岩石剖面	侵入岩剖面（加里东晚期）	国家级	河南省栾川县鸭池沟	111°44′00″，33°50′38″
YS7	柳树庄超基性岩体	岩石剖面	侵入岩剖面（加里东晚期）	省级	河南省桐柏县二郎山乡柳树庄	113°16′55″，32°31′53″
YS8	德河片麻状花岗岩	岩石剖面	侵入岩剖面（晋宁期）	省级	河南省西峡县寨根乡德河	111°04′20″，33°32′28″
YS9	桐柏麻粒岩	岩石剖面	变质岩剖面	国家级	河南省桐柏县大河镇罗庄东北	113°22′05″，32°28′11″
YS10	桐柏老湾花岗岩岩体	岩石剖面	侵入岩剖面（华里西晚期）	省级	河南省桐柏县老湾	113°19′20″，32°27′30″
YS11	东冶闪长岩体	岩石剖面	侵入岩剖面（燕山期）	省级	河南省林州市和顺镇东冶	113°53′00″，36°12′30″
YS12	嵩县万村花岗岩体	岩石剖面	侵入岩剖面（燕山早期）	省级	河南省嵩县大章乡万村	111°48′00″，34°09′30″
YS13	嵩坪花岗岩岩体	岩石剖面	侵入岩剖面（燕山晚期）	省级	河南省洛宁县神灵寨	111°43′30″，34°15′40″
YS14	合峪花岗岩岩体	岩石剖面	侵入岩剖面（燕山晚期）	省级	河南省栾川县合峪乡庙湾西北	111°52′00″，33°55′30″

续附表 2

编号	遗迹名称	类	亚类	建议等级	位置	坐标（经纬度）
YS15	南泥湖花岗闪长斑岩体	岩石剖面	侵入岩剖面（燕山晚期）	省级	河南省栾川县冷水乡南泥湖	111°29′30″，33°55′00″
YS16	嵖岈山花岗岩岩体	岩石剖面	侵入岩剖面（燕山晚期）	省级	河南省遂平县嵖岈山	113°43′44″，33°08′03″
YS17	新县花岗岩岩体	岩石剖面	侵入岩剖面（燕山晚期）	省级	河南省新县城关镇杷棚西200m	114°50′20″，31°35′38″
YS18	大鸟山-化象金伯利岩体群	岩石剖面	侵入岩剖面（喜马拉雅期）	省级	河南省鹤壁市鹤山区鹤壁集乡姬家山西	114°06′32″，35°57′20″
YS19	鹤壁尚峪苦橄玢岩	岩石剖面	火山岩剖面（喜马拉雅期）	国家级	河南省鹤壁市鹿楼乡上峪村西	114°09′23″，35°50′52″
YS20	汝阳李陈庄新近纪古火山机构	岩石剖面	火山岩剖面（喜马拉雅期）	省级	河南省汝阳县蔡店乡李陈庄	112°27′01″，34°14′18″
YS21	熊耳群火山岩	岩石剖面	火山岩剖面	世界级	河南省济源市邵源镇小沟背村	112°11′13″，35°15′21″
YS22	高压-超高压榴辉岩	岩石剖面	变质岩剖面	世界级	河南省新县泗店乡腊树塘	114°54′21″，31°31′17″
YS23	巨型波痕	岩石剖面	沉积岩相	国家级	河南省修武县云台山世界地质公园云台山园区	113°19′03″，35°28′06″
YS24	鞍腰组深湖浊积岩	岩石剖面	沉积岩剖面	世界级	河南省济源市西留承乡鞍腰村西北	112°28′40″，35°03′50″
YS25	小沟背组河流砾岩	岩石剖面	沉积岩剖面	省级	河南省济源市邵源镇小沟背村	112°10′40″，35°14′55″
YS26	嵩山新太古代TTG片麻岩	岩石剖面	侵入岩剖面（新太古代）	国家级	河南省登封市法王寺景区公路边	113°02′01″，34°29′02″

附件

附表3 河南省构造剖面类地质遗迹保护名录

编号	遗迹名称	类	亚类	建议等级	位置	坐标(经纬度)
GZ1	嵩阳运动	构造剖面	不整合界面	世界级	河南省登封市老母洞北	113°02′08″,34°30′14″
GZ2	中岳运动	构造剖面	不整合界面	世界级	河南省登封市玄天庙西北	112°57′57″,34°30′34″
GZ3	少林运动	构造剖面	不整合界面	世界级	河南省偃师市佛光乡堂前村东850m	112°54′41″,34°29′47″
GZ4	王屋山运动	构造剖面	不整合界面	世界级	河南省济源(市)邵源镇小沟背村	112°10′47″,35°14′46″
GZ5	五佛山群重力滑动构造	构造剖面	断层	世界级	河南省偃师市佛光乡五佛山村	112°51′26″,34°29′26″
GZ6	马超营断裂带(鸡笼山)	构造剖面	断层	国家级	河南省卢氏县范里乡鸡笼山	111°13′52″,34°01′24″
GZ7	马超营断裂带(白土街)	构造剖面	断层	国家级	河南省栾川县白土乡白土街村西北	111°25′13″,34°02′38″
GZ8	马超营断裂带(东岭台)	构造剖面	断层	国家级	河南省栾川县狮子庙乡东岭台沟村	111°34′36″,34°01′15″
GZ9	栾川-明港断裂带	构造剖面	断层	国家级	河南省栾川县庙子镇南	111°43′42″,33°45′40″
GZ10	朱阳关-夏馆断裂带(军马河)	构造剖面	断层	国家级	河南省西峡县军马河镇盆坑村西	111°29′03″,33°32′23″
GZ11	朱阳关-夏馆断裂带(金庄河)	构造剖面	断层	国家级	河南省镇平县高丘镇金庄河村东北	112°03′26″,33°13′23″
GZ12	西官庄-镇平断裂带	构造剖面	断层	世界级	河南省西峡县重杀沟口	111°29′54″,33°21′23″
GZ13	松扒-龟山断裂带(松扒)	构造剖面	断层	世界级	河南省桐柏县大河乡松扒村400m	113°19′25″,32°28′12″
GZ14	松扒-龟山断裂带(睡仙桥)	构造剖面	断层	世界级	河南省平桥区睡仙桥村南	113°56′33″,32°09′23″
GZ15	龟山-梅山断裂带	构造剖面	断层	世界级	河南省商城县鲇鱼山乡周后垱村西800m	115°21′38″,31°46′46″
GZ16	晓天-磨子潭断裂带	构造剖面	断层	国家级	河南省新县浒湾乡曹湾行政村南坳村	114°52′40″,31°43′57″
GZ17	车村-鲁山断裂带	构造剖面	断层	省级	河南省鲁山县李村乡李庄村西北	112°34′14″,33°45′31″
GZ18	任村-西罗罗平断裂带	构造剖面	断层	国家级	河南省林州市姚村乡坟头村西	113°47′48″,36°13′19″
GZ19	青羊口断裂带	构造剖面	断层	国家级	河南省淇县北阳乡北崭村东500m	114°06′34″,35°37′21″
GZ20	盘古寺断裂带	构造剖面	断层	省级	河南省济源市克井镇盘古寺西北	112°37′22″,35°11′38″
GZ21	封门口断裂层	构造剖面	断层	省级	河南省济源市西承留乡虎岭北900m	112°24′14″,35°06′11″
GZ22	变质核杂岩伸展拆离构造	构造剖面	断层	国家级	河南省灵宝市槐树岭口	110°45′36″,34°28′51″
GZ23	平卧褶皱	构造剖面	褶皱	省级	河南省登封市十里铺西	112°57′54″,34°29′36″
GZ24	天坛山倒转背斜	构造剖面	褶皱	国家级	河南省济源市王屋山世界地质公园阳台宫—天坛山	112°16′09″,35°11′09″

附表4 河南省重要化石产地类地质遗迹保护名录

编号	遗迹名称	类	亚类	建议等级	位置	坐标（经纬度）
HS1	义马义马组银杏植物群	重要化石产地	古植物	世界级	河南省义马市北露天矿西部	111°53′40″，34°43′24″
HS2	汝阳刘店组恐龙动物群	重要化石产地	脊椎动物	世界级	河南省汝阳县刘店乡刘富沟村西	112°33′24″，34°04′40″
HS3	西峡恐龙蛋化石产地	重要化石产地	脊椎动物	世界级	河南省西峡县丹水镇三里庙村上田组	111°40′42″，33°14′02″
HS4	淅川奥陶纪无脊椎动物群	重要化石产地	无脊椎动物	世界级	河南省淅川县大石桥乡石燕河	111°18′00″，33°08′00″
HS5	禹州华夏植物群	重要化石产地	古植物	世界级	河南省禹州市磨街花园至大凤口	113°11′16″，34°08′41″
HS6	叶县早第三纪杨寺庄动物群	重要化石产地	无脊椎动物	国家级	河南省叶县保安镇杨寺庄南约1km	113°17′42″，33°21′04″
HS7	淅川早志留世笔石动物群	重要化石产地	无脊椎动物	国家级	河南省淅川县张湾后凹	111°27′20″，33°04′21″
HS8	淅川石炭纪无脊椎动物群	重要化石产地	无脊椎动物	国家级	河南省淅川县白石崖、三关垭	111°31′57″，33°00′50″
HS9	固始杨山早石炭世植物群	重要化石产地	古植物	国家级	河南省固始县方集镇杨山村	115°37′28″，31°50′47″
HS10	济源承留中侏罗世双壳动物群	重要化石产地	无脊椎动物	国家级	河南省济源市承留镇马凹村	112°28′30″，35°04′00″
HS11	南召马市坪早白垩世热河生物群	重要化石产地	无脊椎动物	国家级	河南省南召县马市坪乡黄土岭午村	112°12′00″，33°34′00″
HS12	栾川秋扒晚白垩世晚期恐龙动物群	重要化石产地	脊椎动物	国家级	河南省栾川县秋扒机镇高坪村	111°40′00″，34°02′00″
HS13	卢氏新生代脊椎动物群	重要化石产地	脊椎动物	国家级	河南省卢氏县孟家坡（王家家）	111°02′14″，34°00′49″
HS14	鲁山辛集寒武纪三叶虫动物群	重要化石产地	无脊椎动物	省级	河南省鲁山县辛集乡西北2.5km石膏矿	112°59′00″，33°48′00″
HS15	固始庙冲石炭纪生物群	重要化石产地	无脊椎动物	省级	河南省固始县杨山煤矿西至庙冲	115°36′20″，31°51′02″
HS16	镇平赵湾水库早白垩世热河生物群	重要化石产地	无脊椎动物	省级	河南省镇平县石佛寺赵湾水库旁	112°09′50″，33°09′10″
HS17	淅川始新世脊椎动物群	重要化石产地	脊椎动物	国家级	河南省淅川县仓房乡石庙村	111°26′20″，32°47′40″
HS18	桐柏吴城始新世脊椎动物群	重要化石产地	脊椎动物	省级	河南省桐柏县固县镇李土沟村北	113°34′20″，32°26′50″
HS19	新乡中新世三趾马动物群	重要化石产地	脊椎动物	省级	河南省新乡市市辖王牧	113°55′49″，35°25′08″
HS20	南召猿人遗址	重要化石产地	古人类遗址	省级	河南省南召县云阳镇楼阮庄杏花山	112°41′00″，33°28′00″
HS21	新蔡第四纪哺乳动物群	重要化石产地	脊椎动物	省级	河南省新蔡县练村集乡姚庄	115°08′44″，32°39′10″
HS22	唐河西大岗脊椎动物群	重要化石产地	脊椎动物	省级	河南省唐河县城关镇西大岗龙山路北段	112°48′39″，32°41′20″
HS23	济源二叠纪硅化木化石产地	重要化石产地	古植物	省级	河南省济源市下冶乡草沟东驼煤岭北	112°15′17″，35°01′56″
HS24	济源古近纪两栖犀化石产地	重要化石产地	脊椎动物	省级	河南省济源市西承留乡东张村附近	112°28′00″，35°05′00″

附 件

附表 5 河南省重要岩矿石产地类地质遗迹保护名录

编号	遗迹名称	类	亚类	建议等级	位置	坐标（经纬度）
YK1	平顶山煤矿产地	重要岩矿石产地	典型矿床类露头	国家级	河南省平顶山市擂鼓台—平顶山	113°19′20″,33°46′40″
YK2	焦作煤矿产地	重要岩矿石产地	采矿遗址	国家级	河南省焦作市中站区李封矿井	113°10′20″,35°14′50″
YK3	舞钢经山寺铁矿产地	重要岩矿石产地	采矿遗址	国家级	河南省舞钢市八台乡尚庙铁山	113°27′00″,33°23′28″
YK4	安林式铁矿产地	重要岩矿石产地	采矿遗址	省级	河南省林州市东冶铁矿	113°53′48″,36°12′22″
YK5	新安黛眉寨铁矿产地	重要岩矿石产地	典型矿床露头	省级	河南省新安县黛眉寨	111°57′38″,35°01′36″
YK6	栾川钼钨矿产地	重要岩矿石产地	采矿遗址	世界级	河南省栾川县冷水镇南泥湖	111°26′06″,33°54′37″
YK7	巩义小关铝土矿产地	重要岩矿石产地	典型矿床类露头	国家级	河南省巩义市小关镇以南1km	113°07′20″,34°41′20″
YK8	新安张窑院铝土矿产地	重要岩矿石产地	采矿遗址	国家级	河南省新安县石寺镇张窑院村东1400m	112°03′20″,34°48′23″
YK9	围山矿产地（桐柏破山银矿产地）	重要岩矿石产地	典型矿物命名地	世界级	河南省桐柏县围山城金银矿破山矿区	113°23′07″,32°34′56″
YK10	桐柏矿产地	重要岩矿石产地	典型矿物命名地	世界级	河南省桐柏县二郎庙乡柳树庄	113°16′55″,32°31′39″
YK11	桐柏大河铜锌矿产地	重要岩矿石产地	采矿遗址	省级	河南省桐柏县大河镇刘山岩村	113°19′21″,32°32′54″
YK12	栾川赤土店铅锌矿产地	重要岩矿石产地	采矿遗址	省级	河南省栾川县城赤土店乡	111°34′33″,33°50′37″
YK13	卢氏大河沟锑矿产地	重要岩矿石产地	采矿遗址	省级	河南省卢氏县五里川镇北西17km处	110°57′40″,33°47′40″
YK14	灵宝小秦岭金矿产地	重要岩矿石产地	采矿遗址	国家级	河南省灵宝市朱阳镇杨砦岭	110°32′08″,34°24′07″
YK15	桐柏银洞坡金矿产地	重要岩矿石产地	采矿遗址	省级	河南省桐柏县朱庄乡银洞坡	113°25′50″,32°33′12″

续附表 5

编号	遗迹名称	类	亚类	建议等级	位置	坐标（经纬度）
YK16	洛宁沙沟银铅矿产地	重要岩矿石矿产地	典型矿床类露头	国家级	河南省洛宁县下峪乡沙沟村（前赵沟）南偏东600m	111°14′59″,34°10′07″
YK17	卢氏官坡稀有金属矿产地	重要岩矿石矿产地	采矿遗址	省级	河南省卢氏县官坡镇西2km	110°43′00″,33°52′40″
YK18	信阳上天梯珍珠岩矿产地	重要岩矿石矿产地	典型矿床类露头	国家级	河南省信阳市平桥区五里店乡刘家冲	114°15′54″,32°06′00″
YK19	焦作大连耐火黏土矿产地	重要岩矿石矿产地	采矿遗址	省级	河南省焦作市中站区龙洞乡西部	113°07′20″,35°16′05″
YK20	淅川马头山蓝石棉（虎睛石）矿产地	重要岩矿石矿产地	典型矿床类露头	省级	河南省淅川县城东偏北5km处马头山	111°32′20″,33°09′00″
YK21	南阳隐山蓝晶石矿产地	重要岩矿石矿产地	典型矿床类露头	国家级	河南省南阳县新店乡隐山	112°41′50″,33°06′28″
YK22	镇平杨连沟矽线石矿产地	重要岩矿石矿产地	典型矿床类露头	国家级	河南省镇平县二龙乡杨连沟东北	112°10′19″,33°12′14″
YK23	西峡羊奶沟钒红柱石矿产地	重要岩矿石矿产地	典型矿床类露头	国家级	河南省西峡县桑坪乡羊乃沟	111°14′20″,33°41′00″
YK24	桐柏吴城天然碱矿产地	重要岩矿石矿产地	采矿遗址	国家级	河南省桐柏县吴城镇南部	113°30′30″,32°24′30″
YK25	南阳独山玉矿产地	重要岩矿石矿产地	采矿遗址	国家级	河南省南阳市北郊独山山岭	112°34′30″,33°03′32″
YK26	新密密玉矿产地	重要岩矿石矿产地	采矿遗址	省级	河南省新密市牛店乡助泉寺	113°11′35″,34°33′25″
YK27	汝阳梅花玉矿产地	重要岩矿石矿产地	采矿遗址	省级	河南省汝阳县上店镇西南	112°23′00″,34°06′40″
YK28	泌阳水晶矿产地	重要岩矿石矿产地	采矿遗址	省级	河南省泌阳县铜山	113°35′10″,32°43′10″
YK29	镇平小岔沟石墨矿产地	重要岩矿石矿产地	采矿遗址	省级	河南省镇平县二龙乡	112°04′44″,33°14′36″
YK30	叶县马庄盐矿产地	重要岩矿石矿产地	采矿遗址	国家级	河南省叶县马庄回族乡	113°20′00″,33°36′00″

附件

附表6 河南省岩土体地貌类主要地质遗迹保护名录

编号	遗迹名称	类	亚类	建议等级	位置	坐标（经纬度）
YM1	修武云台山红石峡谷地貌	岩土体地貌	碎屑岩地貌	世界级	河南省修武县云台山世界地质云台山公园	113°21′23″,35°25′52″
YM2	林州峥石岩地貌	岩土体地貌	碎屑岩地貌	省级	河南省林州市红旗渠地质公园太行山大峡谷景区	113°43′20″,36°14′50″
YM3	新安龙潭峡谷地貌	岩土体地貌	碎屑岩地貌	国家级	河南省新安县石井乡	112°00′44″,34°58′39″
YM4	新安天碑石碎屑岩地貌	岩土体地貌	碎屑岩地貌	国家级	河南省洛阳市新安县石井乡龙潭峡谷	111°58′46″,34°57′35″
YM5	渑池仰韶大峡谷地貌	岩土体地貌	碎屑岩地貌	省级	河南省渑池县段村乡南岭村	111°56′15″,34°58′47″
YM6	遂平嵖岈山花岗岩地貌	岩土体地貌	花岗岩地貌	国家级	河南省遂平县嵖岈山风景区	113°43′44″,33°08′03″
YM7	鲁山尧山花岗岩地貌	岩土体地貌	花岗岩地貌	国家级	河南省鲁山县尧山镇西南约15km	112°14′39″,33°43′13″
YM8	洛宁中华大石瀑花岗岩地貌	岩土体地貌	花岗岩地貌	国家级	河南省洛宁县神灵寨风景区	111°42′40″,34°15′43″
YM9	洛宁五女峰花岗岩地貌	岩土体地貌	花岗岩地貌	国家级	河南省洛宁县神灵寨风景区	111°42′20″,34°16′24″
YM10	信阳鸡公山花岗岩地貌	岩土体地貌	花岗岩地貌	国家级	河南省信阳市鸡公山风景区	114°04′21″,31°48′04″
YM11	新县金兰山花岗岩地貌	岩土体地貌	花岗岩地貌	省级	河南省新县金兰山风景区	114°48′05″,31°41′16″
YM12	汝阳炎黄峰花岗岩地貌	岩土体地貌	花岗岩地貌	省级	河南省汝阳县付店镇南	112°17′19″,33°49′33″
YM13	内乡宝天曼花岗岩地貌	岩土体地貌	花岗岩地貌	国家级	河南省内乡县宝天曼国家自然保护区	111°55′25″,33°31′37″
YM14	灵宝女郎山花岗岩地貌	岩土体地貌	花岗岩地貌	国家级	河南省灵宝市焦村镇内	110°35′05″,34°24′13″
YM15	宜阳花果山花岗岩地貌	岩土体地貌	花岗岩地貌	省级	河南省宜阳县木柴关乡西南3000m	111°51′18″,34°18′34″
YM16	卢氏玉皇尖花岗岩地貌	岩土体地貌	花岗岩地貌	省级	河南省卢氏县狮子坪乡玉皇山	110°48′42″,33°44′17″
YM17	西峡老界岭花岗岩地貌	岩土体地貌	花岗岩地貌	省级	河南省西峡县太平镇乡西北部	111°40′07″,33°41′17″
YM18	镇平五朵山花岗岩地貌	岩土体地貌	花岗岩地貌	省级	河南省镇平县五朵山风景区	112°13′52″,33°19′45″
YM19	栾川老君山花岗岩地貌	岩土体地貌	花岗岩地貌	省级	河南省栾川县老君山自然保护区	111°38′45″,33°43′20″
YM20	栾川龙峪湾花岗岩地貌	岩土体地貌	花岗岩地貌	省级	河南省栾川县龙峪湾风景区	111°45′38″,33°42′24″
YM21	嵩县白云山花岗岩地貌	岩土体地貌	花岗岩地貌	省级	河南省嵩县白云山国家自然保护区	111°49′39″,33°43′20″
YM22	嵩县木札岭花岗岩地貌	岩土体地貌	花岗岩地貌	省级	河南省嵩县车村镇东南部龙王村	112°13′16″,33°43′52″

续附表 6

编号	遗迹名称	类	亚类	建议等级	位置	坐标（经纬度）
YM23	嵩县天池山花岗岩地貌	岩土体地貌	花岗岩地貌	省级	河南省嵩县王莽寨林场	111°51′16″,34°15′25″
YM24	登封少室山石英岩地貌	岩土体地貌	变质岩地貌	国家级	河南省登封市清凉寺北3km	112°55′42″,34°28′44″
YM25	桐柏山鳍褶皱洞穴——桃花洞	岩土体地貌	变质岩地貌	国家级	河南省桐柏县固庙镇南	113°16′12″,32°23′55″
YM26	桐柏山元古宙花岗岩地貌	岩土体地貌	变质岩地貌	国家级	河南省桐柏县固庙镇南5000m	113°16′28″,32°22′37″
YM27	商城猫耳石火山岩地貌	岩土体地貌	火山岩地貌	国家级	河南省商城县四顾墩乡刘小坳村南	115°30′56″,31°43′37″
YM28	修武龙凤壁岩溶地貌	岩土体地貌	岩溶地貌	国家级	河南省修武县云台山世界地质公园云台山园区	113°21′20″,35°28′00″
YM29	栾川鸡冠洞岩溶地貌	岩土体地貌	岩溶地貌	国家级	河南省栾川县城西3km	111°33′57″,33°47′08″
YM30	巩义雪花洞岩溶地貌	岩土体地貌	岩溶地貌	省级	河南省巩义市新中镇老庙村东南400m	113°10′59″,34°37′45″
YM31	卢氏九龙洞岩溶地貌	岩土体地貌	岩溶地貌	省级	河南省卢氏县双槐树乡九龙洞	110°56′45″,33°49′57″
YM32	新密神仙洞岩溶地貌	岩土体地貌	岩溶地貌	省级	河南省新密市米村乡尖山村东北	113°15′40″,34°37′20″
YM33	西峡伏牛地下河岩溶地貌	岩土体地貌	岩溶地貌	省级	河南省西峡县双龙镇小水村	111°34′57″,33°28′20″
YM34	西峡商花洞岩溶地貌	岩土体地貌	岩溶地貌	省级	河南省西峡县双龙镇独阜岭根村	111°30′41″,33°28′57″
YM35	邓州杏山岩溶地貌	岩土体地貌	岩溶地貌	省级	河南省邓州市杏山办事处杏山村	111°40′40″,32°38′26″
YM36	永城剥蚀残丘地貌	岩土体地貌	岩溶地貌	国家级	河南省永城市芒山镇芒山	116°29′40″,34°11′35″
YM37	郑州邙山源黄土地貌	岩土体地貌	黄土地貌	国家级	河南省郑州市黄河风景名胜区	113°29′00″,34°57′00″

附表7 河南省构造地貌类地质遗迹保护名录

编号	遗迹名称	类	亚类	建议等级	位置	坐标(经纬度)
GM1	沁阳神农山龙脊岭	构造地貌类	断层构造地貌	国家级	河南省沁阳县云台山世界地质公园神农山园区	112°47′52″,35°12′54″
GM2	林州太行大峡谷	构造地貌类	岩层构造地貌	国家级	河南省林州市红旗渠国家地质公园大峡谷景区	113°44′45″,36°14′14″
GM3	博爱唐县期夷平面	构造地貌类	岩层构造地貌	国家级	河南省博爱县云台山世界地质公园青天河景区	112°59′20″,35°18′00″
GM4	辉县关山石林地貌	构造地貌类	断层构造地貌	国家级	河南省辉县市上八里乡温水泉村西北	113°31′45″,35°33′57″
GM5	嵩山太室山(褶皱山)地貌景观	构造地貌类	褶皱构造地貌	国家级	河南省登封市嵩山	113°00′00″,34°31′15″
GM6	卫辉跑马岭构造地貌	构造地貌类	断层构造地貌	省级	河南省卫辉市狮豹头乡西3000m	113°58′00″,35°38′23″

附表8 河南省构造地貌类地质遗迹保护名录

编号	遗迹名称	类	亚类	建议等级	位置	坐标（经纬度）
ST1	修武云台天瀑	水体地貌	瀑布	世界级	河南省修武县云台山世界地质公园云台山园区	113°19′00″，35°28′15″
ST2	林州九连瀑	水体地貌	瀑布	省级	河南省林州市石板岩乡桃花洞村东1.3km	113°40′57″，36°10′11″
ST3	辉县万仙山磨剑峰瀑布	水体地貌	瀑布	省级	河南省辉县市万仙山景区内	113°36′44″，35°41′49″
ST4	南召龙潭沟瀑布	水体地貌	瀑布	省级	河南省南召县马市坪乡河北村西约250m	112°14′30″，33°36′44″
ST5	桐柏水帘洞瀑布	水体地貌	瀑布	省级	河南省桐柏县水帘洞风景区	113°20′59″，32°21′14″
ST6	安阳珍珠泉	水体地貌	泉（冷水）	省级	河南省安阳市水冶镇向阳村珍珠泉景区内	114°05′46″，36°08′07″
ST7	西峡龙潭沟瀑布群	水体地貌	瀑布	省级	河南省西峡县龙潭沟景区	111°36′41″，33°30′51″
ST8	博爱鲸鱼湾风景河段	水体地貌	河流	省级	河南省博爱县青天河景区	112°59′25″，35°21′48″
ST9	西峡鹳河漂流段	水体地貌	河流	省级	河南省西峡县军马河乡夫子垭至双龙镇寨岗	111°28′21″，33°30′43″
ST10	修武幽潭	水体地貌	湖泊、潭	省级	河南省修武县云台山世界地质公园云台山园区	113°19′10″，35°28′07″
ST11	豫北黄河故道湿地	水体地貌	湿地	国家级	河南省新乡市东南封丘县荆隆宫乡柳园口	114°21′20″，34°55′25″
ST12	汝州温泉街温泉	水体地貌	泉（热水）	国家级	河南省汝州市温泉镇温泉街	112°38′29″，34°12′38″
ST13	陕县温塘温泉	水体地貌	泉（热水）	省级	河南省陕县大营镇温塘村南约600m温水沟口	111°05′43″，34°42′20″
ST14	栾川潭头汤池温泉	水体地貌	泉（热水）	省级	河南省栾川县潭头镇西营村汤池寺	111°47′00″，33°59′00″
ST15	卢氏汤池温泉	水体地貌	泉（热水）	省级	河南省卢氏县汤河乡前边村	111°06′57″，33°50′17″
ST16	鲁山上汤温泉	水体地貌	泉（热水）	省级	河南省鲁山县赵村镇上汤村东南	112°27′19″，33°45′30″
ST17	鲁山中汤温泉	水体地貌	泉（热水）	省级	河南省鲁山县赵村镇中汤村	112°34′00″，33°44′47″

续附表 8

编号	遗迹名称	类	亚类	建议等级	位置	坐标（经纬度）
ST18	鲁山下汤温泉	水体地貌	泉（热水）	国家级	河南省鲁山县下汤镇下汤村	112°40′25″，33°43′19″
ST19	鲁山温汤温泉	水体地貌	泉（热水）	省级	河南省鲁山县赵村镇温汤村	112°33′44″，33°44′27″
ST20	洛阳龙门温泉	水体地貌	泉（热水）	省级	河南省洛阳市龙门石窟风景区东侧	112°28′11″，34°33′00″
ST21	商城汤泉池温泉	水体地貌	泉（热水）	国家级	河南省商城县汤泉池管理处	115°21′04″，31°41′33″
ST22	嵩县汤池沟温泉	水体地貌	泉（热水）	省级	河南省嵩县饭坡乡曲里村汤池沟	112°11′44″，34°11′47″
ST23	郑州三李温泉	水体地貌	泉（热水）	省级	河南省郑州市侯寨乡梨园河村南	113°31′25″，34°38′12″
ST24	内乡大桥温泉	水体地貌	泉（热水）	省级	河南省内乡县大桥乡灵山头村东	111°52′46″，32°57′15″
ST25	辉县百泉	水体地貌	泉（冷水）	国家级	河南省辉县市百泉镇	113°46′44″，35°29′09″
ST26	巩义小龙池泉	水体地貌	泉（冷水）	省级	河南省巩义市新中镇小龙池	113°10′27″，34°39′32″
ST27	博爱三姑泉	水体地貌	泉（冷水）	省级	河南省博爱县青天河峡谷西岸步道口	112°59′07″，35°21′25″

附表9 河南省地质灾害类地质遗迹保护名录

编号	遗迹名称	类	亚类	建议等级	位置	坐标（经纬度）
DZ1	辉县崩塌	地质灾害类	崩塌	国家级	河南省辉县市上八里镇老君堂东500m	113°31′36″,35°33′57″
DZ2	焦作朱村煤矿地面塌陷	地质灾害类	塌陷	省级	河南省焦作市中站区朱村北部办事处	113°09′31″,35°13′11″
DZ3	卢氏县黑马渠沟泥石流	地质灾害类	泥石流	省级	河南省卢氏县县城关镇西黑马渠	111°01′42″,34°03′34″
DZ4	鲁山县尧山镇泥石流	地质灾害类	泥石流	省级	河南省鲁山县尧山镇	112°23′04″,33°44′56″
DZ5	卢氏县狮子坪滑坡	地质灾害类	滑坡	省级	河南省卢氏县狮子坪镇下庄村红甬湾	110°54′03″,33°41′13″